Dicionário de
Sonhos

Zolar

Dicionário de *Sonhos*

Tradução
AFFONSO BLACHEYRE

60ª EDIÇÃO

NOVA ERA

CIP-Brasil. Catalogação-na-fonte
Sindicato Nacional dos Editores de Livros, RJ.

Zolar
Z77d Dicionário de sonhos / Zolar; tradução:
60ª ed. Affonso Blacheyre. – 60ª ed. – Rio de Janeiro:
Nova Era, 2010.

Tradução de: Zolar's encyclopedia and dictionary of dreams
ISBN 978-85-7701-159-9

1. Sonhos – Dicionários. I. Título.

CDD – 135.3
94-0624 CDU – 398.7(03)

Título original norte-americano
ZOLAR'S ENCYCLOPEDIA AND DICTIONARY OF DREAMS

Revisão de originais
Valéria Prest

Impresso no Brasil

ISBN 978-85-7701-159-9

Prefácio

Intérpretes profissionais de sonhos existem há milhares de anos. Entre os povos antigos da Babilônia, Caldéia e Judéia, a interpretação do sonho era conhecida como arte popularizada. O mais antigo documento que temos de uma obra publicada sobre a interpretação de sonhos foi compilado por Artemedoro Dalidarius no século II. Desde a sua tradução para o inglês e publicação em Londres no século XVII, essa obra foi reimpressa e traduzida para diversas línguas. Muitas das interpretações usadas neste *Dicionário de sonhos* foram extraídas desse antigo documento. O interesse pelo estudo dos sonhos permanece desde a época de Dalidarius. Alguns psicólogos, tais como Freud, Jung, Rhine, McDougall e Zener, dedicaram suas vidas ao assunto. O leitor comum não tem tempo ou disposição de aprofundar-se nesse terreno fértil, por isso sugiro a utilização das informações aqui contidas de modo amplo, como meio de entretenimento. Em 10 de janeiro de 1937 o *Sunday Mirror*, de Nova York, publicou um artigo, em sua seção de revista, intitulado "Sonhou a tragédia e ela aconteceu". Eram as palavras de um homem que, a bordo de um navio no oceano, sonhou ter visto o filho morrer em um acidente de automóvel. Na verdade, ele viu o acidente nesse sonho. No dia seguinte, recebeu uma mensagem informando da morte do filho em circunstâncias bem semelhantes às que tinham sido reveladas no sonho da véspera.

"'O SONHO HORRÍVEL' REALIZOU-SE"

O artigo reproduzido a seguir foi publicado no
New York World-Telegram & Sun
Segunda-feira, 3 de março de 1958

MIAMI BEACH: Será preciso que os apostadores comecem a incluir os sonhos em seus cálculos. Lembram-se de como Willie Shoemaker ganhou o Derby em maio passado, e de como parou repentinamente e subiu nos ferros, julgando ter ultrapassado a linha de chegada e vencido o páreo? Tudo isso o dono de Gallant, Ralph Lowe, tinha visto em sonho, algumas noites antes. Por esse mesmo processo inconsciente e misterioso foi que Elizabeth Arden Graham ficou sabendo que venceria o Flamingo e que a vitória de seu cavalo, Jewel's Reward, seria cancelada por uma falta cometida. "Está claro que os sonhos são coisas tolas, sem sentido", disse-nos ontem a primeira-dama do mundo dos cosméticos. "Mas só pude pensar nisso enquanto estava lá, no círculo dos vencedores, esperando que os juízes chegassem a uma decisão."

"Aquele sonho horrível estava se tornando realidade bem diante de meus olhos. A chegada tão disputada, a declaração de que fora cometida uma falta. Aquela espera toda, cheia de tensão. Por mais que eu tentasse ignorar tudo aquilo, sabia qual seria o resultado. Nossa vitória estava sendo derrubada. Foi um acontecimento muito perturbador para mim."

E deve ter sido embaraçoso, igualmente. A corrida fora disputadíssima. Nas últimas centenas de metros, os dois parelheiros, Jewel's Reward e Tim Tam, haviam-se empenhado em uma versão eqüina e violenta do *rock and roll*, colidindo seis vezes.

Para todos que haviam visto com clareza a parte final da corrida, era evidente que os juízes examinariam o filme antes de permitir que o resultado fosse afixado, mas, ainda assim, algum funcionário, sem pensar duas vezes, levara imediatamente a Sra. Graham para o círculo dos vencedores. Não se podia perder tempo. Parece que as câmeras de TV estavam esperando.

A humilhação a que a grande dama se viu sujeita poderia ter sido evitada. Ainda assim, ela se mostrou tão magnífica quanto os puros-sangues que cria para competições. Embora perceptivelmente abalada, e talvez aturdida pelo sonho premonitório, não apresentou queixa alguma. "Como o funcionário, também pensei que tivéssemos vencido", foi o que afirmou.

O ESTRANHO SONHO DO PRESIDENTE ABRAHAM LINCOLN

Há um intrigante relato de sonho, feito por Abraham Lincoln, no dia em que o assassinaram. O Sr. e a Sra. Lincoln recebiam alguns amigos na Casa Branca. O presidente disse que ficara perturbado por um estranho sonho e comentou:

> Parece esquisito que se vejam tantos sonhos na *Bíblia*. Há 16 capítulos no Antigo Testamento e quatro ou cinco no Novo em que os sonhos são mencionados, e muitas outras passagens por toda a *Bíblia* referindo-se a visões. Se acreditarmos na *Bíblia*, teremos de aceitar o fato de que muitas coisas são reveladas, em nossos sonhos. Eu tive um sonho ontem à noite, que até agora me persegue. Ouvi soluços, como se bom número de pessoas estivessem chorando baixinho, mas elas eram todas invisíveis.
>
> Fui de um cômodo a outro da casa, mas não encontrei pessoa alguma; ainda assim, os mesmos sons pesarosos de aflição me acompanhavam enquanto eu andava. Todos os objetos eram-me conhecidos, mas, em parte alguma, eu via gente se lamentando, era como se o seu coração estivesse dilacerado. Fiquei intrigado e alarmado. Quando entrei na Sala Oriental, deparei-me com uma surpresa extremamente desagradável. Diante de mim havia um estrado sobre o qual repousava um corpo em traje fúnebre. Em volta, achavam-se soldados, postados como guardas, e uma multidão de pessoas a olhar pesarosamente o cadáver, cujo rosto estava coberto. "Quem morreu na Casa Branca?", perguntei a um soldado. "O presidente", foi a resposta dele. "Um assassino o matou." Logo veio uma explosão de pesar da multidão que me fez despertar do sonho. Foi apenas um sonho, mas causou-me estranha irritação; ainda assim, não falemos mais sobre o assunto.

Um pouco depois das dez horas daquela noite, Sexta-feira da Paixão, 14 de abril de 1865, apesar de todas as precauções tomadas para proteger o presidente, Abraham Lincoln foi morto a tiros. O resto faz parte da História, mas o sonho permanece como enigma para que o mundo pense.

Em 17 de março de 1937, a maioria dos jornais de Nova York publicou a seguinte manchete: "FOI O LIVRO DE SONHOS, DIZ A SRA. G. P. AO SER INFORMADA DE QUE HAVIA GANHADO 31.116 DÓLARES NO *SWEEPSTAKE* IRLANDÊS." Em uma ocasião anterior, no ano de 1930, ela ganhara 2.300 dólares. A Sra. G. P. contou que os números de sorte surgidos em seu sonho haviam revelado os números afortunados do *sweepstake** que ela jogara.

Já foi dito diversas vezes que "os acontecimentos futuros lançam sua sombra à frente antes de ocorrer". Muitos anos de estudo e pesquisa nessa ciência interessante permitem-me oferecer aos leitores minhas interpretações de seus sonhos mais importantes.

Sigmund Freud, o pai da moderna interpretação de sonhos, afirmou:

> Uma reminiscência do conceito que se tinha do sonho nos tempos primitivos parece estar presente na avaliação que os povos da Antigüidade faziam do sonho. Eles aceitavam com naturalidade que os sonhos estavam relacionados ao mundo dos seres sobrenaturais em que acreditavam e que traziam inspirações dos deuses e dos demônios. Além disso, parecia-lhes que os sonhos deviam se referir a um acontecimento especial em relação a quem sonhava... que, invariavelmente, prediziam o futuro. O conceito pré-científico do sonho, que prevalecia entre os antigos, estava, naturalmente, em consonância perfeita com seu conceito geral sobre o universo.

Muitas pessoas já me escreveram, falando de diversas somas em dinheiro que ganharam vez por outra com auxílio dos números com que sonharam. Pessoalmente, acredito que, na maioria dos casos, a coincidência foi que desempenhou papel principal nessa boa sorte. Por experiência própria, pude observar que a Dama da Fortuna se mostra muito imprevisível e que, a longo prazo, com exceção de

---

**Sweepstake*: loteria combinada com aposta em corrida de cavalos. (*N. do E.*)

casos muito raros, as pessoas perdem mais do que ganham com qualquer forma de especulação. Por haver sempre exceções às regras, e considerando a procura dos leitores por esse tipo de informação, vou explicar como converter as interpretações de sonhos em vibrações numéricas.

A REGRA ASTRAL DE FRANKLIN

Benjamin Franklin, que era muito versado em matemática mística, deixou uma regra, que descrevemos a seguir, pela qual se pode encontrar um número que mostra o mês e o dia do nascimento, bem como a idade de qualquer pessoa. Anotamos o número do mês do nascimento; somamos a ele o dia do nascimento; multiplicamos o resultado encontrado pelo número dois; adicionamos então cinco; multiplicamos por cinqüenta; somamos a idade; subtraímos 365 e acrescentamos 115. O resultado mostrará o mês e o dia do nascimento (a soma dos seus respectivos números) e a idade, indicados nos algarismos. O número é a linguagem do infinito. Por todo o cosmo a ciência dos números tem de ser a mesma, de modo eterno. Tudo quanto existe, todos os átomos, dimensões, movimentos, formas ou manifestações, é capaz de ser representado por números e tem correspondência perfeita com eles. Por sua própria ação, o número individual do ego especificado revelará qualquer modificação na existência desse ego.

Quando tomamos qualquer conjunto de três ou mais números, os invertemos para obter um segundo conjunto de números e depois subtraímos um conjunto do outro, os algarismos do resultado, depois de somados, são sempre redutíveis a nove, e o próprio resto será sempre nove ou múltiplo de nove. Essa operação é um movimento espiral do número empregado, e o nove, portanto, representa um círculo. O movimento espiral eterno pode ser corretamente representado por uma fileira infinita de noves, cada um deles simbolizando uma revolução completa do movimento espiral. A relação entre esse movimento espiral infinito e todos os demais movimentos precisa ser determinada por escala numérica que meça, também infinitamente, os ciclos ou revoluções completas de todos os movimentos, estando ela própria incluída. Tal escala é encontrada nas relações dos números primários com o número que representa nove círculos completos. O número de escala assim encontrado medirá a completa revolução de todos os fatores cósmicos. E como qualquer revolução apresenta correspondência com nove, também a medida precisa ter essa correspondência. Por isso, quando os algarismos do número de escala apresentam nove para profundidade, nove para largura e nove para comprimento, tal ciclo se completa e novo ciclo tem início. Assim, a evolução infinita é medida por números em períodos bem definidos ou eras.

TABELA ALFABÉTICA

A ciência da numerologia apresenta-se, de modo essencial, nos algarismos dos números simples, de 1 a 9. Cada letra no alfabeto vibra a cada um desses números.

1	2	3	4	5	6	7	8	9
A	B	C	D	E	F	G	H	I
J	K	L	M	N	O	P	Q	R
S	T	U	V	W	X	Y	Z	

O leitor que examinar a tabela anterior observará que as letras A, J e S vibram ao número 1; B, K e T vibram ao número 2, e assim por diante.

Utilizando a tabela você pode descobrir o número favorável (vibrações) de qualquer sonho ou palavra. Caso venha a ter um sonho que esteja interpretado neste livro e queira saber o número de sorte, basta reduzir as letras a números. Por exemplo, a palavra *gato*. Consultando a tabela alfabética, observamos que G vibra ao número 7, A ao número 1, T ao número 2 e O ao número 6. *Gato*, portanto, vibra ao número 7, mais 1, mais 2, mais 6. Somando, obtemos 16, e somando os algarismos 1 e 6, obtemos sete. *Gato*, desse modo, vibra ao número 7, que é o número primário para a palavra. Caso desejemos dois números que vibrem a *gato*, basta utilizarmos quaisquer algarismos cuja soma seja 7, como, por exemplo, 2 e 5, 4 e 3, 1 e 6, e assim por diante.

Se desejarmos três números que somem 7, utilizaremos 1 — 2 — 4 ou qualquer combinação que chegue àquele número primário.

No caso de encontrarmos uma palavra que resulte em um total de dois algarismos, como acontece com *gato*, basta somá-los como fizemos no referido exemplo.

O sistema pode ser aplicado a sonhos interpretados em qualquer livro e a qualquer palavra, nome ou frase.

VIBRAÇÕES NUMÉRICAS DE TEMPO

Os meses do ano vibram aos seguintes algarismos:

TABELA DE MESES

JANEIRO	1	JULHO	7
FEVEREIRO	2	AGOSTO	8
MARÇO	3	SETEMBRO	9
ABRIL	4	OUTUBRO	1
MAIO	5	NOVEMBRO	2
JUNHO	6	DEZEMBRO	3

Os dias da semana vibram aos seguintes algarismos:

TABELA DE DIAS

SEGUNDA-FEIRA	1
TERÇA-FEIRA	2
QUARTA-FEIRA	3
QUINTA-FEIRA	4
SEXTA-FEIRA	5
SÁBADO	6
DOMINGO	7

As horas do dia vibram aos seguintes algarismos:

TABELA DE HORAS

1h vibra a 1	13h vibra a 4
2h vibra a 2	14h vibra a 5
3h vibra a 3	15h vibra a 6
4h vibra a 4	16h vibra a 7
5h vibra a 5	17h vibra a 8
6h vibra a 6	18h vibra a 9
7h vibra a 7	19h vibra a 1
8h vibra a 8	20h vibra a 2
9h vibra a 9	21h vibra a 3
10h vibra a 1	22h vibra a 4
11h vibra a 2	23h vibra a 5
12h vibra a 3	24h vibra a 6

Ptolomeu, o maior matemático dos tempos antigos, afirmou: "A consciência deve ser controlada por você mesmo, bem como pelas ciências — é vantajoso escolher dias e horas que possuam a sua vibração numérica."

Existem muitos sistemas e métodos para fazer previsões, mas nenhum se mostra mais interessante do que a numerologia, pois qualquer pessoa consegue, com alguma atenção e estudo, enfronharse no assunto.

Os antigos egípcios, gregos, romanos e árabes tinham sistemas diversos que se mostravam notavelmente precisos. Esses ensinamentos nos foram transmitidos desde a mais remota Antigüidade. Como todas as letras têm suas equações numéricas, todas as combinações de letras, portanto, correspondem a um certo valor numérico. O universo funciona com precisão matemática completa, calculada até em fração de segundo. Cada ato ou expressão equivale a uma medida numérica de tempo. Quando ouvimos música ou um discurso, estamos vibrando inconscientemente a certas influências numéricas nas palavras e na música. Cada dia de nossa vida traz reação boa ou má à influência magnética das equações numéricas que nos cercam. Elas estão em tudo que vemos, sentimos ou ouvimos. É impossível escapar a tais influências.

É errado acreditar que a ciência oculta da numerologia dê a palavra final dos acontecimentos e do destino das pessoas, ou que coisas como má sorte ou boa sorte sejam ordenadas por força superior. Isso não é verdade. A numerologia não estabelece obrigatoriamente, tampouco sugere, que quando as vibrações ou condições não estejam favoráveis, seja impossível obter certa medida de boa sorte. Em vez, diz-nos quando nossas possibilidades são mais ou menos auxiliadas pelas causas naturais. Lembremo-nos de que os raios ou vibrações contribuem para que sejamos apressados ou lentos, inteligentes ou broncos, calmos ou explosivos, de acordo com as condições sob as quais eles vibram em determinado momento. Tais forças ajudam a modelar nossos pensamentos ou atos.

OS 12 SIGNOS DO ZODÍACO

A astrologia é um estudo científico do Sol, da Lua, dos planetas e das estrelas. Ela indica os cálculos matemáticos necessários para determinar a posição exata dos planetas no dia do nascimento.

O zodíaco é aquela parte do céu pela qual o Sol, a Lua e os planetas se movimentam do Oriente para o Ocidente. Ele se divide em 12 partes, chamadas de "As casas do Céu". Cada qual recebe o nome de uma constelação do zodíaco.

AQUARIUS	AGUADEIRO	20 de janeiro a 18 de fevereiro
PISCES	PEIXES	19 de fevereiro a 20 de março
ARIES	CARNEIRO	21 de março a 20 de abril
TAURUS	TOURO	21 de abril a 21 de maio
GEMINI	GÊMEOS	22 de maio a 21 de junho
CANCER	CARANGUEJO	22 de junho a 22 de julho
LEO	LEÃO	23 de julho a 22 de agosto
VIRGO	VIRGEM	23 de agosto a 21 de setembro
LIBRA	BALANÇA	22 de setembro a 22 de outubro
SCORPIO	ESCORPIÃO	23 de outubro a 21 de novembro
SAGITTARIUS	CENTAURO	22 de novembro a 21 de dezembro
CAPRICORNUS	CABRA	22 de dezembro a 19 de janeiro

DIAS BONS E MAUS DA LUA PARA SONHOS OCORRIDOS DO 1º AO 31º DIA DE CADA MÊS

1. Será bom.
2. Não se realizará.
3. Não terá efeito.
4. Será muito bom.
5. Não desfrutará boas coisas.
6. Não revele o sonho a outras pessoas.
7. Tudo ocorrerá como você deseja.
8. Cuidado com os inimigos.
9. Terá o que deseja no dia de hoje.
10. Será bem-sucedido.
11. Verá o efeito dentro de quatro dias.
12. Enfrentará adversidade.
13. Seu sonho se realizará.
14. Muito tempo se passará antes que a felicidade chegue.
15. O sonho se realizará dentro de trinta dias.
16. Os resultados do seu desejo serão bons.
17. Mantenha o sonho em segredo por trinta dias.
18. Não confie nos amigos.
19. Será muito feliz em sua vida.
20. O sonho se realizará após quatro dias.
21. Não confie em pessoa alguma.
22. Seu desejo será realizado.
23. O sonho será explicado dentro de três dias.
24. Terá muita felicidade.
25. O sonho se realizará após nove dias.
26. Receberá muita ajuda inesperada.
27. Receberá boas notícias.
28. Seu desejo se realizará.
29. Receberá muito dinheiro.
30. Receberá boas notícias de manhã.
31. Receberá notícias tristes.

DATAS DE SONHOS FAVORÁVEIS E DESFAVORÁVEIS EM CADA MÊS

FAVORÁVEL		DESFAVORÁVEL	
Janeiro	3-20-27-31	Janeiro	13-23
Fevereiro	7-8-18	Fevereiro	2-10-17-22
Março	3-14-22-26	Março	1-7-9-17
Abril	5-27	Abril	4-30
Maio	1-2-4-6-9-24	Maio	3-12-19
Junho	3-17-19	Junho	14-29
Julho	5-7-14-19-26	Julho	1-7-20-21
Agosto	2-5-10-11-14-22	Agosto	7-27
Setembro	19-22-26-28	Setembro	2-14-16-29-30
Outubro	15-22-31	Outubro	19-27
Novembro	6-11-22	Novembro	8-16-26
Dezembro	14-15-18-25-31	Dezembro	13

TABELA DE SONHOS COM GRAVIDEZ

Para descobrir o dia em que dará à luz um menino ou menina, a mulher grávida pode utilizar o método descrito a seguir.

Empregue apenas as letras do primeiro nome da mãe e do pai da criança. Verifique cada letra de ambos os nomes, tomando o número equivalente de acordo com esta tabela:

A	B	C	D	E	F	G	H	I	J	K	L	M	N	O	P	Q
10	2	20	4	14	6	16	7	81	7	11	11	12	4	14	0	16

R	S	T	U	V	W	X	Y	Z
8	18	10	0	2	2	2	4	14

Em seguida, some todos os números de ambos os nomes, identificados sob cada letra na tabela. Some o total dos números dos dois nomes e depois adicione o número correspondente ao dia da semana em que o sonho ocorreu, como se segue:

SEGUNDA-FEIRA	acrescente: 51	QUINTA-FEIRA	acrescente: 31
TERÇA-FEIRA	acrescente: 52	SEXTA-FEIRA	acrescente: 68
QUARTA-FEIRA	acrescente: 103	SÁBADO	acrescente: 41

DOMINGO acrescente: 106

Some, então, o total de todos os números e divida por 7. Se o número resultante da divisão terminar com algarismo par, nascerá uma *menina*; se terminar com número ímpar, nascerá um *menino*.

A

A

A letra *A* impressa ou escrita: Bons negócios.

Imprimir ou escrever a letra *A:* Felicidade na vida.

Outros imprimindo a letra *A:* Terá vida longa.

ABACATE

Ter abacates: Será pedido em casamento.

Comprar abacates: Será amado por muitas pessoas.

Comer abacates: Será visitado por uma pessoa que você ama.

Fazer uma salada com abacate: Bons tempos estão chegando.

ABACAXI

Abacaxis: Terá sorte em todas as questões.

Um pé de abacaxi plantado no chão: Boas notícias.

Descascando um abacaxi: Boas relações com as vizinhas.

Comendo abacaxi: Romances de pouca duração.

Partindo fatias de abacaxi: Cuidado nos relacionamentos.

Cozinhando abacaxi: Os romances durarão para sempre.

Dando abacaxi para que as crianças comam: Tomará conhecimento de novos planos.

Receber abacaxi de presente: Ambiente doméstico confortável.

Dando um presente feito de abacaxi: Receberá um convite social.

ABADE

Um abade: Você deve conter suas paixões.

Querendo ser um abade: Perderá a confiança de amigos.

Ser um abade: Terá muitas decepções.

Conhecer um abade: Você se restabelecerá de uma doença.

Diversos abades: Terá de suportar a dor e o pesar.

Um abade com mau comportamento: Causará pena a seus amigos.

ABADESSA
Madre superiora de um convento: Grande alegria.
Conhecer uma abadessa após uma doença: Conforto.
Ser uma abadessa: Terá altas ambições e futuro interessante.
Ser abadessa de um mosteiro desagradável: Terá um futuro agradável.

ABADIA
Entrar em uma abadia: Receberá muitas homenagens.
Estar em uma abadia: Ficará livre da ansiedade.
Orar a Deus em uma abadia: Terá alegria e felicidade.
Estar sentado em uma abadia: Transformações nas atividades atuais.
Uma abadia inteiramente ornamentada: Passará maus momentos por causa de herança.
Construir uma abadia: Terá de suportar muitas aflições.
Conversar em uma abadia: Cometerá um pecado em breve.

ABAFADO
Sentir o cheiro de um lugar abafado: Você se restabelecerá de uma doença.
Estar em lugar abafado: Infelicidade no amor.
Entrar em lugar abafado: Período muito agradável.

ABAIXAR-SE
Abaixar-se: Terá um futuro tran qüilo.
Abaixar-se para falar com alguém: Momentos animados à frente.
Abaixar-se para apanhar alguma coisa: Será honrado por todos.
Outros se abaixando: Receberá boas notícias de uma pessoa amiga.

ABANDONADO
Sentir-se abandonado: Haverá brigas de família.
Sentir-se inteiramente abandonado: Recuperará um estado de espírito animado.
Outros que são abandonados: As preocupações se dissiparão.

ABANDONAR
Abandonar: Terá vida longa.
Abandonar uma pessoa que você ama: Solidão e dificuldades.
Abandonar sua esposa: Enfrentará problemas.
Abandonar seu marido: Perda de amigos.
Abandonar seu pai: Recuperação de objetos valiosos que tinham sido perdidos.
Abandonar sua mãe: Doença.
Abandonar seus filhos: Perda de dinheiro.
Abandonar seus parentes: Bons tempos virão.
Abandonar seu namorado: Mergulhará em dívidas.

Abandonar a pessoa que você ama: Arcará com a culpa por atos tolos.
Abandonar os amigos: É certo o fracasso em seus negócios.
Abandonar a casa: Felicidade.
Abandonar a religião: Pobreza.
Abandonar os negócios: Brigas.
Abandonar o emprego: Mudança para melhor.
Abandonar pessoas influentes: Terá prazer na vida.
Abandonar um navio: Fracasso nos negócios.
Abandonar um navio e chegar a terra: Bons ganhos financeiros.

ABATEDOURO

Um abatedouro: Cuidado.
Trabalhar em um abatedouro: Ocupará posição social elevada.
Estar em um abatedouro: Sentirá tristeza.
Outros em um abatedouro: Procure evitar o perigo.
Animais sendo abatidos: Surpresas desagradáveis.

ABATER

Ser abatido: Você tem amigos falsos.
Um animal sendo abatido: Ocorrerá uma catástrofe.
Um porco sendo abatido: Notícias infelizes.
Uma vitela sendo abatida: Falência.
Um cavalo sendo abatido: Pequenos rendimentos.
Um cordeiro sendo abatido: Desfrutará paz por muito tempo.

ABATIMENTO

Estar abatido e desalentado: Não deixe que o mau gênio leve a melhor.
Outros que estão abatidos e desanimados: Prepare-se para a morte.
Uma pessoa abatida incendiando-se: Infelicidade e doença.
Amigos que estão abatidos: Aflição.

ABDICAR

Um rei ou presidente que abdica: Confusão nos negócios.
Abdicar de um cargo destacado: Recuperará dinheiro.
Parentes que abdicam de sua posição: Alegria.
Amigos que abdicam de sua posição: O êxito virá mais tarde.

ABDÔMEN

Abdômen: Grandes expectativas.
Sentir o abdômen nu: Recuperará dinheiro.
Uma pessoa casada sonhando com o abdômen: Infelicidade do marido ou da mulher.
O abdômen da pessoa que você ama: Traição por parte de um dos amantes.

Um homem vendo o abdômen crescer: Receberá grandes honrarias.
Uma mulher vendo o abdômen crescer: Engravidará.
Ver também **Barriga**

ABELHAS
Muitas abelhas: Felicidade na vida.
Ser picado por abelhas: Cuidado para não ser traído pelos amigos.
Não ser picado por abelhas: Êxito no amor.
Pessoa rica sonhando com abelhas: Reviravoltas nos negócios.
Pessoa pobre sonhando com abelhas: Bons ganhos.
Abelhas se movimentando em enxames: Ocorrerá um incêndio na sua casa.
Abelhas se movimentando de manhã: Êxito em suas atividades.
Abelhas se movimentando ao meio-dia: Bons ganhos.
Abelhas se movimentando ao anoitecer: Obterá um lucro bem razoável.
Abelhas movimentando o mel: Terá muito dinheiro.
Abelhas fazendo mel na própria casa ou no telheiro: Vencerá os inimigos.
Abelhas fazendo mel em cima da sua casa: Não terá sorte em sua vida.
Abelhas entrando em sua casa: Será prejudicado pelos inimigos.
Abelhas fazendo mel em uma árvore: Grandes lucros financeiros.
Abelhas voando em torno da colméia: Terá negócios produtivos.
Matar abelhas: Sofrerá grande prejuízo e ruína.
Fazer mel em sua propriedade: Sucesso total nos negócios.

ABETO
A cor escura dos abetos: Será enganado por amigos.
Um abeto com muitas folhas verdes: Trabalho próspero, porém duro, em breve.
Diversos abetos: Trabalho agradável e boas notícias.
Cortar abetos, derrubando-os: Solucionará com facilidade as dificuldades atuais.

ABISMO
Um abismo: Dificuldades à frente.
Cair em um abismo: Tenha cuidado em todas as transações comerciais.
Escapar de um abismo: Vencerá as dificuldades.
Cair em um abismo sem se machucar: Não empreste dinheiro, pois ele não será pago.
Outros que caem em um abismo: Seja prudente em todas as suas negociações.

ABJEÇÃO
Sentir-se abjeto: Momentos difíceis à frente, por algum tempo.
Parentes sentindo-se abjetos: Vergonha e pesar.
Outros se sentindo abjetos: Evite seus rivais.
Estar na abjeção mais profunda: Boas notícias inesperadas.

ABÓBORA-MORANGA
Plantar abóboras-morangas: Será desonrado.
Colher abóboras-morangas: Morte de um parente.
Comprar uma abóbora-moranga: Receberá más notícias.
Fazer torta de abóbora-moranga: Um amigo traiçoeiro trama vingança.
Comer torta de abóbora-moranga: Contrairá uma doença grave.
Comprar uma torta de abóbora-moranga: Infelicidade nos assuntos amorosos.

ABOMINAR
Abominar alguma coisa: Dificuldades em seu caminho.
Abominar alguém: Herança.
Abominar um objeto e livrar-se dele: Fim das preocupações.
Ser abominado pelos outros: Tendência a ser egoísta.

ABORDAR
Ser abordado por um homem: Será desprezado pelos outros.
Ser abordado por uma mulher: Honraria.
Ser abordado por uma pessoa do comércio: Lucro.
Ser abordado por uma pessoa pobre: Receberá dinheiro.
Ser abordado por uma pessoa amiga: Receberá um legado.

ABORRECER
Ser aborrecido por alguém: Terá boa sorte em todos os planos.
Aborrecer outras pessoas: Obterá bons ganhos.
Aborrecer uma pessoa casada: Evite os rivais.
Aborrecer os filhos: Perigo, causado por um segredo.

ABORTO
Um aborto: Fim de seus casos amorosos.
Sofrer um aborto: Felicidade na família.
Fazer um aborto: Dificuldade à frente.
Um aborto bem-sucedido: Terá vida longa.
Outros que fazem aborto: Solidão e problemas.
Mulher casada que faz um aborto: Recursos abundantes.
Mulher solteira que faz um aborto: Receberá um legado.
Mulher divorciada que faz um aborto: Virá a se casar com homem rico.

ABRAÇAR

Abraçar parentes: Cuidado com traição.

Abraçar crianças: Grande alegria à frente.

Abraçar pessoa desconhecida: Receberá um convidado indesejável.

Ser abraçado por outras pessoas: Ganhos financeiros.

Ser abraçado por pessoa desconhecida: Tempo propício para flertes.

Esposa ou namorada que abraça outro: Solidão e problemas.

Marido ou namorado que abraça outras: Terá vida longa.

ABRICÓ

Comer abricós: A calamidade se aproxima, causada por uma pessoa hipócrita.

Comer abricós durante a estação: Saúde e felicidade.

Comer abricós fora da estação: Perda de esperança.

Abricós que crescem na árvore: Prazer e contentamento no futuro.

Colher abricós: Terá prosperidade nos negócios e no amor.

Ter abricós estragados nas mãos: Problemas e perda de um parente.

Abricós enlatados ou em conservas: Será enganado por amigos.

Abricós secos: Terá um grande aborrecimento.

ABRIL

Primeiro dia de abril: Fará uma viagem ao exterior.

Brincadeira de primeiro de abril que façam com você: Terá poder sobre alguém.

Brincar com as pessoas no primeiro de abril: Perda de uma pessoa amiga.

Tapear os parentes no primeiro de abril: Bons tempos estão chegando.

Tapear crianças no primeiro de abril: Felicidade na família.

Tapear uma pessoa que você ama no primeiro de abril: Dificuldades no amor.

O mês de abril, durante o próprio mês: Obterá êxito mais tarde.

O mês de abril, durante outros meses: Deve corrigir seu modo de viver.

Nascer em abril: Será feliz nos envolvimentos amorosos.

Crianças que nascem em abril: Terão posição importante na vida.

ABRIR

Abrir um buraco para enfiar um parafuso na madeira: As coisas transcorrerão suavemente.

ABRIR FECHADURAS

Abrir a fechadura de alguma coisa: Será feita uma descoberta em sua casa.

Não conseguir abrir a fechadura de uma porta: Cuidado com dificuldades que surgirão.
Não conseguir abrir a fechadura de uma gaveta: Não tenha segredos para as pessoas que o amam.
Não encontrar a chave para abrir a fechadura de alguma coisa: Tenha cuidado nas questões financeiras.

ABSCESSO

Um abscesso: Deve livrar-se de maus amigos.
Ter um abscesso: Sua recuperação será imediata.
Um abscesso que é operado: Um mistério será solucionado.
Outros que têm abscessos: Sofrerá pesares.
Ter um abscesso no pescoço: Doença.

ABSINTO

Beber esse licor verde: Brigas na família.
Outros bebendo absinto: Decepção certa.
Amigos que tomam absinto: Recuperação de dinheiro.
Inimigos que tomam absinto: Promoção em seu cargo atual.
Ter absinto em casa: Passará por situações penosas.
Embriagar-se com absinto: Infelicidade passageira terminará com alegria.

ABSOLVER

Ser absolvido por um tribunal: Fracasso dos inimigos.
Não ser absolvido: Grande prosperidade.
Pessoas culpadas que são absolvidas: Viverá altos e baixos.
Outros que são absolvidos: Fará negócios prósperos.
Outros que não são absolvidos: Infortúnio.

ABSORVENTE

Um absorvente: Está esbanjando dinheiro.
Usar um absorvente: Lutará com uma pessoa temperamental.
Outras pessoas usando absorvente: Será abandonado pelos amigos.

ABSTENÇÃO

Recusar uma bebida: Evite os rivais.
Abster-se completamente de bebidas: Acontecimento importante, muito benéfico.
Parentes que se abstêm de beber: Terá vida longa.
Amigos que se abstêm de bebidas: Cuidado com amigos invejosos.

ABUTRE

Um abutre: Será incapaz de resolver os desentendimentos com uma pessoa amiga.

Muitos abutres: Sofrerá por muito tempo de uma doença que poderá trazer-lhe sofrimento e morte.
Um abutre que devora a presa: As dificuldades terminarão.
Matar um abutre: Vencerá inimigos perigosos.
Um abutre morto: Conquista e infortúnio.

ACÁCIA

Essa flor, quando na estação: Sofrerá grandes decepções.
Essa flor, quando fora da estação: Realização de seus desejos.
Receber um presente feito de flores de acácia: Você tem um amigo fiel.
Dar um presente feito de acácia: Deve controlar suas paixões.
Sentir o perfume da acácia: Bons tempos virão.

ACÁCIA BRANCA

Essa planta: A felicidade será efêmera.
Estar com mel de acácia branca: Terá um grande jantar.
Comer o mel de acácia branca: Modificação no ambiente.
Colher acácia branca: Você tem um amigo fiel.

ACADEMIA MILITAR

Ser solteiro em uma academia: O casamento pretendido será marcado pela adversidade.
Ser casado em uma academia: Com perseverança vencerá os inimigos.
Ser um professor de academia: Infelicidade.
Um oficial de academia: Desânimo em suas atividades.
Ser um cadete de academia. Terá de suportar humilhação.

AÇAFRÃO

Pó de açafrão: Cairá em desgraça.
Comprar pó de açafrão: Receberá dinheiro.
Cozinhar com pó de açafrão: Alegria falsa.

ACAMPAMENTO

Um acampamento: Terá paz nas questões domésticas.
Acampar: Terá bons dias à frente.
Estar em um acampamento: Boa sorte nos assuntos amorosos.
Indo acampar: Boas transformações nas atividades comerciais.
Soldados em um acampamento: Grandes progressos financeiros.
Amigos em um acampamento: Sucesso nos empreendimentos.

AÇÃO JUDICIAL

Um homem iniciando ação judicial para divorciar-se: As pessoas não pensarão grande coisa a seu respeito.
Uma mulher que inicia ação de divórcio: Felicidade na família.

Iniciar uma ação judicial: Tenha cautela nos empreendimentos comerciais.
Apelar de uma sentença: Será enganado por amigos.
Vencer uma ação judicial: Evite a especulação.
Perder uma ação judicial: Terá uma doença passageira.
Iniciar uma ação judicial motivada por transformações comerciais: Sofrerá prejuízo.
Outros que iniciam uma ação judicial motivada por transformações comerciais: Haverá prejuízos monetários.
Uma ação judicial contra você para cobrança de dinheiro: Você gasta dinheiro em excesso.
Uma ação judicial para cobrança de dinheiro que lhe é devido: Êxito.

ACEITAR

Ser aceito: Terá o controle de muitas questões.
Um amante que é aceito: Suas atividades não prosperarão.
Recusando-se a ser aceito: Brigas de família.
Aceitar um convite: Conte com uma herança.

ACESSO

Ter um acesso: Brigas de família.
Outros que sofrem um acesso: Doença à frente.
Crianças que sofrem um acesso: Perturbações físicas.
Marido ou mulher que tem um acesso: Perda da posição atual.
Inimigos que têm um acesso: Terá chateações com questões menores.

ACHAR

Achar alguma coisa: Perda nos negócios.
Achar um artigo valioso: Grande infortúnio nos negócios.
Outros que acham coisas valiosas: Vergonha e tristeza.
Encontrar alguém despido: Conseguirá novo emprego.
Achar alguém perdido em uma floresta: Terá futuro incerto.
Achar uma criança: Enfrentará uma ação judicial muito complicada.
Encontrar uma árvore: Dissolução.
Achar diversas outras coisas: Infidelidade.
Achar ouro e prata: Terá muitas preocupações.

ACIDENTE

Um acidente: Advertência para evitar uma viagem desnecessária.
Estar em um acidente: Sua vida está ameaçada.
Um acidente na terra: Bons empreendimentos pessoais e comerciais.
Um acidente no mar: Decepção nos assuntos sentimentais.
Um acidente no ar: Terá mente vigorosa.
Um acidente de automóvel: Dinheiro que chegará em breve.

ÁCIDO

Ácidos: Cumprirá suas promessas.
Lidar com ácido: Perigo à frente por causa de uma promessa.
Usar ácido: Você se sairá bem de um perigo atual.
Outros que lidam com ácidos: Morte de um inimigo.

ACIMA

Alguma coisa pendurada acima de você: Receberá boas notícias.
Alguma coisa que cai perto de você, vinda de cima: Escapará a prejuízos financeiros.
Ser atingido por algo que cai de cima: Morte repentina.
Algo que vem de cima, caindo sobre outra pessoa: Cuidado com os amigos invejosos.

ACLAMAÇÃO

Aclamando alguém: Conseqüências pesarosas.
Recebendo aclamação: Falsa modéstia.
Manifestações de aclamação feitas por outros: Será traído por amigos.
Aclamando pessoas destacadas: Dificuldades à frente.

ACLAMAR

Aclamar: Terá má sorte.
Outros aclamando: Evite gastar dinheiro demais.
Ouvir o som de aclamações: Tenha cuidado com seus próprios atos.

ACNE

Acne no rosto: Riqueza.
Ter acne no corpo: Obterá bons ganhos.
Espremer espinhas: Possuirá grande quantidade de prata.

AÇO

Aço: Receberá boas notícias.
Utilizando aço: Fará bons negócios.
Ser machucado por aço: Grande satisfação.
Ser atingido por aço: Bons resultados nos negócios.
Aço vermelho saindo do fogo: Perda de sangue.
Comprar aço: Estará de luto.
Cortar aço: Receberá carta que aguarda há muito tempo.

AÇOITAR

Ser açoitado: Evite os rivais.
Açoitar alguém: Dificuldades causadas por alguém que você ama.
Diversas pessoas sendo açoitadas: A decepção é certa.
Inimigos sendo açoitados: Cura de uma doença.

ACOMPANHAR

Acompanhar alguém: Fracasso dos inimigos.
Estar acompanhado: Acontecimentos muito importantes e benéficos em breve.
Ser acompanhado por amigos: Modificação no ambiente.

Ter acompanhamento musical: Um mistério será solucionado.
Acompanhando um cortejo fúnebre: Pobreza.
Acompanhando um amigo rico ao cemitério: Riqueza e sorte.
Acompanhando pessoa desconhecida a um cemitério: Precisará de dinheiro.

ACONSELHAR

Receber conselhos: Cuidado com amigos falsos.
Receber conselhos de um sacerdote: Solidão e problemas.
Receber conselhos de um advogado: Será humilhado.
Dar conselhos a outros: Amizade de muitas pessoas.
Dar conselhos a crianças: Enfrentará trabalho pesado.
Dar conselhos profissionais: Tome providências para solucionar as questões.
Dar conselhos financeiros: Receberá um grande pagamento.

ACORDAR

Ter de acordar: Você corre perigo.
Ser acordado por alguém: Boas transações comerciais.
Ser acordado por um despertador: Você está sempre atrasado.
Outros acordando: Uma armadilha está sendo preparada para você.

ACORDOS

Um acordo: Dignidade e distinção.
Chegar a um acordo sem o assinar: Amigos o enganarão.
Assinar um acordo: Êxito nos planos.
Cancelar um acordo: Seus lucros serão incertos.
Não chegar ao fim de um acordo: Trabalho pesado em breve.
Fazer um acordo com o demônio: Grande êxito para pescadores.

AÇOUGUEIRO

Um açougueiro: Verá uma pessoa querida.
Um açougueiro matando qualquer animal: Morte de amigo próximo.
Um açougueiro que lhe serve carne cortada: Terá vida longa.
Manter amizade com um açougueiro: Amigos falsos por perto.
Discutir com um açougueiro: Está cercado por influências nefastas.

ACROBATA

Um acrobata que se acidenta: Escapará a todos os perigos.
Observar um acrobata atuando: Não faça viagem alguma por nove dias.
Ser um acrobata: Vencerá os inimigos.
Um parente que é acrobata: Será enganado.

ACRÓSTICO

Essa composição em verso: Não tome decisões precipitadas.
Completar um acróstico: Realização dos projetos.
Não completar um acróstico: Está com problemas nas transações financeiras.
Outros completando um acróstico: Será abandonado por uma pessoa que você ama.

AÇÚCAR

Açúcar: Ouvirá muitas palavras amáveis dos amigos.
Comprar açúcar: Um amigo infiel trama sua desgraça.
Cozinhar com açúcar: Será enganado por amigos.
Pôr açúcar no café ou no chá: Há um amigo falso por perto.
Pôr açúcar na fruta para adoçá-la: Terá um futuro feliz.

AÇÚCAR CRISTALIZADO (do vinho)

Açúcar cristalizado: Receberá notícias desagradáveis.
Fazer molho desse açúcar: Você tende a ser malicioso.
Usar vinho para fazer açúcar cristalizado: Receberá má notícia.
Comer calda de açúcar cristalizado: Há inimigos secretos por perto.

ACUSAR

Ser acusado: Cuidado com o escândalo.
Acusar outros: Perigo e infortúnio.
Provar a inocência quando acusado: Vencerá as dificuldades.
Uma acusação justa: Problemas sérios à frente.
Ser acusado de ter cometido um crime: Será perturbado por dúvidas.
Acusar a si próprio de erros: Terá muito dinheiro.
Ser acusado por um oficial: Estará em dificuldades.
Ser acusado por uma mulher: Desastre comercial em breve.
Ser acusado por um homem: Grande êxito.

ADAGA

Uma adaga: É certo que receberá notícias de uma pessoa ausente.
Muitas adagas: Cuidado com traição.
Outros com adagas: A felicidade está garantida.
Portar uma adaga: Melhoria na posição atual.
Atacar alguém com uma adaga: Seus planos serão realizados.
Ser ferido por uma adaga: Outra pessoa está desfrutando aquilo com que você contava.

ADÃO E EVA

Adão e Eva: Prosperidade.
Falar com Adão: Os desejos se concretizarão.
Falar com Eva: Infelicidade no amor.
Uma mulher sonhando com Adão: Terá um filho.

Um homem sonhando com Eva: Dará um grande jantar familiar.
Uma moça sonhando com Adão: Será feliz no amor.
Um rapaz sonhando com Eva: Encontrará novo emprego.

ADEJAR

Pássaros adejando no ar: Infidelidade.
Muitos pássaros adejando: Evite os rivais.
Pássaros que adejam sobre o ramo de uma árvore: Cuidado com os atos de um membro da família.
Patos adejando na água: Seu namorado tem segundas intenções.

ADEUS

Dar adeus às pessoas: Sua saúde ficará debilitada.
Outros dando adeus a você: Fará uma viagem muito tediosa.
Dar adeus ao companheiro: Bons tempos estão a caminho.
Dar adeus aos filhos: Receberá dinheiro dentro de pouco tempo.

ADIVINHAÇÃO

Uma adivinhação que você decifra: Terá boa sorte.
Uma adivinhação que você não consegue solucionar: Prejuízos grandes nos negócios são certos.
Outros que trabalham com adivinhações: Será culpado por atos impensados.
Parentes que trabalham com adivinhações: Enfrentará problemas com parentes.
Solucionando um problema de adivinhação: Ambiente agradável.

ADIVINHAR

Adivinhar alguma coisa: Você deseja conhecer o futuro, mas não consegue.
Adivinhar corretamente: Viverá uma boa aventura.
Adivinhar fatos da vida de outras pessoas: Você tem falsas amizades.
Outras pessoas adivinhando a seu respeito: Será enganado.
Adivinhar a idade das pessoas: Pobreza.

ADMINISTRAR

Um administrador: Decepções.
Ser chamado por um administrador: Melhoria nos negócios.
Administrar seu próprio negócio: Receberá uma herança.
Administrar negócios alheios: Boas atividades comerciais.

ADMIRAR

Ser admirado: Em breve acontecerá uma transformação na sua vida.
Admirar outras pessoas: Infelicidade.
Ser admirado por alguém de quem gosta: Amizade.
Ser admirado pelos filhos: Terá vida longa.

ADORAÇÃO

Adoração: Grandes honrarias e riqueza.
Adoração na igreja: Os desejos serão concretizados.
Adorar ao Senhor: Grande alegria.
Adorar em casa: Infelicidade.
Adoração familiar: Alegria.
Ensinando as crianças a adorar: Perseguição.

ADORAR

Adorar crianças: Grande êxito em todas as atividades.
Adorar seu marido: Felicidade e vida longa.
Adorar sua esposa: Riqueza.
Adorar seu namorado: Infortúnios nos negócios.
Adorar ou idolatrar alguém: Fracasso nos negócios.
Adorar a Deus e rezar: Contentamento e alegria.

ADOTAR

Adotar alguém: Parentes pedirão ajuda.
Ser adotado: Cuidado com os inimigos.
Ter filhos adotivos: Problemas no amor.
Ser uma pessoa adotada: Ganhos financeiros.

ADULTÉRIO

Cometer adultério: Sua moral é excelente.
Outros cometem adultério: Perda de dinheiro.
A esposa cometendo adultério: Brigas com os vizinhos.
Marido cometendo adultério: Receberá uma herança.

ADVERSÁRIO

Um adversário: Vencerá os rivais.
Lutar com um adversário: A decepção é certa.
Ter um sócio adversário nos negócios: Prejuízos financeiros.
Ter um advogado como adversário: As preocupações terminarão.
Ser um advogado adversário: Há um amigo falso por perto.

ADVERSIDADE

Sofrer adversidade: Prosperidade.
Ser perseguido pela adversidade: Descoberta de dinheiro.
Encontrar adversidade nos negócios: Realizará altas ambições.
Encontrar adversidade no amor: Esteja prevenido contra fofocas causadas pelo despeito.

ADVOGADO

Ser um advogado ou servir de conselheiro: Você é considerado uma pessoa bem de vida.
Lidar com um advogado: Terá muitas preocupações.
Contratar um advogado: Não obterá bons resultados.
Dispensar um advogado: Reconciliação com um inimigo.
Pagar a um advogado: Uma ação judicial fracassará.
Lidar com advogados contrários: Fracasso dos inimigos.

Ter um encontro com um advogado: Obterá bons ganhos.
Filhos que se tornam advogados: A felicidade está garantida.
O marido sendo advogado: Grande alegria.
Ser apresentado a um advogado: Maus presságios.
Falar com um advogado: Perda de propriedade.
Tornar-se um advogado: Terá segurança e dinheiro.
Outra pessoa falando em favor de um advogado: Infortúnio.

AFETO

Afeição: Problemas para os que estão perto de você.
Ter afeto: Dignidade e distinção.
Não ter afeto: Terá vida longa.
Afeto entre duas pessoas que você ama: Herança.
Ter o afeto das crianças: Receberá dinheiro inesperado.

AFIAR

Uma pessoa que afia faca: Boa sorte nas aventuras.
Afiar facas: Cuidado, um traidor está por perto.
Amolar tesoura: Alguém está tentando desfazer um casamento.
Afiando ferramentas: Perda e ocupação.
Afiar uma lâmina: Sociedade agradável.
Fazer ponta em um lápis: Discórdia na família.

AFLIÇÃO

Filhos em aflição: Advertência sobre dificuldades.
Esposa ou marido em aflição: Sofrerá pesares.
Outros em aflição: Terá grandes ganhos em dinheiro.
Pôr pessoas em aflição: Advertência sobre dificuldade.

AFLIGIR

Estar sendo afligido: O êxito é certo.
Marido ou mulher sendo afligidos: Êxito rápido nos negócios.
Estar em estado de aflição: Destino feliz se concretizará em breve.
Ser afligido por outros: Logo ocorrerá uma transformação para melhor.

AFOGAR

Afogar-se: Perderá tudo que tem.
Parentes afogando-se: Ruína à frente.
Um homem de negócios afogando-se: Irá à falência.
Outras pessoas afogando-se: Alegria e triunfo.
Estar sendo afogado por alguém: Perda de dinheiro.
Afogando os próprios filhos: Fará uma viagem feliz.
Marido ou mulher afogando-se: Desastre dos mais sérios à frente.
Filhos sendo salvos de um afogamento: Terá prosperidade e alta posição.

ÁFRICA

África: Ganhos financeiros.

Ver a África em um mapa: Sua fortuna aumentará.

Fazer uma viagem à África sozinho: Fará novas amizades.

Fazer uma viagem à África em companhia de outras pessoas: Será culpado por atos impensados.

Ir à África: Grande alegria.

Voltar da África: Terá uma grande decepção.

Ser deportado para a África: Terá prosperidade e boa fortuna.

AFRONTAR

Sofrer uma afronta: Perda de uma herança.

Ser afrontado por parentes: Morte na família.

Ser afrontado por amigos: Problemas antes de encontrar a alegria.

Afrontar alguém: Precisa controlar suas paixões.

AFUNDAR NA ÁGUA

Algo que afunda na água: Será desprezado.

Você próprio afundando: Grandes perdas comerciais.

Outros afundando: Más notícias de uma pessoa amiga.

Algo afundando por causa da negligência de outras pessoas: A ruína está próxima.

Afundamento de um navio: Abundância de dinheiro.

Pessoas que são salvas de um naufrágio: Bons empreendimentos comerciais.

Navio que afunda após colisão: Bons empreendimentos no futuro.

Afundar na lama: A ruína se aproxima.

Afundar e afogar-se no mar: Grande lucro.

Afundar em um monte de feno: Prosperidade.

Embarcação que afunda no mar: Perda por negligência.

AGENTE

Um agente que solicita alguma coisa: Obterá bons ganhos.

Tornar-se um agente: Influenciará pessoas a fazerem o bem.

Ter negócios com um agente: Mudança de ambiente.

Outros que são agentes: Seja prudente em todos os seus negócios.

AGENTE DO CORREIO

(encarregado de um posto)

Um agente do correio: Alguém está tentando enganá-lo.

Ser um agente do correio: Você gosta demais de comida.

Discutir com um agente do correio: Você ganhará dinheiro.

Um agente do correio: sendo despedido: Brigas de família.

AGITAÇÃO

Uma agitação: Perseguição por um inimigo.

Aves se agitando: Concluirá os negócios de modo satisfatório.

Aves se agitando na terra: Atividades incertas darão bons resultados.
Uma ave ferida se agitando: Receberá más notícias.

AGOSTO
Agosto, durante o próprio mês: Receberá fortuna dos pais.
Agosto, durante outros meses: Grande sucesso na vida.
Nascer em agosto: Tudo irá bem em sua vida.
Criar filhos que nascem em agosto: Grande fortuna.
Agosto, durante a primavera: Receberá má notícia.
Agosto, durante o verão: Boas notícias inesperadas.
Agosto, durante o outono: Aviso de dificuldades.
Agosto, durante o inverno: Fará uma longa viagem.

AGRADAR
Agradar alguém: Riqueza.
Tratar bem os hóspedes: Lidará com bandidos.
Oferecer um almoço ou jantar à família: Grande alegria.
Oferecer um jantar a pessoas hostis: Terá sorte nos negócios.
Oferecer refrigerantes a parentes: Alguém lhe será infiel.
Ser agradado por outras pessoas com um jantar: Segurança nos negócios.
Ser agradado por amigos com um jantar· Os negócios prosperarão.
Ser agradado por pessoas influentes com um jantar: Alcançará alta posição.

AGRADÁVEL
Algo agradável: Lucro certo.
Ser agradável: Prazer momentâneo.
Pessoas que lhe são agradáveis: Felicidade.
Coisas agradáveis que lhe são proporcionadas: Infelicidade.
Ter filhos agradáveis: Alegria.
Muitos filhos agradáveis: Você vai engravidar.
Gente que é agradável demais usando a bajulação: Cuidado com pessoas falsas.

AGRADECIMENTO
Exprimir agradecimento: Levará vida tranqüila e feliz.
Ser agradecido: Será perseguido.
Outros que lhe são agradecidos: Esperando boas notícias.
Filhos que são agradecidos: Prosperidade.

AGRIÃO
Agrião: Felicidade.
Agrião crescendo: Perigo nos assuntos amorosos.
Comprar agrião: Será insultado por vizinhos.
Comer agrião: Aumento de dinheiro.
Usar agrião em salada: Discutirá com amigos.
Colher agrião da água: Desentendimento no amor.

AGRICULTURA

Agricultura: Abundância.
Ser um agricultor: Prosperidade.
Ganhar dinheiro na agricultura: O êxito virá pelo trabalho esforçado.
Problemas na agricultura: Discussões causadas pela vaidade.
Perder dinheiro na agricultura: Receberá notícias de um casamento.
Um agricultor medindo a terra: Precisa ser muito diligente.
Ser novo no setor de agricultura: Terá segurança.

ÁGUA

Água: Abundância.
Tirar água de uma nascente: Uma esposa jovem e bela trará a fortuna.
Tirar água de um poço: Será atormentado por sua esposa.
Tirar água suja de um córrego: Doença.
Banhar-se em água limpa: Boa saúde.
Banhar-se em água suja: Doença.
Beber água benta por um sacerdote: Terá pureza de alma.
Beber em um copo de água: Casamento dentro de pouco tempo.
Alguém lhe oferecendo um copo d'água: Nascimento de uma criança.
Beber água quente: Será prejudicado e perseguido por inimigos.
Beber um copo de água fresca: Você tem a consciência limpa.
Beber água gelada: Prosperidade e triunfo sobre os inimigos.
Quebrar um copo cheio de água: Morte de uma mãe e saúde para os filhos.
Derramar um copo com água: Morte de um filho e saúde para a mãe.
Cair na água e despertar imediatamente: Toda a sua vida será arruinada pela mulher com quem se casou ou vai se casar.
Cair em água muito fria: Reconciliação e felicidade.
Levar água para o quarto: Será visitado por um homem de pouca moralidade.
Água que inunda a casa e destrói os móveis: Lutará com inimigos.
Água que jorra, saindo de sua própria casa: Sua vida está em perigo.
Caminhar por chão molhado: Triunfo e êxito.
Água correndo em pequeno canal: Infelicidade.
Água correndo em um rio: Receberá notícias felizes de um viajante.
Enchente de um rio: Receberá boas notícias referentes a ações judiciais em andamento.
Pessoa rica sonhando com água enlameada: Será desprezada.
Pessoa pobre sonhando com água enlameada: Perderá o respeito dos patrões.

Estar inchado de água: Boa sorte no futuro.
Banhar-se em água fria acompanhado de outras pessoas: Bom trabalho à sua frente.
Esconder água: Grande aflição.
Servir água a alguém: Trabalho e segurança.
Estar em um barco sobre águas calmas: Prosperidade em seus empreendimentos.
Cair de um barco em água agitada: Perda de fortuna.
Levar água em um garrafão, sem a derramar: Evite confiar coisas valiosas a outras pessoas.
Carregar água em um garrafão e derramá-la: Dificuldades na manutenção da riqueza.
Carregar água em um recipiente que vaza: Abuso de confiança e roubo.
Beber água límpida de um poço: Aumento da fortuna.
Beber água turva de um poço: Ficará arruinado.
Água com mau cheiro: Doença.
Juntar água: Desfrutará bons negócios.
Pôr rosas na água: Você tem muita imaginação.
Jogar água ao fogo: Perderá uma ação judicial.
Água sem sal: Terá uma doença muito dolorosa.
Água salgada: Felicidade.
Pular na água: Perseguição.
Jogar fora água suja: As dificuldades são criadas por outras pessoas.
Água estragada: Perigo de morte.
Água que vem de um buraco no chão: Aflição.
Água em uma piscina: Fortuna.
Água caindo sobre sua cabeça: Lucro.
Ser jogado à água: Terá muitas coisas em que pensar.
Pôr açúcar na água: Desfrutará uma vida confortável.
Água que desaparece: Bons tempos virão.
Um aquário: Terá uma discussão.
Água mineral: Você se restabelecerá de uma doença.
De um chafariz: Você se preocupa demais, sem motivo.
Regar o seu gramado: Tem de contar com seu próprio bom senso.
Regar as flores de um jardim: Você conta demais com favores.

ÁGUA, CARREGADOR DE

Um carregador de água: Aumento de dinheiro.
Ser um carregador de água: Boas notícias virão.
Carregando água de um rio: Pessoas o aborrecerão.
Carregando água de uma nascente: Chegará uma carta que você espera há muito tempo.

ÁGUA-FURTADA

Esse ponto de observação, ou lugar de refúgio: Descoberta de coisas valiosas e que tinham sido perdidas.

Estar em uma água-furtada pública: Sua situação melhorará em breve.
Estar na água-furtada de sua própria casa: A felicidade está garantida.

ÁGUA-MARINHA
Ter uma água-marinha: Afeição de um amigo jovem.
Comprar uma água-marinha: A felicidade está assegurada.
Vender uma água-marinha: Decepção no amor.
Perder uma água-marinha: Perigo nos assuntos sentimentais.

ÁGUA, MOINHO DE
Um moinho de água: Felicidade.
Estar em um moinho de água: Receberá inesperadamente dinheiro que lhe é devido.
Comerciantes sonhando com um moinho de água: Crescimento dos negócios.
Fazendeiros que sonham com moinhos de água: Colheitas abundantes.
Amantes sonhando com moinhos de água: Terá felicidade no casamento.
Namorados sonhando com um moinho de água: Seu casamento ocorrerá em breve.
Pessoa casada sonhando com um moinho de água: Felicidade no casamento.
Pessoa rica sonhando com um moinho de água: Aumentará sua fortuna.

ÁGUA, QUEDA-D'
Uma queda-d'água: Será convidado a um lugar de diversão.
Uma queda-d'água límpida: Felicidade.
Ver uma queda-d'água acompanhado: Você está sendo observado, e falam a seu respeito.
Tirar água de uma queda-d'água: Haverá pouquíssimos problemas.

ÁGUA, RODA-D'
Uma roda-d'água: Receberá uma boa quantia.
Uma roda-d'água funcionando: Trabalho pesado à frente.
Observar uma roda-d'água funcionando acompanhado de outros: Fará novas amizades.
Observar uma roda-d'água funcionando acompanhado da família: Seu dinheiro vai aumentar.

ÁGUA-VIVA
Uma água-viva: Advertência de que a casa se incendiará.
Ter uma água-viva: Não ponha seu coração de lado.
Outros que têm uma água-viva: O êxito virá mais tarde.

ÁGUIA
Uma águia voando: Boa sorte à frente.
Matar uma águia: Riqueza e nada que o impeça de alcançar sua meta.
Uma águia morta: Perdas monetárias são certas.

Ser atacado por uma águia: Enfrentará muitas dificuldades.
Uma águia ferida: Perda nos assuntos amorosos.
Uma águia empoleirada no alto de uma estátua: Realizará grandes ambições.
Uma águia empoleirada no topo de uma montanha: Fama e dinheiro.
Carregar uma águia: Vergonha e tristeza.
Uma mulher sonhando com diversas águias: Terá um filho famoso.
Possuir uma águia: Honras e lucros nos negócios.
Uma águia em pé: Muitos soldados morrerão.
Uma águia que cai sobre você: Aviso de perigo.
Uma águia de cabeça branca: Ocupará destacada posição política.

AGULHA

Agulha: Perseguição no amor.
Ter uma agulha: Intriga.
Uma agulha de costura: Você ama em excesso.
Uma agulha de cerzir: Fracassará no amor.
Agulha de crochê: Você é egoísta demais.
Pondo a linha numa agulha: Encargos familiares.
Procurar uma agulha: Você se preocupa sem motivo.
Descobrir uma agulha: Você tem amigos que o apreciam.
Perder uma agulha: Decepção no amor.
Agulhas feitas de aço: Vida longa.
Espetar-se com uma agulha: Você demonstra sua afeição abertamente.

AGULHA, TRABALHOS DE

Trabalhos de agulha: Traição.
Fazer trabalhos de agulha: Deve desconfiar de alguém em quem confia agora.
Outros fazendo trabalhos de agulha para você: Herança.
Jovens fazendo trabalhos de agulha: Perda de amigo ou parentes.
Receber um presente feito com trabalho de agulhas: Realizará uma longa viagem.
Dar um presente feito com trabalho de agulhas: Esperanças mantidas.

AIPO

Aipo: Boa saúde.
Comer aipo: Terá conforto no lar.
Comprar aipo: Escapará dos problemas.

AJOELHAR

Ajoelhar-se e orar: Felicidade e honrarias.
Filhos que se ajoelham para orar: Alegria e prosperidade.
Parente ajoelhando-se: Ganhos financeiros.
Inimigos ajoelhando-se: Um mistério será solucionado.

Amigos ajoelhando-se: Será enganado por amigos.
Ajoelhar-se em igreja ou santuário: Os desejos serão realizados.

AJUDANTE
Um ajudante: Morte de inimigo.
Ser um ajudante: Problemas à frente.
Estar em companhia de um ajudante militar: Fará novas amizades.
Estar em companhia de um ajudante de patente elevada: Os amigos serão úteis.

ALARME
Dar um alarme: Acelere seus planos para concluí-los.
Ouvir um alarme de incêndio quando estiver dormindo: Más notícias inesperadas a caminho.
Ouvir um alarme ao despertar: Ocorrerá uma transformação em breve na sua vida.
Ser assustado por um alarme quando estiver dormindo: Problemas à frente.

ALBATROZ
Um albatroz: Receberá boas notícias de uma pessoa desconhecida.
Diversos albatrozes no mar: Parentes pedirão ajuda.
Um albatroz em cima do mastro de um navio: Não empreste dinheiro.
Dar tiros em um albatroz: Escapará do perigo atual.

ALCACHOFRA
Alcachofra: Conseguirá superar as dificuldades atuais.
Ter alcachofra: Terá felicidade e contentamento.
Comer alcachofra: Discórdia na família.
Plantar alcachofra: Sorte e prosperidade.

ALCATRÃO
Alcatrão: As fofocas causarão muitos obstáculos.
Usar alcatrão: Tenha muito cuidado na escolha de companhia.
Comprar alcatrão: Cuidado com uma traição.
Trabalhadores aplicando uma cobertura de alcatrão: Será enganado por amigos.

ALDEIA
Uma aldeia: Terá vida longa e feliz.

ALECRIM
Alecrim: Um desejo de comida será satisfeito.
Plantar alecrim: Grande alegria.
Colher alecrim: Terá segurança.
Comprar alecrim: Contentamento no lar.
Cozinhar com alecrim: Um nascimento ocorrerá em sua própria casa.
Sentir o cheiro de alecrim: Sofrerá de melancolia e terá aborrecimento.

ALEGRIA

Alegria: Receberá más notícias.
Estar muito alegre: Terá saúde.
Filhos muito alegres: Bons tempos virão.

ALEIJADO

Uma pessoa aleijada: Grande decepção.
Ser um aleijado: Dificuldades nos negócios.
Outros que são aleijados: Contrairá uma doença de pouca gravidade.
Filhos aleijados: Bons ganhos.

ALEIJÃO

Ter um aleijão: Pessoas bondosas estão por perto.
Parentes com aleijão: Advertência sobre dificuldades.
Diversas pessoas aleijadas: Triunfo sobre os inimigos.
Membros da família com aleijão: Você conta demais com favores.
Amigos com aleijão: Você se tornará um mendigo.
Aleijão acentuado: Terá aborrecimentos com uma longa ação judicial.
Pessoa aleijada que manca: Estão falando mal de você.
Mulher rica e aleijada: Fracasso nas questões comerciais.
Homem aleijado na prisão: Estagnação nos negócios.
Mulher aleijada na prisão: Será devidamente castigado por crimes e erros.

ALERGIA

Ter alergia: Receberá boas notícias.
Ser alérgico a frutas: Será perseguido.
Filhos alérgicos a flores: Formará novas e boas amizades.
Outras pessoas com alergia: Sorte nos empreendimentos atuais.

ALFABETO

Alfabeto: Um amigo voltará.
Escrever todo o alfabeto: Notícias inesperadas.
Escrever todo o alfabeto com letras de imprensa: A preocupação se dissipará.
Examinando um alfabeto estrangeiro: Um mistério será solucionado.

ALFACE

Ter alface: Pobreza e doença.
Comer alface: Sua vida está em desordem.
Colher alface de um canteiro: Perigo nos assuntos sentimentais.
Comprar alface: Sofrerá pesares.
Lavar alface: Será culpado por atos impensados.

ALFAIATE

Um alfaiate: Trabalho agradável e boas notícias.
Um alfaiate do sexo masculino: Tenha cautela nos empreendimentos comerciais.

Uma mulher que é alfaiate: Evite os rivais.
Uma moça sonhando com um alfaiate: Ela se casará com um homem de posição inferior à dela.
Ser um alfaiate: Mudança de ambiente.
Tornar-se um alfaiate: Bons tempos virão.
Encomendar roupas a um alfaiate: Alegria sem ganho.

ALFINETE

Alfinetes: Pequena oposição.
Ter muitos alfinetes: Problema sério com uma pessoa amiga.
Comprar alfinetes: Obterá bons ganhos.
Usar alfinetes enquanto costura: Saúde boa.
Espetar-se com um alfinete: Discordância no amor.
Outros usando alfinetes: Enfrentará discordâncias.
Jogar alfinetes fora: Vida longa para você.

ALGEMA

Estar algemado: Aborrecimento causado por inimigos.
Outras pessoas algemadas: Vencerá todos os obstáculos.
Parentes algemados: Sairá das dificuldades.
Inimigos algemados: Boas perspectivas para os seus negócios.
Um prisioneiro perigoso sendo algemado: Receberá uma carta com dinheiro.

ALHO

Alho: Descoberta de um segredo.
Comer alho: Terá uma grande briga.
Comprar alho: Será irritado por outras pessoas.
Cozinhar com alho: Você não agrada àqueles que trabalham sob suas ordens.
Plantar alho no canteiro: As pessoas o detestam.
Dar alho para as crianças comerem: Elas conseguirão alcançar uma posição de destaque.
Pessoas que não gostam de alho: Você não está em condições de ocupar o cargo em que está.

ALHO-PORÓ

Essa planta: Realizará altas ambições.
Comer o tipo de cebolas que se parecem com alhos-porós: Ganhos financeiros.
Comer as folhas do alho-poró: Melhoria em sua situação.
Alho-poró como emblema em brasão de armas: Dignidade e distinção.

ALIANÇA DE CASAMENTO

Uma aliança de casamento: Dignidade e fortuna.
Perder uma aliança de casamento: Obstáculo.
Receber uma aliança de casamento: Felicidade no lar.
Uma aliança de casamento coberta de diamantes: Boa saúde.

ALIANÇA DE NOIVADO

Usar uma aliança de noivado: Grande alegria.

Outros usando aliança de noivado: Evite os rivais.

Parentes usando aliança de noivado: A felicidade deles está assegurada.

Devolver uma aliança de noivado: Logo ocorrerá uma transformação na sua vida.

ALICATE

Alicates: Alegria e lucros.

Usar um alicate: Em breve você fará um bolo.

Comprar alicates: Receberá notícias desagradáveis.

Mecânico trabalhando com alicates: As pessoas estão fazendo piadas a seu respeito.

ALICERCE

O alicerce da própria casa: Dará dinheiro a obras de caridade.

O alicerce de outras edificações: Fará uma longa viagem em breve.

Um alicerce sendo construído: Morte de alguém que você conhece.

Filhos que têm bom alicerce para os estudos: Tomará boas resoluções.

ALIMENTAR

Alimentar crianças pequenas: Ganhos financeiros.

Alimentar animais: As questões pessoais irão bem.

Outros alimentando crianças: Você está sendo enganado.

Outros alimentando animais: Alguém tenta destruí-lo.

ALISTAMENTO

Uma mulher sonhando que se alista: Encontrará um ótimo marido.

Um homem sonhando que se alista: O êxito virá mais tarde.

Parentes que se alistam: Há um amigo falso por perto.

Crianças que se alistam: Brigas de família.

Outros que se alistam: Melhoria no seu trabalho.

ALMANAQUE

Um almanaque: Ocorrerão transformações que afetarão o seu destino.

Possuir um almanaque: Grande escândalo será causado pelos atos que você vem cometendo.

Comprar um almanaque: Brigará com alguém de quem gosta muito.

Consultar um almanaque: Ficará endividado e será processado para que efetue os pagamentos.

ALMIRANTE

Um almirante no comando da esquadra: Bom futuro.

Estar em companhia de um almirante: Aguarde grandes acontecimentos.

Ser um almirante: Perigo nos assuntos amorosos.
Ser a esposa de um almirante: Confronto com obstáculos insuperáveis.

ALMOFADA

Ter algumas almofadas: Fará um bom casamento.
Ter muitas almofadas: Dificuldades e preocupações nos negócios.
Almofadas que pertencem a outros: Discórdia entre amigos.
Deitar-se sobre diversas almofadas: Mudança para melhor.

ALMOFADA DE ALFINETES

Uma almofada de alfinetes. Os empreendimentos serão realizados.
Uma almofada de alfinetes sem alfinetes: Conte com uma vida tranqüila.
Uma almofada com muitos alfinetes: Insatisfação.
Dar uma almofada de alfinetes de presente: Esteja prevenido quanto a seus amigos.

ALMOFADA PARA AJOELHAR

Pôr enchimento em uma almofada para ajoelhar: Decepção no amor.
Rezar com uma almofada sob o joelho: Cuidado com os rivais.
Ter os pés sobre uma almofada de ajoelhar: Triunfo sobre os rivais

ALMOFADINHA (janota)

Uma pessoa tola e almofadinha: Alguém procura destruir você.
Diversas pessoas tolas e almofadinhas: Harmonia entre amigos.
Mulher casada sonhando com um almofadinha: Deveria corrigir seu modo de viver.
Homem casado sonhando com uma almofadinha: Terá um novo caso amoroso.
Mulher solteira sonhando com um almofadinha: O homem que ela ama tem posição inferior.

ALOÉS

Sonhar com a planta do aloés: Contrairá uma grave doença.
Colher folhas de aloés: Grande alegria.
Ferver folhas de aloés: Ocorrerá uma transformação para melhor.
Tomar suco de aloés como remédio: Boa saúde.

ALPACA (tecido)

Uma alpaca: Receberá um presente valioso.
Ter um pouco de alpaca: Terá sorte ao receber dinheiro.
Ter roupas de alpaca: Melhorará em seu cargo atual.
Pessoas com ternos de alpaca: Confronto com obstáculos insuperáveis.

ALPINISTA

Ser um alpinista: Cuidado com fofocas causadas pelo despeito.
Um alpinista que escala uma montanha: Terá boa saúde e vida longa.
Um alpinista que desce uma montanha: Terá êxito na vida.
Ver numa montanha um alpinista a distância: Receberá boas notícias.

ALPONDRAS (pedras de um rio que servem de passagem de uma margem a outra)

Uma dessas pedras: Boa sorte nos assuntos amorosos.
Caminhar sobre alpondras: Romances passageiros.
Alpondras acima da água: Melhoria em seus negócios.
Caminhar com os pés descalços sobre alpondras: Fará progressos em tudo.

ALTA SOCIEDADE

Pertencer à alta sociedade: Logo ocorrerá uma transformação na sua vida.
Uma moça do interior sonhando com a alta sociedade: Logo trabalhará em uma cidade grande.
Uma senhora sonhando com a alta sociedade: Ela se casará com um nobre do exterior.

ALTAR

Um altar: Descoberta de dinheiro que tinha sido perdido.
Ajoelhar-se em um altar: Realizará um desejo secreto.
Casar-se e sonhar com um altar: Enfrentará muitos pequenos obstáculos.
Estar fora da edificação onde se encontra o altar: Grande fortuna.
Um altar ornamentado: Fará uma longa viagem.
Confusão no altar: Será aborrecido por inimigos.
Um altar destruído: Morte de um dos filhos.
Um altar sendo construído: Desfrutará de riqueza.

ALTERAÇÃO

Alterações sendo realizadas: Obterá bons ganhos.
Fazer diversas alterações: Noivado em breve.
Fazer alterações nas roupas das crianças: Felicidade na família.
Outros fazendo alterações por você: Surgirão tentações.

ALTERCAÇÃO

Travar uma altercação: Evite os rivais.
Ter uma altercação com parentes: Vigie cuidadosamente os vizinhos.
Ter uma altercação com uma pessoa a quem você ama: Felicidade no amor.
Ter uma altercação com pessoa amiga: O orgulho sofrerá.
Alteração entre pessoas: Fracasso dos inimigos.

ALUGAR ROUPAS

Alugar um *smoking*: Receberá uma herança.

Alugar roupa completa para a noite: Será ameaçado pela pessoa amada.

Alugar roupas comuns para homens: Perda de dinheiro por falência.

Alugar roupas esportivas para homens: Ganhará no jogo.

Alugar vestidos de noite para mulheres: Descobrirá um novo amor.

Alugar roupas comuns para mulheres: Receberá um presente muito caro.

Alugar conjunto de duas peças para uma mulher: Oposição no amor.

Alugar casacos de pele: A família crescerá.

Alugar um sobretudo para o frio: Os negócios irão bem.

Alugar roupas de meninas: Fará uma viagem.

Alugar roupas de menino: Alguém o roubará.

Alugar sapatos de mulher: Doença.

Alugar botas para homem: Terá problemas de ordem judicial.

ALUGUEL

Dever o aluguel: Será perseguido.

Pagar aluguel: Cuidado com inimigos traiçoeiros.

Receber aluguel: Bons ganhos e lucros.

Não conseguir pagar o aluguel: Perda de uma amizade.

Pagar o aluguel para alguém: Infelicidade.

Pagar o aluguel de parentes: Pobreza.

Pagar aluguel de um automóvel: Infortúnio.

Congelar o aluguel: Boas notícias que vêm de longe.

Alugar um apartamento: Alegria duradoura.

ALUME

Alume: Sorte e prosperidade.

Ter alume em casa: Êxito nas transações financeiras.

Utilizar alume: Alguém, abaixo de você, está amargurado por sua causa.

Pessoas usando alume: Será enganado por um amigo.

ALUNO

Alunos na escola: Infelicidade.

Ser aluno de uma escola noturna: Encontrará adversidade em sua vida.

ALVO

Um alvo: Êxito total na obtenção do que deseja.

Disparar sobre um alvo: Planos estruturais requerem sua atenção.

Acertar na mosca de um alvo: A felicidade está assegurada.

Errar inteiramente um alvo: Morte de um inimigo.

AMANHECER

Um amanhecer muito claro: Receberá ajuda inesperada.
Um amanhecer nublado: Morte de um inimigo.
Um amanhecer chuvoso: Bons tempos estão a caminho.

AMARELADO (flor)

Flores com tonalidade amarelada: Doença por um longo período.
Ter diversas flores amareladas: Enfrentará obstáculos.
Recolher flores no jardim: Grande benefício.
Uma pessoa solteira sonhando que colhe flores: Você se casará em breve.

AMARELO

A cor amarela: Transformações importantes em sua vida.
Material amarelo de qualquer tipo: Será atingido pelo pesar.
Comprar roupas amarelas: Aviso de dificuldades.
Comprar seda amarela: Será enganado por alguém que você ama.

AMARGO

Provar algo amargo: Terá urticária por todo o corpo.
Tomar remédios amargos: Terá brigas com empregados.
Filhos que comem coisas amargas: Brigas de família.
Sentir-se amargo: Será atacado por ladrões.
Outras pessoas sentindo-se amargas em relação a você: Brigas.

AMARRADO

Estar amarrado com cordas: Você enfrentará obstáculos.
Outros amarrados com cordas: As dificuldades o vencerão.
Ser amarrado com cordas por outras pessoas: Cairá em uma armadilha.
Amarrar outras pessoas com cordas: Obstáculo e perda de dinheiro.

ÂMBAR

A cor de âmbar: Advertência contra o orgulho.
Ter algo de âmbar: Obstáculos entre você e a pessoa amada.
Ganhar alguma coisa feita de âmbar de presente: Receberá dinheiro.
Dar algo feito de âmbar de presente: Recursos abundantes.

AMBULÂNCIA

Uma ambulância cheia: Realização de todos os desejos.
Uma ambulância vazia: Perda de uma amizade.
Chamar ambulância para um parente: Terá problemas financeiros.
Chamar uma ambulância para si próprio: Logo se restabelecerá de uma doença.

AMEIXA

Ameixas: Felicidade.
Comer ameixas: Terá uma decepção.
Comprar ameixas: Viverá muito e de forma tranqüila.
Vender ameixas: Boa posição financeira.
Ameixas fora de estação: Você está impondo sua afeição a alguém do sexo oposto.
Ameixas secas: Obstáculos.
Ameixas verdes: Amizade que nunca terminará.
Ameixas negras: Maus negócios.
Colher ameixas maduras: Inocência.
Colher ameixas verdes: Os esforços fracassarão.
Receber um presente feito com ameixa: Faça os planos com cuidado.
Uma ameixeira: Sua posição não é satisfatória.
Colher ameixas de uma árvore: Mudanças de posição no emprego.
Colher ameixas caídas ao chão: Dificuldades.

AMEIXA-CARANGUEJEIRA

Essa ameixa verde-amarelada: Você tem sorte no amor.
Colher ameixas-caranguejeiras de uma árvore: Prazer e felicidade.
Ter ameixas-caranguejeiras fora da estação: Será insultado.
Ter doce ou geléia feitos de ameixas-caranguejeiras: Contará com grande amizade.

AMEIXA ROXA

Ter essa ameixa pequena e escura em casa: Ansiedade.
Ameixa roxa pendente de uma árvore: Acontecimento importante e muito benéfico em breve.
Colher ameixa roxa da árvore: Evite os rivais.
Comer ameixa roxa: Enfrentará dificuldades causadas por companhias falsas.

AMÊNDOAS

Amêndoas: Tristeza passageira.
Comprar amêndoas: Triunfo sobre os inimigos.
Comer amêndoas: Terá vida longa.
Ameixas com gosto amargo: Os empreendimentos atuais fracassarão.

AMENDOEIRA

Uma amendoeira: Riqueza.
Uma amendoeira em flor: Terá alegria e satisfação.
Uma amendoeira com frutos ainda verdes: Dificuldades à frente.
Uma amendoeira com frutos maduros: Felicidade no lar.

AMÉRICA CENTRAL

Estar na América Central: Segurança nos negócios.
Ir à América Central, partindo do exterior: Novos interesses e ambientes.
Ir para o exterior, partindo da América Central: Enfrentará dificuldades na vida doméstica.

Ser deportado para a América Central: Infortúnio nos negócios.
Ser deportado da América Central: Evite os inimigos.

AMÉRICA DO NORTE

Estar na América do Norte: Será envolvido em um escândalo.
Ir para a América do Norte, partindo do exterior: Pouco êxito nos negócios.
Ir para o exterior, partindo da América do Norte: Acontecimentos sociais.
Ser deportado da América do Norte: Fará novas amizades.
Ser deportado para a América do Norte: Progresso na sua posição.

AMÉRICA DO SUL

Ver a América do Sul em um mapa: Perda da posição atual.
Viajar sozinho à América do Sul: Seus negócios prosperarão.
Fazer uma viagem à América do Sul em companhia de outras pessoas: Modificação para melhor.
Ir a diversos países da América do Sul: Infelicidade no amor.
Regressar da América do Sul: Marido ou mulher dedicado.
Ser deportado da América do Sul: Amigos falsos estão por perto.
Ser deportado para a América do Sul: Discórdia na família.
Percorrer países da América do Sul: Preocupações financeiras.
Ser cidadão de um país da América do Sul: Notícias agradáveis.
Ter negócios na América do Sul: Desfará sua sociedade.

AMETISTA

Uma ametista: Contentamento na vida.
Ter uma ametista: Boas notícias inesperadas.
Comprar uma ametista: Será desprezado pela pessoa amada.
Perder uma ametista: Um inimigo trama sua ruína.

AMIDO, GOMA

Engomar alguma coisa: Êxito em todos os empreendimentos.
Engomar blusas de mulheres: Você tende a ser sovina.
Engomar camisa de homem: Receberá uma fortuna inesperada.
Engomar colarinhos: Precisa fazer planos para a velhice.
Engomar a gola de um vestido de mulher: Algumas preocupações, porém muitos ganhos.
Mulher que sonha estar engomando roupa de cama: Ela se casará com pessoa ativa.

AMIGOS

Amigos que estão felizes: Boas notícias.
Amigos que estão perturbados: Ficará doente.
Despedir-se de um amigo: Acontecimentos o farão sofrer.

Discutir com um amigo: Alegria.
Separar-se de um amigo: Amigos procuram destruí-lo.
Amigos que estão com problemas: Receberá boas notícias inesperadas.
Uma pessoa amiga despida: Haverá uma grande briga.
Abraçar um amigo: Traição.
Falar com pessoa amiga em um quarto: Alegria e consolo.
Rir em companhia de amigos: Desfará sua sociedade.
Fazer novas amizades: Logo estará de luto.

AMÔNIA

Amônia: Infortúnio nos assuntos amorosos.
Ter amônia: Perigo causado por um acidente.
Comprar amônia: Passará por vexames.
Utilizar amônia: Brigas com uma pessoa amiga.

AMOR

Estar apaixonado: Terá felicidade a vida toda.
Amor que não é correspondido: Terá problemas sentimentais.
Ser amado: Prosperidade.
Estar apaixonado por si próprio: Vaidade.
Amar seu trabalho: Prosperidade a caminho.
Amar profundamente alguém: Fortuna e alegria.
Desejar alguém: Infelicidade.
Não obter êxito no amor: Você se casará e viverá feliz.
Estar em companhia da pessoa amada: Não terá felicidade no casamento.
Estar apaixonado por duas pessoas: A fé e a confiança serão submetidas a duras provas.
Namorados apaixonados: Cuidado com amizades invejosas.
Amar os filhos: Felicidade.
Ser amado pelos filhos: Brigas para saber qual dos filhos é o mais amado.
Amar o marido: Evite os rivais.
Mulheres que amam seu marido: Viverá sempre com felicidade.
Amar a esposa: Sorte e prosperidade.
Homens amando sua mulher: Problemas à frente.
Amar os parentes: Perda de dinheiro.
Ser amado pelos parentes: Prejuízos financeiros.
Amar os amigos: Receberá a notícia do falecimento de um amigo.
Ser amado pelos amigos: Você ouvirá falsas promessas.

AMOR ANTIGO

Pensar em um antigo amor: Felicidade no casamento.
Abraçar um antigo amor: Receberá um presente inesperado.
Retomar relações com um antigo amor: Ocupará posição destacada.
Casar-se com um antigo namorado: Brigas em família.

AMOR, CARTAS DE

Escrever uma carta de amor: Felicidade.
Ler uma carta de amor: Receberá boas notícias.
Receber muitas cartas de amor: A franqueza é uma qualidade admirável.
Rasgar cartas de amor: Infelicidade.
Guardar cartas de amor que estima muito: Descobrirá a verdade.

AMOR-PERFEITO

Amores-perfeitos em seu próprio jardim: Contentamento.
Amores-perfeitos em jardins alheios: Grandes oportunidades para você.
Um buquê de amores-perfeitos: Felicidades.
Ter no vestido um ramalhete de amores-perfeitos: Assistirá a um casamento.
Receber um presente de amores-perfeitos de um homem: Seu amor está garantido.
Plantar amores-perfeitos: Você terá uma família grande.

AMOR, PRESENTE DE

Dar um presente de amor: Momento adequado para paquerar.
Receber um presente de amor: Você está sendo enganado.
Outros que têm conhecimento de um presente de amor: Mais cautela.

AMOR, SER ABANDONADO

Homem casado que é abandonado: Desfrutará de felicidade no casamento.
Um viúvo que é abandonado por uma mulher solteira: Ganhos financeiros.
Uma mulher que abandona um homem: Frivolidade.
Outros que são abandonados: Será culpado por atos impensados.
Homem solteiro que é abandonado: Terá boa sorte com outras mulheres.
Mulher casada sonhando que abandona um amante: Terá preocupações nos assuntos sentimentais.
Mulher solteira que abandona um amante: Infelicidade.

AMORA SILVESTRE

Amoras silvestres: Terá de enfrentar muitas reviravoltas.
Colher amoras silvestres: Não terá sorte.
Comer amoras silvestres: Sofrerá prejuízos.
Comprar amoras silvestres: Será ferido em um acidente.
Amoras silvestres nos galhos dos arbustos: Muita fartura.
Mulher casada colhendo amoras silvestres: Logo engravidará.
Fazer geléia de amoras silvestres: Evite os rivais.
Receber um presente feito com geléia de amoras silvestres: Está sendo enganado por amigos.
Dar um presente de geléia de amora silvestre: Briga de família.

AMORAS

Amoras: Evite os rivais.
Comer amoras: Você se casará numa idade bem avançada.
Comprar amoras: Sorte e prosperidade.
Colher amoras: Terá vida longa.
Fazer geléia de amoras: A felicidade está assegurada.
Mulher solteira sonhando que come amoras: Fará um casamento próspero.
Homem solteiro sonhando que come amoras: Realizará uma viagem feliz.

AMOROSO

Ser uma pessoa amorosa: Será vítima de um escândalo.
Outros que se mostram amorosos em relação a você: Cuidado nos assuntos sentimentais.
Homem que se mostra amoroso: Cuidado nos relacionamentos.
Mulher que se mostra amorosa: Está exigindo demais.
Moça que se mostra amorosa: Fará um mau casamento.

AMOSTRA

Colher amostras: Você está pondo à prova as pessoas que ama.
Tomar uma amostra de comida: Felicidade.
Tomar amostras de minerais: Prosperidade.
Tomar amostras de diversas sementes: Há segurança nos negócios.
Tomar amostras de ouro, prata ou latão: Será convidado para um concerto.
Amostras de materiais: Doença.

AMPUTAR

Ver uma amputação: Terá uma vida saudável.
Uma perna sendo amputada: Perda de uma amizade.
Um braço sendo amputado: Perda de um parente.
Mão sendo amputada: Morte de um inimigo.
Um pé sendo amputado: Morte de um amigo.

AMULETO

Um amuleto: Cuidado com amigos invejosos.
Usar um amuleto: Decisão importante terá de ser tomada sem demora.
Comprar um amuleto como proteção contra o mal: Logo se casará.
Vender um amuleto: Infelicidade.
Receber um amuleto de presente: Sofrerá a perda de uma pessoa que você ama.

ANÁGUA

Anáguas: Você se divertirá bastante.
Usar anáguas: Advertência sobre orgulho e despesas desnecessárias.
Ter anáguas: Logo viverá um romance.

Comprar anáguas: Inclua a moderação em seu modo de viver.
Trocar uma anágua: Os desejos mais íntimos resultarão em desastre.
Remendar uma anágua: Transformação nos assuntos sentimentais.
Perder uma anágua: Dificuldades no casamento.
Uma jovem que perde a anágua: Perda do afeto da pessoa a quem ama.
Mulher solteira sonhando que perde a anágua: Será pedida em casamento.
Anáguas para meninas pequenas: Bons empreendimentos familiares.
Uma anágua branca: Receberá presentes dos mais belos.
Anáguas de cor: Haverá um casamento em breve.
Uma anágua rasgada: Infelicidade por bastante tempo.
Anáguas bordadas: Contrairá doença contagiosa.

ANÃO

Um anão: Terá mente vigorosa.
Uma anã de boa aparência: Terá corpo sadio.
Amigos que são anões: Eles lhe proporcionarão muitos prazeres.
Anões feios: Infelicidade e infortúnios.
Anões desconhecidos: Será atacado por amigos.

ANARQUISTA

Um anarquista: Novos interesses e ambientes.
Diversos anarquistas: Tenha cautela nas questões financeiras.
Uma anarquista assassinada: Terá vida longa e honesta.
Ser um anarquista: Perda da liberdade.

ANCHOVAS

Anchovas: Passará por muito sofrimento.
Comprar anchovas: Boa sorte.
Comer anchovas: Terá recordações do primeiro amor.
Usar anchovas em uma salada: Receberá um legado.

ANCIÃ

Anciãs: Grande tristeza.
Uma mulher muito idosa: Infelicidade no futuro distante.
Ser uma mulher velha: Libertação das dificuldades.
Mulheres velhas presentes a uma festa: Boa reputação familiar.
Pertencer a um clube de mulheres idosas: Inveja de amigas.
Uma mulher idosa sonhando ser cortejada por homem idoso: Ela é fiel em seu amor.

ANCIÃO

Um ancião: Encontrará problemas.
Ser um ancião: Honrarias e distinção.

Ser um ancião rico: Boa saúde.
Um ancião que sonha cortejar uma mulher idosa: Bons empreendimentos comerciais.

ANCINHO

Um ancinho: Cuidado com ladrões.
Usar um ancinho: Bons amigos.
Agricultores usando ancinhos: Bons amigos cuidarão de seus problemas.
Comprar um ancinho: Terá muito dinheiro.
Colher folhas com um ancinho: Lar feliz.
Usar o ancinho na palha ou no feno: Logo haverá um casamento.

ÂNCORA

Uma âncora na proa de um navio: Boa sorte.
Uma âncora pendente ao lado de um navio: Sorte e prosperidade.
Uma âncora no fundo da água: Terá decepções.
Levantar âncora da água: Obterá bons ganhos.
Perder uma âncora: Ganhos financeiros.

ANDAR

Andar para a frente: Uma transformação na sua fortuna lhe será proveitosa.
Andar para trás: Perda de dinheiro.
Andar com passos leves: Conselhos de alguém o beneficiarão.
Andar com passos pesados: Conhecerá um cientista.
Andar com uma perna de pau: Mudança na posição que ocupa.
Andar muito depressa: Cuide mais das questões urgentes.
Andar à noite: Aborrecimento.
Andar devagar: Vergonha e perda de dinheiro.
Andar por ruas enlameadas: Será atacado.
Andar na lama: Doença.
Andar sobre saibro: Sofrerá.
Andar mancando: Má sorte.
Andar com muletas· Perdas em jogo.
Andar sobre coisas que fazem arder: Perda de dinheiro.
Andar por um canal seco: As pessoas estão trabalhando contra você.
Andar ao lado de um rio seco: Alegria e prosperidade.
Andar na água: Triunfo.
Andar em companhia de outras pessoas: Êxito.
Andar em ziguezague: Oposição.

ANDAR NA ÁGUA

Andar na água: Cometerá um pecado.
Amantes que andam em água límpida: O amor deles não é garantido.
Amantes que andam em água enlameada: Desilusão.
Amantes que andam em água agitada: Seu amor desaparecerá por completo.

Outros que andam na água: Descobrirá a verdade acerca de um segredo.

ANDORINHA-DO-MAR

Essa ave que se parece com a gaivota: Receberá notícias boas e inesperadas.

Andorinhas-do-mar voando sobre o oceano: Visita de alguém que virá de longe.

O grito de uma andorinha-do-mar: Sorte.

Andorinha-do-mar voando sobre a terra: Recém-casados serão amigos e fiéis.

Um ninho de andorinha-do-mar: Sorte e bênçãos para a casa onde o ninho foi feito.

Matar uma andorinha-do-mar: Infortúnio.

Uma andorinha-do-mar que entra em casa ou navio: Receberá notícias de amigos.

ANEDOTA

Ouvir uma anedota: Haverá um grande acontecimento social.

Contar uma anedota: Aguarde acontecimento importante e muito benéfico.

Ouvir uma anedota de alguém no palco: A decepção é certa.

Ouvir uma anedota de pessoa amiga: Um mistério será solucionado.

ANEL

Diversos anéis: Grande briga.

Usar um anel: Dificuldades causadas por pessoa amiga.

Receber um anel de presente: Casamento em breve.

Ter um anel de diamante: Grande riqueza.

Ter um anel de pedras preciosas: Riqueza.

Pessoa solteira sonhando com um anel de pedras preciosas: Casamento.

Pessoa casada sonhando com um anel de pedra preciosa: Nascimento de um filho.

Ter um anel grande coberto de diamantes: Receberá altas honrarias.

Ter um anel de ouro: Dignidade.

Ter um anel de ouro posto em seu dedo: Honrarias e riqueza.

Ter um anel de ferro: Trabalho pesado à frente.

Perder um anel: Grande sorte.

Moça solteira sonhando que perdeu um anel: Será deixada pelo namorado.

Homem sonhando que perde um anel: A noiva se casará com outro.

Receber diversos anéis: Segurança no amor.

Comprar um anel: Será uma pessoa importante.

Dar um presente de anéis: Perda de dinheiro.

Anel que se parte: Intranqüilidade no lar.

Anel de noivado que se parte: Separação de namorados.
Receber uma aliança de casamento: Terá a devoção da pessoa que ama.
Partir uma aliança de casamento: Divórcio.
Ter um anel em uma corrente: Boa saúde.
Fazer um anel com o próprio cabelo: Declaração de amor.
Dar ou receber um anel feito de cabelo: Casamento.

ANGU

Angu: Bons tempos logo virão.
Preparar angu: Sorte variável.
Comer angu: Você vai desfrutar do dinheiro que tem.
Dar angu às crianças: Dinheiro em abundância.

ANIMAIS

Acariciar animais: Grande fortuna à frente.
Bater em animais: Terá alegria.
Bater em animais até matá-los: Bons resultados nos negócios.
Afastar animais de si: Logo se divorciará.
Animais repousando em um estábulo: Infelicidade no amor.
Animais repousando em um campo: Ganhos financeiros.
Animais em uma montanha: Perda de dinheiro nos negócios.
Animal selvagem e perigoso: Encontrará adversidade.
Ser perseguido por animais selvagens: Será ofendido por pessoa amiga.
Um touro ou vaca: Fará bons investimentos.
Um cachorro: Prosperidade.
Um cavalo: Acontecimento importante e muito benéfico ocorrerá em breve.
Um macaco: Atividades sociais alegres.
Um crocodilo: Pobreza.
Um animal gordo: Fartura durante o ano.
Um animal magro: Terá de suportar a falta de comida.
Um animal domesticado: Está cercado por inimigos.
Falar com animais: Obterá benefícios ligando-se a pessoas da sociedade.
Falar com um cachorro: Trabalho agradável e boas notícias.
Falar a um papagaio: Você conta demais com favores.
Um papagaio que lhe fala: As palavras do papagaio se concretizarão.
Comprar animais: O êxito virá mais tarde.
Animais pertencentes a outras pessoas: Um mistério será solucionado.

ANIMAIS, BANDO DE

Um bando de animais: Enfrentará dificuldades nos negócios.
Estar em um bando de animais, em meio a feras selvagens: O êxito virá mais tarde.

Outros que estão em um bando de animais: Têm reputação de fofoqueiros.
Trabalhar com um bando de animais: Bons tempos virão.

ANIMAL SELVAGEM

Um animal selvagem: Contará com proteção e favor de pessoas distintas.
Ouvir o rugido de uma fera: Promoção inesperada.
Ser perseguido por animal selvagem: Vergonha.
Um animal selvagem em uma jaula: Os inimigos fracassarão na tentativa de prejudicá-lo.
Ser atacado por animal selvagem: Terá vida longa.
Um animal selvagem correndo: Doença grave.
Matar um animal selvagem: Muitas transformações ocorrerão, mas, no final, virá a vitória.
Um animal selvagem morto: Falecimento de pessoa destacada.

ÂNIMO

Estar com bom ânimo: Receberá notícia de falecimento.
Estar com pouco ânimo: Verá fantasmas.
Crianças com bom ânimo: Algo está pesando na sua consciência.
A família com bom ânimo: Tenha cuidado com pessoas irritantes ou importunas.
Amigos que estão com bom ânimo: Será enganado em breve.

ANIVERSÁRIO

Seu próprio aniversário: Bons resultados nas questões financeiras.
Aniversário de um parente: Boas atividades comerciais.
Aniversário de pessoa amiga: Logo receberá alguma vantagem.
Aniversário do namorado: Abundância de dinheiro dentro de pouco tempo.
Aniversário da esposa: Bons tempos estão chegando.
Aniversário do marido: Recursos abundantes.
Aniversário dos filhos: Dinheiro a caminho.

ANJO

Um anjo: Êxito no amor.
Diversos anjos: Receberá uma herança.
Uma pessoa pura sonhando com um anjo: Receberá honrarias.
Uma pessoa pecaminosa sonhando com um anjo: Terá de arrepender-se.
Uma pessoa sadia sonhando com um anjo: Felicidade.
Uma pessoa doente sonhando com um anjo: Morte.
Um anjo que entra em sua casa: Prosperidade.
Um anjo que se aproxima de você: Desfrutará de paz e bem-estar.

ANO

Um ano: Estará enfraquecido pela idade.
Ano bissexto: Obterá pequenos benefícios.

Um ano terminado em número ímpar: Terá pouquíssimo dinheiro.
Um ano terminado em número par: Herdará muito dinheiro.

ANO BISSEXTO

Quando é ano bissexto e você é solteiro: Casamento nesse ano.
Casar-se durante ano bissexto: O casamento não durará muito tempo.
Nascer em ano bissexto: Terá vida longa.
Um parente falecendo durante ano bissexto: Herdará dinheiro de um parente.
Filho que fica noivo em ano bissexto: Jamais se casará com essa pessoa.

ANOITECER

Ter um anoitecer maravilhoso: Vergonha e pesar.
Passar um anoitecer em comemoração: Perigo por causa de um segredo.
Um anoitecer próspero, passado em companhia de outros: Concretizará altas ambições.
Outras pessoas em uma festa ao anoitecer: As preocupações acabarão bem.

ANO-NOVO

Ano-novo: Os problemas logo serão amenizados.
Passar o ano-novo com amigos: Cuidado com um rival inescrupuloso.
Iniciar um ano de número ímpar: Terá pouquíssimo dinheiro.
Iniciar um ano de número par: Herdará muito dinheiro.
Embriagar-se em festa de ano-novo: Os assuntos sentimentais melhorarão.
Propor casamento na entrada do ano-novo: O casamento durará para sempre.
Casar-se na entrada do ano-novo: O casamento não durará muito tempo.
Um filho que nasce na entrada do ano-novo: Será uma pessoa destacada.
Uma filha que nasce na entrada do ano-novo: Ela se casará com pessoa rica.
Cometer adultério na entrada do ano-novo: Separação iminente.

ANSEIO

Anseio: Você deve corrigir seu modo de viver.
Sentir anseio forte: Ser indiferente quando você deveria ser bondoso.
Anseio causado por pesar e vexame: As preocupações se dissiparão.
Parentes que sentem anseio: Disputas de família.

ANSIEDADE

Ter ansiedade: Vencerá os inimigos.
Sofrer por causa da ansiedade: Dias felizes estão chegando.

Sentir ansiedade em relação aos filhos: Terá boa saúde.
Sentir ansiedade em relação ao cônjuge: Problemas surgirão.

ANTEPASSADOS

Antepassados: Não confie em pessoas que dizem estar apaixonadas.
Bisavós: Contrairá uma doença de pouca gravidade.
Avós: Conseguirá se recuperar de uma doença rapidamente.
Antepassados de outras pessoas: A fortuna chegará em breve.

ANTÍLOPE

Um antílope: Alguém que você estima deposita confiança em você.
Ter couro de antílope: Prosperidade em questões financeiras.
Ter sapatos de antílope: Será muito rico.
Ter uma bolsa de antílope: Possuirá dinheiro suficiente por toda a vida.
Outras pessoas com bolsas de antílope: Será enganado.

ANTIQUADO

Ser antiquado: Morte de pessoa amiga.
Ter idéias antiquadas: Felicidade efêmera.
Usar roupas antiquadas: Discórdia no lar.
Lidar com pessoas antiquadas: Os negócios prosperarão.

ANUNCIAR (publicar anúncios)

Publicar um anúncio: Dificuldades e decepções.
Ler um anúncio: Realização dos planos.
Anunciar uma venda: Perda de dinheiro.
Receber um anúncio favorável: Atividades sociais alegres.

ANUNCIAR

Fazer um anúncio público: Sorte e prosperidade.
Anunciar o próprio casamento: Fracasso dos inimigos.
Anunciar o casamento de um parente: Recuperação imediata.
Outros anunciando seu casamento: Descoberta de objetos valiosos que estavam perdidos.
Anunciar questões de família: Divórcio em breve.
Anunciar uma morte: Perigo causado por um segredo.
Anunciar um nascimento: Está sendo enganado.
Anunciar a chegada de pessoas amigas: Problemas à frente.
Outras pessoas anunciando notícias a você: Logo ocorrerá uma modificação na sua vida.
Um anúncio feliz: Doença e morte.

ANZÓIS

Anzóis: Receberá um presente.
Ter anzóis: Descobrirá um objeto valioso.

Pegar coisas com um anzol: Terá o domínio de muitas coisas.

Utilizar um anzol: Há amigos falsos por perto.

APAGAR

Apagar um incêndio: Tempos difíceis virão.

APANHAR (recolher)

Apanhar coisas diferentes: Terá boa alimentação.

Apanhar alguém, levando-o de automóvel: Receberá boas notícias.

Apanhar crianças: Herança.

Apanhar flores: Boas relações com os parentes.

APANHAR EMPRESTADO

Apanhar dinheiro emprestado: Tristeza no lar.

Pagar dinheiro emprestado: Navegará em águas calmas.

Outros pagando dinheiro emprestado: Bons negócios no futuro próximo.

Outros apanhando dinheiro emprestado com você: Morte de uma pessoa amiga.

APARADOR

Um aparador vazio: Os negócios não prosperarão.

Um aparador cheio: Mudança para melhor.

Pôr coisas em um aparador: Você se recuperará de prejuízos.

Tirar coisas de um aparador: Você tem muitos amigos fiéis.

APARAR A GRAMA

Aparar o gramado: Há um amigo falso por perto.

Um homem aparando seu gramado: Êxito nos negócios.

Uma mulher aparando o gramado: Vida feliz.

Outros que aparam a grama: O êxito virá mais tarde.

APARIÇÃO

Uma aparição: Receberá ótimas notícias.

A aparição de um ladrão: Um amigo fiel está por perto.

Ser assustado por uma aparição: Sua saúde ficará debilitada.

A aparição de um parente falecido: Sorte e prosperidade.

APARTAMENTO

Estar em um apartamento: Evite os rivais.

Possuir um apartamento: Briga de família.

Estar sozinho em um apartamento: Solidão e decepção.

Estar em um apartamento com outra pessoa: Boa sorte no amor.

Esconder-se em um apartamento: Receberá presentes caros.

Apartamento de outras pessoas: Problemas à frente.

APARTAMENTO DE HOTEL

Um apartamento de hotel: Será prejudicado por idéias antiquadas.
Estar com o namorado em um apartamento de hotel: Receberá notícias desagradáveis.
Dar uma festa em apartamento de hotel: Será tido em alta conta.
Encontrar-se sozinho em um apartamento de hotel: Discórdias na família.

APELIDO

Ter um apelido: Ganhará dinheiro em seu trabalho.
Dar um apelido: Receberá um presente.
Apelidar pessoas: Contentamento.
Apelidar seus filhos: A família aumentará.

APETITE

Ter grande apetite: Perda de parentes.
Ter pouco apetite: Doença à frente.
Ter apetite para uma grande festa: Perda de dinheiro.
Perder o apetite: Perigo causado por um segredo.

APETRECHOS

Apetrechos: Ganhos financeiros.
Um apetrecho de pescaria: Descoberta de objetos valiosos que estavam perdidos.
Comprar um apetrecho de pescaria: A felicidade está assegurada.
Os apetrechos de um navio: Terá bons rendimentos.
Outros suspendendo apetrechos: Acontecimento importante e muito benéfico em breve.
Conseguir algo com um apetrecho: Melhoria de sua posição.

APITO

Um apito: Estão falando a seu respeito em um tom de escândalo.
Lidar com um apito: Você é muito inteligente.
Consertar um apito: Receberá bons conselhos de alguém.
Um apito quebrado: Ficará doente por um breve período.
Um apito sendo soprado durante um jogo: Felicidade.

APLAUSO

Receber aplauso: Você tem tendência à vaidade.
Aplaudir: É altruísta e não inveja os outros.
Aplaudir uma pessoa destacada: Problemas à frente.
Outros aplaudindo: Traição de pessoas amigas.

APOIAR

Receber apoio: Prosperidade.
Apoiar alguém: Estará agindo com má-fé.

APOIAR-SE

Apoiar-se em uma parede: Auxilie aqueles, perto de você, que precisam de dinheiro.
Apoiar-se em outra pessoa: Receberá ajuda substancial.

Crianças que se apóiam em você: Felicidade.

Pessoas que se apóiam uma na outra: Receberá carta do exterior.

APOSTA

Fazer uma aposta: Você não tem certeza do que está fazendo.

Aceitar uma aposta: O seu pensamento está confuso.

Ganhar uma aposta: Aja com cautela e a sorte surgirá.

Perder uma aposta: Conquistará riqueza de modo desonroso.

Outros que fazem aposta: Não permita que a opinião alheia interfira em sua vida.

APREENSÃO

Estar apreensivo: Faça as coisas do seu jeito, como as fazia antes.

Sentir apreensão por causa dos filhos: Escapará a um perigo atual.

Estar apreensivo por causa da situação financeira: Brigas de família.

Estar apreensivo por causa de amigos. Você conta demais com favores.

APRENDER

Aprender alguma coisa por experiência própria: Boa sorte para uma pessoa por quem você se interessa.

Aprender alguma coisa: Infelicidade.

Crianças que aprendem as lições: Terão pouca dificuldade na vida.

Aprender uma lição na vida: Seus empreendimentos são maiores do que a sua capacidade de realizá-los.

Aprender a escrever: Felicidades.

Aprender uma língua estrangeira: Infelicidade nos assuntos amorosos.

Aprender um novo ofício: As coisas lhe chegarão devagar.

Tomar conhecimento de que foi enganado: Receberá um legado.

Tomar conhecimento da chegada de parentes: Ganhos inesperados.

APRONTAR-SE

Aprontar-se: Receberá dinheiro.

Aprontar-se para sair: Ficará sabendo do amor de alguém por você.

Aprontar-se para comer: Deveria corrigir seu modo de viver.

Aprontar-se para viajar: Logo enriquecerá.

Aprontar-se para se deitar: Terá dores no coração.

Aprontar-se para trabalhar: As ambições aumentarão a cada dia.

APROXIMAÇÃO

Ser abordado por uma mulher distinta: Será humilhado.

Ser abordado por um homem de negócios: Bons resultados nos projetos.

Ser abordado por pessoa importante: Honrarias e proveito.

Ser abordado por parentes: Discussões de família.
Ser abordado por amigos: Desonra.
Ser abordado por pessoa desconhecida: Adversidade.

AQUECEDOR

Um aquecedor: Acontecimentos muito importantes e muito benéficos em breve.
Acender um aquecedor: Melhoria de sua posição.
Apagar um aquecedor: Transformação em seu ambiente.
Instalar um novo aquecedor: Você tem tendência à frivolidade.

AQUEDUTO

Um aqueduto: Receberá fortuna dos pais.
Um aqueduto sendo construído: O êxito virá mais tarde.
Um aqueduto sendo consertado: Realizará altas ambições.
Muita água passando por um aqueduto: Riqueza.

AR

Ar claro e céu azul: Êxito.
Ar frio: Infelicidade nas relações familiares.
Ar quente: Está errando por ser opressivo.
Ar com leve neblina: Está sendo enganado.
Ar com nevoeiro: Volte a examinar os planos de ação que tem agora.
Ar úmido: O infortúnio porá fim a esperanças otimistas.
Ar calmo: Felicidade.
Ar tempestuoso: Logo terá uma doença e correrá perigo.

ÁRABE

Um árabe: Será atacado durante uma viagem.
Ser árabe: Ocorrerá uma transformação para melhor em sua sorte.
Muitos árabes: Viverá um romance.
Estar em companhia de um árabe: Efetuará uma transação importante e boa.

ARANHA

Uma aranha: Muita felicidade.
Matar uma aranha: Prazer.
Ver uma aranha à noite: Muito dinheiro.
Ver uma aranha de manhã: Enfrentará uma ação judicial.
Comer aranhas: Você é uma pessoa muito sensual.
Homem de negócios sonhando com uma aranha: Boa sorte à frente.
Mulher solteira sonhando com uma aranha: Será pedida em casamento.
Uma aranha tecendo a teia: Felicidade doméstica.
Ser picado por uma aranha: Infidelidade conjugal.
Diversas aranhas: Brigas domésticas.

ARAR

Arar um campo: Não conseguirá êxito de início, mas depois terá sucesso.

Pessoas arando um campo: Tem trabalho pesado pela frente.

Não conseguir arar: Vencerá as dificuldades com perseverança.

Um agricultor que ara um campo: Felicidades no casamento.

Jovens arando: Vida feliz para o namorado paciente.

ARBITRAGEM

Uma arbitragem: Perda de dinheiro causada por injustiça.

Sair vitorioso de uma arbitragem: Os projetos não se concretizarão.

Perder em uma arbitragem: Terá benefícios financeiros futuros.

Ser encarregado de uma arbitragem: Aguarde acontecimentos importantes e benéficos.

ÁRBITRO

Um árbitro: Será vítima de uma injustiça.

Ser um árbitro: Modificará sua situação na vida.

Ser um árbitro de competições esportivas: Desfrutará vida tranqüila e agradável.

Um árbitro judicial: Será injustiçado.

Um árbitro numa transação comercial: Perderá todo o dinheiro em jogo.

ARBUSTOS

Abrir caminho em meio a arbustos: Terá uma melhoria na vida.

Esconder-se atrás de arbustos: Perigo iminente.

Outros se escondendo atrás de arbustos: Oposição no amor.

Derrubar arbusto: Perigo causado por um segredo.

ARCA

Uma arca: Aguarde acontecimentos importantes e muito benéficos.

Ter uma arca: Segurança e proteção.

Arca em um lugar sagrado: Vida longa e confortável.

A arca dos Dez Mandamentos: Recursos abundantes.

ARCADA

Uma arcada: Riqueza e melhoria.

Uma arcada danificada: Tem de corrigir seu modo de viver.

Passar por baixo de uma arcada: Muitos o procurarão pedindo favores.

ARCO

Um arco: Grande alegria.

Segurar um arco: Garantia de felicidade.

Prender com arcos: Harmonia entre amigos.

O arco de um violino: Pessoas interferirão na sua vida sentimental.

ARCO-E-FLECHA

Atingir o alvo com uma flecha: Pode contar com a sorte.

Errar o alvo com uma flecha: Passará por dificuldades.

Acertar na mosca com uma flecha: Herança.

Perder uma flecha: Dificuldades de vida causadas por negligência.

Ser atingido por uma flecha: Cuidado com os inimigos.

Ter muitas flechas: Perdas financeiras.

ARCO-ÍRIS

Um arco-íris: Saúde e prosperidade.

Estar perto de um arco-íris: Transformações para melhor na posição atual.

Mulher casada sonhando com um arco-íris: Transformação nos assuntos sentimentais, sem demora.

Mulher solteira sonhando com um arco-íris: Receberá um belo presente.

Moça sonhando com um arco-íris: Terá um namorado agradável.

Namorados vendo um arco-íris juntos: Casamento feliz e riquezas.

Crianças vendo um arco-íris: Serão sadias e inteligentes.

Um arco-íris sobre sua cabeça: Herança familiar.

Um arco-íris ao nascer do Sol: Grande riqueza.

Um arco-íris ao meio-dia: Melhoria para você, em relação à sorte.

Arco-íris no ocaso: Aproximamse tempos felizes e alegres.

ARDÓSIA

Uma ardósia: Sorte e prosperidade.

Estar com a ardósia da casa limpa: Terá vida longa.

Escrever em uma ardósia: Fará novos planos.

Quebrar uma ardósia: Fracasso de seus planos.

Apagar uma ardósia: Alguém com más intenções o vigia.

AREIA

Areia: Obstáculos e inquietação.

Lidar com areia: Passará por muitos vexames pequenos.

Trabalhar com areia: Tem pela frente alguns anos de trabalho pesado.

Misturar areia com cimento: Êxito.

Outros usando areia: Receberá dinheiro inesperado.

Uma duna: Será justificado por amigos.

Areia colorida: Receberá um favor.

AREIA, TEMPESTADE DE

Uma tempestade de areia: Ganhos financeiros.

Estar em uma tempestade de areia: Você terá vida longa.

Ser ferido em uma tempestade de areia: Acontecimento importante e muito benéfico em breve.
Propriedade que é danificada por tempestade de areia: Construirá uma nova casa.

AREIA MOVEDIÇA

Areia movediça: Você está cercado por muitas tentações.
Lidar com areia movediça: Não seja indiscreto.
Alguma coisa que afunda em areia movediça: Será enganado por pessoas amigas.

ARENA

Uma arena: Tenha cautela nos empreendimentos comerciais.
Estar em uma arena: Um amigo falso está por perto.
Lutar em uma arena: Realizará altas ambições.
Espectadores em uma arena: Sofrimento.

ARENQUE

Arenque: Fará uma viagem.
Apanhar arenque: Desejos serão satisfeitos.
Comer arenque: Boa sorte para alguém a quem você quer bem.
Comprar arenque: Será generoso com os amigos.
Cozinhar arenque: Gravidez no futuro próximo.
Outras pessoas lhe dando arenque: Realizará altas ambições.

ARMA

Ter uma arma: Perigo à frente.
Receber uma arma de presente: Honraria.
Comprar uma arma: Bons ganhos.
Ouvir o disparo de uma arma: Perda de emprego.
Estar armado: Surgirá uma boa oportunidade.
Ter diversas armas: O êxito virá mais tarde.
Outros que estão armados: A preocupação se dissipará.
Ter disparado em alguém: Uma pessoa que você ama falecerá.
Outros que disparam uma arma: Ficará inválido por algum tempo.
Viajar com uma arma: Em breve se casará.
Um vendedor de armas: Uma sociedade comercial será desfeita.

ARMA DE AR COMPRIMIDO

Uma arma de ar comprimido: Deve adiar um pouco as decisões.
Ter uma arma de ar comprimido: Dentro de pouco tempo ocorrerá uma modificação na sua vida.
Comprar uma arma de ar comprimido: Está sendo enganado.
Receber uma arma de ar comprimido: Será traído no amor.
Outros que utilizam arma de ar comprimido: Os inimigos estão tentando destruí-lo.

ARMAS DE FOGO

Armas de fogo: Brigas dentro de pouco tempo.
Um fuzil com baioneta: Separação de sócios.
Possuir armas de fogo: Ganhos financeiros.
Portar armas de fogo: Haverá uma ação judicial.
Vender armas de fogo: Você está na companhia de desordeiros.

ARMADILHA

Armadilha: Uma modificação para melhor.
Preparar uma armadilha: Você está cercado por inimigos.
Apanhar pássaros com armadilha: Receberá uma pequena quantia.
Apanhar animais com armadilha: Reunião da família.

ARMÁRIO

Um armário: Traição de pessoas em quem confia.
Comprar um armário: Ganho financeiro.
Vender um armário: Discórdia na família.
Abrir um armário: Receberá uma carta que espera há muito tempo.
Fechar um armário: Extravio de uma carta no correio.

ARMÁRIO EMBUTIDO

Um armário embutido: Terá muito dinheiro que será esbanjado.
Ter dinheiro em um armário embutido: Doença de uma pessoa do sexo feminino.
Roupas penduradas em um armário embutido: Grande sorte.
Roupa de cama guardada em um armário embutido: Felicidade no lar.

ARMAZÉM

Um armazém: O dinheiro virá com facilidade por toda a vida.
Estar em um armazém: Êxito nos negócios e no casamento.
Vender coisas em um armazém: Curiosidade.
Tirar coisas de um armazém: Mudança de residência.
Um furgão de armazém: Infidelidade.

ARMÊNIO

Um armênio: A decepção será inevitável.
Estar na Armênia: Acontecimento importante e muito benéfico em breve.
Estar em companhia de um armênio: Regresso de um ex-amigo.
Muitos armênios: Receberá carta que aguarda há muito tempo.

ARMINHO

Usar uma capa de arminho: Um amigo falso está por perto.
Possuir uma capa de arminho: Investirá dinheiro em propriedades imobiliárias.
Comprar uma capa de arminho: Deve procurar economizar dinheiro:
Vender uma capa de arminho: Será enganado.

ARQUEIRO

Um arqueiro: Infelicidades nos assuntos sentimentais.
Ser um arqueiro: Incapaz de ocupar seu cargo.
Ser um arqueiro casado: Perigo por perto.
Um arqueiro solteiro: Noivado por perto.

ARQUITETO

Um arquiteto: Terá muito prazer na vida.
Ser um arquiteto: Ocasião adequada para tentar conquistar seu amor.
Encontrar-se com um arquiteto: Sorte e prosperidade.
Conversar com um arquiteto sobre alguma construção: Brigas de família.

ARQUIVO

Pôr documentos em um arquivo: Está diante de obstáculos insuperáveis.
Tirar documentos de um arquivo: Um inimigo trama sua ruína.
Um arquivo de escritório: Descoberta de artigos valiosos que estavam perdidos.

ARRANHAR

Ter um arranhão que sangra: Receberá más notícias.
Ser arranhado pelas unhas de uma mulher: Seu amor está firme.
Ser arranhado por crianças: Receberá dinheiro inesperado.
Ser arranhado por um gato: Doença.
Ser arranhado por um cachorro: Será enganado por amigos.
Arranhar-se em roseiras: Você está sendo enganado.
Namorados arranhando-se: Será culpado por atos impensados.

ARREBENTAÇÃO

A arrebentação: Precisará de muito tato para satisfazer seus interesses.
A arrebentação que vem à praia: Grande alegria.
Ser alcançado pelas ondas que quebram na arrebentação: Será culpado por atos impensados.
O retorno das ondas da arrebentação ao mar: Terá mente vigorosa.

ARREIO

A trela para um cão: Uma apresentação levará a amizades.
Comprar trela para prender um cão: Você ficará muito apaixonado.
Arreio para um cavalo: Melhoria nos assuntos amorosos.
Comprar um arreio para cavalo: Será tentado por novo amor.

ARRENDAMENTO

Assinar um contrato de arrendamento: Perseguição pela Justiça.
Pedir a alguém para assinar um contrato de arrendamento: Prisão.

Cancelar um arrendamento: Futuro incerto.
Processar alguém por causa de um arrendamento: Reconciliação com um inimigo.
Arrendar uma casa: Evite os rivais.
Arrendar uma loja: Solidez nos negócios.
Arrendar terras: Terá sorte no amor.

ARREPENDER-SE
Sentir arrependimento: Seu estado de espírito variável lhe será prejudicial.
Arrepender-se de atos: Terá um mau sinal da Lua.
Expressar arrependimento ao cônjuge: Desfrutará prosperidade.
Outras pessoas expressando arrependimento: A infelicidade logo terminará.
Crianças que se arrependem dos atos cometidos. Não seja tão meticuloso.

ARRESTO
Sofrer um arresto pelo não pagamento de impostos: Enfrentará complicações financeiras.
Sofrer um arresto por dever dinheiro: Dissolução das esperanças para o futuro.
Promover um arresto contra outros: Entrará em disputas ridículas.
Arresto de contas bancárias: Tenha cautela nas atividades comerciais.

ARROZ
Arroz: Tenha cuidado ao fazer planos.
Comer arroz: Felicidade e conforto.
Cozinhar arroz: Riqueza e abundância.
Outras pessoas cozinhando arroz: Terá todas as coisas boas da vida.
Comer arroz em companhia de muitas pessoas: Fará um bom casamento.
Dar arroz aos filhos para comerem: Os problemas terminarão.
Comer arroz em companhia da família: Você tem muitos inimigos.
Pessoas amigas comendo arroz: Receberá um hóspede indesejado.
Sentir-se empanzinado de tanto comer: A decepção é certa.
Comer pudim de arroz: O dinheiro virá com facilidade.
Plantar arroz: Abundância.
Vender arroz: Ganhos financeiros.
Comprar arroz: Realizará altas ambições.

ARRUINAR
Arruinar a si próprio: Ficará assustado.
Arruinar os parentes: Fará uma viagem.
Arruinar outras pessoas: Sofrerá prejuízos.
Ser arruinado por alguém: Receberá a notícia de um casamento.

ARRUMAR

Arrumar coisas na casa: Os desejos não serão realizados.
Arrumar as questões da família: Trabalho esforçado trará a fortuna.
Arrumar os negócios: Infortúnio.
Arrumar roupas: Receberá uma visita inesperada.
Arrumar-se para uma viagem: Cuidado com fofocas por parte de amigos.
Outras pessoas arrumando coisas: Lucros.

ARSENAL DE MARINHA

Estar em um arsenal de marinha: Poupará muito dinheiro.
Um arsenal de marinha: Entrará em luta com o melhor amigo.
Trabalhadores em um arsenal de marinha: Terá bons ganhos.
Marujos em um arsenal de marinha: A felicidade chegará logo.

ARTE

Obras de arte: Honrarias.
Comprar obras de arte: Terá de trabalhar muito.
Vender obras de arte: Perda de dinheiro.
Ser um negociante de objetos de arte: Sua diligência será compensada.

ARTEMÍSIA

A planta artemísia: Pronto restabelecimento de uma doença.
Comprar artemísia: Boa sorte.
Usar artemísia fresca na comida: Recursos abundantes.
Usar artemísia seca na comida: Mudança de ambiente.

ARTÉRIAS

Ter artérias fortes: Receberá mensagens com boas notícias.
Ter artérias fracas: Você se restabelecerá lentamente de uma doença.
As artérias sendo cortadas: Terá vida longa.
A artéria de um rio: As preocupações se dissiparão.

ARTISTA

Um artista: O êxito será seu.
Ser um artista: Receberá muitas homenagens.
Fazer com que um artista pinte seu retrato: Traição de um amigo.
Posar para um escultor: Você conta demais com favores.
Um artista pintando o retrato de outro: Arriscará os planos.

ÁRVORE

Uma árvore: Ouvirá segredos.
Estar em uma árvore: Segredos pessoais serão revelados.
Andar em cima de uma árvore: Receberá boas notícias.
Uma árvore incendiada: Aflição nos assuntos sentimentais.

ÁRVORES

Árvores: Receberá favores de amigos bem-intencionados.

Árvores doentias: Brigas de família.

Folhas que se tornam amareladas nas árvores: Contrairá uma doença em pouco tempo.

Pequenas mudas de árvores: Pobreza.

Derrubar árvores: sofrerá prejuízos.

Árvores incendiadas: Aborrecimentos e infelicidade.

Subir em uma árvore: Terá novo emprego.

Subir em uma árvore frutífera: Dignidade e boas notícias.

Crianças subindo em uma árvore: Doença.

Subir em uma árvore usando uma escada: Alcançará uma alta posição.

Descansar sob uma árvore: Será auxiliado por amigos influentes.

Dormir sob uma árvore: Será abandonado.

Cair de uma árvore: Perda de emprego.

Uma árvore verde: Uma alegria imensa fará com que você se esqueça de toda a tristeza.

Uma árvore mirrada: Alguém o está enganando.

Derrubar uma árvore morta: Infortúnio.

Uma árvore sem flores: Crescimento dos negócios.

Uma árvore de tronco torto: Você tem muitos inimigos.

Cortar uma árvore em alguma construção: Prosperidade.

Cortar árvores no jardim de outras pessoas: Vencerá os inimigos.

Descobrir uma árvore caída na estrada: Infortúnio.

Árvores frutíferas muito carregadas: Riqueza e fortuna nos negócios.

Árvores em flor: Alegria e satisfação.

Árvores frutíferas sem frutas: Vida feliz.

Pequenas árvores frutíferas: Grande satisfação.

Grandes árvores sem frutos: Homenagens.

Adubar árvores frutíferas: Manterá sua força.

Apanhar frutos de uma árvore: Herança recebida de pessoas idosas.

Pinheiros altos e retos: Receberá boas notícias.

Uma árvore de Natal: Alegria e felicidade.

O mastro de um navio, feito de árvore: Receberá ajuda quando necessitar.

Fugir de um incêndio na floresta: Sofrerá um acidente incomum.

Macieiras: Receberá notícias desagradáveis.

Limoeiros: Receberá grandes coisas.

Figueira: Fará uma viagem.

Castanheira: Riquezas.

Oliveiras: Paz e felicidade em todos os desejos.

Pereiras: Terá de lutar contra a oposição às suas idéias.
Laranjeiras: Descontentamento passageiro.
Ameixeiras: Um visitante lhe fará uma agradável surpresa.
Cerejeiras: Doença.
Romãzeiras: Desfrutará um futuro tranqüilo.
Pessegueiro: Oposição nos assuntos sentimentais.
Choupos: Desfrutará uma grande colheita e boa sorte.

ÁS

O ás de copas: Brigas.
O ás de paus: Dinheiro.
O ás de ouros: Má sorte.
O ás de espadas: Boas notícias.
Um ás: Uma pessoa está desfrutando daquilo que você queria para si.
Ser um ás da aviação: Será enganado nos assuntos amorosos.

ASA

Asas: Perderá dinheiro.
Um anjo com asas: Felicidade.
Asas de pássaros: Honrarias e dignidade.
Um anjo pondo asas em você: Alegria e consolo.
As asas de um aeroplano: Receberá notícias inesperadas.
Asas das aves favoritas: Felicidade no lar.
Você próprio com asas: As pessoas doentes se restabelecerão.
Crianças com asas: Receberá um legado.
Asas partidas: Perdas de dinheiro.

ÁSIA

Ásia: Logo receberá dinheiro.
Ver a Ásia em um mapa: Melhoria em seu cargo atual.
Fazer uma viagem à Ásia sozinho: Fará uma nova amizade.
Fazer uma viagem à Ásia com outras pessoas: Sofrerá pesares.
Regressar da Ásia: Viverá um romance.
Ser deportado para a Ásia: Infelicidade nos assuntos amorosos.
Ser deportado da Ásia: Os negócios ficarão estagnados.

ASILO

Um asilo: Em breve receberá um grande legado.
Estar em um asilo: Sorte e prosperidade.
A família em um asilo: O dinheiro virá com facilidade.
Outras pessoas em um asilo: Descoberta de objetos valiosos que tinham sido perdidos.

ASMA

Asma: Os planos não darão certo.
Ter asma: Logo se recuperará, mudando de residência.
Contrair asma: Ganhos financeiros.
Pessoas que têm asma: A decepção é certa.

ASNO

Um asno: Não se beneficiará com brigas.

Montar em um asno: Cairá em descrédito e vergonha.

Ter um asno: Haverá uma discussão com o seu melhor amigo.

Ser puxado por um asno: Boa sorte nos assuntos sentimentais.

Um asno correndo: Receberá má notícia.

Um asno que se movimenta muito devagar: Terá muita segurança dentro de pouco tempo.

Comprar um asno: Alegria na família.

Vender um asno: Grande prejuízo nos negócios.

Pôr carga em um asno: Bons negócios à frente.

Um asno carregado: Ganhará dinheiro.

Sentado em um asno: Terá muito trabalho e sorte.

Crianças sentadas em um asno: Felicidade.

Conduzir um asno, tirando-o do estábulo: Fim dos negócios.

Bater em um asno: Receberá notícias desagradáveis.

Ser escoiceado por um asno: Infortúnio no amor.

Pôr ferraduras em um asno: Executará trabalho pesado no futuro.

Ver um asno morto: Terá vida longa.

Matar um asno: Perderá toda sua fortuna.

As orelhas de um asno: Estará diante de um grande escândalo.

Ouvir um asno ornejar: Vergonha na família.

Um asno selvagem: Não está conduzindo bem os negócios.

Muitos asnos: Será abandonado pela pessoa amada.

Asnos que pertencem a outras pessoas: Terá muitos amigos fiéis.

ASPARGOS

Ter aspargos: Obterá grande êxito.

Aspargo cru: Êxito em suas iniciativas.

Lidar com aspargos: Terá uma vida cheia de saúde.

Cozinhar aspargos: Sucesso em seus planos.

ÁSPIDE

Essa serpente: Haverá disputas entre você e seu cônjuge.

Muitas áspides: Cuidado com falsos amigos.

Ver uma áspide em uma gaiola: Um amigo falso está por perto.

Matar uma áspide: Obterá vitória sobre os inimigos.

ASSALTANTE

Um assaltante: Recursos abundantes.

Ser roubado por um assaltante: Grande alegria.

Outros que são roubados por um assaltante: Infortúnios nos assuntos sentimentais.

Ser assustado por um assaltante: Será seqüestrado.
Ser surrado por um assaltante: Perda de parentes, filhos e propriedades.
Ser ferido por um assaltante: Será privado de dinheiro.
Ser morto por um assaltante: Perda de herança.

ASSALTO

Ser assaltado: Receberá boas informações.
Assaltar outras pessoas: Ganhos financeiros.
Crianças sendo assaltadas: Brigas de família.
Outras pessoas sendo assaltadas: Infelicidade nos assuntos amorosos.

ASSASSINATO

Um assassino: Triunfo sobre os inimigos.
Assassinar alguém: Pesar e fracasso.
Pessoas cometendo um assassinato: Terá vida longa.
Cometer um assassinato: Vergonha por ter praticado algum ato desonroso.
Um assassino que é preso: Em breve ocorrerá uma transformação na sua vida.
Ser assassinado: Um inimigo tenta prejudicá-lo.
Assistir a um assassinato: Tristeza causada por atos alheios.

ASSENTIR

Assentir: Perturbações internas.
Uma moça sonhando que assente na igreja: Ela se casará com um rapaz.
Um homem que sonha estar assentindo na igreja: Ele se casará com a filha do pastor.
Uma viúva que sonha assentir na igreja: Ela se casará com homem rico.
Um viúvo sonhando que assente na igreja: Ele se casará com uma moça religiosa.

ASSENTO

Um assento: Satisfação.
Um assento no teatro: Confusão nos assuntos pessoais.
O assento de um ônibus ou bonde: Contentamento.
O assento de um aeroplano: Alegria.
Um assento em jardim público: Você é muito violento.
Estar sentado em uma cadeira confortável: Você é uma pessoa amorosa.
Estar sentado sozinho em um divã: Decepção.
Estar sentado com a pessoa amada em um divã: Felicidade.

ASSINAR

Assinar: Grande êxito.
Assinar um documento legal: Abandonará o lar.
Assinar um contrato: Alguém lhe confidenciará um segredo.

Outras pessoas assinando documentos: Terá boa posição.
Assinar um acordo: Você é um idealista.
Assinar uma carta: Fará novas amizades.
Assinar uma carta desagradável: Alcançará seu objetivo na vida.
Assinar um cheque: Evite esbanjar dinheiro.
Assinar uma carta de amor: Cuidado com pessoas que não são amigas de verdade.
Assinar uma nota promissória: Fará novos conhecimentos.

ASSINATURA
Sua própria assinatura: Seus pais o fazem muito feliz.
Apor a assinatura em licença de casamento: Boa saúde.
Apor a assinatura em um diploma: Alegria.
Apor a assinatura em uma certidão de nascimento: Riqueza.
Apor a assinatura em um atestado de óbito: Cuidado com sua vista.
A assinatura de altos funcionários em documentos: A vida dos seus filhos está em perigo.
Assinatura de um juiz em uma decisão legal: Descobrirá falsos amigos.

ASSISTENTE
Um assistente: Dignidade e distinção.
Ter um assistente: Melhoria em sua posição atual.
Demitir um assistente: Perturbação nos assuntos sentimentais.
Outras pessoas que têm assistentes: Será enganado por pessoas amigas.

ASSOALHO
Varrer o assoalho: Tenha cautela nos empreendimentos.
Lavar o assoalho: Ganhos financeiros.
Sentar-se no assoalho: Realizará altas ambições.
Dormir no assoalho: Terá vida longa.
Um assoalho sujo: Trabalho agradável e boas notícias.
Mandar consertar o assoalho: Perda de dinheiro.

ASSOMBRAR
Ficar assombrado: Está sendo cogitado para assumir alto cargo no governo.
Assombrar outras pessoas: Grande alegria à sua frente.
Ser assombrado por atos alheios: Riqueza.
Um membro da família que age de modo assombroso: Receberá boas notícias.

ASSOVIAR
Assoviar: Participará de um acontecimento alegre.
Ouvir outros assoviando: Conversa maliciosa que prejudicará sua reputação.

Um assovio para chamar sua atenção: Pode ocorrer morte repentina.
Filhos assoviando: Grande alegria.

ASSUSTADO

Estar muito assustado: Grande êxito.
Ser assustado por crianças: Prosperará, graças à perseverança.
Assustar outras pessoas: Dentro de pouco tempo ocorrerá uma transformação na sua vida.
Ser assustado em seu sono: Descobrirá um segredo.

ASTROLOGIA

Astrologia: Felicidade.
Uma pessoa rica, sonhando que estuda astrologia: Perda de dinheiro.
Uma pessoa pobre sonhando que estuda astrologia: Morte.
Estudar astrologia à noite: Acontecimento muito importante e benéfico em breve.

ASTRÔNOMO

Um astrônomo: Concretizará altas ambições.
Ser um astrônomo: Doença na família.
Estar em companhia de um astrônomo: Fracasso dos inimigos.
Outras pessoas em companhia de um astrônomo: Obterá bons ganhos.

ASTROPÓLIO

Astropólios: Felicidade.
Colher astropólios: Receberá uma carta com boas notícias.
Juntar astropólios: Um mistério será solucionado.
Receber um ramalhete de astropólios de presente: Abundância.

ATACAR

Um ataque: Um mistério será solucionado.
Ser atacado e ferido: Sofrerá um insulto.
Ser atacado, mas não ferido: Breve terá muita sorte.
Atacar outras pessoas: O perigo ronda você.

ATADURA

Usar ataduras: Conte com boas notícias.
Crianças com ataduras: Bons tempos estão a caminho.
Pôr ataduras em alguém: Recursos abundantes.
Outras pessoas usando ataduras: Receberá más notícias.

ATLAS

Um atlas: Mudanças de residência.
Ter um atlas: Atividades sociais alegres.
Consultar um atlas: Terá muito dinheiro.
Comprar um atlas: Fará uma longa viagem pelo exterior.

ATLETA

Um atleta: Brigas de família.

Ser um atleta: Problemas financeiros.

Tornar-se um atleta: Cuidado com os excessos.

Estar em companhia de um atleta: Evite os rivais.

ATMOSFERA

Atmosfera: Prosperidade nas questões financeiras.

Atmosfera límpida: Felicidade na família.

Atmosfera nublada: Você não tem amigos fiéis.

Atmosfera chuvosa: Recursos abundantes.

Atmosfera muito tempestuosa: Enfrentará problemas financeiros.

ATOR (atriz)

Ser apresentado a uma atriz: Terá problema em casa.

Ser apresentado a um ator: Cuidado, falam muito a seu respeito.

Ver muitos atores e atrizes: Grande satisfação na vida.

Um ator ou atriz comediante: Êxitos nos negócios atuais.

Um ator ou atriz de tragédia: Infelicidade.

Ser um ator: Perda de amizades.

Ser uma atriz: Sofrerá muita inquietação.

ATRACADOURO

Um atracadouro: Apreciará a modéstia e a castidade em sua vida.

Caminhar por um atracadouro: Terá felicidade no casamento.

Marujos e trabalhadores em um atracadouro: Perdas de amizade.

Despedir-se de alguém em um atracadouro: O êxito virá no futuro.

Um atracadouro em mau estado: Você se embriagará.

ATRASO

Estar atrasado: Suas opiniões serão consultadas.

Chegar atrasado a um encontro: Está diante de obstáculos insuperáveis.

Outras pessoas que se atrasam: Perda de dinheiro.

Amigos que se atrasam: Você está sendo enganado.

Empregados que se atrasam: Aviso de dificuldades.

AUMENTO

Aumento das finanças: Cuidado com as despesas.

Aumento de seus próprios negócios: Satisfação.

Aumento da conta bancária: Vaidade.

Aumento da família: Felicidade.

AUSÊNCIA

Uma pessoa amada ausente: Perigo no amor.

Outras pessoas ausentes: Terá o domínio de muitas questões.
Sentir extrema alegria pela ausência de um parente: Frivolidade.
Sentir extrema alegria pela ausência de uma pessoa amiga: Deixará de ter um inimigo.
A morte de um amigo ausente: Um casamento está sendo planejado.

AUSTRÁLIA

Estar na Austrália: Você vem sendo enganado por pessoas amigas.
Viajar para a Austrália: Acontecimentos sociais a caminho.
Viajar para o exterior, partindo da Austrália: Sentirá tristeza.
Ser deportado para a Austrália: Infortúnios nos assuntos amorosos.
Ser deportado da Austrália: Tem de pôr ordem em sua vida.

AUTOMÁTICO

Máquinas automáticas: Ocorrerá uma mudança para melhor.
Agir de modo automático: Suas próprias fraquezas serão descobertas.
Lidar com máquinas automáticas: Dinheiro que chegará logo.

AUTOMÓVEL

Um automóvel: Receberá notícias.
Possuir um automóvel: Ganhará um presente importante.
Dirigir sozinho um automóvel: Conhecerá novos ambientes.
Dirigir um automóvel acompanhado da família: Será alvo de fofocas e comentários.
Seguir com a pessoa amada em um automóvel: Precisa controlar suas paixões.
Seguir com o namorado em um automóvel: As suas fraquezas serão conhecidas.
Seguir com outras pessoas em um automóvel: Fique atento a notícias falsas.
Sofrer um acidente de automóvel: Dinheiro chegando.
Escapar de um automóvel que capota: Evite os rivais.
Seguir de automóvel com pessoas amigas: Logo descobrirá um segredo.
Seguir de automóvel em companhia de uma mulher: O seu nome será envolvido em um escândalo.
Uma mulher dirigindo um automóvel sozinha: Alcançará certo êxito.
Dirigir um automóvel à noite: Você está escondendo segredos aos amigos.
Dirigir um automóvel em dia de chuva: Terá notícias de amigos que moram no exterior.
Dirigir um automóvel acompanhado da esposa: Terá vida longa.

Dirigir um automóvel acompanhado dos filhos: Felicidade na família.
Dirigir um automóvel acompanhado de parentes: Haverá fofocas a seu respeito.

AUTORIDADES

Autoridades: Problemas à frente.
Ser chamado à presença de autoridades governamentais: Sofrerá insultos.
Procurar ajuda de autoridades governamentais: Ficará endividado.
Ser perseguido por autoridades governamentais: Melhoria em sua situação.
Outras pessoas na presença de autoridades governamentais: Perigo causado por um segredo.

AUXÍLIO

Pedir auxílio financeiro: Alegria.
Receber auxílio de um cachorro: Será traído por uma mulher.

AVALANCHE

Uma avalanche: Está diante de obstáculos insuperáveis.
Ver uma avalanche: Logo terá boa sorte.
Ser atingido por uma avalanche de neve: Bons lucros.
Outras pessoas atingidas por uma avalanche: Mudança de ambiente.

AVAREZA

Pessoa avarenta, perto de seu cofre, contando dinheiro: Receberá uma herança.
Uma mulher avarenta: Triunfo sobre os inimigos.
Ser avarento: Você não está à altura de uma boa posição na vida.
Acumular ainda mais dinheiro: Será infeliz nos negócios.

AVE (o macho)

Ouvir uma ave macho cantar: Grande prosperidade.
Ouvir um corvo macho cantar enquanto você dorme: Receberá boas notícias.
Ave macho dentro de casa: Você se casará.
Aves machos lutando: Haverá brigas.
Ave macho morta: Felicidade na família.

AVEIA

Aveia: Pobreza.
Plantar aveia: Êxito nos negócios.
Aveia verde, ainda por amadurecer: Tenha cautela nos negócios.
Colher aveia: Ganhos financeiros.
Vender aveia: Tenha cuidado em todas as transações.

AVELÃS

Avelãs: Você se casará com uma pessoa rica.

Comprar avelãs: Disputas e discussões.
Colher avelãs: Pai ou mãe em perigo de vida.
Comer avelãs: Recursos abundantes.
A aveleira, antes da colheita: Dificuldades no amor.

AVENTAL

Um avental: Felicidade.
Usar avental: Amor duradouro.
Mulher casada sonhando que usa avental: Terá altos e baixos na vida.
Mulher solteira sonhando que usa avental: Logo estará noiva.
Homem sonhando que usa avental: Transformação para melhor.
Uma viúva sonhando que usa avental: Terá diversas e boas amizades.
Rasgar um avental: Pequeno benefício.
Perder um avental: Perigo nos assuntos amorosos.
Ter perdido um avental: Perderá o namorado.
Atar um avental: Receberá grandes homenagens.
Desatar um avental: Perderá uma pessoa que você ama.
Um avental azul: Fofocas por parte de mulheres.

AVENTAL DE CRIANÇA

Um avental de criança: Felicidade.
Usar avental de criança: Seja prudente em seus atos.
Jovem sonhando que usa um avental de criança: Terá altos e baixos na vida.
Rasgar um avental de criança: Pequenos benefícios.
Atar um avental de criança: Receberá grandes honrarias.
Um avental de criança, de cor azul: Fofocas, por parte de mulheres.
Perda de um avental de criança: Perda de namorado.

AVENTURA

Ser um aventureiro: Ficará bastante atormentado.
Sonhar com aventuras emocionantes: Grande transformação ocorrerá no futuro.
Sair em uma aventura com um homem: Novos interesses e ambientes.
Sair em uma aventura com uma mulher: Alguém o vigia.
Participar de aventuras: Será importunado por mulheres gritando.

AVES DOMÉSTICAS

Aves domésticas: Grandes problemas à frente.
Comprar carne de ave doméstica: Consolo.
Limpar aves domésticas: Alguém lhe dará dinheiro.

Comprar aves novas: Ocorrerá uma mudança em sua situação.
Comprar frangos: Ganhos consideráveis.
Comprar aves para comer: Lucro sem glória alguma.
Comprar aves gordas: Brigas de família.
Comprar uma galinha que não foi limpa: Grande coragem.
Dar um presente feito com ave doméstica: Perderá uma pessoa amiga.
Muitas aves domésticas: Ganhos consideráveis.
Ser dono de aves domésticas: Uma pessoa desconhecida lhe fará um favor.
Uma bela ave doméstica: Sorte no amor.

AVESTRUZ

Um avestruz: Hábitos avarentos.
Usar um chapéu com pena de avestruz: Uma doença sem gravidade causará preocupação.
Outras pessoas usando chapéus com penas de avestruz: Siga a dieta.
Comprar penas de avestruz: As pessoas amigas sabem que você é culpado.

AVIÃO

Um avião que decola: Êxito em suas atividades.
Um avião que pousa: Cuidado com amigos invejosos.
Fazer uma viagem de avião: Em breve passará por muitos altos e baixos.
Estar em um avião em companhia de pessoas amigas: Mudança de vida em breve.
Estar em um avião em companhia da pessoa amada: Será culpado por atos impensados.
Estar em um avião em companhia da família: Examine bem seus planos e assim conseguirá ganhar dinheiro.
Estar em um desastre de avião, mas não morrer: Ganhos financeiros.
Morrer em um acidente de avião: Precisa controlar suas paixões.
Outras pessoas que morrem em acidente de avião: Terá mente vigorosa.

AVÓS

Ser avô: Concretizará altas ambições.
Falar com um avô: Morte repentina.
Netos sonhando que estão na companhia de avós: Melhoria da saúde.
Falar em sonho com os avós: Herança.

AZALÉA

Belas azaléas: Ganhará um presente inesperado.
Receber um ramalhete de azaléas: Dinheiro chegando.

Comprar azaléa: Receberá cartas que espera há muito tempo.
Usar roupas cor de azaléa: Ganhos financeiros.

AZARADO

Ser azarado: Riqueza.
Ser azarado no jogo: Ganhará muito dinheiro nos lances de jogo.
Ser azarado no amor com determinada pessoa: Terá sorte com as outras.
Noivos azarados: Dignidade.
Filhos azarados: Os cuidados trarão êxitos.
Parentes azarados: Morte repentina de um parente.
Amigos azarados: Será enganado por amigos.

AZEDO

Comer frutas ou legumes azedos: Briguinhas de amor.
Comprar legumes ou frutas azedos: Falirá.
Comprar leite azedo: Terá mente vigorosa.
Comprar creme de leite azedo: Precisa controlar sua paixão.
Comprar chucrute: Logo ocorrerá uma mudança em sua vida.
Comer *hors d'oeuvres* (acepipes) azedos: Evite os rivais.

AZEITONA

Uma oliveira: Grande felicidade.
Plantar uma oliveira: Casamento iminente.
Um rapaz sonhando que planta uma oliveira: Terá muitos filhos.
Uma mulher casada sonhando que planta uma oliveira: Alegria e prosperidade.
Um homem sonhando que planta uma oliveira: Abundância.
Colher um ramo de uma oliveira: Felicidade e prosperidade.
Sentir o cheiro de um ramo de oliveira: Êxito nos empreendimentos.
Uma mulher sentindo o cheiro de um ramo de oliveira: Terá muitos filhos.
Uma moça sonhando com um ramo de oliveira: Logo se casará.
Uma mulher sonhando com azeitonas: Terá muitas filhas.
Uma moça sonhando com azeitonas: Noivado e casamento imediatos.
Um homem sonhando com azeitonas: Bons resultados nas atividades comerciais.
Comer azeitonas: Felicidade no lar.
Colher azeitonas da árvore: Ganhará dinheiro.
Colher azeitonas do chão: Trabalho pesado à frente.
Pôr azeitonas em um vidro: Terá vida longa.
Tirar azeitonas de um vidro: Prazeres na vida social.

AZEVICHE

Esse mineral negro e polido: Perigo à frente.

Outras pessoas lidando com azeviche: Logo ocorrerá uma transformação na vida.
Ter um enfeite de azeviche: Sofrerá por causa de sua própria tolice.

AZEVINHO (planta)
Azevinho: Cuidado com os vexames.
Colher azevinho: Terá vida longa.
Receber azevinho de presente: Adiamento do êxito.

AZUL
Comprar roupas na cor azul: Terá mente vigorosa.
Azul da cor do céu: Grande amor pelos filhos.
Azul da cor do mar: A prosperidade virá por meio de outras pessoas.
Qualquer outra tonalidade de azul: Casamento feliz e tranqüilo.

B

BACIA

Uma bacia cheia d'água: Alegria na família.

Usar uma bacia cheia d'água: Terá muito dinheiro.

Uma bacia vazia: Fará muitas dívidas.

Beber em uma bacia: Aguarde por dificuldades nos assuntos amorosos.

Comer em uma bacia: Não se casará com a pessoa a quem ama.

BACO

Um homem sonhando com esse deus grego: Abundância nas questões financeiras.

Uma mulher sonhando com Baco: Trabalho pesado à frente.

Um agricultor sonhando com Baco: Terá boa colheita.

Um marinheiro sonhando com Baco: Alcançará posição mais elevada.

Mulher solteira sonhando com Baco: Será pedida em casamento.

BAÇO

Um baço aumentado: Comparecerá a um grande baile.

Ver baço em um açougue: Irá a uma grande festa.

Comer baço: Fará uma longa caminhada.

Ter uma doença no baço: Infelicidade.

Cozinhar baço: Irá com freqüência a locais de diversão.

BACON

Comprar *bacon*: Saúde precária.

Fritar *bacon*: Ganhará um presente inesperado.

Comer *bacon* sozinho: O dinheiro virá com facilidade por toda a vida.

Comer *bacon* em companhia de outras pessoas: Riqueza.

Receber *bacon* de presente: Será altamente compensado.

BAETA

Esse tecido felpudo de lã: Momentos animados o esperam.

Possuir baeta: Vai precisar de dinheiro.
Tingir baeta: Problemas à frente.
Vender baeta: Obterá grandes ganhos.
Estender baeta: O dinheiro será pouquíssimo.

BAGAGEM

Ter uma bagagem muito pesada: Perda de dinheiro.
Ter uma bagagem leve: Logo receberá algum dinheiro.
Ter uma bagagem fácil de transportar: Vencerá as dificuldades.
Perder a própria bagagem: Brigas de família.
Amantes que perdem a bagagem: Compromisso desfeito.
Parentes que perdem a bagagem: Cuidado com as especulações comerciais.
Descobrir a própria bagagem: Encontrará dificuldades no caminho.
A bagagem dentro de casa: Cancelamento de uma viagem.
A bagagem na rua: Os pertences serão roubados.
Perder a bagagem: Receberá uma herança dentro de pouco tempo.
Não conseguir achar a bagagem: Será provocado pelos outros.
A bagagem de outras pessoas: Haverá transformações nos assuntos amorosos.

BAGATELA

Esse pequeno ornamento: Atividades sociais alegres.
Lidar com bagatelas: Infelicidades.
Outros lidando com bagatelas: Dificuldades em casa.
Comprar bagatelas: Triunfo sobre os inimigos.

BAGUNÇA

Coisas bagunçadas: Você dá muita importância ao dinheiro.
Deixar as coisas bagunçadas: Receberá investidas amorosas de quem menos espera.
Crianças fazendo bagunça: Receberá um legado.

BAILE

Um baile de gala: Herdará muito dinheiro.
Moças em um baile: Perderá muito dinheiro.
Dançar com uma moça em um baile: Terá muitas amizades.
Dançar com um rapaz em um baile: Descoberta de um segredo.
Uma mulher dançando com o marido em um baile: Terá êxito.
Uma mulher casada dançando com outro homem: Comentário e fofocas feitos por pessoas amigas.
Mulher solteira dançando com homem casado: Os amigos o enganarão.

Mulher solteira sonhando que dança com homem solteiro: Evite os rivais.

Uma mulher dançando com o namorado em um baile: Doença.

Uma viúva dançando com um homem casado em um baile: Ele se divorciará em breve.

Moças dançando em um baile: Terá muito dinheiro.

Um dançarino profissional em um baile: Conhecerá uma pessoa muito agradável.

Um profissional dançando em um baile: Encontrará obstáculos.

Comparecer a um baile de máscaras: Cuidado com uma armadilha.

Comparecer a um baile de casamento: Infortúnio nos assuntos pessoais.

Comparecer a um pequeno baile: Felicidade.

Estar entre os bailarinos em um baile: Boas notícias a caminho.

Estar em um baile com mulheres bem vestidas: Boa sorte.

Um baile em que você não está: Noivado dentro de pouco tempo.

Assistir a um baile, sem dançar: Logo receberá um legado.

BAIONETA

Uma baioneta: Terá brigas com pessoas amigas.

Possuir uma baioneta: Adiamento do exito.

Levar uma baioneta nas mãos: Sucesso em suas iniciativas.

Outras pessoas segurando uma baioneta: Estará sob o poder de um inimigo.

Um soldado com uma baioneta: As preocupações terminarão.

BALADA

Tocar uma balada: Bons tempos chegando.

Cantar uma balada: Alguém com quem você se importa não tem uma boa opinião a seu respeito.

Ouvir uma balada: Cuidado com falsos julgamentos.

Compor uma balada: Dignidade e distinção.

BALANÇA

Uma balança: Fará bons negócios.

Estar em uma balança: Questões com a Justiça.

Uma balança de modelo antigo: Bons resultados em uma ação judicial.

Pesar crianças em uma balança: Será muito enganado.

Pesar diversas coisas em uma balança: Discussões com pessoas amigas.

Diversas balanças: Prisão e apresentação a um tribunal.

Outras pessoas em uma balança: Indicação de prisão.

Parentes em uma balança: Será chamado a um tribunal.

BALANÇO

Um balanço: O êxito virá mais tarde.

Você se balançando: Cuidado nos assuntos sentimentais.

Balançar-se em círculos: Uma modificação nos planos será muito bem-sucedida.

Outras pessoas se balançando: Receberá um presente importante.

BALÃO

Um balão: Mente inventiva causará decepção.

Estar em um balão: Felicidade garantida.

Subir em um balão: Infortúnio durante uma viagem.

Descer em um balão: Empreenderá aventuras financeiras desfavoráveis.

BALAUSTRADA

Uma balaustrada: Sofrerá um acidente.

Uma balaustrada quebrada: Você está diante de obstáculos insuperáveis.

Pôr as mãos em uma balaustrada: Terá grande êxito no amor.

Outras pessoas com as mãos em uma balaustrada: Morte de um inimigo.

BALDE

Um balde: Boa colheita.

Um balde vazio: Pobreza.

Um balde cheio: Você tem muitos amigos íntimos.

Comprar um balde: Seja prudente em relação a novos empreendimentos comerciais.

Vender baldes: As pessoas farão confidências a você.

Um balde limpo: Terá muito dinheiro.

Um balde sujo: Será enganado por pessoas amigas.

BALDE DE LEITE

Baldes de leite: Infortúnio em breve.

Carregar baldes de leite cheios: Boas notícias em relação a um nascimento.

Carregar um balde de leite vazio: Alguém que você ama o está enganando.

Ter diversos baldes de leite cheios: Mudança no ambiente.

BALEIA

Uma baleia: Bons tempos chegando.

Observar uma baleia: Inimizade secreta de uma pessoa.

Tomar parte na pesca de baleias: Recuperação de dinheiro perdido.

Pegar uma baleia: Um inimigo trama o seu fracasso.

Matar uma baleia: Boa sorte.

BALÉ

Uma mulher sonhando com balé: Advertência de dificuldades.

Uma moça sonhando com balé: Será infiel a seu namorado.

Um homem sonhando com balé: Fracasso nos negócios.

Uma viúva sonhando com balé: Logo se casará com um rico banqueiro.
Um balé em um palco, com bailarinos profissionais: Sua saúde ficará debilitada.

BALIR

Ouvir o balido de um cordeiro: Prosperidade nos negócios.
Ouvir diversos cordeiros balindo: Felicidade em casa.
Ver cordeiros balindo: Recursos abundantes.
Ver um grande número de cordeiros balindo: Noivado próximo.

BÁLSAMO

Bálsamo: É odiado por outras pessoas.
Comprar bálsamos: Ocorrerá uma transformação em seu ambiente.
Usar bálsamo curativo: Uma amizade verdadeira está por perto.
Outras pessoas usando bálsamo: Sentirá tristeza.

BANANA

Comprar banana: Prosperidade.
Comer bananas: Será forçado a cumprir alguma obrigação.
Vender bananas: Negócios pouco lucrativos à frente.
Bananas estragando: Empreenderá um negócio desagradável.
Plantar bananas: Terá um pequeno empreendimento comercial.

BANCO

Estar em um banco: Ouvirá falsas promessas.
Lidar com um banco: Perda repentina de dinheiro.
Possuir um banco: As pessoas amigas estão zombando de você.
Fazer um empréstimo bancário: Prejuízos financeiros à frente.
Receber dinheiro de um banco: A falência ocorrerá em pouco tempo.
Estar em uma casa de câmbio: Receberá notícias desagradáveis.

BANCO (de sentar)

Um banco de sentar: Dedique-se bastante ao trabalho ou poderá perder o emprego.
Sentar-se em um banco: Levará uma vida confortável.
Crianças sentadas em banco de jardim: Bons tempos chegando.
Outras pessoas sentadas em um banco: Morte de um inimigo.

BANDEIRA

Carregar uma bandeira: Receberá homenagens.
Uma bandeira tremulando ao vento: Escapará a um infortúnio que o ameaça.
Ver uma coleção de bandeiras: Triunfo sobre os inimigos.
Bandeiras brancas: Sucesso em seus projetos.
Bandeira azul-marinho: Sua prosperidade virá por meio de outras pessoas.

Bandeira azul-clara: Promoção no trabalho.
Bandeira amarela: Transformação importante em sua vida.
Bandeira vermelha: Advertência sobre brigas com pessoas amigas.
Bandeira verde: Boa sorte nos assuntos sentimentais.
Bandeira preta: Será infeliz.
Bandeira marrom: Grande amizade.
Bandeira dourada: Fará negócios com pessoa distante.

BANDIDO

Um bandido: Prosperidade em sua vida.
Diversos bandidos: Você corre um grande perigo.
Ser atacado por um bandido: Cuidado com acidentes.
Atacar um bandido: Conte com sua própria força e bom senso.

BANDOLIM

Possuir um bandolim: Terá de enfrentar a tristeza.
Tocar um bandolim: Pobreza.
Tocar um bandolim no palco: Receberá grande consolo.
Outros tocando bandolim: Alegria.

BANHA DE PORCO

Banha de porco: Triunfo sobre os inimigos.
Cortar banha de porco: Perda de alguém querido.
Comer banha de porco: Você gosta demais de dinheiro.
Comprar banha de porco: Triunfo sobre os inimigos.

BANHAR-SE

Banhar-se em lugar aberto: Êxito e saúde.
Banhar-se em água límpida: Sucesso nos negócios.
Banhar-se em água suja: As dificuldades são certas.
Banhar-se em água enlameada: Morte de um parente.
Banhar-se no mar aberto: Receberá uma grande fortuna.
Banhar-se em água cheia de algas marinhas: Morte de um animal.
Banhar-se em um rio: Negócios maravilhosos o esperam.
Banhar-se em um canal: Será muito rico.
Banhar-se em um lago: Será infeliz.
Banhar-se em uma piscina: Doença.
Banhar-se em um pântano: Será muito infeliz.
Banhar-se em uma casa de banhos: Terá úlceras.
Banhar-se em uma cascatinha: Fracasso nos projetos atuais.
Banhar-se em uma casa: Ansiedade.
Banhar-se no mar em companhia do marido ou da mulher: Suas esperanças serão concretizadas.

Banhar-se no mar com os filhos: Felicidade na família.
Banhar-se no mar com pessoa amada: Terá vida de luxo.
Banhar-se no mar com o namorado: Fim desse namoro.
Banhar-se sem roupa: Receberá uma herança.
Banhar-se com roupa: Terá uma discussão.

BANHEIRA

Uma banheira: Prosperidade.
Uma banheira cheia d'água: A felicidade no casamento ocorrerá, se houver moderação.
Uma moça sonhando com uma banheira cheia d'água: Logo será pedida em casamento.
Uma banheira vazia: Tempos difíceis estão para chegar.
Estar em uma banheira: Prosperidade e infelicidade.
Outras pessoas em uma banheira: Doença dentro de pouco tempo.
Uma banheira cheia de vinho: Prosperidade.
Trazer uma banheira para dentro de casa: Receberá notícias misteriosas.
Filhos em uma banheira: Você está fazendo coisas extravagantes.
O marido em uma banheira: A felicidade será permanente.
Entrar vestido em uma banheira: Brigará com uma pessoa que você ama.
Estar em uma banheira com a pessoa a quem ama: Receberá uma herança.
Despir-se, mas não entrar na banheira: Terá problemas amorosos.

BANHO

Tomar banho em água gelada: Desgraça.
Tomar banho em água fria: Tristeza.
Tomar banho em água quente: Separação de uma pessoa que você ama.
Tomar banho em água morna: Riqueza.
Tomar banho bem cedo pela manhã: Logo se casará.
Tomar banho ao meio-dia: Prazeres e boa saúde.
Tomar banho ao anoitecer: Há um amigo falso por perto.
Tomar banho na hora de se deitar: Fará amor com o namorado.
Preparar um banho: Brigará com alguém.
Preparar um banho para si próprio: Doença grave.
Preparar um banho para o cônjuge: Concretizará altas ambições.
Preparar um banho para a pessoa amada: Terá vida de luxo.
Preparar um banho para filhos: Felicidade.
Preparar um banho para o namorado: O namoro não irá à frente.

BANQUETE

Comparecer a um banquete: Os prazeres custarão caro.
Pessoas jovens sonhando com banquetes: Amor e felicidade.
Pessoas idosas sonhando que estão em um banquete: Recursos abundantes.
Estar em um banquete de casamento: Está cercado por bons amigos.
Comparecer a um banquete político: Decepções.

BAR

Um bar: Será culpado por atos impensados.
Beber sozinho em um bar: Um amigo falso está por perto.
Beber em um bar, acompanhado: Precisa controlar as paixões.
Outras pessoas bebendo em um bar: É mais estimado pelas pessoas amigas do que imagina.
Mulher solteira sonhando que está bebendo em um bar: Ganhos financeiros.

BARÃO

Um barão: Será enganado.
Ser um barão: Você tem tendência a ser orgulhoso.
Estar em companhia de um barão: Dignidade e distinção.
Pessoa casada sonhando com um barão: Grande felicidade.
Pessoa solteira sonhando com um barão: Casamento em breve.

BARBA

Ter uma barba: Problemas financeiros.
Ter uma barba rala: Felicidade.
Ter uma barga espessa: Ganhará muito dinheiro.
Uma barba muito curta: Riqueza.
Um homem com barba cheia: Êxito inesperado.
Uma barba muito comprida: Receberá muito dinheiro.
Mulher casada sonhando com homem de barba: Logo deixará o marido.
Mulher grávida sonhando com homem barbudo: Dará à luz um filho.
Moça sonhando com homem barbudo: Logo se casará com a pessoa a quem ama.
Puxar a própria barba: Ruína e pobreza.
Outros puxando uma barba: O pagamento dos credores terá de ser feito.
Cortar e raspar a barba: Perda de dinheiro.
Cortar a barba de alguém que você conhece: Segurança.
Outra pessoa lavando sua barba: Pesar.
Lavar a própria barba: Aflição.
Ter uma bela barba: Sucesso total nas suas iniciativas.
Ter uma barba cacheada: Causará a impressão que deseja.
Ter uma barba vermelha: Será importunado pelos credores.

Não ter barba: Grandes ganhos nos negócios.
Aparar uma barba: Perigo de perda da fortuna.
Perder pêlos da barba: Perda de um parente.
Uma barba negra: Sucesso promissor nos negócios.
Uma barba avermelhada: Provocação.
Uma barba branca: Prosperidade muito grande.
Uma barba castanha: Sofrimento.
Uma barba grisalha: Perda de dinheiro.
Barba que se torna grisalha: Sofrerá com fofocas e calúnia.
Barba que se torna comprida e espessa: Grande aumento dos rendimentos.
Uma barba muito rala: Morte de um membro da família.
Mulher casada sonhando que tem barba pequena: Divórcio.
Mulher solteira sonhando que tem barba pequena: Perda no jogo.
Mulher grávida sonhando que tem barba pequena: Aborto.
Viúva sonhando que tem barba pequena: Perda de uma propriedade imobiliária.
Moça sonhando que tem barba pequena: Casamento.

BARBANTE

Barbante: Você tem grande poder de atração.
Ter um barbante: Haverá brigas e perigo.
Usar barbante: Tome cuidado em todas as suas atividades.
Comprar barbante: Viajará em breve.
Passar barbante em volta de um embrulho: Prosperidade.

BÁRBAROS

Estar em companhia de bárbaros: Fará uma conquista amorosa.
Um homem que se mostra bárbaro: Preocupações à frente.
Uma mulher que se mostra bárbara: Evite os rivais.
Duas pessoas bárbaras lutando: Fracasso dos inimigos.
Pessoas bárbaras que são mortas: Perigo causado por um segredo.

BARBEAR

Barbear: Perdas no jogo.
Barbear a si próprio: Dificuldades à frente.
Outra pessoa barbeando você: Tenha cuidado em relação a alguém em quem confia.
Ser barbeado por um barbeiro: Não compre ações e títulos.
Barbear-se em uma barbearia: Perda de dinheiro.
Barbear-se em um navio ou trem: Não empreste dinheiro algum.
Ter terminado de se barbear: Você anda importunando as mulheres.
Uma moça sonhando com um homem que se barbeia: Casamento.

Uma mulher casada sonhando com um homem que se barbeia: Infidelidade.
Uma mulher grávida sonhando com homem que se barbeia: Aborto.
Uma mulher que barbeia um homem: As mulheres o desprezam.
Uma viúva sonhando com um homem que se barbeia: Cairá em desgraça.
Uma empregada sonhando com um homem que se barbeia: Perderá o emprego.

BARBEARIA
Uma barbearia: Fofocas.
Ir à barbearia: Êxito no trabalho como resultado de grande esforço e dedicação.
Estar em uma barbearia: Dificuldades nos negócios.

BARBEIRO
Ser um barbeiro: Terá grande êxito.
Chamar um barbeiro à sua casa: Ficará doente.
Ter o cabelo cortado por um barbeiro: Grandes lucros nos negócios.
Cortar o cabelo e barbear-se com uma barbeira: Terá boas roupas.

BARCA (duas proas)
Uma barca de duas proas: Será visitado por uma pessoa amiga.
Estar sozinho em uma barca de duas proas: O perigo ronda você.
Estar em companhia de outras pessoas em uma barca de duas proas: Êxito no amor.
Estar com a família em uma barca de duas proas: Bons tempos estão chegando.
Outras pessoas em uma barca de duas proas: Triunfo sobre os inimigos.
Pessoas amigas em uma barca de duas proas: Você tem um amigo fiel.
Inimigos em uma barca de duas proas: Você está sendo vigiado por alguém mal-intencionado.

BARCAÇA
Uma barcaça: Em breve viajará a lugar muito distante.
Estar a bordo de uma barcaça: Logo se casará.
Uma barcaça carregada: Triunfo sobre os inimigos.
Uma barcaça vazia: Você se virá em dificuldades por estar se intrometendo em questões alheias.

BARCO
Estar a bordo de um barco: Alcançará seu objetivo na vida.
Navegar em água calma: Sorte nos negócios.
Navegar em águas agitadas: Terá de enfrentar muitas dificuldades.
Cair de uma embarcação: As dificuldades serão tantas que você não conseguirá enfrentá-las.

Uma embarcação que afunda: Fim do romance atual.
Uma embarcação em rio de água limpa: Felicidade.
Uma embarcação em um rio de água enlameada: Desonra.
Uma embarcação em um rio: Segurança em suas atividades.
Uma embarcação que se move com grande lentidão: Precisa ter paciência.

BARCO A REMO
Um barco a remo: Declínio nas atividades comerciais.
Um barco a remo no mar: Sorte à frente.
Um barco a remo em um rio: Será rejeitado.
Barco a remo em um lago de águas limpas: Segurança.
Barco a remo em água suja: Negócios malsucedidos.
Remar vagarosamente em um barco: Você é muito impaciente.

BARCO A VELA
Possuir um barco a vela: Conseguirá se sair bem de um perigo atual.
Navegar em barco a vela: Morte de um inimigo.
Estar com crianças em um barco a vela: Receberá dinheiro em breve.
Estar com o namorado em um barco a vela: Perigo nos assuntos sentimentais.
Outras pessoas em um barco a vela: Tenha cautela nos assuntos amorosos.

BARGANHA
Barganhar: Você deve confiar apenas em suas próprias opiniões.
Ser enganado em uma barganha: Haverá um roubo em sua casa.
Ter feito uma boa barganha: Melhoria na posição atual.
Outras pessoas que fazem boa barganha: Você tem amigos leais.

BARÔMETRO
Ter um barômetro: Doença.
Um barômetro que assinala bom tempo: Felicidade.
Um barômetro que assinala mau tempo: Infelicidade.
Um barômetro que assinala tempo razoável: Prazer.
Um barômetro que assinala tempo chuvoso: Decepções.

BARRIGA
Sua própria barriga: Saúde e alegria.
Ter dores na barriga: Enfrentará perturbações nos negócios.
Barriga inchada: Doença grave.
Barriga muito grande: Aumento de sua sorte.
Barriga grande, sem gravidez: Cuidado com amigos falsos.
Barriga pequena: Livre-se de casos ruins.

Mulher solteira sonhando com uma barriga grande: Logo se casará.
Alguma coisa que se movimenta dentro de uma barriga: Trabalho pesado à sua frente.

BARRIL
Um barril vazio: Ficará pobre.
Um barril cheio: Será rico.
Um barril em pé e cheio: Prosperidade.
Um barril vazio e rolando no chão: Tempos difíceis estão chegando.
Possuir um barril: Receberá um presente inesperado.
Ter um grande número de barris: Abundância de dinheiro.
Ter um barril cheio de vinho: Tempos melhores em breve.
Ter um barril cheio de álcool: Bons resultados nos negócios.

BARRILETE
Um barrilete: Dinheiro inesperado.
Um barrilete vazio: Mudança de ambiente.
Um barrilete cheio de líquido: Tempos melhores.
Um barrilete cheio de peixe: Prosperidade.

BARRO
Barro: Suas idéias não são claras.
Trabalhar com barro: Fará bons negócios.
Cozinhar barro branco: Boas perspectivas de negócios.
Cozinhar na panela de barro: Grande sorte o aguarda.

BARULHO
Ouvir barulho: Não terá descanso.
Fazer barulho: Nova amizade.
Fazer barulho muito alto: Frivolidade.
Outros que fazem barulho: Advertência de dificuldades.

BASQUETE
A partida sendo jogada: Você se perturbará.
Um homem sonhando que joga basquete: Incoerência no amor.
Uma mulher sonhando que joga basquete: Divórcio.
Outros jogando basquete: A sorte virá mais tarde.
Uma bola que se perde nesse jogo: Não conte com carta das pessoas que você ama.
Crianças jogando basquete: Receberá boas notícias.

BASTÃO
Bastões de aço: Infelicidade.
Bastões de latão: Infidelidade das pessoas que você ama.
Bastões enferrujados: Felicidade.
Bastões de prata: Riqueza.
Segurar bastões: Grande sorte nos negócios.

BASTARDO

Um bastardo: Descoberta de um segredo.
Ter um filho bastardo: Insatisfação e pesar.
Ser filho bastardo: Vencerá as dificuldades.

BATALHA

Uma batalha: Fará empreendimentos arriscados.
Assistir a uma batalha: Será perseguido.
Uma batalha em terra: Terá vida longa.
Uma luta com os punhos: Traição nos assuntos amorosos.
Ser derrotado em uma batalha: Negociações comerciais desaconselháveis, feitas com outras pessoas, o prejudicarão.
Travar sozinho uma batalha: As coisas se sairão bem para você.
Vencer uma batalha: Terá bom futuro.

BATALHA NAVAL

Uma batalha naval: Receberá uma promoção.
Estar em uma batalha naval: Será traído no amor.
Vencer uma batalha naval: Logo se casará.
Perder uma batalha naval: Um parente lhe prestará um grande serviço.
Pessoas sendo mortas em uma batalha naval: Vida familiar feliz.
Cair na água durante uma batalha naval: Vida longa.

BATATAS

Batatas: Terá um futuro muito tranqüilo.
Plantar batatas: Os planos mais acalentados serão concretizados.
Cavar a terra e tirar batatas: Grande êxito em seus esforços.
Descascar batatas: Encontrará muitas dificuldades.
Ferver batatas na água: Receberá um visitante indesejado.
Fritar batatas: Você se casará com uma moça robusta.
Cozinhar batatas: Terá discussões com o namorado.
Comer purê de batatas: Seus sonhos se concretizarão.
Comer salada de batatas: Os investimentos trarão lucros.
Dar batatas a porcos: Será atraído por uma mulher.

BATER

Bater: Infelicidade no amor.
Ouvir outros batendo: Morte de uma mulher durante o parto.
Bater a uma porta: Infelicidade.

BATER LEITE

Bater leite: Terá tarefa difícil à frente.
Fazer manteiga, batendo leite: A prosperidade virá.
Homem solteiro pensando em bater leite: Fará um casamento feliz.
Uma moça, sonhando que bate leite: Terá marido enérgico e econômico.

BATIDA (à porta)

Batida à porta: Cuidado com sua língua.

Outras pessoas batendo à porta: Bons tempos se aproximam.

Parentes batendo à porta: Dinheiro chegando.

Inimigos batendo à porta: Infortúnio nos assuntos sentimentais.

BATIDA (incursão)

Uma batida: Tempos agradáveis estão a caminho.

Uma batida feita pela polícia: Mudança de ambiente.

Uma incursão feita pelas Forças Armadas: Viverá por muito tempo.

Uma incursão aérea: Uma mudança de vida ocorrerá logo.

Uma batida em sua própria casa: Sentirá tristeza.

Batidas relacionadas a outras pessoas: A felicidade está assegurada.

BATIZAR

Ter sido batizado: Sua vida será próspera.

Os parentes sendo batizados: Terá uma decepção com seu melhor amigo.

Os filhos sendo batizados: Grande alegria.

Filhos de outras pessoas sendo batizados: Harmonia entre amigos.

BATOM

Usar batom: Você está cercado por falsos amigos.

Outras pessoas que usam batom: Traição e amizades falsas.

Comprar batom: Frivolidade.

Pegar um homem com batom nos lábios: Problemas com a namorada ou esposa.

BAÚ

Um baú vazio: Logo fará uma viagem.

Um baú cheio: Cancelamento dos planos para uma viagem.

Muitos baús cheios: Cuidado com comentários e fofocas.

Levar um baú em uma viagem: Um desejo será concretizado.

O baú de um parente: Um parente regressará do exterior.

BAZAR

Um bazar: Sorte e prosperidade.

Estar em um bazar: Felicidade no amor.

Comprar coisas em um bazar de quermesse, para fins caritativos: Realizará altas ambições.

Pessoas que vendem coisas em um bazar de quermesse: Receberá uma proposta.

BÊBADO

Estar bêbado: Enfrentara problemas financeiros.

Outras pessoas que estão bêbadas: Perderá dinheiro por causa de outra pessoa.

Estar muito embriagado: Vai enlouquecer.

Parentes que estão embriagados: Riqueza e saúde.

Uma pessoa embriagada sem bebida alcoólica: Perigo causado por um segredo.

Uma mulher embriagada: Cometerá algum ato mau.

Embriagar-se com um bom vinho: Conhecerá uma pessoa destacada.

Embriagar-se e sentir-se triste: Traição por parte de parentes.

Embriagar-se com água: Enriquecerá por meio de boas ligações.

Diversas pessoas embriagadas: Será culpado por atos impensados.

Enojar-se de embriaguez: Esbanjamento do dinheiro da casa.

Outros que se enojam por estarem embriagados: Desonra.

Filhos embriagados: A sorte aumentará.

Estar embriagado e vomitar: Perda de dinheiro no jogo.

Embriagar-se e sentir dores de amor: Infidelidade de uma pessoa que você ama.

Marido constantemente embriagado: Mau futuro.

Embriagar-se com vinho de qualidade inferior: Terá prazeres efêmeros.

Inimigos que se embriagam: Você vai ser caluniado.

BEBÊ

Um belo bebê: Terá felicidade.

Uma mulher sonhando com um bebê: Gravidez.

Uma mulher casada e grávida sonhando com um bebê: Grande êxito no amor.

Uma mulher casada, que não está grávida, sonhando que tem um bebê: Felicidade.

Uma mulher solteira sonhando ter um bebê: Pesar.

Uma viúva sonhando ter um bebê: Evite os rivais.

Uma viúva sonhando que espera um bebê: Êxito em tudo.

Um bebê mamando no seio materno: Prazer na vida.

Um bebê mamando na mamadeira: Doença dolorosa.

Um bebê muito esperto: Será cercado por bons amigos.

Um bebê feio: Infortúnio à frente.

Trazer um bebê ao peito: Logo terá outra criança.

Um bebê em roupas folgadas: Boas esperanças no amor.

Um bebê que dá os primeiros passos: Dificuldades nos negócios.

Uma mulher amamentando um bebê: Será enganado por pessoa de confiança.

Um bebê que adoece: Doença grave na família.

Ouvir um bebê chorar: Discórdia na família.

Um bebê indefeso: Decepção no amor.

Um bebê na cama: Está sendo observado por pessoa mal-intencionada.
Os bebês de outras pessoas: Fracasso de inimigos.
Muitos bebês: Fartura em sua vida.

BEBER

Querer um gole de água e não o conseguir: Infortúnio.
Água enlameada e suja: Será enganado por amigos.
Água quente: Você tem amigos fiéis.
Beber água límpida de uma nascente: Grande alegria.
Beber água muito fria: Triunfo sobre os inimigos.
Beber sangue: Êxito em tudo que faça na vida.
Beber em taça límpida: Emprego imediato.
Parentes que bebem: Noivado próximo.
Beber em uma nascente: Você se restabelecerá completamente de uma doença.
Beber água pura de um copo: Logo se casará.
Beber água de um copinho: Terá companhia agradável.
Beber vinho branco: Felicidade.
Beber um copo de vinho pela metade: Ficará doente.
Estar com sede e beber água fresca de um copo: Será muito rico.
Beber até satisfazer-se: Os desejos serão satisfeitos.
Beber em companhia de amigos: Mudança em seu ambiente.
Outras pessoas bebendo: Grande tristeza.
Beber algo adocicado: Será amado com violência.
Embriagar-se de tanto tomar coisas doces: Alguém o tornará rico.

BEBIDA (gole final da noite; saideira)

Servir um gole final, à noite, a uma pessoa que você ama: Você ganha sempre um beijo antes de dormir.
Demorar tomando o último gole da noite: Você está loucamente apaixonado.
Ser visto tomando o último gole da noite na casa de outra pessoa: Cuidado com a inveja.
Tomar o último gole da noite em companhia de muitas pessoas: Boa sorte à frente.

BEBIDA ALCOÓLICA

Tomar bebida alcoólica: Você tem amigos fiéis.
Tomar bebida alcoólica com gelo: Emprego imediato.
Estar com vontade de tomar bebida alcoólica: Infortúnio.
Tomar bebida alcoólica em copo grande: Muita alegria.
Tomar bebida alcoólica em copo pequeno: Muitas preocupações.
Tomar bebida alcoólica de cor clara: Felicidade.

Tomar bebida alcoólica de cor escura: Em breve estará doente.
Tomar bebida alcoólica em companhia de uma amiga: Será muito rico.
Tomar bebida alcoólica com amigos do sexo masculino: Mudança de ambiente.
Tomar bebida alcoólica com a esposa: O casamento durará para sempre.
Tomar bebida alcoólica em companhia de parentes: Brigas de família.
Tomar bebida alcoólica em companhia de inimigos: Terá prejuízos financeiros.

BECO
Um beco: Terá bons vizinhos.
Um beco sem saída: Pense bem antes de agir.
Um beco orlado de árvores: Honrarias e dignidade.
Um beco escuro: Fofocas e comentários dos vizinhos.

BEIJA-FLOR
Beija-flores: Êxito rápido em sua vida.
Grande número de beija-flores: Negócios bem-sucedidos.
Ser dono de um beija-flor: Viajará a um país.

BEIJAR
Um beijo: Grande aflição.
Beijar o namorado durante o dia: Má sorte.
Beijar o namorado à noite: Perigo.
Beijar a mãe: Êxito.
Beijar o pai: Alegria.
Beijar um irmão ou uma irmã: Muitos prazeres.
Beijar o marido ou a esposa. Felicidade no casamento.
Beijar alguém na face: Êxito futuro.
Beijar as mãos: Boa sorte.
Beijar uma mulher casada: Infelicidade.
Beijar uma mulher solteira: Será enganado.
Beijar uma pessoa morta: Vida longa.
Beijar um amigo: Fracasso em sua vida.
Beijar a terra: Humilhação.
Beijar as costas de uma pessoa: Será enganado por uma mulher.

BEISEBOL
Jogar uma partida de beisebol: Prosperidade futura.
Outras pessoas jogando uma partida de beisebol: Terá contentamento no lar.
Não fazer pontos em partida de beisebol: Decepção no amor.
Fazer bom número de pontos em partida de beisebol: Divórcio dentro de pouco tempo.
Jogar a bola para o batedor: Terá problemas de família.

BELA DA FESTA
A bela da festa: Problemas nos assuntos sentimentais.

Ser a bela da festa: Enfrentará grande oposição.
Dançar com a bela da festa: Evite os rivais.
Negligenciar a bela da festa: Felicidade.

BELADONA
Essa erva narcótica: Passará por pesares.
Comer a fruta dessa planta mortífera: Novos interesses e ambientes.
Essa erva narcótica sendo transformada em ungüento de beladona: Dinheiro que chegará em breve.

BELEZA
Ser belo: Doença.
Outras pessoas que são belas: Elas ficarão inválidas.
Um homem sonhando com uma bela mulher: Traição.
Uma bela moça: Alegria e felicidade.
Uma mulher sonhando com um belo homem: O amor não perdurará.
Um homem com sua bela esposa: Tempo agradável no amor.
Um homem com uma bela mulher: Terá passatempos agradáveis.

BÊNÇÃO
Receber uma bênção: Será obrigado a se casar.
Filhos recebendo bênção: Felicidade.
Família recebendo bênçãos: Alegria sem ganhos.
Receber bênção de um sacerdote: Terá muita sorte.
Diversas outras pessoas recebendo bênçãos: Terá uma família feliz.

BENEFÍCIOS
Proporcionar benefícios a outros: Felicidade.
Receber benefícios: Terá uma propriedade imobiliária.
Receber benefícios da família: Grande alegria.
Amigos que lhe proporcionam benefícios: Um mistério será solucionado.

BENGALA
Possuir uma bengala: Infelicidade.
Apoiar-se em uma bengala: Doença no futuro próximo.
Bater em alguém com uma bengala: Terá domínio sobre os inimigos.
Matar alguém com uma bengala: Conseguirá bons lucros.
Levar uma bengala nos braços: Boa saúde.
Comprar uma bengala: Discórdia na família.
Ter uma bengala para castigar as pessoas: Dificuldades financeiras.
Bengala ou bordão usado pelos peregrinos: Fará uma longa viagem.

Uma mulher usando bengala: Terá casos amorosos.
Uma bengala que tem uma pequena espada em seu interior: Grandes esperanças.
Pequena bengala de soprar: Diversos cães morrerão.
Bengala de cana-da-índia: Você sempre tende a duvidar das pessoas.
Bengala de noz-moscada: Grandes brigas entre sócios em negócios.

BENS IMÓVEIS HERDADOS

Ter um bem pessoal que foi herdado: Não se deixe dominar pelos amigos.
Recusar um bem imóvel herdado: Você será humilhado.
Receber uma propriedade em herança: Brigas de família.

BERÇO

Um berço vazio: Infortúnio em breve.
Um berço com uma criancinha: Evite os rivais.
Uma criança linda em um berço: Grande prosperidade.
Balançar o filhinho em um berço: Doença na família.
Uma moça sonhando com um berço: Reflita sobre sua conduta atual.

BERRAR

Berrar: Tenha cautela nos empreendimentos comerciais.
Ouvir berros ruidosos: Terá paz e dinheiro.
Você próprio berrando: Brigas de família.
Marido e mulher berrando um com o outro: Uma apresentação alterará os seus planos.
Ouvir crianças berrando: Sorte e prosperidade.
Ouvir parentes berrando: Infelicidade nos assuntos sentimentais.
Ouvir outras pessoas berrando: Dificuldades e esforços seguidos de tranqüilidade.

BESOUROS

Besouros: Ganhará dinheiro.
Muitos besouros: Terá brigas com amigos.
Matar besouros: Corrigirá as coisas rapidamente.

BETERRABA

Beterrabas crescendo em uma plantação: Prosperidade em seus assuntos pessoais.
Muitas beterrabas amontoadas: Bons negócios, em grande proporção.
Comer beterrabas: Os assuntos sentimentais irão bem.
Comprar beterrabas: Receberá um presente caro.

BEXIGA

Uma bexiga: Alegria em breve.
Ter uma doença na bexiga: Receberá pequena herança.
Fazer uma cirurgia na bexiga: Sofrerá desonra em futuro próximo.

Outros que fazem uma cirurgia na bexiga: Terá um pesar secreto.
Marido ou mulher que tem a bexiga removida em uma cirurgia: Contrairá pneumonia.

BEZERRO

Possuir um bezerro: Terá um futuro muito bom.
Comprar um bezerro: Você se apaixonará loucamente.
Vender um bezerro: Logo se casará.
Bezerro pertencente a outras pessoas: Fortuna recebida dos pais.
Pessoa casada sonhando com um bezerro: O casamento durará para sempre.

BÍBLIA

Ler a *Bíblia*: Problemas de família ocorrerão dentro de pouco tempo.
Levar uma *Bíblia* à igreja: Felicidade.
Acreditar na *Bíblia*: Com perseverança, vencerá os inimigos.
Filhos lendo a *Bíblia*: Alegria sem ganhos.

BIBLIOTECA

Uma biblioteca: Progredirá rapidamente.
Possuir uma biblioteca: Precisará consultar um juiz.
Apanhar um livro emprestado em uma biblioteca: Pobreza.
Consultar livros em uma biblioteca: Você tende a ser preguiçoso.

BICHO-PAPÃO

Uma aparição assustadora: Casamento excepcionalmente feliz.

BICICLETA

Possuir uma bicicleta: Felicidade.
Andar de bicicleta: Terá de tomar uma decisão importante.
Vender uma bicicleta: Bons desejos.
Vender uma bicicleta para crianças: Melhoria nos assuntos pessoais.
Ciclismo: Visitará um lugar distante.
Outras pessoas andando de bicicleta: Sorte e prosperidade.
Parentes andando de bicicleta: Infortúnio nos assuntos sentimentais.
Crianças andando de bicicleta: Recursos abundantes.

BIGAMIA

Cometer bigamia: Garantia de uma vida feliz.
Ser bígamo: Casamento próspero.
Bígamo sendo punido: Terá mente vigorosa.
Não ser bígamo: Dinheiro que virá em breve.
Não acreditar na bigamia: Desfrutará de muita felicidade no casamento.

BIGODE

Um bigode: Terá discussões com seu superior.
Um bigodão: Aumento da sua fortuna.

Um bigode feio: Sofrerá desonra pública.
Bigode curto: Pequenas discordâncias.
Bigode pequeno e fino: Pequenos ganhos financeiros.
Uma mulher que admira um bigode: Ela deve preservar a virtude.
Ter bigode: Será um traidor de mulheres.

BIGORNA

Uma bigorna: Bons resultados obtidos com seu trabalho.
Comprar uma bigorna: A felicidade está assegurada.
Bater em metais em uma bigorna: Situações atuais sofrerão uma modificação.
Outras pessoas que usam uma bigorna: Bons tempos estão chegando.

BILHAR (sinuca)

Jogar bilhar: Dissipação de dinheiro.
Jogar bilhar de modo regular, todos os dias: Grande dificuldade à frente.
Noivos que jogam brilhar: Encontrarão oposição dos futuros sogros.
Pessoa casada jogando bilhar: O amor do marido ou da mulher é sincero.
Pessoas solteiras jogando bilhar· Logo se casarão.

BILHETE

Bilhetes: Bons tempos estão chegando.
Ter um bilhete de loteria: Bons resultados à frente.
Bilhetes com números: Será uma pessoa muito bem-sucedida.
Ter um bilhete que não foi premiado: Receberá boas notícias que aguarda há muito tempo.

BINÓCULO

Possuir um binóculo: Terá felicidade no futuro.
Homens olhando por binóculo: Felicidades.
Mulheres olhando por binóculo: Será grandemente recompensado na vida.
Militar usando binóculo: Será prejudicado nos assuntos pessoais.
Ver uma pessoa que você ama através de binóculo: Perda de parente distante.
Ser observado por binóculo: Pense com cautela antes de agir.
Comprar um binóculo: Uma mulher de pouca moral está por perto.

BISCOITOS

Comer biscoitos: Lucro e êxito.
Fazer biscoito para a família comer: Fortuna inesperada.
Fazer biscoito: Fará uma viagem próspera.
Comprar biscoitos: Terá sempre bom apetite

Dar biscoitos aos outros: Você tende a desfrutar demais os prazeres.
Comer bolachas: Boa saúde.
Dar bolachas a um marinheiro: Casamento próspero.

BISPO

Um bispo: Terá problemas com funcionários da justiça.
Falar com um bispo: Os negócios serão satisfatórios.
Diversos clérigos em companhia de um bispo: Doença iminente.
As vestes de um bispo: Um amigo falso está por perto.

BLASFÊMIA

Proferir blasfêmias usando o nome de Deus: Terá má sorte.
Ser amaldiçoado por outros que usam o nome de Deus: Suas ambições serão concretizadas.
Outras pessoas que tomam o nome de Deus em vão: As dificuldades serão superadas.
Amigos que proferem blasfêmias, referindo-se a você: Fracasso dos inimigos.

BLUSH

Blush sobre uma penteadeira: Alguém o enganará.
Usar *blush* nas faces: Você é negligente.
Outras pessoas usando *blush*: Presunção.
Receber *blush* de presente: Cuidado com desordeiros.
Comprar *blush*: Dará boa educação aos filhos.

BOATO

Boato: Infelicidade no lar.
Boato vindo de outro: Infelicidade em seus negócios.
Boato vindo de amigos: Cuidado com gente falsa e confie em poucas pessoas.
Contar boatos a outros: Logo ocorrerá uma transformação importante.

BOCA

Uma boca: Você se embriagará.
Sua própria boca: Controle sua língua.
Boca grande: Uma amizade vale mais do que dinheiro.
Uma boca muito grande: Amizade e muito dinheiro.
Uma boca pequena: Dinheiro chegando.
Boca muito pequena: Grande amor.
Uma boca aberta: Generosidade.
Uma boca bem fechada: Doença.
Não conseguir abrir a boca: Perigo de morte.
Uma boca suja: Desespero.
Uma boca infectada: Vergonha pública.
Uma boca cheia de comida: Traição por parte de amigos.
Uma boca cheia de vinho: Grandes prazeres em breve.

Boca de filhos: Grandes homenagens.
Boca de parentes: Infelicidade.
Boca de amigos: Infortúnio dentro de pouco tempo.
Boca de inimigos: Terá vida longa.
Boca de outras pessoas: Pobreza.
Boca de animais: Muita fome.

BOCEJAR

Bocejar: Pequenas dificuldades.
Bocejar em ocasiões sociais: Você não está à altura de sua posição.
Bocejar de manhã: Será abandonado pela pessoa amada.
Bocejar na igreja: Será humilhado.

BÓCIO (hipertrofia da glândula tireóide)

Ter bócio: Morte.
Outros que têm bócio: Receberá notícias inesperadas.
Filhos com bócio: Terá brigas no futuro.
Amigos que têm bócio: Será convidado para um banquete.

BODE

Um bode: Será rico.
Muitos bodes: Fartura.
Bodes lutando: Em breve estará sofrendo.
Possuir muitos bodes: Fartura e riqueza.
Manter bodes e cabras em um redil: Um amigo falso está por perto.
Pastorear cabras e bodes: Será abandonado.
Ser atingido por um bode: Você tem muitos rivais.
Bodes e cabras brancos: A sorte será muito incerta.
Bodes e cabras negros: Amigos que não merecem confiança.
Bodes e cabras malhados de preto e branco: Seja precavido em suas atividades.
Matar um bode ou uma cabra: Felicidade.
Os chifres de um bode ou de uma cabra: Pobreza.
Um cabrito: Sorte no jogo.
Ser um bode ou uma cabra: Realização de um sonho.
Uma cabra: Vencerá os inimigos sendo prudente.
Pessoa rica conduzindo bodes e cabras: Desonra.
Pessoa pobre conduzindo bodes e cabras: Terá muito dinheiro.

BOFETADA

Levar uma bofetada: Estará em má companhia.
Ser esbofeteado por bom amigo: Felicidade na família.
Um homem que esbofeteia uma mulher: Êxito no amor.
Uma mulher que esbofeteia um homem: Infidelidade da pessoa amada.
Cônjuges se esbofeteando: Grande êxito no casamento.
Filhos que se esbofeteiam: Os negócios não são muito seguros.
Esbofetear crianças: Será tratado injustamente por amigos.

Amigos que se esbofeteiam: Seus empreendimentos darão bons resultados.

BÓIA LUMINOSA (náutica)

Uma bóia luminosa: Harmonia entre amigos.
Observar uma bóia luminosa: Evite brigas, procure uma conciliação.
Operar uma bóia luminosa ou farol: Passará por vexames.
Outros que operam uma bóia luminosa ou farol: Decepções.

BOIAR

Algo boiando: Tudo correrá bem.
Ter dificuldades para permanecer boiando: Esteja preparado para ter problemas.
Outras pessoas boiando: Um amigo falso por perto.
Uma pessoa morta boiando perto da praia: Terá vida longa.
Um peixe morto, boiando perto da praia: Perigo causado por um segredo.
Um barco vazio boiando: Haverá uma transformação no ambiente.

BOINA

Possuir uma boina: Alguém começará um negócio errado que não se completará.
Ver uma boina de algodão: Algum amigo abusa da sua amizade.
Ter uma boina de seda: Bons resultados na vida.
Ter uma boina de viagem: Será enganado por amigos.
Boinas de criança: Riqueza.
Usar uma boina à noite, na cama: Abundância nos negócios.

BOIS

Um boi: Empreendimentos comerciais proveitosos.
Uma boiada: Prosperidade em sua vida.
Um boi no pasto: Progredirá rapidamente em sua posição atual.
Bois pastando tranqüilamente: Deve ter cautela com as especulações.
Bois arando: Bons ganhos.
Bois puxando uma carroça: Sorte no amor.
Bois comendo capim: Grande alegria na vida.
Bois correndo: Terá problemas causados por inimigos.
Bois subindo uma elevação do terreno: Infelicidade no amor.
Um boi gordo: Sua sorte aumentará.
Bois magros: A sorte diminuirá.
Bois lutando entre si: Você tem inimigos.
Matar bois: Riqueza.
Bois dormindo: Perda de amigos.
Comprar bois: Terá riqueza.
Vender bois: Tenha cuidado ao comprar e vender ações.
Bois sem chifres: Acontecimentos favoráveis em sua vida.

BOLA

Estar em jogos de bola: Terá bons amigos.
Bolas diferentes para diversos jogos: Não terá amigo algum.
Jogar com uma bola de bilhar: Boas notícias.
Bolas que servem de projéteis para canhão: Grande pesar.
Bolas de beisebol ou críquete: Receberá boas notícias.
Bola de futebol: Inquietação.
Bolas de tênis ou de borracha: Nascimento certo de uma criança.

BOLACHAS

Ver Biscoitos.

BOLHAS

Bolhas: Escapará a um perigo atual.
Fazer bolhas: Evite o desperdício ou poderá perder o namorado.
Bolhas em um banho de banheira: Encontrará um protetor.
Bolhas de água fervente: Dignidade e distinção.

BOLICHE

Derrubar todos os pinos no boliche: Concretizará altas ambições.
Derrubar a maioria dos pinos no boliche: Sorte em tudo.
Não derrubar pino algum no boliche: Fracasso nas negociações comerciais.
Outras pessoas jogando boliche: Infelicidade.
Outras pessoas vencendo um jogo de boliche: Algo lhe será roubado.

BOLINHA DE MASSA

Fazer bolinhas de massa: A sorte mudará para melhor, sem demora.
Fazer bolinhas, com massa de batata: Uma surpresa agradável está a caminho.
Comer bolinhas de massa: As aspirações se realizarão.
Outras pessoas comendo bolinhas de massa: Êxito em todas as atividades.

BOLINHOS

Fazer bolinhos: Receberá boas notícias.
Comprar bolinhos: Tem de contar com seu próprio bom senso.
Outras pessoas que fazem bolinhos: Você gosta de esportes.
Receber bolinhos de presente: Terá um casamento próspero.
Dar bolinhos de presente: Você deve corrigir seu modo de agir.

BOLO

Fazer um bolo: Ocorrerá uma reviravolta bastante favorável nos acontecimentos.
Comer um pedaço de bolo: Perderá o namorado.
Comprar um bolo: Receberá o afeto de uma pessoa amiga.

Uma mulher sonhando que come seu bolo de casamento: Grande perigo.
Servir bolo a pessoas amigas: Está diante de obstáculos insuperáveis.

BOLSA
Uma bolsa: Felicidade.
Encontrar uma bolsa sem dinheiro: Desentendimento entre parentes.
Descobrir uma bolsa com dinheiro: Aumento da família.
Namorado(a) sonhando que descobre uma bolsa: Vida feliz.
Namorado(a) sonhando que perde uma bolsa: Dificuldades ou doença.
Comprar uma bolsa: Comparecerá a um casamento.
Receber uma bolsa de presente: Negligência.
Dar uma bolsa de presente: Alcançará seu objetivo.

BOLSA DE MÃO
Uma bolsa de mão: Riquezas que se acabarão.
Bolsa de mão azul: Felicidade.
Bolsa de mão negra: Infelicidade.
Bolsa de mão vermelha: As coisas transcorrerão bem.
Bolsa de mão branca: Êxito nas iniciativas.
Comprar uma bolsa de mão: Será amado.
Encontrar uma bolsa de mão: Falência.
Encontrar uma bolsa de mão vazia: Bons resultados nas suas iniciativas.
Encontrar uma bolsa de mão cheia: Negligência.
Encontrar uma bolsa de mão contendo bolsinha de moedas: Bons resultados nos negócios.
Descobrir uma bolsa de mão contendo cigarros: Boa sorte.
Receber uma bolsa de mão de presente: Irritação e perda da calma.
Dar uma bolsa de mão de presente: Encontrará oposição.

BOLSO
Bolsos: Conhecerá pessoas sovinas.
Os seus próprios bolsos: Terá parentes gananciosos.
Os bolsos do marido ou da mulher: Ganhará no jogo.
Os bolsos dos parentes: Sofrimento.
Os bolsos de pessoas amigas: Cuidado com o escândalo.
Os bolsos de inimigos: Fará as pazes com inimigos.

BOM
Boas coisas: Infortúnio no amor.
Fazer o bem aos outros: Alegria e prazer.
Outros que lhe fazem o bem: Proveito e ganhos.
Filhos que fazem boas coisas: Nascerá uma criança quando você estiver com idade madura.

Dizer coisas boas acerca de outras pessoas: Ficará constrangido.
Pessoas que dizem coisas boas a seu respeito: Será enganado por amigos.

BOMBA

Uma bomba: Receberá notícias terríveis.
Ouvir o som de uma bomba: Felicidade na família.
Ser ferido por uma bomba: Desastre dos mais sérios à frente.

BOMBA D'ÁGUA

Uma bomba d'água: Terá dinheiro.
Bombear água limpa: Os negócios prosperarão.
Bombear água suja: Preocupações.
Bombear água enlameada: Falará com pessoas que o irritam.
Utilizar uma bomba acionada por motor: Receberá notícias extremamente desagradáveis.
Acionar uma bomba d'água com a mão: Receberá notícias tristes.
Utilizar uma bomba de incêndio: Receberá notícias surpreendentes e más.

BOMBARDEIO

Um bombardeio: Infortúnio.
Ter sido bombardeado: Terá felicidade no casamento.
Outras pessoas sendo bombardeadas: Mentiras nos assuntos sentimentais.

BOMBONS

Fazer bombom: Obterá lucro nos negócios.
Comer bombom: Prazer com uma companhia.
Receber uma caixa de bombons de presente: Você é extremamente admirado.
Dar uma caixa de bombons de presente: Paz e felicidade no lar.
Saborear bombons: A segurança está a caminho.

BONDADE, AUSÊNCIA DE

Ser uma pessoa sem bondade: Seus afetos são retribuídos com sinceridade profunda.
Outros que agem sem bondade com você: Fará novos conhecimentos.
Amigos que se mostram pouco bondosos com você: Você tem amigos falsos.
Filhos que não são bondosos com os pais: Você é bom demais para seus filhos.
Marido e mulher sem bondade um com o outro: Terá muita riqueza.
Parentes que não sejam bondosos com você: Descobrirá um ladrão.

BONECOS

Bonecos e bonecas: Felicidade no lar.
Ter bonecas: Você tende a se exceder nos flertes.
Meninas brincando com bonecos: Terá muito boa sorte.

Comprar um boneco: Prosperidade.
Bonecos pertencentes a outras pessoas: Logo se restabelecerá de uma doença.

BORBOLETA

Uma borboleta que esvoaça de uma flor a outra: Grande prosperidade.
Borboleta de belas cores, à luz do sol: Felicidade no amor.
Uma borboleta dentro da casa: Encontrará grande dificuldade.
Uma moça sonhando com borboleta: Será feliz no casamento.
Apanhar uma borboleta: Infidelidade.
Matar uma borboleta: Ganhará um presente.
Perseguir uma borboleta: Está cercado por influências nefastas.

BORDADO

Bordado: Aproveitará tudo da melhor maneira possível.
Ter bordado um vestido: Honraria e riqueza.
Ter bordado roupa de cama: Alegria e lucros.
Bordar alguma coisa para a pessoa amada: Será aceito na sociedade.

BORLAS

Borlas: Em breve receberá uma visita alegre.
Prender borlas em um manto: Receberá carta que espera há muito tempo.
Outros que manuseiam borlas: Ganhará um presente que o agradará.

BORRACHA

Borracha: Prosperidade.
Usar borracha para diversas coisas: Fará uma longa viagem.
Artigos feitos de borracha: Revolta contra parentes.
Apagar algo escrito usando borracha: Incerteza nos atos.
Apagar cartas de amor usando borracha: Você está dando o fora na pessoa amada.

BORRÃO

Fazer um borrão em papel branco e limpo: Dormirá em uma cama que não é a sua.
Fazer um borrão em papel colorido: Viajará em breve.
Fazer borrão em documentos importantes: Transformação para melhor.
Borrar a assinatura em um cheque: A felicidade está garantida.

BORRIFAR

Borrifar alguma coisa: Honraria e dignidade.
Borrifar perfume: Será forte e sadio por toda a vida.
Borrifar inseticida: Freqüentará belos ambientes.
Borrifar inseticida dentro de uma casa: Vida agradável.
Borrifar incenso na casa: A situação atual melhorará.

Uma mulher sonhando que está borrifando perfume no rosto: Frivolidade.
Uma mulher sonhando que está borrifando perfume no corpo: Está aguardando uma visita.

BOTAS

Usar botas: Fará poucos bons negócios.
Comprar botas novas: Os negócios serão muito bons.
Ter botas novas: Pode contar com a fidelidade dos empregados.
Botas antigas: Encontrará dificuldades.
Ter botas marrons: Terá boa sorte.
Botas antigas que machucam os pés: Perda de dinheiro causada por sua própria negligência.
Outras pessoas com botas novas: Perigo nos assuntos sentimentais.

BOTÕES

Um homem solteiro que sonha estar pregando botões na roupa: Demora nos assuntos sentimentais.
Uma mulher que sonha estar pregando botões na roupa: Receberá dinheiro inesperado.
Perder botões: Inimizade secreta de alguém.
Comprar botões: Terá mente vigorosa.

BOUDOIR (quarto de mulher decorado com elegância)

Estar em um *boudoir*: Trabalho pesado à frente.
Achar-se no *boudoir* de uma bela mulher: Separação do marido ou da mulher.
Estar no *boudoir* de uma mulher feia: Ocorrerão discussões.
Amar em um *boudoir*: Logo será preso.
Arrumar um *boudoir*: Bons resultados nos assuntos amorosos.
Um *boudoir* cheio de objetos raros: Infelicidade.

BRACELETE

Um bracelete de ouro: Terá alegria.
Receber um bracelete de presente, dado por pessoa amiga: Casamento próximo e feliz.
Uma moça sonhando que perde um bracelete: Preocupação e vexame.
Achar um bracelete: Aquisição de propriedade.
Usar um bracelete de ouro: Terá sorte em questões financeiras inesperadas.
Deixar cair um bracelete: Fim do caso de amor.

BRAÇO

Seus próprios braços· Vitória sobre os inimigos.
Ter um belo braço: Contará com boas amizades.

Ter os braços cobertos de pêlos: Será muito rico.
Ter braços grandes: Grande alegria à frente.
Ter braços pequenos: Terá muito dinheiro.
Braços muito finos: Logo enriquecerá.
Ter braços extraordinariamente grandes: Alegria e contentamento.
Perder um braço: Perda de um parente.
Sentir dor nos braços: Fracassos nos negócios.
Braços sujos: Grande sofrimento à frente.
Um homem com o braço quebrado: Brigas de família.
Uma mulher com o braço quebrado: Ela perderá o marido.
Ter ambos os braços quebrados: Doença.
Sofrer um acidente nos braços: Falta de saúde na família.
Braço direito amputado: Morte de um homem da família.
Braço esquerdo amputado: Morte de uma mulher da família.
Quebrar um braço: Grande perigo à frente.
Ter doença de pele nos braços: Trabalhará muito e inutilmente.
Ter sardas nos braços: Tem de corrigir seu modo de agir.

BRANCO

A cor branca: Êxito nas iniciativas.
Comprar roupa de cama de tecido branco: O dinheiro virá com facilidade por toda a vida.
Diversos objetos de cor branca: Grande alegria.
Comprar roupas brancas: Felicidade no amor.

BRANDY

Tomar *brandy*: Satisfação nos assuntos sentimentais.
Possuir uma garrafa de *brandy*: Cuidado com amigos falsos.
Comprar uma garrafa de *brandy*: Receberá notícias boas e inesperadas.
Oferecer um gole de *brandy* a outras pessoas: Precisa controlar suas paixões.

BRASÃO DE ARMAS

Um brasão de armas: Terá falta de sorte.
Ter um brasão de armas: Será altamente honrado pelas mulheres.
O próprio brasão de armas na porta de sua casa: Fracasso comercial.

BRASAS

Brasas e cinzas: Uma grande decepção é certa.
Jogar fora cinzas e brasas: Êxito nos negócios.
Outros jogando brasas fora: Bons tempos estão chegando.

BRAVURA

Agir com bravura: Terá uma doença de nervos.
Não ter bravura: Tende a se subestimar.

Demonstrar coragem e bravura: Um amigo alimenta inimizade secreta contra você.
Outras pessoas agindo com bravura: Problemas a caminho.

BRIDÃO
Um bridão: Cuidará bem dos seus interesses.
Pôr bridão em cavalo: Logo terá algum dinheiro.
Segurar as rédeas de um bridão nas mãos: Felicidade.
Um bridão no cavalo de outra pessoa: Melhoria em sua posição.

BRIGA
Começar uma briga: Prosperidade nas atividades comerciais.
Brigar com a mulher ou com o marido: Será culpado por atos impensados.
Brigar com o namorado: Reconciliação imediata.
Brigar com um amigo: Perda de dinheiro.
Ter uma briga na família: Enfrentar oposição em casa.
Ter uma briga com o sócio: Terá o controle de muitas questões.
Ter brigas comerciais: Aviso de dificuldades.

BRILHAR
Raios de luz brilhando: Êxito nos assuntos sentimentais.
O Sol brilhando: Ganhos financeiros.
Jóias brilhando: Evite a extravagância.
Ouro, prata e outros metais brilhando: Sorte e prosperidade.
Sapatos brilhando: Sua vida será animada e agradável.

BRILHO
Um cenário com brilho: Sua sorte vai melhorar.
Sentir um brilho muito quente: Aguarde acontecimento importante e muito benéfico.
Sentir o brilho da paixão. Será amado de forma intensa.
Estar com expressão brilhante: Está para acontecer uma modificação na sua vida.
Sentir uma sensação de brilho após fazer exercícios: Triunfo sobre os inimigos.

BRINCOS
Seus próprios brincos: Trabalho agradável e boas notícias.
Perder os brincos: Virá um período de tristeza.
Brincos alheios: Grande amizade.
Usar brincos: Será enganada por amigos.
Dar os próprios brincos a alguém: Grande briga.
Receber brincos de presente: Evite os rivais.

BRINDE
Fazer um brinde durante uma refeição: Bom humor.
Ouvir outros que fazem um brinde: Estará livre de dificuldades.

Retribuir um brinde feito em um banquete: Em breve perderá uma pessoa que você ama.

BRINQUEDOS

Brinquedos: Terá uma família feliz.

Dar brinquedos aos filhos: Bons tempos estão por vir.

Comprar brinquedos: Os filhos serão inteligentes e bem-sucedidos.

Receber brinquedos para seus filhos: Você tem amigos leais.

Brinquedos quebrados: Logo adoecerá.

BRISA

Estar ao ar livre, em uma brisa forte: Especulação bem-sucedida.

Sentir o prazer de uma brisa leve: Felicidade duradoura.

Sentir o prazer de uma brisa leve à noite: Receberá um presente de pessoa desconhecida.

BROCHE

Um broche: Ganhos financeiros.

Usar broche em sua própria casa: Ganhos financeiros.

Usar um broche em casa alheia: Os problemas virão.

Comprar um broche: Será enganada.

Vender um broche: Perda de muito dinheiro em espécie.

BRONQUITE

Ter bronquite: Um inimigo trama sua ruína.

Recuperar-se de bronquite: Grande prosperidade no futuro.

Outras pessoas que sofrem de bronquite: Encontrará obstáculos nos negócios.

Parentes que sofrem de bronquite: Terá uma vida longa.

BRUXA

Uma bruxa: Você está sendo observado por alguém mal-intencionado.

Ver uma bruxa: Fofocas e escândalo a respeito de mulheres que são amigas suas.

Conversar com uma bruxa: Você deveria corrigir seu modo de agir.

Ser assustado por uma bruxa: Abuso de confiança.

BUCHO

Bucho cru: Modéstia.

Bucho cozido: Levará vida simples.

Comprar bucho: Terá saúde.

Comer bucho: Será cumprimentado por amigos sinceros.

Um cachorro comendo bucho: Herança.

Servir bucho em um jantar: Um concorrente comercial quer o seu lugar.

O bucho em mau estado: Cuidado nos negócios.

BUGIGANGA

Bugiganga: A pessoa que você ama é frívola e fútil.
Ter bugiganga: Você será culpado por atos impensados.
Comprar uma bugiganga: Não controle seu coração.
Outras pessoas que usam bugigangas: Será enganado por pessoas amigas.

BULDOGUE

Possuir um buldogue: Melhoria na sua posição atual.
Um buldogue encontrado na rua: Achará um grande protetor.
Ter um buldogue em casa: Boas notícias de uma amizade ausente.
Comprar um buldogue: A felicidade está assegurada.
Vender os filhotes de um buldogue: Um inimigo trama sua ruína.

BUQUÊ

Um belo buquê: Receberá um legado no futuro.
Um buquê murcho: Doença seguida de morte.
Receber um buquê: Muito prazer na vida.
Dar um buquê: A pessoa amada não é volúvel.
Manter um buquê de flores: Será pedido em casamento.
Jogar fora um buquê: Separação relacionada a uma pessoa amiga.
Preparar um buquê de flores: Logo se casará.
Receber diversos buquês: Terá um amor fiel.
Receber um pequeno buquê: Alegria passageira.

BURACO

Fazer um buraco: Fará uma longa viagem.
Outros que fazem buracos: Bons tempos virão.
Cair em um buraco: Doença.
Arrastar-se até um buraco: Entrará em contato com pessoas indesejáveis.

BURRO

Ver **Asno**.

BUZINA

Ouvir o som de uma buzina de sopro: Notícias alegres e inesperadas.
Soprar uma buzina: Atividades sociais alegres.
Outros que sopram uma buzina: Você está sendo enganado.
Soprar uma buzina enquanto caça: Fofocas causarão infelicidade.

C

CABANA

Viver em uma cabana: Tempos melhores virão.

Outras pessoas vivendo em uma cabana: Receberá boas notícias.

Uma cabana vazia: Solidão e dificuldades.

Estar em uma cabana no campo: Levará tempo até que se restabeleça de uma doença.

CABEÇA

Sua própria cabeça: Grande sorte.

Ter uma bela cabeça: Não se arrisque.

Sua própria cabeça sendo virada para o lado: Receberá algo bom de modo inesperado.

Ter dor de cabeça: Dificuldades à frente.

Lavar a cabeça: Infortúnio avassalador

Uma cabeça sem corpo: Decepção.

Muitas cabeças: Desonra no amor.

Uma pessoa de três cabeças: Honraria e dinheiro.

Uma cabeça calva: Será amado.

Uma cabeça pontuda: Vida longa.

Uma cabeça enorme: Boas transformações comerciais.

Uma cabeça grande e arredondada: Dignidade.

Uma cabeça pequena: Cuidado com seus inimigos.

Uma cabeça negra: Êxito em seus negócios.

Uma cabeça branca: Grandes ganhos.

Uma cabeça pequeníssima: Será amado.

Ter cabeça redonda: Perda da sua esposa.

Uma cabeça com cabelos compridos e soltos: Grande honraria.

Uma cabeça bem penteada: Está buscando o perigo.

Uma cabeça mal penteada: Sofrerá um estupro.

Ter a cabeça raspada: Passará por vergonha.

Ter a cabeça cortada ao meio: Êxito em tudo.

Ter a cabeça decepada: Prazer e honra.

Cortar a cabeça de alguém: Você terá mais êxito que seus amigos.

Segurar a própria cabeça nas mãos: Terá uma doença no cérebro.
Segurar nas mãos a cabeça de outra pessoa: Perda de um parente.
Uma pessoa solteira sonhando que segura uma cabeça nas mãos: Grande felicidade.
Segurar uma cabeça de cachorro, cavalo ou burro nas mãos: Será escravizado.
A cabeça de uma pessoa negra: Fará uma longa viagem.
A cabeça de uma pessoa morta: Descobrirá um segredo.
Uma pessoa doente sonhando com cabeça grande: Logo se restabelecerá.
A cabeça de uma ave: Modificação na sua posição.
A cabeça de um animal selvagem: Vitória sobre os inimigos.
A cabeça de um leão: Será uma pessoa muito importante.
A cabeça de um lobo: Honrarias.
A cabeça de um veado: Triunfo sobre os inimigos.
A cabeça de um bezerro: Grande consolo.
A cabeça de um cão: Grande humilhação.

CABELEIREIRO

Ir a um cabeleireiro: O êxito virá mais tarde.
Ir com pessoa amiga a um cabeleireiro: Será invejada por amigas.
Fazer apenas o cabelo no cabeleireiro: Fará uma longa viagem.
Tingir o cabelo de louro: Deplorará seus atos.
Tingir o cabelo de preto: Um mistério será solucionado.
Tingir o cabelo de ruivo: Perderá uma amizade.
Tingir o cabelo de castanho-avermelhado: O êxito virá mais tarde.
Tingir o cabelo de branco: Recursos abundantes.
Inimigos em um cabeleireiro: Uma decepção é certa.
Ir ao cabeleireiro sem a companhia do namorado: Alegria sem ganhos.
Levar a filha a um cabeleireiro: Boas notícias vindas de longe.
Mandar o cabeleireiro fazer uma peruca: O perigo é iminente.
Conversar com um cabeleireiro: Morte de uma pessoa amiga.
Ser cabeleireiro: Comparecerá a um grande baile.

CABELO

Ter cabelo ruivo: Você está dizendo algo que não é verdade.
Ter cabelo castanho: Será uma pessoa muito sensual.
Ter cabelos brancos: Dignidade.
Ter cabelos louros: Amizade.
Ter cabelos negros: Sofrerá um acidente de automóvel.
Cabelo ficando grisalho: Terá de suportar dores.
Fazer um penteado como rabo-de-cavalo: Terá muitos desejos vãos.

Cortar o cabelo à Príncipe Danilo: Você está sendo enganado.
Estar satisfeito com o aspecto de seu cabelo: Encontrará um novo namorado.
Seus próprios cabelos: Prosperidade contínua.
Os seus cabelos escasseando ou caindo: Passará por pesares.
Preocupar-se porque o cabelo está ficando grisalho: Separação da família.
Cabelos de outras pessoas: Suas atividades vão requerer atenção e cautela.
Cabelo cacheado: Conflito.
Cabelo cacheado, preto e curto: Infelicidade.
O cabelo curto de prisioneiros: Você será vitorioso.
O cabelo comprido de um regente: Dias felizes virão.
Um homem de cabelos compridos: Dignidade.
Um homem com pouquíssimo cabelo: Sorte.
Cabelo que cai: Perda de amizade.
Cabelo que queima: Morte de alguém que você conhece.
Cabelos curtos: Pobreza.
Cabelos compridos: Receberá algo importante.
Mandar cortar os cabelos: Lucro.
Cortar o próprio cabelo com tesoura: Riqueza.
Tingir o próprio cabelo: Vaidade.
Alguém que puxa seus cabelos: Inimigos procuram prejudicá-lo.
Ter dificuldade para baixar o cabelo: Trabalhará muito, por bastante tempo.
Escovar os cabelos: Ficará sem dinheiro.
Levantar os cabelos: Terá muitas coisas em que pensar.
Lavar os cabelos: Tristeza.
Deixar que o cabelo seja cortado até às orelhas: Infelicidade.
Mandar pentear bem o cabelo: Amizade e o fim de maus negócios.
Ter o cabelo embaraçado: Longa ação judicial.
Comer cabelos: Alegria.
Cabelos que crescem perto da boca: Morte repentina.
Cabelos que crescem nas costas das mãos: Ganhos financeiros.
Cabelos que crescem no rosto de uma mulher: Perigo de perder a sorte.
Amassar os próprios cabelos: Brigas de família.
Mandar fazer uma permanente: Perigo nos assuntos sentimentais.
Ter cabelos brancos muito compridos: Grandes esperanças.
Ter cabelos compridos: Vencerá os inimigos.
Ter cabelos tão compridos quanto o próprio corpo: Está sendo enganada pelo marido.
Um homem com cabelos brancos e curtos: Felicidade.

CABELOS GRISALHOS

Um homem sonhando que tem cabelos grisalhos: Dificuldades seguidas de êxito.
Uma mulher sonhando que tem cabelos grisalhos: Concretizará altas ambições.
Estar em companhia de uma pessoa de cabelos grisalhos: Recursos abundantes.

CABELOS RUIVOS

Tingir os cabelos de vermelho: Dará uma festa aos amigos.
Uma bela mulher ruiva: Receberá notícias boas e inesperadas.
Uma mulher ruiva tingindo o cabelo de louro: Desfrutará vida longa e feliz.
Crianças com cabelos ruivos: Ganhará em uma loteria.

CABINE

Estar na cabine de um navio: Problemas domésticos.
Entrar em uma cabine na praia: Romances.
Estar em uma cabine com a família: Bons dias estão chegando.
Estar em uma cabine com a pessoa amada: Morte de um inimigo.
Estar em uma cabine com amigos: Perigo nos assuntos sentimentais.

CABRESTO

Um cabresto: Ex-companhia de passeios vai se casar com você.
Pôr cabresto em cavalo: Prosperidade nos negócios e êxito no amor.
Atrelar um cavalo de cabresto a uma carruagem: Aviso de dificuldades.
Tiras de cabresto usadas por mulheres: Superará os obstáculos.

CAÇAR

Caçar: Seus esforços são pequenos demais.
Sair em caçadas: Será acusado por amigos.
Estar em uma caçada: Grandes ganhos.
Caçar com sucesso: Levará vida feliz.
Marido caçando: Você é econômica e diligente.
Filhos caçando: Ganhos financeiros.
Caçar pequenos animais: Decepção.
Caçar grandes animais: Prosperidade à frente.
Caçar uma raposa: Vencerá todas as dificuldades.
Regressar de uma caçada: Ganhos certos.
Deixar escapar um animal enquanto caça: Não realização de seus desejos.
Passar a caçar em outro lugar: Você terá êxito.
Muitas pessoas caçando: Receberá grande fortuna.

CACAREJAR

Ouvir uma galinha cacarejar ao amanhecer: Advertência de que deve ser prudente.
Ouvir uma galinha cacarejar ao meio-dia: Lutas entre parentes.
Ouvir uma galinha cacarejar ao anoitecer: Grande perigo.

CAÇAROLA

Uma caçarola: Pagará suas dívidas.
Usar uma caçarola: O futuro está assegurado.
Usar diversas caçarolas: Jamais estará na pobreza.
Outras pessoas usando caçarolas: Cuidado com traição.
Ter uma caçarola cheia: Terá saúde.

CACATUA

Uma cacatua: Descoberta de um segredo.
Comprar uma cacatua: Terá discussões com amigos.
Manter uma cacatua em uma gaiola: Terá consciência de sua própria indiscrição.
Ouvir uma cacatua falar: Um falso amigo está por perto.

CACAU

Cacau: Ficará loucamente apaixonado.
Comprar cacau: Felicidade na família.
Beber cacau: Terá um futuro dos melhores.
Fazer cacau: Recursos abundantes.

CACHAÇA

Cachaça: Será convidado para uma grande festividade.
Lidar com cachaça: Perda de amizades por falta de informações.
Outras pessoas lidando com cachaça: Falam a seu respeito.
Comprar cachaça: Em breve desfrutará de um prazer que você está esperando.

CACHIMBO

Cachimbos: Acontecimentos excepcionalmente bons.
Fumar cachimbo: Doce satisfação.
Encher um cachimbo: Posição desagradável.
Guardar um cachimbo: Orgulho inútil.
Quebrar um cachimbo: Segurança.
Ter diversos cachimbos: Grande paz de espírito.
Cachimbos sujos: Sofrimento.
Cachimbos pertencentes a outras pessoas: Aflição.
Receber um cachimbo de presente: Melhoria em seus negócios.
Dar um cachimbo de presente: Acontecimentos importantes e muito benéficos a caminho.
Apagar um cachimbo: Perda de um amigo.
Comprar um cachimbo: Será visitado por antiga amizade.

CACHOS DE CABELO

Ter cachos de cabelo: Transformação completa em sua vida.

Formar os seus próprios cachos de cabelo: Novo ambiente e tempos melhores em breve.

Outros que fazem cachos de cabelo em você: Momento adequado para seguir em frente.

Outras pessoas que têm cachos de cabelo: Sofrerá pesares.

Fazer cachos: Perda de um amigo.

Fazer cachos nos cabelos da filha: Terá grande amor maternal.

Um homem que sonha com alguém que faz cachos de cabelo: Sua esposa não é fiel.

CADAFALSO

Um cadafalso: Será decepcionado.

Um cadafalso construído: Doença.

Alguém que sobe em um cadafalso: Receberá um presente muito valioso.

Alguém que é executado em um cadafalso: Terá vida longa.

Estar em cima de um cadafalso: As pessoas doentes se restabelecerão.

Cair de um cadafalso: Terá muito prazer.

Derrubar um cadafalso: Receberá uma herança.

Diversos cadafalsos enfileirados: Um adversário lhe dará trabalho.

Muitas pessoas caindo de um cadafalso: Causará ferimentos em outros.

CADÁVER

O cadáver de um parente: Infelicidades nos assuntos amorosos.

O cadáver de outra pessoa: Perda de dinheiro.

Diversos cadáveres: Perigo de morte.

Um cadáver na água: Discussão com a pessoa amada.

Um cadáver vestido: Felicidade.

Um cadáver que baixa à sepultura: Separação referente a uma pessoa que você ama.

Um cadáver no necrotério: Casamento ou outros acontecimentos felizes.

O cadáver de um animal: Dificuldades comerciais.

CADDY **(menino que carrega os tacos no golfe)**

Um *caddy*: Ganhará um presente.

Usar os serviços de um *caddy*: O infortúnio o ronda.

Amigos usando os serviços de um *caddy*: Boa sorte para alguém de quem você gosta.

CADEADO

Um cadeado: Boa sorte.

Abrir um cadeado: A felicidade está assegurada.

Não conseguir abrir um cadeado: Cuidado com dificuldades que estão chegando.

Um homem abrindo um cadeado: Ele está flertando com diversas mulheres.

Uma mulher abrindo um cadeado: Será infiel ao homem que a ama.
Um cadeado aberto: Momento propício para paquerar.
Ter a chave de um cadeado: Evite a especulação de qualquer tipo.
Perder a chave de um cadeado: Tenha cautela nos assuntos financeiros.
Achar as chaves de um cadeado: Você vencerá as dificuldades.

CADEIRA

Uma cadeira vazia: Receberá notícias de uma amizade ausente.
Sentar-se em uma confortável cadeira de braços: Terá prosperidade.
Sentar-se em uma cadeira e ser carregado por outras pessoas: Receberá grandes honrarias.

CADEIRA DE BALANÇO

Uma cadeira de balanço: Conseguirá um bom emprego.
Comprar uma cadeira de balanço: Infelicidade.
Vender uma cadeira de balanço: Mudança para melhor.
Sentar-se em uma cadeira de balanço: Você está diante de obstáculos insuperáveis.
Outras pessoas sentadas em cadeira de balanço: Os inimigos estão vigilantes.
Membro da família sentado em uma cadeira de balanço: Escapará a ferimentos.
Parentes sentados em cadeira de balanço: Morte de alguém da família.
Filhos brincando em uma cadeira de balanço: Dinheiro que virá.

CADETE

Um cadete: Trabalho pesado à frente.
Cadetes em uma academia: Será ameaçado por alguém.
Cadetes em treinamento: Será enganado.
Cadetes que vão para casa: Será perseguido.
Cadetes que se formam: Será enganado por uma mulher.
Um parente que é cadete: Receberá a notícia do nascimento de uma criança.

CAFÉ

Fazer café: Grande felicidade no lar.
Beber café: As pessoas amigas discutem os seus planos de casamento.
Vender café: Prejuízos financeiros.
Comprar café: Terá a melhor reputação no seu ramo de negócios.
Torrar café: Receberá uma visita.
Moer café: Vencerá os obstáculos.
Queimar café: Será cercado pelo mal.
Derramar café: A segurança logo virá.
Plantar café: Grandes ganhos financeiros.
Um café: Será enganado.

Estar em um café com outras pessoas: Você é altamente considerado pelos amigos.

CAFÉ DA MANHÃ

Preparar o café da manhã: Miséria e doença.
Tomar sozinho o café da manhã: Cometerá alguma tolice.
Tomar o café da manhã acompanhado: Logo receberá dinheiro.
Tomar o café da manhã em um café: Terá um novo namorado.
Tomar o café da manhã em casa alheia: Fará viagem dentro de pouco tempo.

CAFUZO (mestiço de negro e índio)

Um cafuzo: Perseguição.
Um cafuzo sendo perseguido: Negócios em expansão.
Um cafuzo que é preso: Advertência de dificuldades.
Proteger um cafuzo: Você se restabelecerá de uma doença.

CÁGADO

Um cágado: Êxito e vida longa.
Observar um cágado: Sorte e prosperidade.
Comprar um cágado: Uma pessoa nova se apaixonará por você.
Matar um cágado: Bons tempos virão.

CAIAÇÃO

Caiação: Apresentação a pessoas alegres.
Caiar paredes: Previna-se contra uma traição.

CÃIBRAS

Ter cãibras: Terá um ataque de mau gênio.
Outros com cãibras: Preocupação.
Parentes com cãibras: Brigas de família.
Crianças com cãibras: Riqueza.

CAIM

Um homem sonhando com Caim: Volte atrás e tome outro rumo.
Uma mulher sonhando com Caim: Será tida em alta conta pelos outros.
Pessoa solteira sonhando com Caim: Logo se casará.

CAIR NA ÁGUA

Cair na água: Infortúnio.
Outros caindo na água: A especulação causará prejuízos financeiros.
Jogar outras pessoas na água: Sorte.
Um marinheiro que cai na água: Grande prosperidade.
Cometer suicídio, pulando na água: Fará uma longa viagem ao exterior.

CAIS

Um cais: Perigo nos assuntos amorosos.
Estar sozinho em um cais: Terá sentimento de pesar.
Estar em um cais com um marinheiro: Inimizade secreta de uma pessoa.

Estar em um cais com trabalhadores ou estivadores: Boas possibilidades de negócios.

CAIXA

Ter uma caixa: Você vai se retirar dos negócios.
Amarrar uma caixa: Prejuízos financeiros.
Abrir uma caixa: Fará uma longa viagem.
Abrir uma caixa cheia: Será pedido em casamento.
Abrir uma caixa vazia: Os planos serão desfeitos.
Uma caixa de esmolas na igreja: O sofrimento o aguarda.

CAIXA (funcionário que lida com dinheiro)

Um caixa: Grande alegria inútil.
Ser um caixa: Terá preocupações financeiras.
Observar um caixa: Estará livre de necessidades.
Diversos caixas em um banco: Está sendo enganado.

CAIXA DE CHAPÉU

Uma caixa de chapéu vazia: As preocupações se dissiparão.
Uma caixa de chapéu cheia: Decepção com uma festa.
Abrir uma caixa de chapéu: Ocasião alegre em breve.
Fechar uma caixa de chapéu: Mudança para melhor.

CAIXA-FORTE

Uma caixa-forte: Tenha cuidado quando empreender novas iniciativas.
Abrir uma caixa-forte: Dificuldades surgirão em seu caminho.
Uma caixa-forte cheia: Escapará ao perigo.
Uma caixa-forte vazia: Receberá uma propriedade imobiliária de forma inesperada.
Roubar uma caixa-forte: Perderá toda a fortuna.

CAIXÃO

Um caixão: Você logo se casará e será dono de sua própria casa.
Muitos caixões: Contrairá grandes dívidas.
Um caixão ornamentado: Morte de um sócio.
Um amigo em um caixão: Doença grave de pessoa muito amiga.
Caixão do chefe da família: Terá de enfrentar questões desagradáveis.
O seu próprio caixão: Alguém está tentando enganá-lo.
O caixão de outra pessoa: Herança.
Estar em um caixão: Fartura.
Roubar um caixão: Está com vergonha de receber uma fortuna.
Parentes deitados em caixões: Receberá um legado.
Encomendar o próprio caixão: Logo se casará.

CAJADO

Um cajado: Será esbofeteado por alguém.
Usar um cajado: Receberá ajuda.
Outras pessoas usando um cajado: Entrará em uma discussão.
Depositar um peso em um cajado: Prosperidade.
Comprar um cajado: Terá vida confortável.

CAL

Um grande monte de cal: Pequena propriedade logo será deixada para você.
Comprar cal: Melhoria em sua posição.
Lidar com cal em pó: Pessoas colocarão seus sentimentos à prova.
Usar cal no trabalho: Esteja prevenido contra inimigos.

CALABOUÇO

Estar em um calabouço: Felicidade familiar.
Outras pessoas em um calabouço: Você tem muitos inimigos.
Fugir de um calabouço: Você tem amigos leais.
Ser incapaz de fugir de um calabouço: Você terá prejuízos comerciais.

CALANDRA

Uma calandra: Bons tempos estão a caminho.
Usar uma calandra para alisar folhas: Mudança para melhor.
Outras pessoas usando uma calandra: Estará diante de uma tentação.
Comprar uma calandra: Triunfará sobre os inimigos.

CALÇADA

Uma calçada: Você é dado a ter mau gênio.
Uma calçada à direita: Bons tempos à frente.
Uma calçada à esquerda: Maus tempos à frente.
Caminhar com o cônjuge em uma calçada: Será convidado para um casamento.
Estar com a pessoa amada em uma calçada: Terá uma discussão por motivos sentimentais.
Filhos que caminham em uma calçada: Prosperidade.
Estar de pé em uma calçada: Enriquecerá por fazer economia.
Cair em uma calçada: Terá vida longa.

CALÇAMENTO

O calçamento em frente à sua casa: Más notícias a caminho.
Cair no calçamento: Perigo à frente.
O calçamento da rua: Cairá em uma armadilha.
O calçamento de um armazém: Conseguirá um bom emprego.

CALCANHARES

Seus próprios calcanhares: Infortúnio em assuntos sentimentais.

Estar com o calcanhar machucado: Passará por um grande número de dificuldades.
Ter dores nos calcanhares: Um amigo falso está por perto.
Calcanhares de outras pessoas: Mudança para melhor.

CALÇAS

Calças: Você tende a falar demais, sem se importar com o que diz.
Usar calças: Honrarias importantes e riqueza.
Tirar as calças: Uma mulher lhe será fiel.
Vestir as calças: Aumento da família.
Ter um buraco nas calças: Flerte com uma mulher casada.
Uma moça solteira sonhando com as calças de um homem: Haverá brigas.
Calças sujas de lama: Tempos difíceis em breve.
As calças sujas de um trabalhador: Dias melhores virão.
Usar calças justas em um baile de máscaras: Não empreste dinheiro algum.

CALCULAR

Calcular: Infelicidade.
Calcular despesas: Receberá más notícias a respeito dos negócios.
Fazer cálculos de outras coisas: Estabelecerá novos conhecimentos.
Outros que calculam por você: Fará novos inimigos.
Ter calculado errado: Prejuízo em sua vida.

CALDEIRA

Uma caldeira: Suas esperanças são inúteis.
Uma caldeira de vapor: Tenha cautela nos empreendimentos comerciais.
Possuir uma caldeira: Travará novos conhecimentos.
Ser um fabricante de caldeiras: Infelicidade em casa.
Pôr uma caldeira em funcionamento: Não dê ouvidos à bajulação.

CALDEIRÃO

Um caldeirão: Notícias desagradáveis.
Um caldeirão sobre um fogão: Obterá bons lucros comerciais.
Encher um caldeirão com comida: Fará muitas mudanças de residência.
Comprar novos caldeirões: Dedicação.
Jogar fora caldeirões velhos: As pessoas o respeitam.
Comprar um conjunto de caldeirões: Terá uma decepção.
Cozinhar comida em um caldeirão enorme: Tenha cuidado com os planos e não fale deles com ninguém.
Queimar-se em um caldeirão: Perda de pessoa que você muito ama.

CALDO (alimento)
Tomar caldo: Os negócios prosperarão.
Ferver caldo: Logo se casará.
Derramar caldo nas roupas: Receberá altas honrarias.
Dar caldo a uma pessoa doente: Abundância de dinheiro.

CALENDÁRIO
Um calendário: Você tende a ser muito impaciente.
Comprar um calendário: Receberá boas notícias.
Rasgar folhas de calendários: Ganhará um presente inesperado.
Preocupar-se sobre uma data do calendário: Será feliz no casamento.

CALIDOSCÓPIO
Um calidoscópio: Grande sorte.
Perder os fragmentos de vidro coloridos de um calidoscópio: Herança.
Lidar com um calidoscópio: Frivolidades.
Outras pessoas lidando com um calidoscópio: Encare as coisas com seriedade.

CALIGRAFIA
Ver a caligrafia em um papel: Pedirá desculpas às pessoas.
A caligrafia de outros: Receberá documentos legais.
A caligrafia em uma parede: Descobrirá a verdade.
Escrever uma carta à mão: Dignidade no amor.

CALMA
Acalmando-se: Terá muitas aventuras.
Acalmando pessoas raivosas: Doença dos filhos.
Acalmando um parente: Perda de consideração por parte dos amigos.
Acalmando alguém que grita por estar sofrendo: Você tem temperamento violento.
Acalmando o marido ou a mulher: Haverá violenta briga de família.
Acalmando o namorado: Doença.
Acalmando amigos: Perda de dinheiro.
Acalmando outras pessoas: Infortúnio nos assuntos sentimentais.
Ordenando aos outros que se acalmem: Será amado e ridicularizado.
Não ser muito calmo: Está cercado por pessoas falsas.
Perder a calma com a família: Felicidade na família.
Perder a calma com o namorado: A confiança será abalada.
Perder a calma com os filhos: Você tem algo em mente.
Outras pessoas que perdem a calma com você: Êxito nos negócios.

CALOR
Sentir calor no rosto: Os amigos estão falando a seu respeito.
Sofrer com o calor: Você não tem motivos para preocupar-se.

Estar em lugar muito quente: Uma pessoa amiga trai você.
Estar com muito calor: A felicidade está assegurada.

CALOS

Ter calos nos pés: Empreendimento comercial bem-sucedido.
Cortar calos dos pés: Prosperidade comercial.
Cortar os calos dos pés de outras pessoas: Você tem um amigo leal.

CALVÍCIE

Tornar-se calvo: Doença grave a caminho.
Ser completamente calvo: Será muito amado.
Ser calvo na parte da frente da cabeça: Prepare-se para grandes problemas.
Ser calvo na parte de trás da cabeça: Viverá na pobreza.
Ser calvo no lado direito da cabeça: Morte de uma pessoa amiga.
Ser calvo no lado esquerdo da cabeça: Morte de um parente.
Uma mulher que se torna calva: Encontrará dificuldades nos assuntos sentimentais.
Uma criança pequenina e calva: Desfrutará o amor.

CAMA

Descansar confortavelmente na própria cama: Terá segurança e amor.
Uma cama bem arrumada: Terá alegria em seu coração.
Lençóis brancos e limpos em uma cama: Haverá motivos para preocupações.
Lençóis coloridos e limpos em uma cama: Chegada de hóspedes inesperados.
Arrumar uma cama: Acontecerá uma mudança de residência.
Uma cama vazia: Morte de uma pessoa amiga.
Sentar-se na própria cama: Haverá um casamento em breve.
Estar em uma cama estranha: Boa virada dos acontecimentos em sua vida.
Permanecer na cama por muito tempo: O infortúnio está para acontecer.
Estar na cama, mas não conseguir dormir: Logo adoecerá.
Uma cama desarrumada: Segredos serão descobertos.
Estar doente, de cama: Complicações surgirão, ou a morte.
Uma pessoa desconhecida em sua cama: Infidelidade no casamento.
Estar na cama de um quarto de hotel: Amigos o visitarão inesperadamente.
Uma cama de acampamento: Comprará propriedade imobiliária.
Queimar uma cama: Segredos serão revelados.
Pessoas idosas que vão para a cama: A morte se aproxima.
Filhos que vão para a cama: Terá má sorte.

CAMAFEU

Um camafeu: As pessoas manifestarão grande consideração por você.

Ter um camafeu: Promoção em sua vida.

Receber um camafeu de presente: Cura de uma doença.

Comprar um camafeu: Felicidade.

Perder um camafeu: Morte.

CAMARÃO

Camarão: Fará uma boa viagem.

Comprar camarão: Morte de um parente.

Pescar camarão: Receberá uma grande honraria.

Camarão cru: Realizará uma má transação comercial.

Cozinhar camarão: Morte de uma pessoa amiga.

Comer camarão: Desonra.

CAMAREIRA

Uma camareira: As pessoas estão falando mal de você.

Ser uma camareira: Infelicidade.

Apaixonar-se por uma camareira: Sofrerá grandes prejuízos.

Casar-se com uma camareira: Receberá notícias infelizes.

Divorciar-se de uma camareira: Um segredo será descoberto.

Uma camareira que é ferida: Infelicidade familiar.

Uma camareira assassinada: Sofrimento.

CAMBAXIRRA (andorinha)

Uma cambaxirra: Suas esperanças se concretizarão dentro de muito pouco tempo.

Observar esses pequenos pássaros: Realizará suas ambições.

Ouvir uma cambaxirra cantando: Aguarde por acontecimentos importantes e muito benéficos.

Ter uma cambaxirra em uma gaiola e ouvi-la cantar: Brigas de amor.

CAMELO

Um camelo: Reviravoltas e obstáculos a superar.

Muitos camelos: Grande vantagem financeira.

Um camelo transportando carga: Herança.

Montar em um camelo: Será rico.

CAMINHÃO

Um caminhão que corre sobre trilhos: Tempo propício para paquerar.

Estar em um caminhão: Você deve corrigir sua forma de agir no amor.

Outras pessoas em um caminhão: Suas esperanças se concretizarão dentro de muito pouco tempo.

Crianças em um caminhão: Ganhos financeiros.

Inimigos em um caminhão: Um mistério será solucionado.

Amigos em um caminhão: Acontecimento importante e muito benéfico a caminho.

CAMINHONETE

Possuir uma caminhonete: Fracasso dos inimigos.

Usar uma caminhonete: Aguarde por acontecimentos importantes e muito benéficos.

Outros que utilizam uma caminhonete: Prepare-se para fofocas causadas pelo despeito.

CAMISA

Uma camisa: Sorte e boas coisas no futuro.

Uma camisa de uso diário: Futuro próspero.

Uma camisa esporte: Recursos abundantes.

Uma camisa social: Inimigos.

Vestir uma camisa: Será desprezado.

Despir-se de uma camisa: Será decepcionado no amor.

Lavar uma camisa: Será amado.

Passar uma camisa a ferro: Você ama alguém que não o ama.

Uma camisa rasgada: Boa sorte.

Comprar camisas: Ouvirá muitas falsidades.

Usar camisa esporte colorida: Os namorados brigarão.

Usar camisa esporte de malha: Frivolidade.

Uma camisa suja: Contrairá doença contagiosa.

Perder uma camisa: Fracasso no amor.

CAMISOLA

Uma mulher sonhando com sua camisola: Ouvirá fofocas a seu respeito.

Uma mulher tirando a camisola: Separação no amor.

Uma mulher vestindo a camisola: Será profundamente amada.

Uma mulher lavando sua camisola: Será amada.

CAMPAINHA (flor)

Juntar campainhas: Encontrará um amor verdadeiro.

Arrumar campainhas em um buquê: Muitas pessoas o invejam.

Colher campainhas: Será enganado por pessoas amigas.

Receber campainhas de presente: Alegria e honrarias.

CAMPANÁRIO

Um campanário muito alto: Terá vida muito longa.

Um campanário de igreja: Desonra inesperada o atingirá.

O campanário de uma fortaleza: Resistirá às investidas dos inimigos.

O campanário de uma edificação: Está livre de dificuldades.

O campanário de uma catedral: Grande sorte.

Sinos tocando em um campanário: Receberá crédito financeiro.

Um campanário parcialmente demolido: Perda de emprego.

CAMPEÕES

Campeões: Controle-se e tenha mais cautela.

Ser um campeão: Benefícios financeiros.

Sua própria equipe sagrando-se campeã após uma partida: Pouquíssimo êxito nos negócios.

CAMPINA

Uma campina: Fará um bom casamento.

Estar em uma campina: Felicidade.

Trabalhar em uma campina: Trabalho pesado à frente.

Comprar uma campina: Será recebido com muita hospitalidade.

Uma campina de cereais: Amigos agradáveis.

Uma campina de aveia: Prosperidade.

Uma campina de milho: Bons ganhos.

CAMPO

Ir para o campo: Perigo de perder uma propriedade imobiliária.

Ir ao campo para um piquenique: Perigo de morte.

Viver no campo: Perseguição por parte daqueles que procuram lhe tirar uma propriedade.

Ter negócios no campo: Alegria.

Estar no campo com a família: Lucro.

Gente que vai visitá-lo no campo: Boa saúde.

O campo à noite: Melancolia e fraqueza.

O campo em dia claro e ensolarado: Doença mental.

Ir para o campo, saindo de cidade pequena: Fará uma longa viagem.

Ir para o campo, saindo de cidade grande: Receberá carta com notícias tristes.

Um canteiro de legumes no campo: Infelicidade.

Plantar milho no campo: Desfrutará grande ganho financeiro.

Plantar cevada no campo: Grande riqueza e felicidade a caminho.

Propriedade no campo, bem situada: Felicidade.

Pessoas da família que lhe dão uma bela propriedade: Terá uma bonita esposa.

Propriedade de terra muito fértil: Terá esposa boa e honesta.

Ter uma grande propriedade: Riqueza proporcional ao tamanho do imóvel.

CAMPO DE TIRO

Um campo de tiro: Terá uma ocupação e será feliz.

Estar com outras pessoas em um campo de tiro: Perseguições.

CAMPONÊS

Um camponês: Bom futuro à frente.

Um homem de negócios sonhando com um camponês: Empreendimentos bem-sucedidos.

Muitos camponeses trabalhando: Obterá êxito na vida familiar.
Contratar camponeses para o trabalho: Terá boa saúde.
Dispensar camponeses: Sofrimento.
Fazer com que camponeses trabalhem muito: Os planos comerciais prosperarão.

CAMUNDONGOS

Camundongos: Dificuldades causadas por um parceiro de negócios.
Apenas um camundongo: Dificuldades causadas por pessoa amiga.
Um gato que mata um camundongo: Vitória sobre os inimigos.
Camundongos apanhados em uma ratoeira: Você vai ser caluniado.
Camundongos brincando: Desonra.
Um cão que pega camundongos: Fim das dificuldades.

CANA

Cana-de-açúcar: Discussões entre amigos.
Cana de bambu: Criará diversos filhos.

CANADÁ

Canadá: Fará bons negócios.
Ver o Canadá no mapa: Terá mente vigorosa.
Ir para o Canadá, do exterior: Você tem muitos amigos fiéis.
Ir para o exterior, partindo do Canadá: A felicidade está assegurada.
Fazer uma viagem sozinho ao Canadá: Terá de passar por acontecimento penoso.
Fazer uma viagem ao Canadá em companhia de outras pessoas: Você gosta demais de se divertir.
Regressar de uma viagem pelo Canadá: Perda de negócios.
Ser deportado do Canadá: Encontrará um novo amor.
Ser deportado para o Canadá: Haverá muita discussão a seu respeito.
Ter negócios no Canadá: Você se envolverá em uma transação secreta.
Ser um cidadão do Canadá: Obterá ganhos financeiros.
Viver no Canadá: Um inimigo trama sua ruína.

CANAL

Um canal cheio de água: A segurança logo virá.
Um canal com água limpa e clara: A sorte está bem próxima.
Um canal com água enlameada: Deve guardar dinheiro para a velhice.
Um canal coberto de ervas: Surgirão problemas.

CANÁRIO

Ter um canário em casa: Terá uma vida feliz e confortável.
Possuir um canário: Será enganado por uma pessoa amiga.

Comprar um canário: Logo fará uma viagem.
Um canário morto: Morte de pessoa muito amiga.

CÂNCER

Câncer: Está sem dinheiro agora, mas terá muito, posteriormente.
Ter câncer no pescoço: Terá vida longa.
Ter câncer em um órgão: Você gosta demais de se divertir.
Outras pessoas com câncer: Evite falar demais.
Parentes com câncer: Receberá um legado.

CANÇÕES NATALINAS

Cantar canções natalinas: Terá um casamento feliz.
Ouvir canções natalinas: Não terá nada a temer.
Crianças cantando canções natalinas: Alegria e felicidade.
Cantar canções natalinas na igreja: Uma pessoa amiga e fiel está por perto.

CANDELABRO

Candelabro de igreja: Irá para a prisão.
Candelabros com velas que pende do teto: Prosperidade.
Candelabro com globos que pende do teto: Riqueza.
Candelabros de mesa, com velas: Infortúnio nos assuntos sentimentais.

CANELA

Suas próprias canelas: Terá muitas coisas em que pensar.
Canelas de animais pequenos: Infortúnios nos assuntos amorosos.
Canelas de gatos: Você tende a ser arrogante demais.
Canelas de animais mortos: Doenças.

CANETA

Uma caneta: Grande infelicidade.
Escrever com uma caneta: Receberá notícias de amigos ausentes.
Comprar uma caneta: Terá vida longa.
Escrever com uma caneta de modelo antigo: Honraria.
Escrever com caneta-tinteiro: Você tem falsas amizades.
Escrever com caneta feita de pena de aves: As pessoas estão falando mal de você.
Escrever cartas de amor com caneta-tinteiro: Você está sendo enganado.
Escrever cartas na cama a caneta: Aborrecimento.
Filhos utilizando caneta: Sorte nos assuntos de família.

CÂNFORA

Cânfora: Está cercado pelo mal.
Ter cânfora em casa: Porá seus planos sob o risco do fracasso.
Comprar cânfora: Será enganado por pessoas amigas.
Usar cânfora: Mudança de ambiente.

CANTO

Estar em um canto: A decepção é inevitável.
Outras pessoas em um canto: Solidão e dificuldades.
Pôr objetos em um canto: Um mistério será solucionado.
Pôr uma criança em um canto: Você não é sincero.

CÃO

O cão a que se refere o livro de Dante: Viagem inesperada.
Cães: Felicidade.
O seu próprio cão: Receberá favores de um amigo.
Um cão pertencente a outra pessoa: Aviso de dificuldades.
Um cão branco: A fortuna está muito próxima.
Um cão marrom: Alguém não confia em você.
Um cão negro: Cuidado com amigos traiçoeiros.
Um cão cinzento: Um amigo fiel está por perto.
Um cão de grande porte: Você tem muitos amigos.
Um cão pequeno: Cuidado com os inimigos.
Um cão de corrida: Perda de uma ação judicial.
Um cão de guarda: Discussões entre marido e mulher.
Um cão policial: Brigas com um sócio de negócios.
Um cão guia de cegos: Terá de fazer jejum.
Cãozinho bonito: Será visitado por pessoa indesejada.
Cão amistoso: Tudo correrá bem.
Cão inamistoso: Receberá ajuda de um bom amigo.
Um cão de raça inglesa: Receberá convite para uma festa.
Um cão de raça alemã: Ficará profundamente apaixonado.
Um buldogue: Brigará com as amigas.
Um cão que guarda pessoa ferida: Não será possível acertar as coisas.
Cão de montanha: Terá amigos dignos de confiança.
Cão pastor: Será enganado.
Cão vira-lata: Felicidade entre amantes.
Um cão de pêlo arrepiado: A pessoa amada é sincera.
Um cão satisfeito: Perda de uma pessoa que você ama.
Um cão triste: Medo de perseguição.
Um cão dormindo: Você não precisa ter receios.
Um cão ganindo: Perigo iminente.
Um cão que espuma pela boca: Mudança para melhor.
Um cão corajoso: Seus subordinados lhe são fiéis.
Um cão perdido: Receberá más notícias.
Um cão latindo: Cuidado com brigas.
Um cão lutando: Cuidado com ladrões.
Cães que causam destruição: Um mistério será solucionado.

Um cão que rasga roupa: Fofocas em sua própria família.
Um cão que morde outra pessoa: Fofocas feitas por amigos.
Ser mordido por um cão: Será traído por alguém em quem confia.
Cães que brincam juntos: Você está em perigo.
Um cão brincando com uma cadela: Os amantes estão enganando um ao outro.
Um cão cruzando com uma cadela: Realização de todos os desejos.
Um cão e um gato brincando: Grandes brigas de amor.
Um cão e um gato lutando: Discussão com os parentes.
Um cão que pertence a outra pessoa: Evite os rivais.
Ser perseguido por um cão: A reputação está em baixa.
Pessoa solteira sonhando com um cão: Será seduzida.
Pessoa casada sonhando com um cão: Breve terá uma briga de amor.

CÃO DANADO (com hidrofobia)
Um cão danado: Uma falsidade será revelada.
Possuir um cão danado: Uma acusação injusta será esclarecida.
Matar um cão danado: Terá um futuro feliz.

CÃO DE CAÇA
Um cão de caça: Receberá presente de uma pessoa desconhecida.
Cães de caça: O êxito virá após muitos esforços.
Cães de caça em atividade: Sorte e prosperidade.
Possuir um cão de caça: Mudança de ambiente.
Um cão de caça de aves: Antigo namorado ainda ama você.

CÃO FILHOTE
Um filhote de cachorro: Será convidado a uma festa alegre.
Muitos filhotes de cachorro: Você não é dado a ficar íntimo das pessoas.
Ser dono de filhotes de cachorro: Doará dinheiro a obras de caridade.
Comprar um filhote de cachorro: Terá muita felicidade.

CAPA
Uma capa velha: Receberá boa notícia de uma pessoa amiga.
Uma capa nova: Tristeza e pesar chegarão ao fim.
Rasgar uma capa: Você ficará separado de tudo que estima.
Comprar uma capa: Você está desperdiçando tempo.
Consertar uma capa: Será rigoroso nas questões de amor.

CAPA IMPERMEÁVEL
Usar uma capa impermeável: Ansiedades passageiras.
Despir-se de uma capa impermeável: Cuidado com os fofoqueiros.

Comprar uma capa impermeável: Terá muito dinheiro.
Perder uma capa impermeável: Êxito.

CAPACHO

Um capacho: Tristeza.
Um capacho à porta: Indicação de dificuldade.
Um capacho em um cômodo da casa: Fracasso dos inimigos.
Um capacho feito de palha: Aviso de pobreza.

CAPELA

Uma capela: Terá imensa alegria e amizades verdadeiras.
Rezar dentro de uma capela: Terá muita felicidade.
Estar do lado de fora de uma capela: Terá muita sorte.

CAPITÃO

Um capitão: Melhoria e prosperidade.
Ser um capitão: Realização das esperanças.
Casar-se com um capitão: Estará diante de um grande escândalo.
Ser a esposa de um capitão: Alegria na família.
Ser a namorada de um capitão: A segurança não demora a chegar.
Ser o ordenança de um capitão: Sofrerá um infortúnio.

CÁQUI

O tecido para uniformes de cor cáqui: Você está cheio de aflições.
Usar uniforme cáqui: Frivolidade.
Militares em uniformes cáqui: Rival ficará com seu namorado.
Comprar uniforme cáqui: Bons tempos estão chegando.

CARABINA

Ver Armas de fogo.

CARACOL

Caracóis: Incoerência.
Caracóis em um jardim: Trabalho sem remuneração.
Comer caracóis: Terá boa situação financeira.
Apanhar caracóis do chão: Reunião familiar.
Cozinhar caracóis: Felicidade na família.
Comer caracóis em uma festa especial: Você é extremamente respeitado.
Caracóis enormes: Assumirá uma posição elevada e prestigiada.
Os chifres de um caracol saindo da casca: Infidelidade.
Comprar caracóis comestíveis: Felicidade.
Preparar caracóis para comer, em casa: Boas notícias.
Caracóis comestíveis: Segurança em sua vida.
Filhos comendo caracóis: Terão carreira brilhante.

CARAMANCHÃO

Um caramanchão: Terá muitos filhos.
Estar sozinho sob um caramanchão: Será pedido em casamento.

Estar sob um caramanchão com outras pessoas: Será visitado por alguém que você ama.
Apanhar uvas em um caramanchão: Terá felicidade no casamento.

CARANGUEJO
Um caranguejo vivo: Terá um novo amor.
Um caranguejo morto e cozido: Decepção com a pessoa amada.
Muitos caranguejos em um mercado de peixe: O perigo se aproxima.
Comer caranguejo: Evite os rivais.

CARCAÇA
Uma carcaça: Felicidade e vida longa.
A carcaça de um animal: Vida longa e boas perspectivas.
A carcaça de animais selvagens: Recursos abundantes.

CARDEAIS
Um cardeal: Melhoria na profissão.
Um sacerdote elevado a cardeal: Felicidade.
Um cardeal falecendo: Infortúnio na sua vida.
Muitos cardeais: Tristeza causada por um segredo.
Concílio de cardeais: Progresso nas atividades comerciais.
Um cardeal que é eleito papa: Infortúnio nos empreendimentos.

CARDO (praga)
Cardos: Boas notícias.
Arrancar cardos: Será visitado por pessoa amiga.
A família arrancando cardos: Pequenos ganhos.
Parentes puxando cardos: As brigas podem ser evitadas usando-se a diplomacia.

CARGA
Carregar uma carga: Você será muito caridoso.
Filhos carregando uma carga: Felicidade.
Inimigos carregando uma carga: Você será abandonado pela pessoa amada.
Parentes carregando uma carga: Perigo causado por um segredo.

CARGO
Ter um cargo no governo: Sofrerá humilhação.

CARÍCIA
Uma mãe acariciando os filhos: Dias de aflição por causa de doença.
Uma esposa acariciando o marido: Acontecimentos felizes.
Um marido acariciando a esposa: Obterá bons ganhos.
Namorados acariciando um ao outro: Receberá notícias horríveis.

CARIDADE
Ser caridoso: Não contará com grande sorte nos negócios.

Receber caridade: Aflição no lar.
Dar dinheiro para obra de caridade: Ganhos financeiros.
Fazer trabalho de caridade, sem hesitar: Você tem um inimigo perigoso.
Dar roupas para caridade: As pessoas estão rindo de você.
Dar alimentos para caridade: Trabalho pesado à frente.

CARMIM (vermelho vivo)
A cor carmim: Notícias inesperadas e agradáveis sobre uma pessoa amiga.
Usar coisas de cor carmim: Fará uma longa viagem.
Objetos na cor carmim: Bons tempos estão chegando.
Comprar roupas de cor carmim: Dignidade e distinção.

CARNE
Carne: Felicidade.
Carne cozida: Melancolia.
Carne bem assada: Receberá as bênçãos de Deus.
Carne frita: Será bem pago para matar alguém.
Comer carne crua: Riqueza.
Carne de porco: Terá muita sorte.
Carne de carneiro: Felicidade assegurada.
Carne de aves: Receberá dinheiro.
Carne de animais selvagens: Enfrentará muitos problemas.
Comprar carne: Ganhará dinheiro no jogo.
Jogar carne fora: O perigo está muito perto de você.
Cortar carne crua: Herança.
Trinchar carne cozida: Ganhos financeiros.
Cozinhar carne para si próprio: Mudança no ambiente.
Cozinhar carne para outras pessoas: Infortúnio nos assuntos amorosos.

CARNE ASSADA
Carne assada: Felicidade.
Um açougueiro cortando um peso para assar: Tempos difíceis virão.
Um açougueiro cortando um peso de carne de porco para assar: Receberá boas notícias.
Assar carne: Melancolia.
Assar carne de porco: Perdas no jogo.
Assar carne de carneiro: Bênçãos.
Um peso de carne assada: Alguém lhe dará motivos para preocupação.
A esposa assando carne: Será bem cuidado.
Outros assando carne: Grandes esperanças.
Assar carne de vitela: Os desejos serão realizados.

CARNE DE BOI
Comer carne de boi: Ficará bem de vida.
Comer carne bem assada: Sua vida será agradável.
Colocar carne de boi em água fervente: Terá prazer na vida.
Comer carne cozida: Ficará pro-

fundamente melancólico.
Ter mais carne de boi do que consegue comer: Jamais enriquecerá.
Comprar carne de boi para cozinhar: Ganhos no jogo.
Comer carne de boi crua: A morte está muito próxima.
Comer cozido de carne de boi: Felicidade duradoura.
Jogar carne de boi fora: Perigo iminente.

CARNE DE VEADO
Carne de veado: Seus inimigos estão furiosos.
Comer carne de veado: Infortúnio.
Comprar carne de veado: Vitória completa.

CARNE DE VITELA
Carne de vitela: Alegria.
Comprar carne de vitela: Boa sorte é certa.
Cozinhar carne de vitela: Felicidade.
Comer carne de vitela: Terá sempre muito dinheiro.

CARNEIRO
Um carneiro: Você está caindo em uma armadilha.
Ter muitos carneiros: Riqueza.
Criar um carneiro: Receberá visita inesperada.
Matar um carneiro: Vencerá uma ação judicial.
Comprar carneiros: Fartura.
Vender carneiros: Grandes ganhos.

CAROÇOS (de carvalho)
Colher caroços de carvalho: Receberá um legado.
Segurar caroços de carvalho nas mãos: Boa sorte.
Uma pessoa que você ama segurando caroços de carvalho: Felicidade.
Uma pessoa doente segurando caroços de carvalho: Terá recuperação imediata.
Juntar caroços de carvalho: Sorte e prosperidade.

CARPINTEIRO
Ser um carpinteiro que está trabalhando: Êxito nos empreendimentos financeiros.
Contratar um carpinteiro: Boas notícias inesperadas.
Um carpinteiro que trabalha ativamente: Vencerá as dificuldades.
Um carpinteiro que conserta a casa: Segurança financeira.

CARRASCO
Um carrasco: Catástrofe e ruína.
Ser um carrasco: Morte de criança pequena na família.
Um carrasco preparando-se para executar alguém: Sorte.
Um carrasco que não cumpre os deveres: Terá uma doença de pouca gravidade.

CARREGADOR DE MALAS

Um carregador de malas: Saúde boa.

Um carregador de malas que o ajuda: Você é fiel no casamento.

Ordenar a um carregador que leve a bagagem: Autoconfiança.

Um carregador de malas cheio de bagagens: Suas exigências não foram aceitas.

Um carregador que transporta as bagagens de outras pessoas: Perderá a autoconfiança.

Ser um carregador de malas: Infortúnio.

CARREGAR

Ser carregado por alguém: Seu futuro será incerto.

Ser carregado por um homem: Terá dias de aflição por causa de uma doença.

Carregar uma mulher: As dificuldades logo terminarão.

Ser carregado por uma mulher: Terá novos amores.

Ser carregado por uma pessoa pobre: Felicidade.

CARRETEL

Um carretel: Alcançará posição destacada.

Enrolar algodão em um carretel: Nem todos os amigos são verdadeiros.

Enrolar seda em um carretel: O êxito será alcançado com paciência.

Comprar carretéis: Afeto no amor.

CARRINHO DE MÃO

Um carrinho de mão: Honrarias.

Ser carregado em seu próprio carrinho de mão: Terá poder e autoridade.

Entrar em um carrinho de mão: Perda de emprego.

Sair de um carrinho de mão: Perda de dignidade.

Um carrinho de mão coberto: Não terminará uma viagem planejada.

Estar amarrado a um carrinho de mão para puxá-lo: Enfrentará a dor e a submissão a serviços.

Um carrinho de mão cheio de feno: Os desejos serão realizados.

CARROÇA

Uma carroça· A riqueza virá com rapidez.

Conduzir uma carroça: Perda de dinheiro.

Uma carroça ou carrinho de mão lotado: Boa sorte inesperada.

Uma carroça que estaciona à sua porta: Riqueza.

Estar em uma carroça com a pessoa amada: Terá tremenda sorte.

Seguir em uma carroça com a família: Herança de parente distante.

CARRO DE BOMBEIROS

Carros de bombeiros: Perigo à frente.

Carros de bombeiros que seguem para um local de incêndio: Encontrará a paz.

Carros de bombeiros que voltam de um incêndio: Sofrerá uma grande decepção.
Ser um bombeiro em um carro de bombeiros: Concretizará altas ambições.
Ser o chefe dos bombeiros: Riqueza e fortuna.

CARRUAGEM

Uma carruagem: Riqueza que durará pouco.
Viajar em uma carruagem: Está sujeito a uma doença passageira.
Desembarcar de uma carruagem: Perda de uma propriedade imobiliária.
Conduzir uma carruagem: Doença.
Fazer viagem longa em uma carruagem: Demorará muito a alcançar a fortuna.
Ser o cocheiro de uma carruagem: Terá um empregado fiel.
Uma carruagem quebrada: Uma sociedade comercial será desfeita.
Uma carruagem que capotou: Miséria.

CARTA

Receber uma carta: Possuirá grande riqueza.
Receber uma carta da esposa ou do marido: Fracasso dos inimigos.
Receber carta de uma pessoa que você ama: Noivado imediato.
Receber uma carta de pessoa amiga: Obterá bons ganhos.
Receber uma carta dos filhos: Recursos abundantes.
Receber uma carta de parentes: Escapará de um perigo atual.
Receber uma carta de alguém que o paquera: Fará um casamento vantajoso.
Receber uma carta comercial: Tenha cautela em todas as suas atividades.
Receber cartas com dinheiro: As esperanças foram concretizadas.
Receber uma carta de câmbio: Lucro inesperado.
Escrever cartas a um advogado: Infortúnio.
Ler uma carta interessante: Tirará longas férias.
Fechar uma carta: Obterá êxito em todas as atividades.
Rasgar uma carta: Perderá o afeto de seu namorado para um rival.
Destruir uma carta comercial: Obstáculos insuperáveis à sua frente.
Pôr uma carta no correio: Receberá notícias interessantes.
Outras pessoas lendo suas cartas: Previna-se para não ser enganado.
Ler cartas românticas: Esquecerá as dificuldades.
Ler cartas políticas: Será auxiliado por pessoa presunçosa.
Ler uma carta da corrente da felicidade: Melhoria feliz.
Enviar uma carta: Tenha cuidado para não se trair e revelar seus segredos.
Mandar carta ao marido ou à esposa: Alegria.

Mandar carta à pessoa amada: Anúncio de casamento.
Mandar carta a uma pessoa amiga: Fará uma longa viagem.
Mandar carta aos filhos: Terá um bom futuro.
Mandar carta a parentes: Brigas de família.
Mandar carta a alguém que o paquera: Vencerá os inimigos.
Mandar carta comercial: Advertência de dificuldades.

CARTAS (de jogar)

Cartas de jogar: Fará viagem ao exterior.
Outras pessoas jogando cartas: Breve haverá brigas.
Jogar cartas e ganhar: Problemas à frente.
Jogar cartas e perder: Bons empreendimentos comerciais vão demorar para acontecer.
Distribuir as cartas: Más notícias.

CARTAZ

Um cartaz: Segurança.
Afixar um cartaz: Doença.
Fazer um cartaz: Reconciliação.
Enviar cartazes: Infelicidade no amor.
Receber cartazes: Terá bons amigos.
Desenhar cartazes: Você discutirá por causa de uma conta de alimentos.

CARTEIRA DE DINHEIRO

Uma carteira de dinheiro: Tristeza.
Sua própria carteira de dinheiro: Alegria.
Perder uma carteira de dinheiro: Brigas com os amigos mais íntimos.
Achar uma carteira de dinheiro: Sorte e prosperidade.
Carteira de dinheiro de parentes: Descoberta de um segredo.
A carteira de dinheiro de uma mulher: Realizará quase todos os seus desejos.

CARTEIRO

Um carteiro: Boas notícias.
Ser carteiro: Perda de propriedade imobiliária.
Dar carta a um carteiro: Ouça seus amigos.
Receber correspondência de um carteiro: Felicidade.
Receber de um carteiro uma carta de entrega especial: Grande amor.

CARTILHA

Uma cartilha de escola: Boas notícias.
Levar uma cartilha de escola com você: Encontrará alguma coisa que estava desaparecida.
Uma cartilha de orações: Consolo para os infortúnios.
Levar uma cartilha de orações com você: Prosperidade.

CARTOMANCIA

Um cartomante: Bons tempos virão.

Alguém que lê sua sorte: Ocorrerá um grande desastre.
Dizer qual é a sorte de outras pessoas: Atividades especiais e agradáveis.
Presenciar a leitura da sorte de alguém: Você tem um amigo leal.

CARVALHO

Um carvalho: Dinheiro e vida longa.
Subir em um carvalho: Infortúnio para um parente.
Descansar sob a copa de um carvalho: Vida feliz e longa, muita riqueza.
Um carvalho morto: Morte de amigo íntimo.
Carvalhos numerosos e belos: Possibilidades imediatas.
Carvalhos novos: Obterá ganhos financeiros nos próximos anos.
Um carvalho encarquilhado: Prejuízo comercial.
Folhas que caíram de um carvalho: Perda de amor.
Um carvalho que é derrubado: Você é enganado.
Um carvalho atravessado em seu caminho: Morte de um inimigo.

CARVÃO

Carvão em uma mina: Você corre sério perigo.
Carvão que queima com chama: Felicidade na família.
Carvão que queima lentamente: Cuidado com os inimigos.
Carvão em brasa: Sua reputação está sendo posta em dúvida.
Carvão apagado: Ciúme e inveja injustificados.
Carvão queimando em uma lareira: Será ternamente amado e desfrutará de prazer.
Segurar carvão: Terá uma sorte extrema.
Comprar carvão: Obterá grandes lucros.
Ingerir carvão em remédios: Afeição secreta.
Carvões completamente apagados: Problemas à frente.
Carvão queimando em um fogão: Cuidado com amigos falsos.
Sentar-se em um depósito de carvão: Será abandonado pela pessoa amada.
Vender carvão: Terá dinheiro bastante para viver confortavelmente por toda a vida.
Filhos brincando com carvão: Terá um futuro feliz.

CARVÃO, MINA DE

Estar em uma mina de carvão: Não ficará inteiramente satisfeito com suas atividades.
A cor preta de uma mina de carvão: Terá algum contentamento.
Cavar carvão em uma mina: Recursos abundantes.
Ser mineiro de carvão: Receberá dinheiro inesperado.

CASA (lar)

Uma casa: Segurança financeira.
Sua própria casa: Felicidade na família.
A casa de outra pessoa: Haverá uma ação judicial.
Construir casa nova: Honrarias sem alegria.
Mudar de casa: Pouca sorte.
Uma casa em chamas: Honrarias e dignidade.
Outras pessoas construindo uma casa: Terá grande consolo.
Pessoas amigas visitando sua casa: Tristeza.
Sua casa incendiada: Honraria e dignidade.
Ficar em casa: Terá uma vida fácil.
Uma casa que estremece: Pequena perda de dinheiro.
Visitar um antigo lar: Terá motivos para sentir uma alegria extrema.
O lar antigo em mau estado: Um parente morrerá.
Possuir uma casa nova: Prosperidade, principalmente para um casal que se ame.
Ter uma casa de esquina: Terá sorte.
Entrar em casa num dia de sol: Comprará propriedade imobiliária.
Uma casa queimando com fumaça escura: Haverá um mistério.
Uma casa pequena: Alegria e contentamento.
Receber uma casa de presente: Boas esperanças.
Subir para o pavimento superior em uma casa: Perda de uma pessoa que você ama.
Um lar-reformatório: Estará na presença de um juiz.

CASA DA MOEDA

O edifício da Casa da Moeda: Dificuldades causadas por sua intromissão em questões alheias.
Trabalhar na Casa da Moeda: Sentirá tristeza.
Imprimir dinheiro em notas de papel: Mudança de ambiente.
Cunhar moedas: Um inimigo trama sua ruína.
Imprimir selos de correio: Fará uma longa viagem ao exterior.
Uma pessoa doente sonhando com a Casa da Moeda: Logo recuperará a saúde.
Uma pessoa sadia sonhando com a Casa da Moeda: Ficará mais animada.

CASA DE CAMPO

Uma bela casa de campo: Logo será muito feliz.
Uma casa de campo arrasada por terremoto: Muita fome.
Reconstruir uma casa de campo: Vencerá os inimigos.
Uma casa de campo no estilo rústico: Concretizará suas esperanças e desejos.
Uma casa de campo incendiada: Servirá em uma guerra.

CASACO

Um casaco novo: Receberá honrarias dentro de pouco tempo.

Usar casaco novo: Cuidado com dificuldades comerciais.

Usar casaco velho: Prosperidade sem demora.

Usar casaco rasgado: Terá grandes lucros.

Usar o casaco de outra pessoa: Será obrigado a procurar a ajuda de uma pessoa amiga.

Perder um casaco: Logo chegará à ruína financeira em conseqüência da especulação.

Sujar um casaco: Perderá uma boa amizade.

CASAMENTO

Um casamento: Aviso de doença.

Assistir a um casamento: Receberá notícias agradáveis, de pouca importância.

Um segundo casamento: Ganhará dinheiro.

A irmã que se casa: Grande perigo.

Filhos participando de um casamento: Boas notícias.

Mulher sonhando que se casa com um homem idoso: Doença e dificuldades a esperam.

Uma filha que se casa: Bons tempos virão.

Uma viúva sonhando que se casará pela segunda vez: Felicidade até à morte.

Ser dama de honra em um casamento: Você se casará dentro de pouquíssimo tempo.

Ser dama em um casamento: Terá um futuro feliz.

O casamento de um sacerdote: Êxito na vida.

Uma moça sonhando que será uma noiva infeliz: Os inimigos tramam seu fracasso.

Uma noiva em companhia dos pais: Perigo.

Ser uma bela noiva: Alegria.

Ser uma noiva comum: Vantagens na vida.

Ser uma noiva feia: Infelicidade.

Ser uma noiva loura: Alegria inútil.

Ser uma noiva morena: Herança.

Ser uma noiva virgem: Grande honra.

Casar-se sem ter ficado noivo: Terá dificuldades com a pessoa amada.

Parentes que se casam: Discussões familiares.

Parentes que ficam noivos: Realizará altas ambições.

CASCA DE NOZ

Cascas de noz: Terá muito dinheiro.

Partir nozes: Casamento feliz.

Pisar cascas de nozes: Receberá uma grande herança.

Jogar fora cascas de nozes: Boa sorte e prosperidade.

CASCATA

Uma cascata: Recursos abundantes.

Olhar sozinho uma cascata: Abundância de dinheiro.

Olhar uma cascata em companhia de alguém que você ama: Grande felicidade.
Estar perto de uma cascata: Grande êxito em tudo.

CASSETETE

De um galho com os ramos arrancados: Descobrirá um ladrão.
Usar um cassetete: Receberá dinheiro.
Outras pessoas segurando um cassetete: Cuidado com ladrões.

CASTANHAS

Castanhas: Dificuldades.
Colher castanhas: Êxito nos assuntos amorosos.
Comer castanhas: Grandes obstáculos à frente.
Comer castanhas com pão: Êxito na vida.
Comer castanhas descascadas: Início de um novo romance.
Comer castanha como sobremesa: Desejo importante será atendido.
Partir castanhas: Êxito nos negócios.
Diversos tipos de castanheiras sem fruto: Satisfação na vida.
Esconder castanhas: Descoberta de um tesouro.
Ter castanhas: Passará por aflições no lar.
Comer castanhas: Terá algumas vantagens, se tomar cuidado.
Comprar castanhas: Será decepcionado pela pessoa amada.

CASTANHEIRO

Um castanheiro: Riqueza e saúde.
Estar trepado em um castanheiro: Dignidade e boas notícias.
Estar à sombra de um castanheiro: Preocupações causadas por uma grande amizade.
Estar dormindo sob um castanheiro: Felicidade.
Fazer um piquenique com a família sob um castanheiro: Grande satisfação na vida.
Pessoas amigas sob um castanheiro: Doença.
Estar com o namorado sob um castanheiro: Fracasso nos assuntos sentimentais.

CASTELO

Um castelo: Conte com a visita de bons amigos.
Entrar em um castelo: Você está loucamente apaixonado.
Residir em um castelo: Será pedido em casamento.
Um castelo antigo: Está cercado por amigos falsos.
A fortaleza de um castelo: Bons empreendimentos comerciais.
Um pequeno castelo: Infelicidade.
Um castelo em chamas: Brigas, causadas pelo mau gênio.

CASTIGAR

Castigar os filhos: Vida feliz e próspera.
Ser castigado: Terá má sorte nas questões financeiras.

Outras pessoas sendo castigadas: Está sendo enganado.
Castigar outras pessoas: Terá marido ou mulher de mau gênio.
Ser castigado por alguém: Problemas à frente com seu sócio nos negócios.
Ser castigado pela família: Triunfo sobre os inimigos.

CASTOR

A pele de um castor: Será muito diligente.
Possuir um casaco de pele de castor: Receberá pequena herança.
Comprar um casaco de pele de castor: Você tem um amor fiel.
Vender um casaco de pele de castor: Tenha cautela nos empreendimentos comerciais.
Parentes que têm um casaco de pele de castor: Cuidado com as fofocas causadas pelo despeito.
Amigos que têm um casaco de pele de castor: Uma amizade falsa está por perto.

CASTRAR

Ser castrado: Triunfo sobre os inimigos.
Castrar um homem: A sociedade viverá muito melhor.
Castrar um cavalo: Será vítima de uma falsa acusação.
Castrar um cão: Terá companhia muito fiel.
Castrar um porco: Infelicidade.
Castrar um cordeiro: Dará um grande jantar.
Castrar uma mula: Será punido por um alto funcionário.
Castrar um burro: Passará por uma grande aflição.
Ser machucado por um animal castrado: Descobrirão sua culpa em transgressões.

CATÁLOGO

Um catálogo: Bons negócios à frente.
Receber um catálogo: Perderá dinheiro.
Fazer uma escolha em catálogos: Procure ser diligente no futuro.
Catalogar mercadorias de lojas: Obterá grandes ganhos em jogo.
Catalogar maquinaria: Perda nos assuntos pessoais.
Catalogar documentos: Pequena infelicidade.
Catalogar roupas e sapatos: Os amigos porão a culpa em você.

CATARATA

Uma catarata com água limpa correndo com facilidade: Terá felicidade no lar.
Uma catarata de água turva, que não corre com facilidade: Perda de dinheiro.
Uma catarata com água enlameada: Ganhos financeiros.

CATA-VENTO

Um cata-vento: Êxito nos negócios.
Ver um cata-vento: Você é cumprimentado em público.

Um cata-vento que muda de direção, do norte para o sul: Perda de dinheiro.
Um cata-vento que muda de direção, do sul para o norte: Ganho de dinheiro.

CATECISMO

Receber ensinamento de catecismo oralmente: Felicidade.
Ler o catecismo: Boas atividades comerciais.
Pregar, com um catecismo: Dignidade e distinção.

CATEDRAL

O interior de uma catedral: Tome cuidado com os seus negócios.
A parte externa de uma catedral: Boa sorte.
Estar em uma catedral: Receberá honrarias.

CATIVEIRO

Estar no cativeiro: Terá um casamento infeliz.
Outras pessoas no cativeiro: Cuidado com o excesso de esforços.
Inimigos no cativeiro: Cuidado com prejuízos comerciais.
Animais no cativeiro: Dignidade e distinção.

CAUDA

Uma cauda: Será culpado por atos impensados.
Uma cauda muito comprida: Conforto duradouro na vida.
Uma cauda curta: Honraria e êxito.
Uma cauda vermelha: Fará boas transações comerciais.
Uma cauda queimada: Enfrentará adversidade.
A cauda de um animal doméstico: Você se casará com uma pessoa insegura.
A cauda de animais selvagens: Conhecerá pessoas inteligentes.
A cauda de um cachorro: Êxito iminente.
A cauda comprida de um cavalo: Receberá ajuda de pessoas amigas.
A cauda de um cavalo, separada do animal: Será abandonado pelos amigos.
A cauda de um vestido de senhora: Logo terá muito dinheiro.

CAVALA (peixe)

Uma cavala morta: Prepare-se para ter problemas.
Cavala vendida em mercado de peixe: Alcançará posição elevada e honrosa.
Apanhar uma cavala: Será amado.
Ter cavala: Prazeres caros.
Cozinhar cavala: Casamento.
Comer cavala: Alegria.
Filhos comendo cavalas: Boa saúde.
Uma mulher sonhando com uma cavala: Doença.
Um homem sonhando com uma cavala: Brigas e sofrimento.

CAVALARIA

Cavalaria: Bom andamento dos assuntos sentimentais.

Pertencer à cavalaria: Você se casará com uma bela mulher.

Mulher casada sonhando com um soldado de cavalaria: Ela se divorciará.

Mulher solteira sonhando com um soldado de cavalaria: Ela se casará com um banqueiro rico.

CAVALARIÇO

Um cavalariço: Você será beneficiado pela sorte.

Mandar um cavalariço cuidar de seus cavalos: Recursos abundantes.

Um cavalariço trabalhando: Grandes ganhos financeiros.

O cavalariço de outras pessoas: Mudança de ambiente.

CAVALETE

Ter um cavalete: Bons tempos estão chegando.

Trabalhar em um cavalete: Mente concentrada em uma elevada meditação.

Outros trabalhando em um cavalete: Terá felicidade.

CAVALO

Estar montado em um cavalo: Casamento com pessoa rica.

Estar em um cavalo e ser jogado ao chão: Tenha cautela nos empreendimentos comerciais.

Alguém que vem visitá-lo a cavalo: Aguarde boas notícias.

Um cavalo que está sendo ferrado: Ganhos financeiros.

Pôr ferraduras no próprio cavalo: Ganhos financeiros.

Um cavalo que sai correndo: Decepção e infortúnio.

Uma égua: Dentro de pouco tempo se casará com uma bela mulher.

Um cavalo atrelado a uma carruagem: Bons negócios em breve.

Cavalos selvagens: Realizará muitas transações comerciais boas.

Cavalos brancos: Alegria.

Cavalos pretos: Será atacado.

Cavalos vermelhos: Grande prosperidade.

Cavalos castanhos: Alegrias tremendas.

Cavalos marrom-claros: Realizará suas ambições.

Cavalos cinzentos: O dinheiro virá com facilidade durante a vida.

Cavalos de outras cores: Fará bons negócios.

Comprar um cavalo cinzento: Boa sorte.

Um cavalo montado por uma mulher: Você se reconciliará com uma pessoa amiga.

Um cavalo montado por um homem: Grandes ganhos.

Um cavalo de corrida: Brigas com pessoas amigas.

Um cavalo castrado: Felicidade.

Cavalo de cavalaria: Boas coisas estão para acontecer.

Um cavalo de rabo curto: Pessoas amigas o abandonarão quando estiver na miséria.
Um cavalo de rabo comprido: As pessoas amigas o ajudarão a escolher sua mulher.
Um cavalo morto: Terá bons rendimentos anuais.
Um cavalo machucado: Maus resultados nas iniciativas.
Exibir cavalos em uma feira: Grande sorte.
Montar em um cavalo: Conhecerá mulher rica e estrangeira.
Montar em um cavalo que não lhe pertence: Receberá grandes benefícios.
Perder um cavalo: Perda de amigos.
Montar em um cavalo perigoso: Trabalhará bastante e ganhará dinheiro.
Bater em um cavalo para fazê-lo obedecer: Honraria e dignidade.
Pessoas amigas montadas a cavalo: Um amigo amará sua esposa.
Um cavalo na água ou em um rio: Ficará na miséria.
Um cavalo mancando: Encontrará oposição.

CAVALO DE CORRIDA

Cavalos de corrida: Procure economizar enquanto há tempo.
Possuir um cavalo de corrida: Sorte a seu lado.
Montar um cavalo de corrida: Não especule nos negócios.
Apostas em um cavalo de corrida: Infortúnio nos assuntos amorosos.
O seu cavalo de corrida saindo-se vencedor: Você tem muitos inimigos.
Seu jóquei vencendo: Rival arrebatará o afeto de namorado(a).
O seu cavalo de corrida perdendo: Muitos estarão competindo com você.
O seu jóquei perdendo a corrida: Prejuízos financeiros.

CAVAR

Cavar: A vida terá muitos altos e baixos.
Cavar em boa terra: Terá muito dinheiro.
Cavar em uma terra solta: Os planos darão certo.
Outras pessoas cavando: Melhoria em sua posição.
Um cavador profissional: Mudança de ambiente.
Cavar sepultura: Morte de um inimigo.
Cavar buracos para plantar árvores: Harmonia entre amigos.
Desenterrar o cadáver de uma pessoa: Infidelidade.
Tirar da terra alguém que foi enterrado vivo: Infortúnio terrível.

CAVEIRA

Uma caveira: Poderá descobrir algum segredo.
A caveira de um parente: Sorte e prosperidade.
Segurar nas mãos uma caveira: Morte de um inimigo.

CAVERNA

Uma caverna: A sorte mudará para melhor.

Uma caverna muito profunda: Morte de pessoa amiga.

Estar em uma caverna: Continuará sempre pobre e desconhecido.

CEBOLA

Cebolas: Discussões.

Arrancar cebolas do chão: Revelação de um segredo.

Comer cebolas: Brigas com os empregados.

Cozinhar cebolas: Será visitado por pessoa amiga.

Plantar cebolas: Boa sorte inesperada.

Comprar cebolas: Ficará magoado.

Ver cebolas crescendo: Os rivais vão pressioná-lo bastante.

CEDER

Ceder: Não dê ouvidos a bajulações.

Ceder a palavras persuasivas: Há um falso amigo por perto.

Pessoas que amam cedendo a argumentos persuasivos: Perigo nos assuntos amorosos.

Outras pessoas cedendo às suas palavras persuasivas: Você é orgulhoso demais.

CEGO

Ser cego: Será traído por alguém próximo.

Ficar cego: Pobreza.

Alguém que nasce cego: Cometerá um erro grave.

Uma pessoa jovem ficando cega: Amigos falsos por perto.

Uma criança que nasce cega: Ciúme e tristeza.

Orientar uma pessoa cega: Aventuras estranhas a caminho.

Uma mulher que fica cega: Alguém virá pedir-lhe ajuda.

Um homem que fica cego: Tenha cautela nos empreendimentos comerciais.

Muitas pessoas que perdem a visão: Triunfo sobre os inimigos.

Pessoas amigas perdendo a visão: Dificuldades e desolação.

Parentes que perdem a visão: Brigas de família.

Perder a visão: Infelicidade nos assuntos sentimentais.

CEGONHA

Uma cegonha: Você será roubado.

Duas cegonhas juntas: Você se casará e terá filhos bons.

Um bando de cegonhas: Você se casará e terá grande prosperidade.

Ver uma cegonha no inverno: Grande desastre a caminho.

Uma cegonha voando: Ladrões estão por perto.

Uma cegonha que se mantém muito quieta: Chegada de inimigos e assaltantes.

Uma cegonha dormindo: Mudança de residência.

CEIA

A última ceia: Receberá bênçãos.
Cear: Riqueza e sorte.
Cear sozinho: Solidão e infelicidade.
Cear com companhia: Gastará muito dinheiro no futuro.
Cear com boa companhia: Será prejudicado por atos de pessoa amiga.
Fazer a ceia com sua própria família: Contentamento.
Receber um convidado para a ceia: Miséria.
Fazer uma ceia deliciosa: Nascimento de uma criança.
Fazer uma ceia de negócios: Vergonha pública.
Dar ceia aos animais: Riqueza.

CEIFADOR

Um ceifador: Fará um piquenique.
Muitos ceifadores: Prosperidade nos negócios.
Muitos ceifadores trabalhando: Fartura.
Ceifadores ociosos: Miséria.
Ser um ceifador: Fartura.
Os amigos ceifando: Não dê ouvidos aos amigos.
Ceifando trigo: Receberá uma bênção.

CELA

Uma cela de prisão: Prefira estar sozinho.
Estar em uma cela de prisão: Alegria e honrarias virão.
Outras pessoas em celas de prisão: Bons ganhos no futuro.
Diversas pessoas em uma cela: Você aprecia a boa música.
Uma cela vazia: Brigas de amor.
Fugir de uma cela: Viverá muito tempo.

CELIBATÁRIO

Um celibatário: Cuidado com pessoas falsas.
Ser celibatário: Logo ocorrerá uma mudança na sua vida.
Um celibatário jovem: Encontrará uma viúva rica para se casar.
Um celibatário idoso: Infortúnio nos assuntos sentimentais.
Tornar-se celibatário após anulação do casamento: Ganhos financeiros.
Homem de meia-idade que é celibatário: Grande alegria na vida.
Homem idoso e celibatário: Perda de uma pessoa amiga.
Um jovem que é celibatário: Logo estará casado.
Um celibatário que se casa: Descobrirá uma mulher rica para se casar.

CEMITÉRIO

Um cemitério: Será vitorioso em tudo.
Estar em um cemitério: Logo terá prosperidade.
Uma noiva que passa por um cemitério a caminho do casamento: Perderá o marido.

Crianças que colhem flores em um cemitério: Prosperidade a caminho.
Pessoa idosa que põe flores em um cemitério: Não terá pesares.

CENOURA

Cenoura: Lucro por meio de herança.
Ter cenouras em casa: Terá muito dinheiro.
Plantar cenouras: Harmonia entre amigos.
Comer cenouras: Alegria sem ganhos.
Cozinhar cenouras: Fartura.

CENOURA BRANCA

Cenouras brancas: Fracasso no amor.
Comer cenouras brancas: Êxito nos negócios.
Cozinhar cenoura branca: Você deve a alguém.
Comprar cenouras brancas: Doença passageira.
Plantar cenouras brancas: Terá vida longa.

CENTEIO

Pão de centeio: Dinheiro e alegria.
Comer pão de centeio: Simpatia pelo sexo oposto.
Comprar pão de centeio: Dignidade e distinção.
Assar pão de centeio: Bons dias virão.
Servir pão de centeio em refeição: A fortuna está assegurada.
Farinha de centeio: Você se veste com perfeição.
Cozinhar com farinha de centeio: Descontentamento causado pelos filhos.
Moer farinha de centeio: Receberá muito dinheiro.

CENTELHA

Uma centelha: Receberá muito dinheiro.
Uma centelha que provoca um incêndio: Cuidado com os rivais.
Uma centelha elétrica: Cuidado com os inimigos.
Uma centelha que causa muitos danos: Receberá um legado.

CERA

Cera: Evite emprestar dinheiro.
Usar cera: Recuse-se a ajudar os amigos em questões financeiras.
Comprar cera: Você está esbanjando dinheiro.
Encerar o chão de sua própria casa: Precisará apanhar dinheiro emprestado.
Outras pessoas encerando assoalhos: Não conseguirá êxito nas iniciativas.

CERCA

Subir em uma cerca: Êxito em seus esforços.
Cair de uma cerca: Você está tentando fazer mais do que pode.

Escalar uma cerca: Obterá dinheiro de modo duvidoso.

Outras pessoas escalando uma cerca: Morte de inimigo.

CERCO

Um cerco: Você se tornará ator ou atriz.

Um estado de sítio contínuo: Contenha seus gastos.

Estar dentro de uma região sitiada: Você tem falsos amigos.

Estar dentro de uma casa sitiada: Perda de todos os amigos.

Parentes que se acham cercados: Infelicidade.

CEREAL

Grande quantidade de cereais: Ganhos financeiros.

Pequena quantidade de cereais: Problemas à frente.

Colher cereais: Grandes ganhos.

Cereais em pé no campo: Receberá muito dinheiro.

Levar os cereais para o paiol: Sorte e prosperidade.

Cereais em chamas: Haverá um grande desastre.

Plantar cereais no campo: Grande alegria.

Um campo de cereais muito grande: Bom casamento e bons negócios.

Vender cereais: Ganhos financeiros.

CÉREBRO

Cérebro: Sofrerá um acidente.

Ter cérebro saudável (lucidez): Grande conhecimento trará bons resultados nos negócios.

Ter uma doença no cérebro: Perda de dinheiro.

Ter um tumor no cérebro: Você tem má reputação.

Parentes com problemas no cérebro: Perigo à frente.

Outras pessoas com cérebros saudáveis (lúcidas): Será uma pessoa muito inteligente.

Submeter-se a uma cirurgia no cérebro: Está muito apaixonado.

Pessoa jovem sonhando que come miolos: Ficará apaixonada.

Pessoa idosa sonhando que come miolos: Boa saúde.

Operar um cérebro: Tudo irá bem no futuro.

Pessoas amigas que se submetem a uma cirurgia no cérebro: Encontrará valioso objeto que estava escondido.

Inimigos que se submetem a uma cirurgia no cérebro: Obterá bons ganhos.

CEREJAS

Cerejas pendendo na árvore: Logo virão prejuízos nos negócios.

Uma cerejeira sem cerejas: Terá boa saúde.

Comer cerejas: Estará envolvido em situações agradáveis.

Ter cerejas em casa: Boa saúde.

Cozinhar cerejas: Logo estará doente.
Cerejas apodrecidas: Sofrerá uma decepção com a pessoa amada.
Ter cerejas escuras: Suas iniciativas atuais serão motivo de arrependimento.
Comer cerejas no álcool: Será enganado pelos melhores amigos.
Um homem sonhando que colhe cerejas. Será enganado pelas mulheres.

CERTIFICADO

Receber um certificado: Não veja as coisas pelo ponto de vista de outros.
Dar um certificado: As pessoas reconhecerão sua inocência.
Receber um certificado de ações: Prejuízos financeiros.

CERVEJA

Beber cerveja: Perdas de dinheiro com especulação.
Estar em um estabelecimento onde se vende cerveja: Perda de uma pessoa que você ama.
Estar em uma festa em que se toma cerveja: Cuidado com as apostas.
Outras pessoas bebendo cerveja, menos você: Terá um pouco de dinheiro.
Pessoas bebendo cerveja: Terá uma vida livre de problemas.
Garrafas de cerveja: Pequeno prejuízo comercial.
Pessoas amigas que se embriagam com cerveja: Receberá uma carta com má notícia.

CERVEJARIA

Estar no interior de uma cervejaria: Será preso.
Ir a uma cervejaria: Terá problemas com doença.
Tomar um copo de cerveja em uma cervejaria: Trabalho pesado em breve.
Encontrar-se com pessoas amigas em uma cervejaria: Descobrirá novos interesses e ambientes.

CERVO

Um cervo macho: Brigas e prejuízos.
Matar um cervo: Receberá uma herança.
Comer a carne de um cervo: Tempos difíceis.
Ver também **Veado.**

CERZIR

Cerzir: Será apresentado a uma pessoa bondosa e amiga.
Outras pessoas cerzindo: Um mistério será solucionado.
Membros da família cerzindo: Terá vida longa.

CESTA

Uma cesta cheia: Bons empreendimentos comerciais.
Ter uma cesta cheia: Ganhará muito dinheiro.

Ter uma cesta vazia: Perderá dinheiro.
As cestas de outras pessoas: A família vai crescer.

CESTO DE ROUPAS (canastra)
Ter um cesto de roupas vazio: Brigará com o namorado por causa de ciúmes.
Um cesto cheio de roupa de cama: Vergonha e tristeza.
Tirar roupa de cama de um cesto para lavar: Triunfo sobre os inimigos.

CETIM
Cetim: Ganhos e honrarias.
Cetim branco: Recursos abundantes.
Cetim azul: Terá prejuízo.
Cetim vermelho: Será ferido por tiro.
Um homem de negócios sonhando com cetim: Os negócios estão garantidos.
Uma pessoa apaixonada sonhando com cetim: Cuidado com conversa falsa e lisonjeira.
Uma moça solteira e bela sonhando com cetim: Terá um amor ardente.
Uma mulher casada sonhando com cetim: Enganará o marido.

CETRO
Um cetro: Pense antes de tomar uma decisão.
Receber um cetro quando está sendo coroado: Pobreza.
Uma rainha recebendo o cetro em sua coroação: Miséria extrema.
Entregar cetro a uma rainha: Terá necessidade de muitas coisas.

CÉU
O céu: Felicidade.
O céu límpido: Casamento.
O céu avermelhado: Aumento da riqueza.
Céu nublado: Infortúnio.
Céu sem sol: Você se restabelecerá de uma doença.
Céu brilhante: Alegria.
O céu dourado: Será ameaçado por uma pessoa bastante conhecida.
O céu de azul puro: Você se comporta de modo muito correto.
O céu inteiramente azul: Contentamento nos assuntos sentimentais.
O céu escuro: Recuperação de dinheiro.
O céu sem estrelas: Receberá más notícias.
Subir ao céu: Esteja certo de que honrarias lhe serão prestadas.
Estar no céu: Casamento imediato.
Descer do céu: Cuidado para não cair.
Grande extensão de céu vermelho vívido: Desolação.
Um arco-íris no céu: O perigo está próximo.
Estrelas que parecem diamantes no céu: Bons ganhos garantidos, em tudo.

Estrelas que caem do céu: Será incapaz de ter filhos.
O céu caindo sobre sua cabeça: Você morrerá em um acidente.
Coisas que caem do céu: A guerra é certa.
Olhar o céu com a pessoa amada: Sorte e prosperidade.

CEVADA
Ter muita cevada: Abundância e fartura de dinheiro.
Comer cevada: Terá saúde de ferro.
Comprar cevada: Felicidade na família.
Vender cevada: Um inimigo está muito perto.
Segurar cevada com as mãos: Alegria e ganho.
Comer pão feito de cevada: Grande satisfação e boa saúde.

CHÁ
Chá: Dignidade e satisfação.
Comprar chá: Logo passará por muitos altos e baixos.
Fazer chá: Tenha cuidado em seus negócios em relação a um ato indiscreto.
Tomar chá: Infelicidade no lar.
Tomar chá acompanhado: Terá vida longa.
Tomar chá em uma casa de chá: Ganhos financeiros.
Tomar chá em uma grande festa: Você está sendo enganado.
Saquinhos de chá: Terá uma decepção no amor.

CHACAL
Um chacal: Você está sendo observado por alguém bem-intencionado.
Ter um chacal de cor amarela: Ganhos financeiros.
Outras pessoas que têm um chacal: O êxito virá mais tarde.
Crianças acompanhadas de um chacal: Você tem um amigo leal.

CHAFARIZ
Um chafariz: Aguarde acontecimentos importantes e muito benéficos.
Um chafariz em jardim público: Você tem um amigo fiel.
Um chafariz cheio de água em um jardim: Logo ocorrerá uma mudança na sua vida.
Um chafariz dentro de um edifício abandonado: Será abandonado pela pessoa amada.

CHALEIRA
Uma chaleira: Trabalho pesado à frente.
Uma chaleira de água fervendo: O fim dos problemas está próximo.
Uma chaleira vazia: Acontecerá uma mudança.
Uma chaleira brilhante, muito limpa: Grandes prejuízos nos negócios.

CHAMAS
Chamas: Uma briga de namorados terminará com alegria.

Chamas escuras: Perigo nos assuntos sentimentais.
Chamas fora de controle: Enfrentará dificuldades.
Chamas sob controle: Receberá boas notícias.

CHAMADA

Uma pessoa solteira sonhando que ouve chamarem seu nome: Logo se apaixonará.
Uma pessoa casada sonhando que ouve chamarem seu nome: Logo se divorciará.
Chamar outra pessoa: Esteja de sobreaviso para notícias importantes.
Ser chamado por diversas pessoas: Será insultado por um parente.

CHAMINÉ

Uma chaminé alta: Acontecimentos felizes a caminho.
Chaminé de sua própria casa: Receberá boas notícias.
Uma chaminé rachada: Grande catástrofe à frente.
Fumaça saindo de uma chaminé: Prosperidade.
Uma chaminé que cai: Alegria.
Um limpador de chaminé: Será vítima de uma falsa acusação.
Mandar o limpador limpar a sua chaminé: Dificuldades na família.
Um limpador de chaminé com o rosto enegrecido: Fará negócios medíocres.
Ouvir o limpador de chaminé que passa à procura de trabalho: Obterá grandes lucros.

CHAMPANHE

Tomar champanhe: Será infeliz no amor.
Comprar champanhe: Grande felicidade.
Estar em uma festa em que se toma champanhe: Será feliz com a pessoa amada.

CHAMUSCADO

Alguma coisa chamuscada: Viajará a um país quente.
Muitas coisas chamuscadas: Alguém lhe fará confidências.
Receber coisas chamuscadas: Sentirá tristeza.
Um antigo documento chamuscado: A felicidade está assegurada.

CHÃO

Estar estendido no chão: Permanecerá em posição humilde por algum tempo.
Outras pessoas estendidas no chão: Morte de pessoa amiga.
O chão de seu próprio quintal: Dinheiro e lucro.
O chão de outras pessoas: Prejuízos financeiros.
O pavimento térreo de sua própria casa: Ficará doente por um bom tempo.
O pavimento térreo de qualquer hospedaria: Perda de uma pessoa amiga.

CHAPÉU

Um chapéu de mulher: Você se restabelecerá de uma doença.
Um chapéu de homem: Tristeza inevitável.
Comprar chapéus: Dívidas.
Perder o chapéu: Cuidado com amigos falsos.
Achar o chapéu: As preocupações se dissiparão.
Uma mulher usando um chapéu incomum: Grande admiração.
Usar um chapéu novo: Riqueza.
Usar um chapéu velho: Pobreza ou perigo.
Usar chapéu de palha: Você tende a ser presunçoso.
Usar um chapéu grande: Alegria e prosperidade.
Outra pessoa usando chapéu: Alegria e prazer.
Tirar o chapéu para alguém: Humilhação.
Chapéu de mulher levado pelo vento: Ela perderá a liberdade.
Um homem que faz chapéus: Fará um trabalho inútil.
Uma mulher que faz chapéus: Fortuna e felicidade.

CHARLATÃO

Um charlatão: Mudança de ambiente.
Estar sob os cuidados de um charlatão: Irritação para a sociedade.
Ser um charlatão: Vencerá os inimigos.
Outras pessoas que vão a um charlatão: Você é muito teimoso em seus empreendimentos.

CHARNECA

Charnecas: Prosperidade.
Caminhar sozinho por charnecas: Alegria e contentamento.
Subir para charnecas acompanhado de outras pessoas: Recursos abundantes.
Uma charneca muito grande: Amizade constante.

CHARUTARIA

Uma charutaria: Deve economizar dinheiro para tempos difíceis.
Estar em uma charutaria: Procure ser econômico.
Comprar charutos em uma charutaria: Fracasso nos negócios.

CHARUTO

Fumar charuto: Êxito em tudo.
Estar com o charuto apagado: Infortúnio.
Ter o charuto aceso: Pode alimentar boas esperanças.
Outra pessoa fumando charuto: A prosperidade o aguarda.

CHAVES

Ter uma chave: Em breve estará noivo.
Ter as chaves da pessoa amada: Escapará ao perigo atual.
Ter uma chave quadrada: Doença.
Achar diversas chaves: Paz e felicidade no lar.
Perder as chaves: Infortúnios no amor.
Dar chaves a alguém: Boa sorte na vida familiar.

CHEFE DA GUARDA

Um chefe da guarda: Terá muita felicidade por bastante tempo.
Conversar com um chefe da guarda: Férias felizes dentro de pouco tempo.
Ser um chefe da guarda: Será roubado.
Receber favor de um chefe da guarda: Você está esbanjando dinheiro.
Retirar um chefe da guarda de seu cargo: Terá vida longa.
Um chefe da guarda que encontra dificuldades com os prisioneiros: Morte de parente.

CHEGADA

Comerciantes chegando: Bons ganhos.
A chegada de um parente: Perda de dinheiro.
A chegada de muitos parentes: Prejuízo nos negócios.
A chegada de uma pessoa amiga: Terá uma agradável surpresa.
A chegada do marido ou da mulher: Reunião de família.
A chegada de filhos: Felicidade.

CHEIO

Uma casa cheia de gente: Obterá bons ganhos.
Aparadores e guarda-louças cheios: Terá muito dinheiro.
Uma geladeira enorme, cheia de alimentos: Está sendo antipático demais com os vizinhos.
Estômago cheio de comida: Alegria e prazer.

CHEIRO

Sentir mau cheiro: Perda da amizade dos vizinhos.
Sentir mau cheiro no ar: Será enganado pelo melhor amigo.
Sentir mau hálito: Alguém o enganará.
Sentir um perfume: Prostituição.
Ter um frasco de perfume: Corrupção.
Sentir perfume nos outros: Perda de amizade.
Sentir perfume em pessoas amigas: Revelação de um segredo.
Comprar perfume: Fará uma boa colheita.
Entrar em uma perfumaria: Transação comercial inesperada.

CHEQUE

Cheques: Ganhos financeiros.
Ter cheques: Logo ocorrerá uma mudança em sua vida.
Dar um cheque: Harmonia entre amigos.
Receber um cheque: Vencerá os inimigos.
Receber um cheque devolvido por não ter fundos: Está sendo enganado.
Dar um cheque sem fundos: Um inimigo trama sua ruína.
Perder um cheque: Aviso de problemas.

CHEQUES, TALÃO DE

Um talão de cheques: Escapará com facilidade a um perigo atual.
Manusear seu próprio talão de cheques: Dignidade e distinção.

Preencher cheques em um talão: Bons tempos virão.
Outras pessoas preenchendo cheques em seus próprios talões: Decepções na área comercial.
Perder o talão de cheques: Inimizade secreta de alguma pessoa.
Canhotos de talões de cheques: Concretizará todos os seus desejos.
Os canhotos de seus próprios talões de cheques: Terá o respeito de outras pessoas por pouco tempo.
Somar valores nos canhotos de talões de cheques: Tomará conhecimento da verdade.
Descobrir um erro nos valores dos canhotos do talão de cheques: Morte de pessoa muito amiga.

CHICLETE
Ter chiclete: Haverá demoras na área financeira.
Mascar chiclete: Alguém o apoiará.
Outras pessoas mascando chiclete: Você pode ter motivo para deplorar seus atos.

CHICOTE
Um chicote: Evite os rivais.
Ter um chicote: Receberá mensagens afetuosas.
Usar um chicote: Boas notícias logo chegarão.
Chicotear um cavalo: Infortúnio nos assuntos sentimentais.
Ser chicoteado: Fará longa viagem ao exterior.

CHIFRES
Ter chifres na cabeça: Dignidade e autocontrole.
Um homem com chifres na testa: Perigo de doença fatal.
Animais com chifres grandes: A tristeza é certa.
Animais com chifres pequenos: Alegria e felicidade.
Os chifres de um touro ou vaca: Brigas.
Os chifres de animais selvagens: Suntuosidade.
Receber um jogo de chifres como presente: Receberá notícias tristes.
Comprar chifres: Boas transações comerciais.
Outras pessoas que têm chifres: Ficará loucamente apaixonado.

CHIMPANZÉ
Pessoa pobre sonhando com chimpanzés: Bons rendimentos.
Pessoa rica sonhando com chimpanzés: Problemas e doenças.
Chimpanzés dançando: Bons negócios no setor imobiliário.
Chimpanzés em uma jaula: Oposição no amor.
Um filhote de chimpanzé: Terá boas esperanças no amor.

CHINELOS
Chinelos: Alegria em seu coração.
Usar chinelos: Segurança.
Pessoa solteira sonhando que usa chinelos: Cuidado ao escolher com quem vai se casar.

Chinelos para mulheres: Terá de perdoar inimigos.
Uma mulher usando chinelos: Boa situação financeira.
Comprar chinelos: Receberá uma pequena bondade.
Ter muitos chinelos: Receberá uma grande recompensa.
Chinelos de homens: Terá vida longa.
Um homem sonhando que usa seus chinelos: Levará uma vida descansada.

CHINÊS

Diversos chineses: Fará uma viagem longa.
Estar em companhia de chineses: Terá desejos impossíveis.
Estar em um lar chinês: Terá muita segurança.

CHIPRE

Fazer uma viagem à ilha de Chipre: Mudança para melhor.
Estar entre cipriotas: Melhoria em sua situação.
Comprar vinho de Chipre: Dignidade e distinção.
Beber vinho de Chipre: Abundância de dinheiro.
Vender vinho de Chipre: Nascerá um filho ilegítimo.
A ilha de Chipre: Alegria.

CHOÇA

Estar em uma choça: Haverá uma grande catástrofe.
Estar em uma choça com a família: Triunfo sobre os inimigos.
Inimigos em uma choça: Terá mente vigorosa.

CHOCOLATES

Chocolate em doce: Terá uma profissão agradável.
Comer chocolate: Ganhará um presente em breve.
Chocolate em pó: Terá felicidade e saúde.
Comprar chocolate: Um período curto de dificuldade será sucedido por prosperidade.
Beber chocolate: Será pedido em casamento.

CHOQUE

Um choque: Com perseverança, vencerá os inimigos.
Ficar chocado com más notícias: Terá o controle de sua própria vida.
Chocar membros de sua própria família: Vencerá as dificuldades.
Ficar chocado com uma pessoa que você ama: Boa sorte.
Chocar uma pessoa que você ama: Você é muito inconstante no amor.
Chocar outras pessoas: Cuidado! Uma armadilha está sendo preparada para você.

CHORAR

Chorar: Grandes prazeres.
Chorar com a família: Alegria e risos.

Chorar com pesar: Desfrutará prazeres.
Filhos chorando: Felicidade e boa sorte.
Pessoas amigas chorando: Receberá um presente inesperado.
Outras pessoas chorando: Receberá más notícias, mas sem importância.
Membros da família chorando: Receberá boas notícias.

CHUMAÇO

Pôr as coisas como em um chumaço, apertadas e amontoadas: Saúde debilitada.
Parentes que põem as coisas amontoadas e amassadas: Dinheiro chegando.
Grandes quantidades de chumaços: Dificuldades que farão você emagrecer.
Empregados fazendo chumaços de algodão: Os negócios prosperarão.

CHUMBO

Chumbo em folhas: Enfrentará dificuldades.
Chumbo derretido: A felicidade está assegurada.
Chumbo em barras: Descoberta de objetos valiosos que estavam perdidos.
Comprar chumbo: Receberá notícias do exterior.
Vender chumbo: O dinheiro virá com facilidade durante sua vida.
Cortar chumbo: O êxito virá mais tarde.
Bater em chumbo com martelo: Êxito no amor.
Comprimir chumbo: Ganhos financeiros.
Fazer caixas com chumbo: Harmonia entre amigos.

CHUVA

Chuva: Recursos abundantes.
Ouvir a chuva caindo no telhado: Grande felicidade no casamento.
Molhar-se em uma chuvarada: Sofrimento causado pela desconfiança de pessoas amigas.
Goteira de chuva em um cômodo da casa: Cuidado com falsas amizades.
Um agricultor sonhando com chuva, sem vento ou tempestade: Bons ganhos e lucros.
Um homem de negócios sonhando com chuva: Infortúnio nos negócios.
Uma chuvarada e vento forte: Cuidado com rivais.
Uma tempestade de chuva e vento das mais fortes: Grande alegria.
Pessoa rica, sonhando com uma chuvarada e granizo: Aflição no amor.
Pessoa pobre sonhando com chuva e granizo: Boas oportunidades e vida feliz.
Mulheres molhando-se na chuva: Decepção no amor.
Outras pessoas molhando-se na chuva: Grandes tristezas.

Uma tempestade de chuva e granizo que arruína as plantações: Terá recursos abundantes.

CHUVEIRO

Tomar um banho de chuveiro: Fartura.
Crianças tomando um banho de chuveiro: Ganhará um presente.
Convidados que vão tomar banho de chuveiro: Perda de dinheiro.
Outras pessoas tomando um banho de chuveiro: Riqueza.

CICATRIZ

Uma cicatriz de vacina: Terá muito dinheiro.
Ter uma cicatriz: Sofrerá desonra.
Ter cicatriz causada por cirurgia: Riqueza.
Ter cicatriz em decorrência de uma briga: Escapará ao perigo que se aproxima.

CICLONE

Um ciclone: Tristeza profunda no futuro.
Estar na faixa de um ciclone: Aviso de dificuldades.
Propriedade danificada por um ciclone: Atividades sociais alegres.
Navio no mar sendo danificado por um ciclone: Morte de um inimigo.

CIDADÃO

Ser bom cidadão: Receberá boas notícias.
Ser um mau cidadão: Fará visita a uma sepultura.
Tornar-se cidadão: Terá trabalho em breve.
Negarem a cidadania a você: Ganhará dinheiro.
Muitos cidadãos: Infelicidade.

CIDADE (porte grande)

Uma cidade habitada: Será muito rico.
Uma cidade grande: Terá muita ambição.
Ver uma cidade a distância: Terá muito êxito.
Uma cidade incendiada: Pobreza.
Estar em uma cidade grande: Fim das esperanças.
Estar em uma cidade pequena: Precisa tomar muito cuidado com os negócios.
Uma cidade em ruínas: Alguém da família ficará doente.
Passar por uma cidade: Receberá notícias tristes de uma pessoa amiga.
Uma bela cidade: Recuperação lenta dos prejuízos nos negócios.

CIDADE (porte médio)

Uma cidade: Você é muito sincero.
Estar em uma cidade: Perigo de perda de dinheiro.
Um agricultor que sonha estar em uma cidade: Alerta sobre ambições negativas.
Um homem de uma cidade de porte médio que vai a outra, maior: Aumento nos negócios e ganhos.

Uma mulher que vai de uma cidade de porte médio a outra, maior: Seu chefe não está satisfeito com você.
Ir de uma cidade grande para uma cidade de porte médio: Riqueza e sorte.

CIFRAS
Cifras: Dignidade.
Sonhar com cifras e não se lembrar do número: Acontecimentos sociais agradáveis.
Ver muitas pessoas e calcular números: Satisfação das ambições.
Ver também **Números**.

CIGANO
Um cigano: Você tende a mudar de idéia com muita freqüência.
Uma cigana lendo a sorte para uma mulher: Será infeliz no casamento.
Uma cigana dizendo a sorte a uma mulher casada: Tem ciúme de seu marido.
Uma cigana dizendo a sorte a um homem: Terá ciúme da esposa, sem motivos

CIGARRA
Uma cigarra: Você tende a ser preguiçoso.
Apanhar uma cigarra: Passará fome.
Não apanhar cigarras: Não terá uma boa colheita.
Matar cigarras: Receberá a notícia de que alguém foi operado.
Ouvir muitas cigarras cantando: Chegada de um convidado indesejado.
Ouvir cigarras cantando ao meio-dia: Chegada de músicos.
Uma pessoa doente ouvindo uma cigarra cantar: Será vítima de ladrões.
Cigarras que pulam: Você está cercado por pessoas violentas.

CIGARRO
Acender um cigarro: Novos planos.
Segurar um cigarro pela metade, aceso, nas mãos: O amor virá mais tarde.
Fumar um cigarro até o fim: Grande êxito.
Homem e mulher fumando cigarros juntos: Fim das esperanças.

CIMENTO
Cimento: Receberá um presente.
Comprar cimento: Acontecimentos importantes em breve.
Trabalhar com cimento: Receberá dinheiro inesperado.

CINEMA
Cinema: Convites para frivolidades.
Ir sozinho a um cinema: Tenha cuidado nos assuntos sentimentais.
Ir a um cinema com a esposa: Solidão e problemas.
Ir ao cinema com o marido: Um mistério será solucionado.

Ir a um cinema com os filhos: Viverá na riqueza.
Ir a um cinema com o namorado: Grande alegria.
Ir ao cinema com pessoas amigas: Um inimigo trama sua ruína.
Um belo filme: Mudança de ambiente.
Um filme desagradável: Será culpado por atos impensados.
Representar em um filme: Logo ocorrerá uma mudança na sua vida.
Alguém que você conhece interpretando um papel em um filme: Aviso de dificuldades.

CINTA

Usar uma cinta: Um período de tristeza está para começar.
Outras pessoas usando cinta: Seus esforços serão mais por dinheiro do que por honrarias.
Parentes usando cinta: Vida feliz.
Inimigos usando cinta: Um mistério será solucionado.
Moças usando cintas: Evite os rivais.

CINTO

Muitos cintos: Viverá um romance em breve.
Pôr um cinto: Futuro feliz.
Outras pessoas pondo um cinto: Irá ao tribunal.
Um cinto partido: Terá algum prejuízo.
Um cinto velho: Terá de trabalhar com mais afinco.
Um cinto novo: Honraria.
Um cinto azul: Felicidade.
Um cinto negro: Morte.
Um cinto marrom: Doença.
Um cinto verde: Bons desejos.
Um cinto dourado: Grandes ganhos.
Um cinto prateado: Lucro.
Um cinto amarelo: Traição.

CINTURA

Uma cintura fina: Desonra.
Uma cintura larga: Infelicidade.
Uma cintura despida: Fatos infelizes ocorrerão.
Pôr uma correia em volta da cintura: Dinheiro inesperado.
Prender as roupas em volta da cintura: Romance feliz.
Prender coisas em volta da cintura de alguém: Logo ajudará essa pessoa.
Sentir dores na cintura: Terá muito dinheiro.

CINZAS

Cinzas: Perda de alguma coisa por causa de negligência.
Ter cinzas em sua própria lareira: Perda de dinheiro.
As cinzas de um parente que foi cremado: Terá vida longa.
As cinzas de um parente que foi cremado sendo postas na urna: Dinheiro a caminho.

CINZEL (instrumento cortante de aço)

Um cinzel: Terá paz de espírito e felicidade.

Possuir um cinzel: Concretizará seus desejos com trabalho esforçado.
Usar um cinzel: Aprenderá as lições à sua própria custa.
Comprar um cinzel: Fará uma apresentação pública.

CINZENTO
A cor cinzenta: Receberá uma carta com boas notícias.
Objeto de qualquer tipo de cor cinzenta: Riqueza.
Comprar roupas de cores cinzentas: Aguarde por acontecimento importante e muito benéfico.

CIPRESTE
Um cipreste: Uma pessoa amiga procura ajudar você em segredo.

CIRCO
Um circo: Infelicidade futura.
Assistir a um espetáculo circense: Perda de dinheiro.
Levar os filhos a um circo: Acontecimentos importantes e benéficos a caminho.

CIRURGIA
Cirurgia sendo realizada: Seus malfeitos são do conhecimento de todos.
Você próprio realizando cirurgia: Miséria.
Cirurgia com bons resultados: Terá alegria duradoura.
Cirurgia realizada em você: Um mistério será solucionado.

CIRURGIÃO
Um cirurgião: Sofrerá pressão de concorrentes comerciais.
Chamar um cirurgião para visita à sua casa: Doença de uma pessoa amiga.
Ir ao consultório de um cirurgião: Terá uma vida longa.
Um cirurgião que recebe a visita de muitos clientes: Grandes lucros virão.
Ser um cirurgião: Alegria e ganho.

CISNE
Um cisne: Alegria e prosperidade.
Muitos cisnes juntos: Boa saúde e revelação de um mistério.
Cisne branco: Riqueza e boa posição na vida.
Um cisne negro: Dificuldades no lar e tristezas.
Matar um cisne: As atividades comerciais precisam de mais atenção.

CISTERNA
Uma cisterna cheia: As questões financeiras estão melhorando.
Uma cisterna pela metade: Infelicidade causada por seus hábitos negligentes.
Uma cisterna quase vazia: Terá infelicidade nos negócios.

CIUMENTO
Ser ciumento: Prepare-se para notícias desagradáveis.
Ter ciúme do marido: Tenha cautela em seus empreendimentos.

Ter ciúme da esposa: Atividades sociais agradáveis.
Ter ciúme dos filhos: Brigas de família.
Ter ciúme do namorado: Acontecimento importante e muito benéfico a caminho.
Ter ciúme de sua religião: Esperança em Deus.

CLAMOR
Um clamor: Terá de tomar uma decisão rápida.
Ver uma cena de clamor e confusão: Uma decisão que foi adiada terá de ser tomada.
Estar em uma situação de clamor: Tudo ocorrerá como você deseja.
Pessoas amigas em uma situação de clamor: Alegria e consolo.
Inimigos em uma situação de clamor: Terá vida longa.

CLARÃO
Um clarão de luz: Será enganado por pessoas amigas.
Um clarão de lanterna ou farol: Notícias importantes trarão sucesso.
Comprar uma lanterna: Você está sendo observado por pessoa mal-intencionada.
Usar uma lanterna: Um segredo será revelado.

CLARETE
Beber vinho tinto: Cuidado com as transformações comerciais.
Comprar clarete: Decepção no amor.
Servir clarete no jantar: Infortúnio nos assuntos amorosos.

CLÉRIGO
Um clérigo: Decepção nos assuntos amorosos.
Muitos clérigos: Receberá uma carta do exterior.
Confidenciar a um clérigo: Notícias infelizes a caminho.
Estar em companhia de um clérigo: Terá posição destacada.

CLOROFÓRMIO
Dar clorofórmio a alguém: Sentirá tristeza.
Ser anestesiado com clorofórmio: Agradável surpresa a caminho.
Outras pessoas sendo anestesiadas com clorofórnio: Conte com bons negócios.

CLUBE
Estar em um clube: Encontrará antigos conhecidos.
Encontrar-se com pessoas amigas em um clube: Felicidade na família.
Estar em uma festa de clube: Prejuízos financeiros.
Ser impedido de ingressar em um clube: Cuidará bem dos negócios.

COBERTA
Uma coberta de cama: Grandes honrarias e renome.
Cobrir uma carroça: Fofocas.
Cobertas para moveis: Miséria.

COBERTOR

Pessoa rica sonhando que compra cobertores novos: Perda de dinheiro.

Pessoa da classe média comprando novos cobertores: Melhoria da situação.

Pessoa pobre sonhando que compra cobertores novos: Êxito.

Ter cobertores velhos: Boas notícias a caminho.

COBRA

Cobras: Seus planos irão por água abaixo.

Uma cobra enrodilhada: Escapará ao perigo.

Uma cobra pronta a desferir o bote: Traição de quem menos espera.

Matar uma cobra: Vencerá os inimigos.

Diversas cobras: Pessoas invejosas gostariam de causar sua ruína.

Ser incapaz de matar uma cobra: Acontecimento feliz com o qual você não contava.

Uma cobra de duas cabeças: Sedução.

Uma cobra d'água: Você se restabelecerá de uma doença.

Cobras que estão em uma jaula do jardim zoológico: Seus amigos não são reconhecidos.

COBRANÇA

Receber cobrança para que efetue pagamento: Conseguirá êxito financeiro.

Ser credor: Terá infelicidade.

Outras pessoas sendo cobradas: Problemas sérios.

Parentes recebendo cobranças: Boas expectativas nos negócios.

Receber cobrança de muitas pessoas: Grande miséria.

Cobrar um sócio: Cuidado com prejuízos.

Receber cobrança de um sócio: Miséria por período curto.

Perseguir os cobradores: Terá alguma infelicidade.

Ser perseguido pelos cobradores para que efetue pagamento: Receberá uma visita desagradável.

Receber pagamento devido por outras pessoas: Segurança nos negócios.

COBRE

Cobre: Seus desejos atuais são impossíveis.

Comprar cobre: Uma amizade falsa por perto.

Vender cobre. Ganhará muito dinheiro.

Manusear cobre: Receberá visita inesperada de pessoa importante.

COÇAR

Coçar as próprias costas: Dinheiro chegando.

Coçar a si próprio: Chegada de convidados.

Outros se coçando: As preocupações se dissiparão.

CÓCEGAS

Cócegas: Esclarecimento de um mal-entendido.

O seu nariz coçando: Alguém lhe pedirá dinheiro emprestado.

Sua garganta coçando: Bons tempos a caminho.

Alguém que lhe faz cócegas: Ganhos financeiros.

Fazer cócegas nos outros: Ficará doente por um bom tempo.

COCEIRA

Ter coceira: Seus medos e aflições não têm fundamento.

Ter uma coceira irritante: Chegada inesperada de pessoas amigas.

Crianças que se coçam: Partida infeliz de uma pessoa amiga.

Ter um machucado causado por coceira: Problemas causados por diversas mulheres.

Pessoas amigas com coceira: Você se sentirá feliz com a situação atual.

COCHICHO

Cochichar: Um boato será confirmado.

Cochichar com o marido ou com a mulher: Ganhos financeiros logo virão.

Cochichar com os filhos: Mudança para melhor.

Ouvir outras pessoas cochichando: Elas procuram destruir você.

Ouvir amigos cochichando: Você está sendo enganado.

Ouvir os subordinados cochichando: Brigas de família.

Ouvir parentes cochichando: Melhoria na situação financeira.

COCO

Um coqueiro: Receberá uma fortuna dos pais.

Comprar coco: Viverá um romance.

Comer cocos: Receberá uma grande quantia.

Uma palmeira grande, cheia de cocos: Fofocas de mulheres.

CÓDIGO

Consultar um código legal: Terá uma grande briga.

Um código tributário: Acontecimentos vantajosos nos negócios.

Um código comercial: Êxito em sua vida.

Decifrar um código: Boas notícias de melhoria nos negócios.

CODORNA

Codornas: Receberá notícias desagradáveis.

Codornas voando: Bons tempos estão chegando.

Codornas mortas: Contrariedade.

Codornas apodrecidas: Discussões.

Codornas vindas de uma lagoa ou do mar: Alguém roubará alguma coisa sua.

Muitas codornas: Fará maus empreendimentos comerciais.

COELHO

Um coelho: Fracasso dos inimigos.
Um coelho correndo: Mudança de profissão.
Diversos coelhos correndo: Empreendimentos comerciais muito bons.
Comer coelho: Brigará com uma pessoa amiga.
Dar tiros em coelhos: Felicidade.
Ter coelhos em seu próprio quintal: Grande amizade.

COFRE

Um cofre: Dinheiro em breve.
Um cofre cheio de dinheiro: Melhoria em sua situação.
Um cofre vazio: Aguarde dificuldades.
Abrir um cofre: Ansiedade causada por sua própria deficiência.
Fechar um cofre: Os planos transcorrerão bem.
Esvaziar um cofre: Sofrerá um sério desastre.

COGUMELOS

Cogumelos: Grandes melhorias em todas as questões.
Muitos cogumelos: Sorte e prosperidade.
Comer cogumelos: Grande destaque na vida.
Sócios em negócios comendo cogumelos: Tenha cautela nas negociações com eles.
Colher cogumelos: Terá sucesso em seus empreendimentos.
Cavar onde há apenas um cogumelo: Uma empresa será extinta.
Cavar onde há muitos cogumelos, tirando-os da terra: Vida longa.

COLA

Usar cola: Você tem uma pessoa amiga e fiel em quem pode confiar.
Outras pessoas usando cola: Você está sendo enganado pelos maiores amigos.
Comprar cola: Concretizará suas ambições.

COLA CASEIRA (feita de farinha de trigo)

Fazer cola caseira: Travará uma grande discussão.
Colar papéis: Receberá triste notícia.
Colar diversos objetos: Você tem inimigos espertos.
Colar objetos da casa: Há pessoas gananciosas em volta de você.
Colar material: Terá felicidade no amor.
Outras pessoas usando cola caseira: Perda de um amigo.
Inimigos usando cola caseira: Êxito em seus planos.

COLAR

Um belo colar: Realização do amor desejado.
Usar um colar: Recursos abundantes.
Alguém que põe um colar em você: Muitos e muitos anos de casamento.

Perder um colar: Receberá uma visita.
Receber um colar de presente: Terá a pessoa que você ama.
Um marido dando um colar à esposa: Possuirá uma casa luxuosa.
Dar um colar à namorada: Fará dela uma escrava.
Um colar para criança: Você é uma pessoa virtuosa.

COLCHA

Uma colcha que se rasga: Sofrerá um acidente.
Uma colcha que é tirada da cama: Melhores tempos virão.
Uma colcha que está suja: Terá muito boa sorte.
Comprar colcha nova: Grande amor e amizade.

COLCHÃO

Um colchão: Responsabilidades e obrigações maiores lhe serão dadas.
Ter um colchão: Preocupações à frente.
Comprar um colchão: Levará uma vida fácil.
Consertar o próprio colchão: Os desejos serão concretizados.

COLEGA

Ter colegas: Enfrentará litígios.
Lidar com colegas: Muito falatório comercial.
Bater em um colega, tomado de raiva: Nascimento do primeiro filho na família.
Morte de um colega: Infelicidade.

COLETA

Contribuir para uma coleta: Fará uma viagem longa dentro de pouco tempo.
Outras pessoas contribuindo para sua coleção: Notícias inesperadas.
Fazer uma coleta destinada a pessoas pobres: Terá fortuna.

COLETE

Um colete masculino: A hostilidade o cerca.
Colete feminino: Cuidado com seus atos.
Despir-se de um colete: Você é muito bonachão.
Comprar um colete de cor: Oculte suas desconfianças.
Não usar colete: Êxito nos empreendimentos.

COLHEITA

Ter uma boa colheita: Infortúnio nos assuntos sentimentais.
Trabalhadores fazendo a colheita: O dinheiro virá com facilidade.
Ter uma colheita abundante: A natureza o favorece.
Uma colheita má: Dificuldades nos assuntos sentimentais.

COLHER

Colheres: Apreensão.
Usar uma colher: Felicidade no lar.

Perder uma colher: Receberá notícias tristes.
Outras pessoas usando colher: Contrairá uma doença desconhecida.
Quebrar uma colher: Infidelidade.
Uma criancinha usando colher: Alegria na família.
Comprar colheres: Receberá algum dinheiro.
Deixar cair uma colher em uma chaleira grande e retirá-la: Bons dias virão.
Usar uma colher para mexer um líquido: Terá companhia para o jantar.
Comer com colher: Más relações entre marido e mulher.

COLISÃO
Uma colisão: Sofrerá um grave acidente.
Machucar-se em uma colisão: Decepção nos negócios.
Não se machucar em colisão: Fará uma conquista amorosa.
Morrer em uma colisão: Terá vida longa.

COLMÉIA
Uma colméia: Grande honraria lhe será prestada.
Uma colméia cheia de abelhas: Abundância e riqueza.
Uma colméia vazia: Pobreza.
Uma colméia virada ao contrário: Terá muito dinheiro.

COLO
Sentar-se no colo de pessoa do sexo oposto: Receberá boas notícias de pessoas amigas.
Uma mãe segurando filho no colo: Mudança de ambiente.
Um homem casado sonhando que segura a mulher no colo: Grande humilhação.
Uma secretária sonhando que está sentada no colo do patrão: Um inimigo trama sua ruína.

COLOMBINA (flor)
Uma colombina: Visitará ambientes luxuosos.
Ter uma colombina: A melhoria logo virá.
Receber uma colombina de presente: Logo ocorrerá uma mudança na sua vida.

COLOMBO, CRISTÓVÃO
Celebrar o Dia de Colombo (dia da descoberta da América): Fará uma boa pescaria.
Colombo descobrindo a América: Boas transações comerciais.
A estátua de Colombo: O êxito virá mais tarde.
A frota naval de Colombo: Êxito rápido em relação a esperanças e desejos.

COLUNA
Qualquer tipo de coluna de sustentação: Haverá um roubo em sua casa.

Apoiar-se em uma coluna: Terá decepção com a melhor amizade.
Trabalhadores construindo uma coluna: Abundância de dinheiro.

COLUNA VERTEBRAL

Coluna: Terá muitas tarefas desagradáveis a executar.
Quebrar a coluna: Perda de dinheiro.
Não trabalhar por ter a coluna quebrada: Boa sorte à frente.
Outras pessoas que quebram a coluna: Perda de riqueza.
Animais que quebram a coluna: Morte na família.
Filhos com problemas na coluna: Receberá boas notícias de longe.

COMANDANTE

Um comandante: Receberá notícias desagradáveis.
Ser um comandante: Receberá notícias agradáveis.
Ser o comandante de um navio: Fará uma conquista amorosa.
Ser promovido a comandante: Sucesso em sua vida.

COMANDAR

Receber comandos de outras pessoas: Raiva e autoridade.
Comandar outras pessoas: Dinheiro inesperado.
Dar ordens a crianças: Receberá um presente valioso.
Receber uma ordem governamental: Morte de um inimigo.

COMBATE

Combates: Será humilhado.
Empenhar-se em um combate e sair vitorioso: Amor e felicidade.
Empenhar-se em um combate e não sair vitorioso: Dificuldades e preocupações.
Ajudar outras pessoas em combate: Reconciliação com inimigos.

COMÉDIA

Uma comédia: Receberá carta que aguarda há muito tempo.
Representar em uma comédia: Esteja preparado para más notícias.
Assistir a uma comédia: Obterá êxito nos empreendimentos.
Ler uma peça de comédia: A segurança está próxima.
Uma pessoa amiga representando em uma comédia: Cuidado com amizades falsas.

COMEDIANTE

Um comediante: Cuidará dos negócios automaticamente.
Uma comediante: Bons resultados em seus afazeres.
Ser comediante: Você alimenta maus desejos.
Ser um mau comediante: Perda de dinheiro e vergonha.

COMER

Comer: Você está sendo enganado.
Comer até satisfazer-se: Bons negócios.

Comer demais: Descoberta de objetos valiosos.
Comer com as mãos: Você correrá perigo.
Comer no chão: Alguém tirará alguma coisa de você.
Comer acompanhado: Logo receberá o que desejava.
Comer com a família: Grande alegria à frente.
Outras pessoas comendo: Morte de um inimigo.
Comer carne cozida: Boa sorte.
Comer saladas: Melhoria em sua situação.
Comer frutas: A felicidade está garantida.
Comer coisas salgadas: Fofocas por parte de pessoas amigas.
Comer coisas engorduradas: Aviso de que ficará doente.
(Ver as listas de carnes, legumes, frutas e assim por diante.)

COMÉRCIO

Comércio: Morte de pessoas que estão fazendo uma viagem.
Ter seu próprio comércio: Receberá um favor em breve.
Fazer pequeno comércio: Traição e perseguição.
Estar no comércio de artigos de aço: Perda de amigos.
Realizar transações comerciais com lã: Lucro.
Realizar transações comerciais com seda: Prazer.
Realizar transações comerciais com tafetá: Alegria.
Realizar transações comerciais com artigos de linho: Dinheiro a caminho.
Realizar transações comerciais com algodão: Aflição.
Ser destacado membro da Câmara do Comércio: Algo lhe será roubado.

COMETA

Um cometa: Distinção extraordinário lhe será conferida.
Um cometa caindo: Dificuldades chegando.
Diversos cometas: Tristeza em breve.
Diversos cometas caindo: Perda de amor.

COMETER

Realizar bons atos: Ganhos financeiros.
Cometer maus atos: Será enganado por pessoas amigas.
Cometer um crime: Perigo causado por um segredo.
Cometer atos imorais: Perderá o afeto do namorado para rivais.

COMIDA

Comida: Felicidade.
Restos de comida: Passará por dificuldades em breve.
Comida que se estragou: Perda de dinheiro.
Comer como um glutão: Tenha cautela nos empreendimentos comerciais.

Não ter comida suficiente: Morte de um inimigo.
Comer e não ficar satisfeito: Uma falsa amizade por perto.
Pessoas que vendem comida: Você receberá algum dinheiro.
Crianças comendo: Sorte nos assuntos sentimentais.
Provar comida: Perda de amizades.

COMISSÃO

Receber uma comissão. Herança e riqueza.
Pagar uma comissão: Perda de amizades.
Trabalhar à base de comissão: Cuidado com falsos amigos.
Receber a comissão de uma autoridade: Enfrentará trabalho pesado.
Receber uma comissão do governo: Cuidado com os inimigos.

COMODORO

Um comodoro: Terá mente vigorosa.
Ser um comodoro: Dignidade e distinção.
Ser o comodoro de um iate: Desfrutará atividades sociais agradáveis.
Um comodoro dando ordens: Terá um grande aborrecimento.

COMPAIXÃO

Compaixão: Felicidade.
Outras pessoas tendo compaixão por você: Sorte.
Ter compaixão por crianças: Alegria.
Ter compaixão pelos pobres: Fará maus negócios.
Ter compaixão pelo marido ou pela mulher: Curiosidade não satisfeita.

COMPANHEIRO

Estar com um companheiro agradável: Pobreza.
Estar com um companheiro desagradável: Prejuízos financeiros.
Conversar com diversos companheiros: Possibilidade de chuva.
Ter negócios com os companheiros: Será preguiçoso.

COMPANHIA (estar acompanhado)

Ter companhia: Maus tempos virão.
Ter boa companhia: Não fará muito progresso.
Ter companhia indesejável: Será enganado por uma pessoa amiga.
Uma reunião de pessoas: Triunfo sobre os inimigos.
Ter a companhia de homens de negócios: Não será abalado pelos acontecimentos atuais.
Estar em companhia de pessoas armadas: Fará bons empreendimentos.

COMPARAR

Comparar os filhos a outras crianças: O padrasto é desagradável para seu filho.

Comparar documentos: Desfrutará segurança nos negócios.
Comparar contas: Será surpreendido por más notícias.
Comparar qualidade: Perigo causado por um segredo.
Comparar traços fisionômicos: Será abandonado pela pessoa amada

COMPARECER

Comparecer a um casamento: Recuperação imediata.
Comparecer a uma festa: Bons tempos estão chegando.
Comparecer a um jantar: Harmonia entre amigos.
Outras pessoas que comparecem a uma festa: Cuidado com os rivais.
Comparecer a diversas festas: Estará diante de uma tentação.
Outras pessoas que comparecem à sua casa: Perda de uma amizade.

COMPETÊNCIA

Ser competente: Trabalho pesado a caminho.
Ser competente em seu próprio trabalho: Advertência para que aja com prudência.
Ser competente em assuntos amorosos: Felicidade no amor.

COMPETIR

Competir com rivais: Em breve passará por altos e baixos.
Participar de uma competição: Negócios malsucedidos.
Filhos participando de uma competição: Grande alegria.
Outros competindo com você: Perda de dinheiro.

COMPOR

Ser um compositor musical: Vaidade.
Uma composição musical: Bons negócios.
Compor em tipografia: Cometerá extravagância nos gastos.
Você compondo música: Receberá muito dinheiro.
Composição em literatura: Cuidado com a chuva que vai cair.

COMPRAR

Comprar diversos objetos: Dificuldades à frente nas questões financeiras.
Comprar comida: Terá algum êxito.
Comprar legumes: Brigas de família.
Comprar frutas: Infortúnio nos assuntos sentimentais.
Comprar roupas: Grande êxito à frente.
Comprar pó-de-arroz: Cometerá extravagância nos gastos.
Comprar coisas para os filhos: Terá muito boa sorte.

COMPREENDER

Compreender muitas coisas: Receberá notícias tristes.
Compreender línguas estrangeiras: Será enganado.

Compreender os filhos: Receberá um presente valioso.
Compreender outras pessoas: Honra e dignidade.

COMUNHÃO

Ir à comunhão: Receberá muitas bênçãos.
Ir à comunhão com outras pessoas: Segurança em sua vida.
Não ir à comunhão: Tomará conhecimento de notícias desagradáveis.
Levar os filhos à comunhão: Receberá boas notícias.
Parentes indo à comunhão: Receberá carta triste.

COMUNICAR

Comunicar notícias: Segurança nos negócios.
Comunicar ordem: Sofrerá uma grave injustiça.
Comunicar um segredo: Logo ocorrerá uma mudança na sua vida.

COMUNIDADE

Ter um negócio comunitário: Enfrentará uma ação judicial dentro de pouco tempo.
Ter uma propriedade comunitária: Você não planeja as coisas muito bem.
Ter um acordo de propriedade comunitária: Estará envolvido em grandes planos.
Dispor de uma propriedade comunitária: Terá vida longa.

CONCERTO

Estar em um concerto como participante: Notícias inesperadas.
Cantar em um concerto: Receberá muito dinheiro.
Outras pessoas em um concerto: Receberá uma herança.
Uma pessoa doente sonhando com um concerto: Logo recobrará a saúde.

CONCHA DE COZINHA

Uma concha: Perigo por causa de um segredo.
Usar concha: Receberá notícias de pessoa amiga que está ausente.
Outras pessoas usando concha: Infelicidade.

CONCHA DO MAR

Conchas do mar: Extravagância.
Uma concha limpa: Irá à falência.
Uma concha lisa: Passará por transformações em sua vida.
Uma concha enrugada: Mudança de residência.
Catar conchas: Prazeres efêmeros.
Muitos mariscos: Alegria.
Um marisco vivo: Prosperidade.
Um marisco morto: Receberá a notícia da morte de uma pessoa amiga.
Conchinhas do mar: Aguarde má notícia vinda de longe.
Ter conchinhas do mar: Melhoria em sua situação.
Catar conchinhas do mar: Receberá uma carta triste.

CONCILIAR

Conciliar os termos de uma transação comercial: Boas esperanças.
Conciliar uma discussão: Doença.
Conciliar-se com um credor: Cairá em uma armadilha.

CONCUBINA

Uma concubina: Segurança.
Ter uma concubina: Fará bons empreendimentos.
Ser uma concubina ou um concubino: Terá vida longa.
Uma família que reconhece uma concubina: Terá boa posição financeira.

CONDE

Ser um conde: As pessoas estão pondo seu caráter à prova.
Estar em companhia de um conde: Não especule.
Lidar com um conde: Oposição nos assuntos sentimentais.
Manter amizade com um conde: Irá para a prisão.
Uma condessa: Humilhação.

CONDENADO

Um condenado: Terá vida longa.
Ser um condenado: Será enganado por pessoas amigas.
Condenados que estão na prisão: Você tem uma amizade leal.
Condenados que fogem da prisão: Vergonha e tristeza.
Ter sido condenado: Ganhará uma fortuna na loteria.
Parentes que foram condenados: Terá vida longa.
Outras pessoas condenadas: Morte de alguém que você conhece.

CONDOLÊNCIAS

Receber condolências: Morte.
Parentes dando condolências: Infelicidade.
Receber condolências de pessoas distantes: Sorte.
Prestar condolências a uma família: Doença.

CONDUTA

Ter boa conduta: Perda de uma amizade.
Ter má conduta: Alegria.
Conduzir as coisas corretamente: Herança.
Conduzir as coisas de forma errada: Passará por muitas transformações.
Conduzir seus negócios: Felicidade.
Conduzir tropas: Ocorrerão boas transformações.
Conduzir as crianças na escola: Reunião de família.
Ser condutor de trem ou motorista de ônibus: Herança.

CONDUTA ERRADA

Você próprio seguindo uma conduta errada: Correrá perigo.
Marido ou mulher seguindo uma conduta errada: Adiamento de viagem.

Filhos seguindo uma má conduta: As coisas terminarão muito bem.
Parentes seguindo uma má conduta: Infelicidade nos assuntos familiares.

CONFEITOS

Fazer confeitos: Terá prazer e lucro.
Comer confeitos: Breve se apaixonará.
Receber confeitos de presente: Obterá grande êxito.
Dar confeitos de presente: Será enganado.
Outras pessoas fazendo confeitos: Os desejos não se realizarão.

CONFERIR

Autoridade que lhe é conferida: Altas honrarias.
Conferir autoridade a outras pessoas: Terá vida longa.

CONFESSAR

Confessar um crime cometido: Felicidade.
Confessar traição ao marido ou à mulher: Perda de uma amizade.
Confessar os pecados a um sacerdote: Deve pôr seus negócios em ordem.
Filhos que se confessam aos pais: Ganhos financeiros.

CONFETE

Comprar confete: Decepção no ambiente social.
Jogar confete: Receberá carta com boas notícias.
Outras pessoas jogando confete em você: Amor e felicidade.
Pessoas jogando confete em uma multidão: Grande lucro com atividade comercial.

CONFIDÊNCIAS

Confidenciar novidades a uma pessoa amiga: Infortúnio nos assuntos amorosos.
Fazer confidências ao marido ou à mulher: Tem de contar com suas próprias forças.
Fazer confidências a crianças: Acontecimento importante e muito benéfico a caminho.
Outras pessoas que fazem confidências a você: Bons tempos estão chegando.

CONFISCAR

Suas próprias coisas sendo confiscadas: Empreendimento perigoso à frente.
Confiscar as coisas de outras pessoas: Confusão nos seus assuntos
Ser liberado de um confisco: Ganho inesperado.
Confisco das propriedades: Os pressentimentos se concretizarão.

CONFISSÃO

Fazer confissão a uma pessoa amiga: Obterá grande êxito.

Pessoas amigas confessando-se a você: Terá muita sorte.
Ir à confissão: Ficará sabendo de um segredo.
Ouvir uma confissão: Outros revelarão seus segredos a você.

CONFLITO

Ter um conflito: Participará de situações perigosas.
Ter um conflito legal: Logo será enganado.
Perder um conflito: Ganhos inesperados.
Vencer um conflito: Terá lucro com especulações.

CONFORTO

Viver com conforto: Receberá más notícias.

CONFUSÃO

Confusão: Perderá dinheiro por uma manobra desonesta.
Estar confuso: Terá um lucro grande e inesperado.
Parentes que estão confusos: Discussão em família.
Outras pessoas que estão confusas: Será enganado.

CONGELAR

Uma friagem que congela: Será recompensado por ter um coração bondoso.
Congelar, sem estar com agasalho: Precisa tentar recuperar coisas que foram roubadas.
Outras pessoas congelando: Bons resultados em seus empreendimentos.
Coisas congeladas na geladeira: Receberá informações falsas.

CONGRATULAÇÕES

Congratulações: Precisa controlar suas paixões.
Receber congratulações: Ganhos financeiros.
Receber congratulações de pessoas influentes: Terá bom humor.
Mandar congratulações: Alegria.
Congratular os filhos: Dinheiro chegando.
Congratular outras pessoas: Obterá ganhos financeiros.

CONGREGAÇÃO

Uma congregação: Receberá notícias muito tristes.
Ser membro de uma congregação: Contrairá dívidas.
Estar em uma congregação religiosa: Ficará muito preocupado.
Freqüentar reuniões de sua própria congregação: Recuperação de dinheiro.

CONGRESSO

Congresso: Descobrirá um ladrão.
Estar em um congresso: Uma amizade falsa está por perto.
Comparecer a uma sessão do Congresso: Será enganado em breve.

Outras pessoas comparecendo a uma sessão do Congresso: Fará uma longa viagem ao exterior.
Ser um congressista: Perda de todas as esperanças nos negócios.

CONHECIMENTO
Uma pessoa conhecida: Boa sorte.
Visitar uma pessoa conhecida: Terá prazer na vida.
Tratar de novos conhecimentos: Uma mudança ocorrerá em breve na vida.
Brigar com pessoa conhecida: Sua saúde ficará debilitada.
Outras pessoas em companhia de seus conhecidos: Terá mente vigorosa.

CONQUISTADOR
Um sedutor de mulheres: Infelicidade nos assuntos sentimentais.
Flertar com um conquistador: Acautele-se contra a traição.
Ser amada por um conquistador: Brigas de família.
Amar um conquistador: Você deveria corrigir seu modo de viver.

CONQUISTAR
Conquista: Você conta demais com favores.
Conquista de uma mulher: Precisa contar com seu próprio bom senso.
Conquista de um homem: Evite os rivais.
Uma vitória: Vitória sobre os inimigos.

CONSCIÊNCIA
Ter a consciência limpa: Felicidade.
Ter preocupação na consciência: Tudo correrá bem.
Preocupar-se quanto à consciência dos parentes: Recursos abundantes.
A consciência de outras pessoas: Tempos melhores virão.

CONSELHEIRO
Ser um conselheiro municipal: Um inimigo trama sua ruína.
Estar em companhia de um conselheiro: Não especule.
Ter negócios com um conselheiro: Fará melhoria em sua propriedade imobiliária.

CONSENTIR
Consentir com o pedido de outra pessoa: Localização de objetos valiosos que estavam perdidos.
Outras pessoas consentindo com o que você pede: Terá boa saúde.
Recusar-se a dar consentimento: Terá mente vigorosa.

CONSERTAR
Consertar: Uma amizade falsa está por perto.
Consertar um ornamento de igreja: Perda de amigos.
Consertar roupas que foram feitas erradamente: Tranqüilidade e contentamento.

CONSOLO

Consolo: Receberá boas notícias de longe.

Receber consolo de outras pessoas: Grande desgraça iminente.

Ser consolado pelos filhos: Maus dias estão chegando.

Consolar outras pessoas: Futuras perdas em negócios.

CONSPIRAR

Conspirar: Sofrerá um acidente de automóvel.

Participar de uma conspiração: Você cria suas próprias dificuldades.

Outras pessoas conspirando contra você: Terá inquietação.

Ser um conspirador: Ficará muito queimado em um incêndio.

CONSTRUÇÃO

Construção: Será atacado em breve.

Construir sua própria casa: Adversidade.

Construir casa para outras pessoas: Aborrecimentos.

Construir um altar em uma igreja: Alegria e consolo.

Construir uma sepultura: Doença.

Construir estradas: Confusão nas atividades comerciais.

Construir docas: Terá muitas coisas em que pensar.

Construir outras coisas: Grandes lucros à frente.

CONTADOR

Um contador trabalhando na contabilidade de outra pessoa: Riqueza.

Um contador trabalhando em seus próprios livros de contabilidade: Conte com sua sorte.

Ser um contador: Levará uma vida fácil.

Contratar um contador: Bons tempos virão.

CONTAMINAÇÃO

Coisas contaminadas: Passará vergonha dentro de algum tempo.

Ter coisas contaminadas: Perigo.

Alimentos contaminados: Prejuízos nos negócios.

Outras coisas que estão contaminadas: Enfrentará tempos difíceis.

CONTAR

Contar: As ambições serão satisfeitas.

Contar dinheiro: Lucro.

Contar objetos diferentes: Sofrerá em seus negócios.

Contar objetos e descobrir que alguns estão faltando: Os resultados nos negócios são incertos.

Outras pessoas contando: Alegria.

Contar homens: Ciúme.

Contar mulheres: Será atormentado.

CONTAS

Somar contas: Perda de dinheiro por ter concedido crédito.

Trabalhar em contas e contabilidade: Terá trabalho pesado.

Calcular as contas de outras pessoas: Dignidade e distinção.

Calcular as contas do empregador: Cuidado com os inimigos.

CONTAS (a pagar)

Pagar contas: Ganhos financeiros imediatos.

Não pagar contas: Perigo nos negócios.

Ter contas atrasadas a pagar: Outras pessoas estão falando mal de você.

Ser solicitado a pagar contas: Seu chefe não gosta de você.

CONTENTE

Estar contente: Melhores tempos virão.

Outras pessoas contentes: Um mistério será solucionado.

A família contente: Modificação em seu ambiente.

Os filhos contentes: Dinheiro a caminho.

CONTESTAR

Contestar outras pessoas: Os negócios serão satisfatórios.

Ser contestado por pessoas amigas: Pessoas invejosas estão por perto.

Ser contestado por parentes: Discussões de família.

Ser contestado pelo marido ou pela mulher: Evite os rivais.

CONTRA-ALMIRANTE

Um contra-almirante: As pessoas o têm em alta conta.

Um contra-almirante em encouraçado: Ganhará dinheiro com especulação.

Um contra-almirante em uma doca: Receberá visita de pessoas amigas.

Ser um contra-almirante: Problemas domésticos.

Ser um contra-almirante jovem: Você é um grande admirador das mulheres.

Ser a esposa de um contra-almirante: Você está cercada por admiradores.

Um amigo que é contra-almirante: Um segredo logo será explicado.

CONTRABANDEAR

Contrabandear: Não obterá êxito em todos os seus planos.

Outras pessoas contrabandeando: Tudo sairá bem.

Ser contrabandista: Alívio inesperado quanto a alguma coisa.

Pessoas amigas contrabandeando: Elas não obterão êxito em seus planos.

Inimigos contrabandeando: Logo serão presos.

CONTRABANDO

Fazer contrabando: Perigo causado por um segredo.

Ter sócios em transações de contrabando: As preocupações se dissiparão.

Ser pego enquanto faz um contrabando: Decepção inevitável.
Vender contrabando: Haverá um sério desastre.

CONTRARIEDADE

Estar contrariado: Alegria.
Filhos contrariados: Fará novas amizades.
Membros da família contrariados: Discussões com a sogra.
Pessoas amigas contrariadas: Conte com seu próprio bom senso.

CONTRATO

Redigir um contrato: Saúde debilitada.
Fazer contrato de compra: Terá boa saúde até o dia da sua morte.
Assinar contrato de venda: Será informado de um acidente.
Outras pessoas fazendo contratos: Falecerão em breve.
Ver também **Arrendamento**.

CONVENTO

Estar em um convento: Um noivado feliz.
Outras pessoas em um convento: Saúde debilitada em futuro próximo.
Ser freira em um convento: Felicidade, embora não venha se casar com uma pessoa rica.

CONVERSA

Ter uma conversa com pessoas importantes: Prosperidade.
Ter uma conversa com um grupo de pessoas: Possibilidade de chuva.
Ter uma conversa ao anoitecer com um grupo de pessoas: Fofocas.
Ter uma conversa com um sacerdote: Dias difíceis estão chegando.
Não ter assunto para conversa: Progresso nas iniciativas comerciais.

CONVERSAR

Conversar: Você está diante de obstáculos insuperáveis.
Conversar demais: Ficará exposto a alguns planos malignos.
Ouvir muita conversa em volta de você: Cuidado com os vizinhos.
Marido e mulher conversando alto demais: Dificuldades em família.
Ouvir parentes que conversam com você: Aviso de dificuldades.
Conversar com um sócio nos negócios: Um inimigo trama sua ruína.
Conversar com um amigo: Você se sairá bem de um perigo atual.
Conversar com um inimigo: Dificuldade.
Conversar com os pais: Receberá aquilo que pediu.
Conversar com o namorado: Cuidado com amigos ciumentos ou invejosos.
Conversar com uma mulher: Êxito nos negócios.

Conversar com seu superior: Você se tornará uma vítima e sofrerá humilhação.
Conversar com um cão: Infelicidade.
Conversar com um papagaio e outros animais: Morte de um amigo.

CONVERTER

Converter: Terá de suportar adversidades.
Converter-se a outra religião: Levará vida tranqüila e feliz.
Converter outras pessoas às suas idéias: Acontecimento muito benéfico e importante a caminho.
Converter dinheiro estrangeiro: Passará por vergonha.

CONVÉS

Estar no convés de um navio: Grande alegria.
Estar no convés de um navio durante tempestade: Enfrentará dificuldades.
Estar no convés de um navio durante tempo calmo: A infelicidade virá.
Estar no convés com um membro do sexo oposto: Casamento infeliz.

CONVIDADO

Um convidado que o procura: Aguarde acontecimento muito importante e benéfico.
Muitos convidados: Grandes dificuldades nos negócios.
Outras pessoas que têm convidados: Cuidado com a doença.
Convidados indesejados: Infelicidade nos assuntos amorosos.

CONVITE

Receber um convite: Boas notícias vindas de longe.
Receber convite escrito: Fracasso de seus negócios.
Receber convite impresso: Vergonha e tristeza.
Receber convite de uma pessoa que você ama: Ganhos financeiros.
Receber convite comercial: A decepção é certa.
Dar um convite a parentes: Brigas com a família.
Mandar convites a pessoas amigas: Evite os rivais.
Mandar convite a contatos comerciais: Ganhos financeiros.
Mandar convite a personalidade destacada: Um mistério será solucionado.

CONVOCAR

Ser convocado ao dever: Uma armadilha está sendo preparada para você.
Convocar pessoas para trabalhar: Terá discussões com o sócio nos negócios.
Ser convocado por outras pessoas: Levará uma vida sossegada.
Ser convocado para o serviço militar: Você se reconciliará com os seus inimigos.

CONVULSÃO

Ter convulsões: Prosperidade no casamento.

Membros da família que sofrem convulsões: Boas questões financeiras.

Outras pessoas que sofrem convulsões: Será convidado a dançar.

COPA (parte da casa)

Estar em uma copa: Êxito em todos os setores.

Preparar algo em uma copa: Obterá êxitos nos esforços atuais.

Outras pessoas na copa: Encontrará sempre obstáculos a vencer.

Preparar bebidas em uma copa: Notícias de alguém de quem você não ouve falar há muito tempo.

Derramar alguma coisa em uma copa: Uma pessoa amada pensa em você.

COPIAR

Copiar uma carta: Felicidade no lar.

Copiar documentos legais: Tudo ocorrerá como você deseja.

Outras pessoas copiando: Tristeza.

Estar fazendo um trabalho de cópia: Miséria e dificuldades.

COPINHO

Um copinho: Concordância entre pessoas amigas.

Ter um copinho: Mudança para melhor.

Beber em um copinho: Terá mente vigorosa.

Comprar um jogo de copinhos: Boa sorte chegando.

COPO

Beber em um copo: Perigo.

Tomar um copo d'água: Logo se casará.

Quebrar um copo vazio: Morte de uma mulher.

Quebrar um copo com água e derramá-la: Os filhos terão saúde.

Derramar água sem quebrar o copo: Morte de um filho.

Entornar um copo de vinho: Boas notícias.

Entornar água nas roupas, virando-a de um copo: Morte de alguém que você conhece.

Um copo sujo: Trabalho agradável e boas notícias.

Um homem de negócios sonhando que quebra um copo: Sorte nos negócios.

Receber copos de presente: Nascimento de criança.

CORAÇÃO

Estar com o coração feliz: Bons negócios.

Estar com o coração ferido: Separação de marido e mulher.

Ter um grande coração: Doença.

Não ter coração: Sucesso nos negócios.

Perder o coração, tornar-se mau: A morte se aproxima.

Ter dores no coração: Doença por um bom tempo.
Sangue que flui vagarosamente para o coração: Você insultou seu melhor amigo.
O coração de uma mulher: Ela abandonará o marido.
O coração de um homem: Ele amará outra mulher.
O coração de uma pessoa solteira: Fuga romântica e casamento.
Comer carne de coração: Felicidade nos assuntos sentimentais.
Cozinhar carne de coração: Será bem-sucedido em tudo.
Estar sem fôlego por insuficiência cardíaca: Estará à frente dos amigos.
Ter doença do coração: Doença grave.

CORAL

Coral: Uma velha amizade voltará logo.
Usar coral: Encontrará um ex-namorado.
Comprar corais: Receberá carta com dinheiro.

CORAR

Corar de vergonha: Será obrigado a dar explicações.
Corar de prazer: Terá de tomar um laxativo.
Corar ao ser pego fazendo algo errado: Será amado por uma mulher velha.
Crianças corando: Romperá com os melhores amigos.
Namorados corando: Seu casamento acontecerá antes da data marcada.

CORCUNDA

Ser corcunda: Será humilhado.
Falar com um corcunda: Felicidades no amor.
Um corcunda: Mudanças virão.
Uma mulher corcunda: Passará por um período de muitas reviravoltas.

CORDA

Enrolar fibras, fazendo uma corda: As amizades serão fortalecidas.
Desenrolar uma corda: Um compromisso de casamento será desfeito.
Desfazer muitos nós de uma corda: Receberá um presente importante.
Uma corda: Pessoas amigas lhe causarão dificuldades.
Estar amarrado com cordas: Tempos difíceis para os assuntos comerciais.
Subir por corda: Boa sorte.
Descer por corda: Vencerá todos aqueles que tramam sua queda.
As cordas de um navio: Receberá notícias de pessoas a quem você deve dinheiro.
Marinheiros usando cordas em um navio: Terá mente vigorosa.
Um navio amarrado com cordas: Ganhos financeiros.

Pessoas enforcadas com cordas: Perigo em suas atividades.
Lugares cercados por cordas: Você está sendo enganado.
Cordas sendo fabricadas: A prosperidade é muito pouca.

CORDÃO

Cordão: Evite os flertes.
Comprar cordão: Momento adequado para levar sua paquera atual à frente.
Enrolar alguma coisa com cordão: Será culpado por atos impensados.
Guardar cordão usado: Discutirá com uma pessoa amiga por bobagem.
Ter um cordão muito grosso: Um romance o fará chorar.

CORDEIRO

Cordeiros no campo: Grande tranqüilidade.
Comprar cordeiros: Terá uma grande surpresa.
Comer cordeiro: Lágrimas.
Possuir cordeiros: Lucro e consolo.
Vender cordeiros: Felicidade.
Encontrar cordeiros que estavam perdidos: Você vencerá uma ação judicial.
Matar cordeiros: Você será atormentado.
Dar um cordeiro de presente: Terá vida longa.
Carregar um cordeiro: Prosperidade, bom futuro e dedicação.
Comer cordeiro na Páscoa: Amizade duradoura.
Um rebanho de cordeiros pastando no campo: Será assustado.

CORES

Azaléa: Grande alegria.
Azul-celeste: Promoção no emprego.
Azul-marinho: Prosperidade por meio de outras pessoas.
Preto: Passará por momentos muito infelizes.
Marrom: Grande amizade.
Carmesim: Notícias agradáveis de uma pessoa amiga.
Dourado: Fará negócios com pessoas distantes.
Verde: Boa sorte nos assuntos amorosos.
Cinza: Receberá carta com boas notícias.
Malva: Infelicidade.
Laranja: A fortuna está por perto.
Roxo: Êxito glorioso.
Púrpura: Uma viagem alegre.
Vermelho: Brigas com pessoas amigas.
Escarlate: Brigas de família.
Prateado: Sorte em todos os negócios.
Branco: Êxito nos empreendimentos.
Amarelo: Modificações importantes, porém ruins, ocorrerão em sua vida.
Diversas cores misturadas: Você tem falsos amigos.

CORNETA

Ouvir uma corneta tocar: Obterá êxito em todos os esforços.
Tocar corneta: Infelicidade nos assuntos sentimentais.
Ouvir crianças tocando corneta: Alegria sem ganho.
Soldados tocando corneta: Perigo nos assuntos sentimentais.

CORNETIM (pequena corneta de três chaves)

Ouvir um cornetim tocar: Brigas de família.
Tocar cornetim: Descoberta de artigos valiosos que estavam perdidos.
Ouvir crianças tocando cornetim: Mudança para melhor.
Comprar um cornetim: Alegria sem ganho.

CORO

Um coro cantando: Felicidade no amor.
Cantar em coro: Terá notícias de uma velha amizade.
Ouvir um coro cantando: Você tem um amigo leal.

COROA

Ter uma coroa na cabeça: Outras pessoas lhe trarão benefícios.
Ser coroado: Terá a amizade de pessoas importantes.
Uma coroa real: Terá muita felicidade.
Colocar uma coroa na cabeça de alguém: Você merece progredir.
Ter uma coroa dourada na cabeça: Grande proteção de figuras públicas de destaque.
Ter uma coroa de flores: Grande êxito.
Ter uma coroa de ferro: Tenha cautela nas transações comerciais.
Ter uma coroa de lata: Perda de fortuna.
Ter uma coroa com uma cruz engastada: Uma morte lhe trará benefícios.

COROA DE LOUROS E LOUREIRO

Uma bela coroa de louros: Grandes lucros.
Receber uma coroa de louros: Receberá dinheiro de parentes.
Uma coroa de louros para a cabeça: Presente inesperado de um amigo.
Colher louros: Herança.
Um loureiro: Prazer.
Estar cercado por loureiros: Prosperidade e prazer.
Segurar um ramo de loureiro como sinal de paz: Sua situação vai melhorar.
Mulher sonhando que sente o perfume de loureiro: Terá muitos filhos.
Moça sonhando que sente o perfume de loureiro: Casamento em breve.
Homem sonhando que sente o perfume de loureiro: Bons empreendimentos comerciais.
Homens sonhando com um loureiro: Sorte nos empreendimentos.

Viúvas sonhando com um loureiro: Cederão à tentação.
Mulher solteira sonhando com um loureiro: Logo se casará.
Mulher casada sonhando com um loureiro: Terá muitos filhos.

COROAÇÃO
A coroação de um rei ou rainha: Receberá uma fortuna inesperada.
Coroação de uma rainha de beleza: É enganado pelo amigo mais íntimo.
A filha sendo coroada rainha: Os vizinhos merecem confiança.

CORONEL
Ser um coronel: Estará cercado pelo mal.
Uma mulher sonhando que se casa com um coronel: Poupe dinheiro para a velhice.
Um coronel uniformizado: Insatisfação no amor.
Mulher solteira sonhando com um coronel: Você se casará com um banqueiro.

CORPO
Seu próprio corpo: Felicidade.
O corpo de uma mulher: Os homens estão flertando com essa mulher.
O corpo de um homem: Bons empreendimentos comerciais.
O corpo de criança: Fará uma viagem.
O corpo de uma pessoa deformada: Encontrará uma fortuna.

CORREÇÃO
Um reformatório: Ponha os amigos à prova antes de confiar neles.
Filhos obstinados que precisam de correção: Êxito na vida.
Seus próprios filhos precisando de correção: Terão posição alta e importante.
Os filhos de outras pessoas precisando de correção: Fracasso dos inimigos.
Animais teimosos que precisam de correção: Receberá presente de uma pessoa estranha.

CORREDOR (espaço)
O corredor de uma igreja: Sofrerá com dificuldades e infortúnio.
O corredor de um cinema ou teatro: Morte de pessoa amiga.
Andar pelo corredor de um cinema ou teatro: Será culpado por maus atos.
O corredor de outros edifícios: Fará uma longa viagem.

CÓRREGO
Um córrego de água límpida: Terá amigos fiéis.
Um córrego enlameado: Perda de amigos.
Um córrego que passa perto da casa: Receberá nomeação honrosa.
Um córrego quase seco: Descoberta de objetos valiosos que estavam perdidos.

CORREIO

Pôr um pacote no correio: Receberá um presente.
Pôr no correio uma carta com cheque: Receberá boas notícias.
Pôr documentos no correio: Uma amizade falsa está enganando você.
Pôr no correio objeto de valor: Passará a ser ciumento.
Um edifício do Correio: Será ofendido.
Estar em um edifício do Correio: Vencerá graças à honestidade.
Pôr carta no correio: Encontrará obstáculos no caminho.
Receber carta do correio: Mudança de residência.
Registrar carta no Correio: Mudança de companheiros.
Comprar selos em um edifício do Correio: Coisas desagradáveis acontecerão.
Encontrar o edifício do Correio fechado: Discórdia em assuntos amorosos.

CORRENTES

Correntes de ferro: Escapará a alguma dificuldade.
Cortar uma corrente: Terá preocupações passageiras.
Usar uma corrente: Dias ruins em breve.
Uma corrente de ouro em volta do pescoço de uma mulher: Boa sorte com pessoa amiga ou com alguém que você ama.
Uma pessoa com correntes na prisão: Os negócios andarão mal.
Conseguir romper as correntes: Estará livre de compromissos sociais.
Outras pessoas com correntes: Má sorte para elas.
Estar acorrentado: Logo estará livre dos encargos.

CORRER

Correr: Boa sorte.
Uma mulher que sonha estar correndo: Perderá a virgindade.
Correr com muita rapidez: Fortuna inesperada.
Correr por ter levado um susto: Segurança.
Correr por estar com medo: Será exilado.
Correr em círculos: Os amigos não pensam grande coisa a seu respeito.
Correr despido: Parentes roubarão algo seu.
Mulher que sonha estar correndo nua: Ficará louca.
Um homem doente que sonha correr: Maus negócios.
Uma mulher doente sonhando que corre: Conseguirá roupas novas.
Correr para pegar alguém: Boa sorte.
Uma pessoa doente sonhando que corre para pegar alguém: Felicidade.
Outras pessoas correndo: Contentamento.

Muitas pessoas correndo em uma confusão: Receberá notícias terríveis.
Correr como um louco: Riqueza.
Civis correndo uns atrás dos outros: Grandes brigas.
Pessoas correndo com porretes na mão: Discórdia nos negócios.
Crianças correndo com porretes nas mãos: Grande alegria.
Pessoas pobres correndo: Boa sorte.
Querer correr, sem conseguir: Terá uma grave doença.
Correr atrás de um inimigo: Vitória e lucro.
Correr enquanto caça: Perda de dinheiro.
Correr no encalço de um veado ou coelho: Você é uma pessoa muito sovina.

CORRETOR

Um corretor: Conhecerá pessoas falsas em futuro próximo.
Ser um corretor: Os ganhos permanecerão iguais por um período curto.
Lidar com corretores, tratando de uma compra: Prazeres à frente.
Lidar com corretores para a venda de propriedades: Perda de dinheiro.
Ter negociações com diversos corretores: Cuidado nas atividades comerciais.

CORRIDA

Uma corrida: Grande sorte à frente.
Participar de uma corrida: Precisa perseverar, se deseja êxito.
Participar de uma corrida e vencer: Distinção e honrarias.
Participar em uma corrida e perder: Você tem muitos concorrentes nos negócios.
Outras pessoas participando de uma corrida: Você está sendo enganado.
Pessoas amigas participando em corrida: Infortúnio nos assuntos sentimentais.
Um jóquei que participa de uma corrida: Logo ocorrerá uma transformação na sua vida.
Membro da família disputando corrida: Sofrerá humilhação.
Uma corrida de cachorros: Terá domínio sobre os inimigos.

CORRIDA, PISTA DE

Uma pista de corrida: Novos interesses e ambientes.
Muitas pessoas em uma pista de corrida: Companhia agradável, mas perigo de prejuízos.
Parentes em uma pista de corrida: Recursos abundantes.
Amigos em uma pista de corrida: Morte de uma pessoa que você ama.
Inimigos em uma pista de corrida: Descoberta de um segredo.
Personalidades importantes em uma pista de corrida: Enfrentará trabalho pesado.
Estar em uma pista de corrida: Dias felizes virão.

Treinar cavalos em uma pista de corrida: Grande sorte.
Exercitar cavalos em uma pista de corrida: Acontecimentos felizes a caminho.
Machucar-se em uma pista de corrida: Visitará alguém que está em uma hospedaria.

CORRIDA DE CAVALOS

Observar uma corrida de cavalos no hipódromo: Receberá grande honraria.
Outras pessoas observando corrida de cavalos no hipódromo: Triunfo sobre os inimigos.
Ter um cavalo que disputa no hipódromo: Evite os rivais.
Comparecer a um hipódromo com uma pessoa que você ama: Bons tempos estão chegando.
Comparecer a um hipódromo com outras pessoas: Fracasso dos inimigos.

CORTAR

Ser cortado: Será traído por pessoa amiga.
Um corte que sara: Terá bons ganhos.
Um corte que não sara: Será pago por seus serviços.
Tratar de um corte: Grande alegria.
Crianças que se cortam: Dinheiro chegando.
Cortar a cabeça de uma ave: Terá prazeres.
Cortar a cabeça de animais: Alegria.
Cortar a cabeça de outra pessoa: A vingança será procurada.
Cortar pedras: Lucros.
Cortar grama e arbustos: Sorte nos negócios.
Cortar com uma serra ou lima: Acontecimentos desagradáveis em breve.

CORTIÇO

Um cortiço sem mel ou abelhas: Empreendimentos perigosos.
Um cortiço cheio de mel e abelhas trabalhando: Bons tempos virão.
Tirar mel de um cortiço: Um inimigo trama sua ruína.

CORTINA

Muitas cortinas: Sua curiosidade causará danos.
Afastar uma cortina: Será advertido a tempo.
Outras pessoas que afastam cortinas: Aviso de dificuldades.
Pôr cortinas novas: Receberá convidado de destaque.

CORTINADOS

Cortinados de uma cor: Você é presunçoso.
Cortinados com estampado de flores: Receberá convite para jantar, de pessoas destacadas.
Cortinados de pano, de uma cor: Receberá boas notícias.
Cortinados de seda, de uma cor: Alegria.
Mulheres casadas sonhando com cortinados: Darão à luz muitos filhos.

CORUJA

Uma coruja: Infelicidade.
Apanhar uma coruja: Felicidade.
Matar uma coruja: Grande felicidade.
Ouvir o pio de uma coruja: Aviso da aproximação de uma pessoa falsa.
Ouvir corujas piando: Alguém morrerá.

CORVO

Um corvo: Decepção em tudo.
Corvos voando: Pesar e infortúnio.
Corvos voando sobre sua cabeça: Morte na família.
Uma revoada grande de corvos: Profundo pesar à frente.
Ouvir o crocitar de corvos: Doença dos filhos.
Uma mulher sonhando com um corvo: Morte do marido.
Um homem sonhando com um corvo: Morte da esposa.
Um corvo batendo asas: Morte de pessoa amiga.

COSTAS

Suas próprias costas: Você terá infortúnio na vida e morrerá na miséria.
As costas cortadas: Terá úlceras.
As costas cheias de ferimentos: Você tem muitos inimigos.
Uma mulher que lhe dá as costas: Oposição no amor.
Um homem que lhe dá as costas: Dificuldades sérias.
Uma pessoa que se afasta de você: Pessoas invejosas estão contra você.
Uma pessoa que se volta e o encara: Escapará à doença.
Uma moça que lhe dá as costas: Riqueza.
Um rapaz que volta as costas a uma moça: Perda de dinheiro.

COSTELA

As próprias costelas machucadas: Dinheiro inesperado.
Quebrar costelas: Alegria inesperada.
Marido ou mulher quebrando as costelas superiores: Acontecimentos felizes.
Parentes quebrando as costelas superiores: Cuidado com traição entre pessoas em quem confia.
Marido ou mulher quebrando as costelas inferiores: Boa sorte.
Parentes quebrando as costelas inferiores: Uma amizade falsa está por perto.
Ter uma costela deslocada: As pessoas falam a seu respeito.
Parentes com costelas deslocadas: Infelicidade causada por parentes.
Ter costelas maiores do que o comum: Casamento feliz.
Marido que quebra as costelas: Bons negócios.
Esposa que quebra as costelas: Irá se divorciar.
Amigos com costelas quebradas: Acontecimento importante e muito benéfico a caminho.

Parentes com costelas quebradas: Não estão à altura de sua posição.
Membros da família com costelas quebradas: O dinheiro virá com facilidade durante a vida.
Filhos com costelas quebradas: Discórdia no casamento.
Ter costelas fortes: Será feliz no casamento.

COSTURAR

Costurar: Grande felicidade.
Costurar para os filhos: Alegria.
Costurar para o marido: Recursos abundantes.
Costurar para a casa: Bons resultados nos negócios.
Costurar roupas para si mesma: Desonra.
Modelar novas roupas: Terá paz no lar.
Outras pessoas costurando: Prazer e saúde.
Inimigos costurando: Pobreza.
Filha costurando: Noivado em breve será anunciado.
Um alfaiate costurando: Receberá notícias do exterior.
Uma costureira cosendo: Morte de uma criança.

COTOVELO

Ter belos cotovelos: Bons tempos virão.
Estar com os cotovelos sujos: Passará miséria.
Ter uma dor no cotovelo: Enfrentará dificuldades.
Crianças com dor no cotovelo: Tenha cautela nos empreendimentos comerciais.

COTOVIA

Uma cotovia: Terá vida longa.
Uma cotovia cantando, cheia de satisfação: Você tem uma amizade leal.
Uma cotovia em gaiola: Fracasso de seus planos.
Uma cotovia morta: Alguém procura destruir você.

COURO

Uma loja de couro: Fracasso dos inimigos.
Comprar couro: Felicidade na família.
Trabalhar com couro: Ganhos financeiros.
Vender objetos de couro: Sorte e prosperidade.
Dar um presente feito de couro: Brigas de família.
Receber uma bolsa de couro de presente: A decepção é certa.
Ter um arreio, bolsa, ou correia de couro: Ganhos financeiros.

COUVE

Comer couve: Subsistência incerta.
Comprar couve: Boa saúde e vida longa.

Ferver couve: Trabalho adequado e boas notícias.
Plantar couve: Tenha cautela nos negócios.
Fazer uma salada de couve: Recursos abundantes.

COUVE-FLOR
Couve-flor: Boa saúde e vida doméstica confortável.
Comer couve-flor: Alegria e honrarias.
Plantar couve-flor: Traição de um amigo.
Comprar couve-flor. Terá boa saúde.

COVA (buraco)
Uma cova: Terá uma bela pele.
Entrar em uma cova funda: Haverá queda nos negócios.
Descer a uma cova rasa: Declínio nos assuntos sentimentais.
Cair em uma cova: Indiferença e frieza ao amor.
Machucar-se em uma cova: Encontrará dificuldades.
Ser forçado a descer a uma cova: Arriscará a fortuna e a saúde.
Cair em uma cova e machucar-se: Grande tristeza e infortúnio.
Caminhar sozinho e cair em uma cova: Escapará ao perigo.
Outras pessoas em uma cova: Fracasso nos negócios.
Muitas pessoas mortas em uma cova: Os inimigos tentarão destruí-lo.

COVEIRO
A sala de uma funerária: Receberá aviso de casamento.
Um coveiro retirando um cadáver da casa: Felicidade.
Um coveiro preparando o corpo para o funeral: Terá um prejuízo.
Ir à agência funerária: Terá vida longa.
Ser coveiro: Morte de um parente.

COZIDO
Um cozido: Grandes ganhos financeiros.
Comprar carne para um cozido: Receberá muitos presentes.
Preparar um cozido: Receberá grande quantia em dinheiro.
Comer cozido: Receberá um presente de seu namorado.
Servir cozido a outras pessoas: Sofrerá intenso pesar.

COZINHA
Uma cozinha: Estará sujeito a fofocas e maledicência.
Uma cozinha sem apetrechos: Conte com dinheiro para breve.
Uma cozinha desarrumada: Receberá notícias de longe.
Uma cozinha muito arrumada: Chegada de pessoa amiga.
Um fogo aceso na cozinha: Ocorrerão mudanças entre seus empregados.
Um fogão a gás na cozinha: Miséria.

Um fogão a lenha na cozinha: Infortúnio nos negócios.
Preparar refeição na cozinha: Logo se divorciará.
Outras pessoas preparando refeição na cozinha: Fofocas.
Um cozinheiro preparando refeições: Receberá convite para jantar.

COZINHAR

Cozinhar: O divórcio virá em breve.
Um homem cozinhando: Será convidado a uma festa.
Uma mulher cozinhando: Cuidado com a traição.
Outras pessoas cozinhando: Terá benefícios dentro de pouco tempo.
Diversas pessoas cozinhando ao mesmo tempo: Êxito no amor.

COZINHAR AO FORNO

Uma mulher casada sonhando que cozinha ao forno: Aguarde acontecimentos infelizes.
Uma mulher solteira sonhando que cozinha ao forno: Perda de amigos por causa do mau gênio.
Uma viúva sonhando que cozinha ao forno: Conta demais com favores.
Um homem sonhando que cozinha ao forno: Terá muito dinheiro.

COZINHEIRO

Ser um cozinheiro: Pobreza.
Ser o cozinheiro de um restaurante: Será enganado por amigos.
Um cozinheiro: Você conta demais com favores.
Uma cozinheira: Terá uma grande alegria.
Uma moça que é cozinheira: Logo ficará noiva.

CRÂNIO

Um crânio: O noivado será logo anunciado.
Um crânio em um museu: Receberá dinheiro.
O crânio de um antepassado: Fará bons negócios.
O crânio de animais: Dificuldades domésticas surgirão.

CRAVO-DE-DEFUNTO

Essa flor: Você terá sorte.
Colher cravos-de-defunto: Dinheiro inesperado.
Receber um ramalhete de cravos-de-defunto: Contrairá dívidas.
Dar cravos-de-defunto a outras pessoas: Cuidado com más influências que estão agindo contra você.

CRAVOS (flor)

Cravos: A vaidade será satisfeita.
Cravos brancos: Êxito nos empreendimentos.
Cravos vermelhos: Brigas com pessoas amigas.
Cravos roxos: Êxito glorioso.
Cravos cor-de-carne: Grande amizade.
Cravos vermelho-azulados: Prosperidade por meio de outras pessoas.

CRECHE

Uma creche: Terá muitos filhos.
Estar em uma creche: As coisas não transcorrerão suavemente.
Criancinhas em uma creche: Perturbação no amor.
Trazer para casa, da creche, uma criancinha: Terá vida longa.

CREMAR

Ser cremado: Fracasso nos negócios, se seguir conselhos.
Soiicitar cremação ao morrer: Recursos abundantes.
Cremar um membro da família: Receberá um legado.
Outras pessoas sendo cremadas: Terá saúde de ferro.

CREPE

Uma pessoa vestida com crepe: Terá de suportar tristezas profundas.
Lidar com crepe: Brigas de pessoas que se amam, com possibilidade de separação.
Uma viúva vestida com crepe: Terá uma vida feliz.

CREPÚSCULO

Estar no crepúsculo: Terá de lutar contra circunstâncias adversas.
Outras pessoas no crepúsculo: Ligeira dificuldade à frente.
Parentes no crepúsculo: Receberá dinheiro.

CRESCER

Crescer: Será uma pessoa importante.
Ser adulto: Honraria.
Coisas boas crescendo: Riqueza.
Crianças crescendo: Felicidade.

CRIADA

Uma moça sonhando que será uma criada: Decepção no amor.
Uma mulher casada sonhando que é criada: Uma amizade falsa por perto.
Mulher idosa sonhando que é uma criada: Terá muitos rendimentos.
Ser uma criada: Obstáculos insuperáveis à frente.
Ter diversas criadas: Prosperidade.
Casar-se com uma criada: Seu chefe se apaixonará por você.

CRIADO

Um criado: Enfrentará trabalho pesado.
Ser um criado: Questões legais serão trazidas a seu conhecimento.
Diversos criados: Terá de enfrentar valentões.
O criado de um inimigo: As coisas transcorrerão como planejado.

CRIADO, VALETE

Um valete: Será enganado por amigos.
Ser um valete: Alguém mal-intencionado o observa.

Ter um valete: Logo ocorrerá uma mudança em sua vida.
Despedir um criado: Dificuldades inesperadas.

CRIANÇAS

Crianças: Uma mulher logo engravidará.
Diversas crianças: Terá fartura na vida.
Criancinhas: Decepção e tristeza.
Crianças bonitas: Carreira feliz e bem-sucedida.
Crianças brincando: Bons atos trarão resultado.
Crianças caindo: Prejuízos nos negócios.
Ter muitos filhos: Êxito nos negócios.
Adotar crianças: Seus filhos legítimos não gostarão dos seus filhos adotivos.
Crianças sendo mortas: Miséria causada pelos pais.
Falar com os próprios filhos: Prejuízos nos negócios.
Crianças que adoecem: Obstáculos à frente.
Uma criança aleijada: Surgirão dificuldades.
Crianças estudando: Você se divertirá muitíssimo.
Uma mãe segurando o filho no peito: A criança não será saudável.
Uma criança com sua babá: A mãe terá outro filho.
Homem sonhando que está com o filho: Riqueza.

CRIANCINHA

Uma criancinha: Terá surpresas agradáveis.
Uma criancinha indefesa: Aviso de dificuldades que se aproximam.
Uma criancinha linda: Paz e alegria.
Um recém-nascido de fraldas: Bons acontecimentos virão.
Uma criancinha sendo aleitada: Doença por um bom tempo.
Uma ama-de-leite aleitando seus filhinhos: Cuidado com ameaças.
A criancinha filha de outra pessoa: Infelicidade nos assuntos sentimentais.

CRIME

Um crime sendo cometido: Outra pessoa desfruta daquilo que você desejava.
Ser apanhado cometendo um crime: Estará diante de uma grande tentação.
Outras pessoas cometendo um crime: Perigo causado por um segredo.

CRIMINOSO

Um criminoso: Enfrentará dificuldades.
Ser um criminoso: Brigas de família.
Um criminoso que é preso: Haverá uma grande catástrofe.
Um criminoso sendo executado: Triunfo sobre os inimigos.

CRISMAR

Comparecer a uma crisma: Concretizará suas esperanças e desejos.
Membro da família sendo crismado: Uma nova vida à frente.
O filho de uma pessoa amiga sendo crismado: Contentamento.
Uma senhora sonhando com uma crisma: Em breve se casará.

CRISTAL

Comprar cristal: Brevemente receberá alguns presentes.
Ter cristal: Mudança para melhor.
Ganhar cristal de presente: A felicidade está assegurada.

CRISTO

O nascimento de Cristo: Terá paz, alegria e contentamento.
Cristo no Jardim do Éden: Terá grande riqueza.
Cristo no Templo: Os esforços serão recompensados.
Cristo sendo crucificado: Os inimigos serão derrotados.
Ressurreição de Cristo: Terá boas esperanças na vida.
Falar com Cristo: Receberá grande consolo.

CROCHÊ

Fazer crochê: Dificuldades causadas por sua intromissão em assuntos alheios.
A namorada fazendo crochê: Você é muito ambicioso.
Outras pessoas fazendo crochê: Haverá uma mudança de ambiente.

CROCO (flor)

Essa flor: Tempo propício para paquerar.
Um croco: Evite os rivais.
Receber um ramalhete de crocos: Boa sorte para alguém de quem você gosta.
Dar um ramalhete de crocos: Terá sorte em tudo.

CROCODILO

Um crocodilo: Você está sob o poder de pessoas falsas.
Matar um crocodilo: Aviso de dificuldades.
Muitos crocodilos: Grande catástrofe o atingirá.

CRU

Ovos crus: Receberá substancial quantia em dinheiro.
Carne crua: Coisas desagradáveis.
Legumes crus: Receberá boas notícias.
Carne crua de aves: Fartura.
Peixe cru: Felicidade.
Comer carne crua: Infelicidade no amor.
Comer legumes crus: Mudança nos assuntos sentimentais.
Comer ovos crus: Terá um novo amor.
Uma moça sonhando que come carne crua: Será pedida em casa mento.

Carne crua em um açougue: Uma pessoa amiga gostaria de tornar-se seu amor.

CRUCIFIXO

Um crucifixo: Será envolvido em dificuldades com outras pessoas.
Ter um crucifixo: Alcançará grande felicidade.
Orar a um crucifixo: Receberá grandes honrarias.

CRUEL

Ser cruel com os outros: Alguém, perto de você, necessita de auxílio.
Outras pessoas sendo cruéis com você: Receberá boas notícias.
Outras pessoas fazendo uma crueldade: Infelicidade em tudo.

CRUZ

Uma cruz: Aviso de dificuldade.
Ter uma cruz aos pés: Passará por tristeza.
Uma cruz sobre sepultura: Você precisa de ajuda.
Usar uma cruz: Terá a proteção de pessoas amigas.
Outras pessoas usando uma cruz: Ficará na miséria.
Uma cruz na igreja: Grande alegria.
Orar sobre uma cruz: Terá os desejos atendidos.

CRUZ-DE-MALTA

Ser um oficial condecorado com a cruz-de-malta: Você tem amigos leais.
Receber essa honra: Terá boa sorte, pelo seu próprio mérito.
Um civil que recebe a cruz-de-malta: Sorte e prosperidade.

CUCO

Um cuco cantando: Infortúnio no amor.
Um cuco gritando: Alegria e saúde.
Muitos cucos: Aguarde por acontecimentos importantes e benéficos.

CULPADO

Ser culpado: Terá de suportar reviravoltas.
Outras pessoas culpadas: Traição.
Marido, esposa ou pessoa amada sendo culpado: Receberá herança de uma velha senhora.
Inimigos sendo culpados: Morte de um membro da família.

CUME

Um cume muito alto: Algo lhe será roubado.
Escalar um cume muito alto: Lucro.
Colocar bandeira sobre um cume: Prosperidade.
Comemorar, com outros, a chegada ao cume: Negócios malsucedidos.
Descer, ileso, de um cume muito elevado: Contrairá uma doença.

CÚMPLICE

Ter um cúmplice com você: Será culpado por atos impensados.

Ter um bom cúmplice: Logo ocorrerá uma modificação na sua vida.

Fazer coisas erradas junto com um cúmplice: Sofrimento causado por sua própria insensatez.

Diversos cúmplices: Uma amizade falsa está por perto.

CUNHADA

Uma cunhada: Brigas de família.

Ter uma cunhada: Vantagens para a família.

Uma cunhada que morre: Terá desejos agradáveis.

Casar-se com a cunhada: Fofocas por parte de pessoas da sociedade.

Ter muitas cunhadas: Seu marido engana você.

CUNHADO

Um cunhado: Os parentes estão tirando vantagens de você.

Casar-se com um cunhado: Você se restabelecerá de uma doença.

Flertar com um cunhado: Fracasso dos inimigos.

Ter diversos cunhados: Ganhos financeiros.

CUPIDO

Cupido: Receberá tristes notícias.

Diversos cupidos: Encontrará um tesouro escondido.

Vênus dando Cupido à luz: Doença ou morte.

CURA

Um cura: Decepção no amor.

Estar com um cura: Receberá posição de destaque.

Muitos curas: Receberá uma carta do exterior.

Confessar-se com um cura: Receberá notícias desagradáveis.

CURADOR

Um curador: Danos serão causados por uma pessoa má.

Ser um curador: Alívio dos sofrimentos.

Ser o curador de um caso de falência: Um amigo fiel está por perto.

CURINGA

Curinga utilizado no jogo de cartas: Momento propício para paquerar.

Curinga que não é usado nas cartas de jogar: Perderá dinheiro.

CURIOSIDADE

Curiosidade: Aflição e sofrimento.

Ter curiosidade pelo jogo: Desfrutará prazeres na vida social.

Ter curiosidade por uma loteria: Traição.

Ter curiosidade pela ciência: Prepare-se para tempos difíceis.

Homem casado curioso em relação a outra mulher: Boas perspectivas.

Um homem casado curioso em relação a outro homem: Muitas fofocas.
Pessoas solteiras curiosas pelo sexo oposto: Desalento.
Outras pessoas que ficam curiosas: Perda de uma iniciativa.
Estar curioso a respeito de uma pessoa presunçosa: Arrogância ridícula.

CURRAL

Um curral: Doença.
Trabalhar em um curral: Boa sorte no futuro.
Estar em um curral: Ingratidão por bons atos.
Um curral movimentado: Terá um caso de amor passageiro.

CUSPIR

Cuspir: Será enganado.
Cuspir sangue: Fofocas.
Cuspir no rosto de alguém: Ganhará muito dinheiro em uma loteria.
Outras pessoas que cospem em você: Terá o amor da família.
Crianças cuspindo umas nas outras: Crescerão bem comportadas.

D

DÁDIVA

Receber uma dádiva: Terá riqueza e será pedido em casamento.

Receber uma dádiva de uma pessoa que você ama: Êxito e boa sorte.

Fazer uma dádiva: Má sorte.

Receber diversas dádivas: Cuidado com a pessoa de quem as recebe.

Fazer uma dádiva a parentes: Boas esperanças.

Receber uma dádiva de pessoa importante: Receberá muitas honrarias.

Receber dádivas dos parentes: O êxito virá mais tarde.

Receber uma dádiva de pessoas amigas, no Natal: Traição.

Receber uma dádiva dos parentes na época do Natal: Terá muitos admiradores.

Receber dádiva de um filho: Adversidade.

Receber dádiva de uma filha: Oposição.

Receber dádiva de uma mulher: Grande amizade.

Receber dádiva de um homem: Sua sorte vai mudar.

Receber um anel como dádiva: Você se casará com uma pessoa rica.

DADOS

Jogar com dados: A sorte mudará.

Ganhar em jogo de dados: Receberá uma herança.

Perder em um jogo de dados: Prejuízo, causado pela especulação.

Outras pessoas ganhando em um jogo de dados: Recuperação de prejuízo em dinheiro.

Outras pessoas que roubam no jogo de dados: Recursos abundantes.

DÁLIA

Uma dália: Será muito feliz com a pessoa amada.

Muitas dálias em um jardim: Evite os rivais.

Ter dálias em uma jarra, em casa: As questões financeiras melhorarão.

DAMA DE HONRA

Ser uma dama de honra: Grande decepção.
Diversas damas de honra: Felicidade e vida longa.
Não ser uma dama de honra: Perigo causado por um segredo.
Amigas que são damas de honra: Infelicidade nos assuntos amorosos.

DAMAS

Uma dama: Fofocas em seu lar.
Diversas damas: Calúnia.
Uma bela dama: Fraqueza.
Muitas damas bonitas: Acusações falsas.
Uma dama bela, loura, de cabelos compridos: Acontecimentos felizes.
Uma dama bela, de cabelos negros e compridos: Doença.
Ouvir a voz de uma dama, sem vê-la: Partida de quem está sonhando.
Uma reunião de damas: Realizará altas ambições.
Damas em uma festa: Terá vida longa.
Uma dama da corte: Vaidade.
Uma dama jogando: Ficará sem dinheiro.
Uma dama de alta classe dando cartas: Você cometeu erros em cifras.
Estar em companhia de uma dama: Fofocas.
Uma dama que se queima no fogo: Infelicidade.
Salvar uma dama de incêndio: Doenças.

DAMASCO

Ir a Damasco: Receberá um legado.
Vir de Damasco: Receberá dinheiro inesperado.
Comprar seda de Damasco: Terá muitas amizades.
Ter seda de Damasco com estampado de flores: Riqueza.
Ter rosas roxas de Damasco: Haverá uma grande expansão de seus negócios.

DANÇAR

Dançar: Êxito no amor.
Outras pessoas dançando: Grande êxito nos negócios.
Criancinhas dançando: Muita alegria e um lar feliz.
Ver pessoas amigas dançando: Boas notícias referentes a uma amizade.
Ver outras pessoas dançando: Receberá boas notícias.
Dançar passos complicados: Grande prosperidade.
Dançar com grande graça: Êxito nas iniciativas.
Dançar diante de pessoas doentes: Mudança para melhor.
Dançar em corda bamba: Alegria e filhos amorosos.

DAR DESCARGA

Dar descarga no banheiro: Cuidado com fofocas causadas pelo despeito.

DEBILIDADE MENTAL

Estar débil: Terá vida longa.
Ser sempre débil: Precisa respirar fundo, por falta de ar.
Outras pessoas que são débeis: Você está procurando dinheiro.
Crianças que são débeis: Ganhos financeiros.

DEBULHAR

Debulhar milho: Você confia demais nas pessoas.

DECAPITAR

Ser decapitado: Realização completa dos negócios comerciais.
Ser decapitado por guilhotina: Terá vida muito fácil.
Ser decapitado por assassinos: Perda de propriedade imobiliária.
Homens de negócios sonhando que são decapitados: Felicidades.
Assassinos sendo decapitados: Será ferido e morrerá.
Inimigos sendo decapitados: Realizará os desejos atuais.

DECORAR

Decorar seu quarto: Prejuízo nos negócios.
Decorar uma casa: Perda de uma amizade.
Decorar uma janela: Tire vantagens das oportunidades.
Decorar uma vitrine: Mudança para melhor.
Decorar uma sepultura: Terá pouca alegria.

DECEPCIONAR

Estar decepcionado: Êxito em assuntos com os quais você sonha.
Decepcionar outras pessoas: Infortúnio nos assuntos amorosos.
Outra pessoa que se decepciona com você: Está sob o poder de pessoas falsas.
Pessoas amadas que se decepcionam: Perigo causado por um segredo.

DEDAL

Um dedal: Muita felicidade à frente.
Comprar um dedal: Não conseguirá emprego.
Uma mulher sonhando com dedal: Ganhará a própria vida.
Ter um dedal no dedo enquanto costura: A fortuna logo virá.
Perder um dedal: Enfrentará muitos problemas.
Apanhar um dedal emprestado: Muitas amizades tornarão feliz a sua vida.

DEDALEIRA (planta ornamental)

Ter dedaleira: Você não está à altura de sua posição.
Comprar dedaleira: Deveria corrigir seu modo de viver.
Receber um presente de dedaleira: Sorte e prosperidade.

DEDOS

Os dedos cobertos de anéis de ouro: Logo se casará.
Ter dores nos dedos: Grande alegria.
Dedos pálidos: Seu amor será retribuído.
Um dedo sangrando: Cuidado para não perder dinheiro.
Belos dedos: Fará muitas obras de caridade.
Cortar os dedos: Brigará com pessoas amigas.
Dedos decepados: Perda de amizades.
Cortar as unhas: Desonra.
Queimar os dedos: É invejado por muitas pessoas.
Ter dedos compridos: O casamento não durará muito tempo.
Ter dedos curtos: Herança.
Ter mais de cinco dedos: Fará novas amizades.
Ter menos de cinco dedos: Alegria e amor.
Quebrar os dedos: Fará um bom casamento.
O dedo indicador: Não conte demais com favores.
Apontar para pessoas com o dedo indicador: Deve contar com seus próprios recursos.
Outras pessoas lhe apontando o dedo indicador: Terá muito o que aprender.

DEDUZIR (abater)

Deduzir coisas valiosas: Bons resultados nos negócios.
Deduzir dinheiro de contas que deve: Logo haverá uma discussão em família.
Outras pessoas deduzindo dinheiro de contas que lhe devem: Ajude alguém que precisa de dinheiro.
Deduzir contas de modo ilegal: Possuirá uma grande fortuna.

DEFENDER

Defender-se: Você tem uma amizade leal.
Outras pessoas que se defendem: Será ofendido.
Não conseguir defender-se: Terá vida longa.
Defender os parentes: Aguarde acontecimento importante e benéfico.
Defender os filhos: Sorte e prosperidade.

DEFORMAR

Ser deformado: Vergonha e tristeza.
Outras pessoas que são deformadas: Cuidado com falsas aparências.
Crianças deformadas: Pequena discórdia em família.
Parentes que são deformados: Esteja atento a fofocas maledicentes.
Uma moça que sonha ser deformada: Romperá o noivado.

DEGELO

Algo degelado: Será vítima de dificuldades imprevistas.

Estar com outras pessoas durante um degelo: Ex-adversário se tornará seu amigo.
Comida congelada e que degela: Perigo, causado por um segredo.
Gelo degelado: Será enganado por amigos.

DEGRAUS

Degraus: Possuirá uma grande fortuna.
Degraus de mármore: Será obrigado a fazer algo contra a vontade.
Subir degraus: Fortuna.
Descer degraus: Será condenado por negligência.

DEGRAU NA PORTA

Subir pelos degraus de uma porta: Grande êxito.
Descer os degraus de uma porta: Receberá boas notícias.
Os degraus na porta de sua casa: Terá vida longa.
Os degraus na porta da casa de um vizinho: Será enganado.

DEIXADO (abandonado)

Ser deixado por alguém: Precisa controlar suas paixões.
Ser deixado por uma pessoa que você ama: Enfrentará trabalho pesado.
Deixar alguém: Sentirá tristeza.
Ser deixado sem qualquer motivo: Notícia da morte de uma pessoa amiga.
Ter deixado a casa: Prosperará nos negócios.
Ter deixado a família: Desonra e humilhação.
Ter deixado os filhos: Sofrerá ação judicial.
Crianças deixadas por outras pessoas: Bons negócios.
Ser deixado por uma mulher: Grande êxito na vida.

DELEITE

Deleitar-se: Felicidade excessiva.
Outras pessoas deleitando-se: Problemas em casa e preocupações nos negócios serão inevitáveis.
Parentes que se deleitam: Triunfo sobre os inimigos.
Filhos que se deleitam: Ganhos financeiros.

DELÍRIO

Estar delirando: Perigo causado por um segredo.
Outras pessoas delirando: Uma pessoa amiga procura ajudá-lo em segredo.
Parentes que deliram: Precisa controlar suas paixões.
Filhos que deliram: Dinheiro chegando.

DEMENTE

Estar demente: Grande benefício financeiro.
Parentes dementes: Vida longa.
Amigos dementes: Infelicidade.

Outros que são dementes: Êxito em seus planos.
Fazendo algo que indica demência: Grandes brigas.
Uma mulher sonhando que é demente: Enviuvará.
Um homem sonhando que é demente: Ele se divorciará.
Uma moça sonhando que é demente: Fará um casamento feliz.
Mulher divorciada sonhando que é alienada: Terá uma criança.
Uma moça solteira sonhando que é demente: Seu filho alcançará posição de destaque.

DEMISSÃO

Entregar sua própria demissão: Estima pública.
Outras pessoas entregando sua demissão: Melhoria em futuro próximo.
Marido que entrega sua demissão: Dinheiro recebido por questões legais.
Amigos que entregam sua demissão: Terá discussões desagradáveis.
Ser informado da demissão de um inimigo: Discussões sobre a demissão.

DEMITIR

Ter sido demitido do cargo: Melhoria da situação.
Demitir um empregado: A decepção é inevitável.
Outras pessoas que foram demitidas: Um mistério será solucionado.

DEMOCRACIA

Uma democracia: Perigo de incêndio.
Pertencer a uma democracia: Falsas amizades por perto.
Formar uma democracia: Terá vida longa.
Pertencer a um partido democrático: Vencerá uma ação judicial.

DEMOLIR

Demolir: As pessoas falam contra você.
Uma casa que é demolida: Terá sucesso em seus empreendimentos.
Uma edificação que é demolida: Será acusado de transgressões.
Pessoa demolindo maquinaria: Logo receberá dinheiro.

DEMÔNIO

Um demônio: Viagem e prosperidade.
Uma moça sonhando com um demônio: Logo se realizará um casamento feliz.
Pessoas casadas sonhando com um demônio: Felicidade e casamento duradouro.
Ser levado por um demônio: Haverá um grande desastre.
Um rapaz sonhando com um demônio: Seu noivado está para acontecer.

DENTE

Dentes: Tenha cuidado com a saúde.

Dentes brancos: Um desejo será realizado.
Um dente de ouro: Corrupção e tristeza.
Um dente de qualquer outro metal: Humilhação.
Dente infeccionado: Precisa dar muitas explicações a outras pessoas.
Ter dentes negros: Doença de parente.
Ter dentes sujos: Prosperidade.
Não escovar os dentes: Amigos fiéis.
Escovar os dentes de crianças: Apanhará dinheiro emprestado com os parentes.
Dentes que se movem: Aflição causada por amigos.
Extrair dentes: Prejuízos financeiros.
Extrair um siso: Morte de seu pai.
Extrair dentes de criança: Alegria sem ganho.
Ser um dentista que extrai dentes: Ganhará dinheiro.
Dentes que caem: Morte.
Perder dentes em uma briga: Perda de um parente.
Perder os dentes de leite: Morte de sua mãe.
Perder os dentes da frente: Doença das crianças.
Perder dentes por levar socos: Infortúnio repentino.
Um dente que cresce para dentro: Receberá notícias de uma morte.
Um dente mais comprido do que os demais: Aflição dos parentes.
Dentes brancos e perfeitamente retos: Felicidade pelo resto da vida.
Escovar os dentes: Miséria.
Limpar os dentes em um dentista: Emprestará dinheiro a vizinhos.
Ter dentes grandes: Você sofrerá com a falta de dinheiro.
Dentes de crianças: Brigas de família.
Dente de uma pessoa que você ama: Ação judicial por causa de uma herança.
Dentes de pessoa amiga: Receberá boas notícias de parentes que estão longe.

DENTE-DE-LEÃO (flor)

Dentes-de-leão: Felicidade nos assuntos sentimentais.
Colher muitos dentes-de-leão: Terá muita felicidade nos assuntos sentimentais.
Comprar dentes-de-leão: Será convidado a uma festa.
Plantar dentes-de-leão: Grande alegria.

DENTISTA

Estar em uma cadeira de dentista: Terá motivos para pôr em dúvida a sinceridade dos amigos.
Outras pessoas em uma cadeira de dentista: Os sócios não são sinceros.
Crianças em uma cadeira de dentista: Ouvirá mentiras sobre uma pessoa amiga.

Amigos em uma cadeira de dentista: Infortúnio nos assuntos amorosos.

DEPLORAR

Deplorar: Bom futuro.
Deplorar a situação atual: Terá vida longa.
Deplorar transgressões que cometeu: Terá felicidade no amor.
Deplorar o primeiro amor: Conhecerá uma pessoa rica e honrada.
Deplorar transgressões nos negócios: Dificuldades no lar.

DEPOIMENTO

Prestar depoimento: As pessoas o honrarão.
Receber um depoimento: Triunfo sobre os inimigos.
O depoimento de outras pessoas, esclarecendo algum fato: Dignidade e distinção.
Prestar depoimento em favor de pessoa amiga: Em breve receberá dinheiro.

DEPOR EM JUÍZO

Depor sob juramento: Acontecimentos importantes e muito benéficos a caminho.
Depor a seu próprio favor: Bons tempos virão.
Depor a favor de outras pessoas: Você se sairá bem de um perigo atual.
Depor contra outras pessoas: Tenha cautela em todos os negócios.

DEPÓSITO

Um depósito: Tomará conhecimento da morte violenta de um inimigo.
Ser funcionário de um depósito: Cuidado com os inimigos.
Receber artigos de um depósito: Será traído por amigos.
Dar artigos de um depósito: Terá pequenas discussões.
Um depósito cheio: Desastre em seus negócios.
Um depósito vazio: Depositará muito dinheiro no banco.

DERRAMAR

Derramar alguma coisa: Você tende ao egoísmo exagerado.
Derramar água: Felicidade.
Derramar vinho: Discussões de família.
Derramar outros líquidos: Pequena discórdia na família.
Derramar sangue: Prejuízo nos negócios.
Derramar comida: Uma pessoa amiga lhe recusará algo.

DESAFIO

Ser desafiado: Reconciliação com inimigos.
Desafiar alguém para um duelo: Morte imediata de um parente.
Desafiar alguém para uma luta de boxe: Será uma vergonha pública.
Outras pessoas desafiando você: Seja prudente no futuro.

DESAGRADAR

Desagradar-se de alguém. Pesar.
Alguém a quem você desagrada: Terá preocupações.
Outros a quem você desagrada, sem que se importe: Terá recursos abundantes.
Outras pessoas a quem você desagrada: As dificuldades serão superadas.
Um membro da família que faz algo que o desagrada: A felicidade está assegurada.

DESAGRAVAR

Desagravar reclamações: Logo receberá boas notícias.

DESAJEITADO

Ser desajeitado: Vencerá as dificuldades nos negócios.
Empregados desajeitados: Não faça tantas confidências aos parentes.
Filhos desajeitados: Receberá boas notícias.
Outras pessoas que se mostram desajeitadas: Bons resultados nos assuntos sentimentais.

DESALENTAR

Desalento: Sorte e prosperidade.
Estar desalentado: Felicidade no lar.
Não estar desalentado: Recursos abundantes.
Outra pessoa desalentada: Haverá uma mudança para melhor.

DESAMARRAR

Desamarrar coisas: Muito trabalho à frente.
Desamarrar um prisioneiro: Acontecimentos inesperados.
Desatar nós de uma corda: Segredos serão revelados.
Desamarrar um cão: Um casamento será realizado.
Desamarrar um cavalo: Amigos fiéis estão por perto.

DESAPARECER

Desaparecer: Algo lhe será roubado.
Perceber que coisas desapareceram: Terá grande lucro.
Marido ou mulher que desaparece: Terá vida feliz.
Dinheiro ou jóias que desaparecem: O dinheiro virá com facilidade.
Amigos que desaparecem: Doença na família.

DESAPROVAR

Desaprovar: Discordâncias na família causarão dificuldades.
Outras pessoas desaprovando: Estará envolvido em um acidente de automóvel.
Desaprovar as opiniões alheias: Honrarias e desaprovação.
Receber desaprovação da família: Desfrutará bons resultados nos negócios.

DESARMAR

Estar desarmado: Dignidade.

Desarmar ladrões: Outro pertence seu será roubado.

Desarmar um membro da família: Êxito nos empreendimentos.

Desarmar amigos: Logo terá uma família maior.

Desarmar inimigos: Enfrentará dificuldades financeiras por muito tempo.

DESASTRE

Estar em um desastre: Obterá bons ganhos.

Outras pessoas em um desastre: Evite os rivais.

Uma mulher sonhando com um desastre: Tempo adequado para levar à frente suas iniciativas.

Um homem sonhando com um desastre: Bons tempos virão.

DESCALÇO

Um homem que anda descalço: O êxito virá mais tarde.

Uma mulher que anda descalça: Ela jamais terá um amor duradouro em toda a sua vida.

Filhos que andam descalços: Vergonha e tristeza.

Apenas os pés descalços: Conte com dificuldades e problemas.

Pés e pernas à mostra até os joelhos: Desonra na vida social.

Pés e pernas à mostra até às coxas: Passará um período na prisão.

DESCANSO

Descansar: Boa sorte no esporte.

Outras pessoas descansando: Adquirirá uma nova casa.

Parentes descansando: As coisas estão retrocedendo.

Filhos descansando: Felicidade nos assuntos familiares.

Amigos descansando: Receberá más notícias.

DESCASCAR

Descascar frutas: Morte de um parente.

Descascar legumes: Convidará pessoas amigas para o jantar.

Descascar ovos: Será visitado por uma pessoa que você ama.

Descascar a pele: Infelicidade.

DESCENDENTE

Descendente: Dias infelizes estão chegando.

Falar com um descendente: O êxito virá mais tarde.

Ser o primeiro na linhagem de descendentes: Brigas de família.

Os descendentes de outras pessoas: Terá vida longa.

DESCOBRIR

Estar descoberto: Riqueza e abundância.

Crianças descobertas: Infortúnio no amor familiar.

Pessoas amigas descobrindo-se: Abandonará o lar.

Marido e mulher vendo-se descobertos: Prosperidade nos negócios.

Descobrir comida: Receberá dinheiro.
Descobrir roupas: Infelicidade.

DESCOMEDIMENTO

Ser descomedido: Você deveria moderar os seus hábitos.
Demonstrar falta de moderação: bebendo em excesso: Enfrentará dificuldade.
Outras pessoas demonstrando falta de moderação, bebendo em excesso: Briga.

DESCONFIAR

Desconfiar de alguém: Harmonia entre amigos.
Outros que desconfiam de você: Contrairá uma grave doença.
Desconfiança entre marido e mulher: Vida longa e feliz.
Desconfiar de outros membros da família: Mudança para melhor.

DESCONHECIDO

Uma pessoa desconhecida: Glória na família.
Homem sonhando com pessoa desconhecida: Êxito nos negócios.
Homem sonhando com pessoa desconhecida e de pele escura: Altas honrarias.
Mulher sonhando com pessoas desconhecidas: Fará novos conhecimentos.
Mulher sonhando com pessoa desconhecida e de cabelos compridos: Grande amor.
Abraçar uma pessoa desconhecida: Fará uma longa viagem.
Um homem batendo em pessoa desconhecida com um bastão: Os novos empreendimentos comerciais valem a pena.
Uma mulher batendo em pessoa desconhecida com um bastão: Domínio sobre os homens.

DESCULPA

Receber uma desculpa: Felicidade no amor.
Receber desculpa dos filhos: Vencerá os inimigos.
Pedir desculpas a amigos: Retorno de uma amizade.
Receber desculpa de um amigo: Mudança de companhia.

DESEJAR

Ter um desejo: Receberá más notícias.
Desejar alguma coisa inatingível: Abundância.
Receber alguma coisa desejada: Desonra.
Desejar a esposa de outro: Cuidado para não se machucar nas situações que vão acontecer.
Desejar o marido de outra: Felicidade no novo amor.
Uma mulher que deseja ter filhos: Falta de cortesia das outras pessoas.
Desejar dinheiro: Prejuízo nos negócios.

DESEMBARQUE

Desembarcar de um navio: Má sorte.
Desembarcar de um aeroplano: Esteja de sobreaviso contra traição.
Outras pessoas desembarcando: Uma amizade falsa está por perto.
Parentes que desembarcam: Tenha cautela nos empreendimentos comerciais.
Uma personalidade importante que desembarca: Concretizará altas ambições.

DESENHAR

Desenhar: Receberá uma proposta e a rejeitará.
Desenhar um vestido: Descobrirá um segredo.
Fazer um desenho: Um inimigo procura causar malefícios.
Desenhar um plano: Estará envolvido em discussão.
Filhos desenhando figuras: Vencerá uma ação judicial.

DESERDAR

Ser deserdado: Sofrerá prejuízo sério.
Deserdar um parente: Obterá bons ganhos.
Outros que são deserdados: Mudança em seu ambiente.

DESERTAR

Desertar de alguma coisa que lhe é cara: Fracasso dos inimigos.
Desertar do Exército: Infelicidade no amor.
Outros que desertam: Terá muita afeição.

DESERTO

Viajar por um deserto: Vergonha e tristeza.
Cruzar o deserto em uma tempestade de areia: Dificuldades em um plano que lhe é caro.
Atravessar um deserto com mau tempo: Será enganado por pessoas amigas.
Atravessar um deserto na companhia de outros: Harmonia entre amigos.
Outras pessoas atravessando um deserto: Aviso de problemas.

DESFIGURAR

Ser desfigurado: Felicidade inesperada.
Outras pessoas desfiguradas: Será enganado por amigos.
Parentes desfigurados: Sorte e prosperidade.
Desfigurar uma pessoa que você ama: Você tem um amigo fiel.

DESFILE DE CARROS ALEGÓRICOS

Um desfile de carros alegóricos: Você não deve julgar pelas aparências.
Assistir a um desfile de carros alegóricos: Não dê atenção a outras coisas.
Filhos presentes a um desfile de carros alegóricos: Felicidade.

Amigos presentes a um desfile de carros alegóricos: Você está sendo enganado.
Inimigos em um desfile de carros alegóricos: Infortúnio nos negócios.

DESFORRAR

Procurar desforra: Tempos de aflição estão chegando.
Procurar desforra contra um homem: Humilhação.
Procurar desforra contra uma mulher: Você é considerado muito grosseiro.
Procurar desforra contra a família: Pequenas discussões encerradas.
Procurar desforra contra parentes: Brigas.
Procurar desforra contra amigos: Dinheiro chegando.
Procurar desforra contra inimigos: Um rival roubará o afeto do namorado.

DESFRUTAR

Desfrutar seu próprio bom ânimo: Harmonia entre amigos.
Outros se divertindo: Sua felicidade está assegurada.
Desfrutar um casamento: Enfrentará dificuldades e decepções.

DESGRAÇA

Ter caído em desgraça: Harmonia entre amigos.
Outras pessoas em desgraça: Estão cercadas por inimigos.
Outra pessoa que causa sua desgraça: Enfrentará ação judicial movida por inimigos.
Parentes em desgraça: Trabalho pesado a caminho.
Filhos em desgraça: Bons tempos virão.

DESISTIR

Desistir: Você fala demais.
Outras pessoas que desistem: Um inimigo procura conciliação com você.
Marido e mulher desistindo: Ganhará a estima pública.
Amigos que desistem: Vencerá uma ação judicial.
Inimigos que desistem: Será cúmplice em uma transgressão.

DESLIZAMENTO DE TERRA

Um deslizamento de terra: Solidão e dificuldades.
Conserto de um deslizamento de terra: Descoberta de objetos valiosos que estavam perdidos.
Causar um deslizamento de terra: Triunfo sobre os inimigos.

DESLIZAR

Deslizar: Entrará em discussões ridículas.
Outras pessoas deslizando: Conforto.
Outras pessoas deslizando morro abaixo: Desconfie daqueles em quem tem confiança.

Pessoa amiga deslizando: Receberá notícias de um casamento.
Filhos deslizando: Eles crescerão normalmente e com saúde.

DESMAIAR
Você próprio desmaiando: Receberá coisas valiosas de pessoa desconhecida.
Outra pessoa desmaiando: Início de um amor.
Outras pessoas desmaiando: O êxito virá mais tarde.
Parentes desmaiando: Grandes brigas.
Um membro da família desmaiando: Há uma amizade falsa por perto.
Pessoa casada desmaiando: Será rica e próspera.
Crianças desmaiando: Infelicidade nos assuntos sentimentais.

DESMAIO
Ter tido um desmaio: Aviso de doença.
Sofrer ferimento por ter tido um desmaio: Concretização de suas esperanças em muito pouco tempo.

DESMASCARAR
Desmascarar a si próprio: Triunfo sobre os inimigos.
Desmascarar outra pessoa: Ficará vermelho de vergonha.
Desmascarar um gatuno: Doença e morte.
Desmascarar um inimigo na rua: Perderá tempo, sem compensação.

DESOBEDIENTE
Ter sido desobediente: Tem uma escolha difícil a fazer.
Filhos que são desobedientes: Noivado rápido.
Marido e mulher sendo desobedientes: Solidão e problemas à frente.
Outra pessoa sendo desobediente: Será acusado e terá uma grande briga.
Parentes que se mostram desobedientes: Mudança para melhor.

DESOLAÇÃO
Estar desolado: Notícia do casamento de pessoa amiga, que se realizará logo.
Sofrer desolação: Outra pessoa irá beneficiar-se de seus atos.
Outras pessoas sofrendo desolação: Há uma amizade leal por perto.

DESONESTO
Ser desonesto: Receberá um documento referente a seus próprios interesses.
Outra pessoa sendo desonesta: Está em poder de gente falsa.
Membros da família sendo desonestos: Infortúnio nos assuntos amorosos.
Outras pessoas agindo de modo desonesto: Passará por uma tentação.

DESONRA

Estar desonrado: Tristeza e acontecimentos infelizes em futuro próximo.
Ter sido desonrado: Grande escândalo pela frente.
Um parente que foi desonrado: Discórdia na família.
Outras pessoas que foram desonradas: Noivado rápido.

DESORDEIRO

Desordeiros: Algo seu será roubado.
Ser um desordeiro: Infelicidade.
Ter negócios com um desordeiro: Terá má conduta.
Desordeiro que faz chantagem com você: Possuirá riqueza.

DESORGANIZAÇÃO

Coisas desorganizadas: Não se arrisque nos negócios, em absoluto.
Desorganizar as coisas: Prazer vindo de uma amizade restabelecida.
Desorganização em sua própria vida: Cuidado com seus passos, principalmente em lugares altos.
Desorganização nos negócios: Os negócios darão uma guinada para pior.
Desorganização de outras pessoas: Triunfo sobre os inimigos.

DESPEDIDA

Despedir-se de alguém: Tenha cautela nos empreendimentos comerciais.
Despedir-se de parentes: Receberá notícias tristes.
Despedir-se dos filhos: As preocupações se dissiparão.
Outra pessoa despedindo-se de você: Precisa controlar suas paixões.
Marido e mulher despedindo-se: Há uma amizade falsa por perto.

DESPEITO

Sentir despeito: Discórdia entre amigos.
Sentir despeito dos parentes: Confie apenas em si próprio.
Sentir despeito dos amigos: Perderá em jogo de cartas.
Outras pessoas com despeito de você: Haverá escassez de mantimentos.

DESPENSA

Uma despensa: Outra pessoa desfruta daquilo que você desejava.
Pôr alimentos em uma despensa: Brigas de família.
Ter a despensa cheia: Sorte e prosperidade.
Estar com a despensa vazia: Um mistério será solucionado.

DESPERTAR

Ser despertado: Esteja atento a dificuldades que vão surgir.
Despertar a si próprio: Você obterá grande êxito nos negócios.
Despertar a família: Fracasso dos inimigos.
Despertar outras pessoas: Acontecimentos favoráveis virão.

DESPIR

Estar despido: Fofocas e maledicência causarão tristeza.
Despir-se: Encontrará a felicidade em pouco tempo.
Despir-se em lugar fechado: Um segredo será descoberto.
Despir-se na presença de outras pessoas: As pessoas estão falando mal de você nas suas costas.
Outras pessoas despindo-se: Será visitado pela pessoa amada.
Despir-se em casa alheia: Receberá muito dinheiro.
Despir-se em um quarto de hotel: Satisfação no amor.
Despir crianças: Aguarde acontecimentos agradáveis em sua vida.
Marido e mulher despindo-se no mesmo quarto: Os negócios irão mal.
Despir-se em público: Passará por aflição.
Outras pessoas que estão despidas: Chegada de um amigo.
Uma mulher de má fama despindo-se: Infelicidade.
Ser despido à força: Você receberá bons conselhos.

DESORDEM PÚBLICA

Uma desordem pública: Fracasso financeiro.
Participar de desordem pública: Infortúnio nos negócios.
Pessoas amigas participando de desordens públicas: Perseguição por um inimigo.
Inimigos que participem de uma desordem pública: Receberá dinheiro.
Parentes que participam de uma desordem pública: Morte de pessoa amiga.
Fim de uma desordem pública: Receberá grandes honrarias.

DESTROÇO

Um destroço na terra: Doença.
Um destroço no mar: Grande sofrimento.
Pedaços de um navio, após desastre: Perigo de morte.
Pessoas boiando sobre destroços após um desastre marítimo: Terá de suportar dificuldades antes de realizar seus desejos.
Pessoas sendo salvas de destroços: Perigo nas atividades comerciais.
Um destroço de automóvel: Desonra.
Morrer em meio a destroços de automóvel: Infelicidade na família.
Ferir-se em meio a destroços de automóvel: Alegria e lucro.
A família morta em meio a destroços de automóvel: Precisará de ajuda pública.
Amigos em meio a destroços de automóvel: Sofrerá humilhação.
Inimigos mortos, em meio a destroços: Felicidade.

DESTRUIÇÃO

Destruição: Infortúnio nos negócios.

Causar destruição em muitas coisas: Terá brigas com amigos.
Destruição causada pelo Exército: Pequenas brigas no futuro.
Outras pessoas causando destruição: Você tem desejos tolos.

DESTRUIR

Destruir alguma coisa: Vergonha e tristeza.
Outras pessoas destruindo coisas: Ocorrerá uma grande catástrofe.
Ter destruído algo: Aviso de dificuldades.
Alguém que destruiu suas coisas: Triunfo sobre os inimigos.

DETESTAR

Detestar alguma coisa: Recursos abundantes.
Detestar outras pessoas: Pesar.
Ser detestado pelos outros: Boa sorte para alguém que merece sua atenção.
Detestar determinada pessoa: Brigará com velha amizade.
Detestar um parente: Brigas de família.

DETETIVE

Ser interrogado por um detetive: Você tem um amigo fiel.
Outras pessoas em companhia de um detetive: Solidão e dificuldades.
Outras pessoas sendo levadas por um detetive: Morte de um inimigo.
Ser acusado por um detetive: Ganhos financeiros.

DEUS

Orar a Deus: Grande prosperidade.
Adorar a Deus: Doença.
Ouvir Deus que lhe fala: Alegria intensa.
Falar com Deus: Alegria e felicidade.
Deus passando os braços em torno de você: Receberá aquilo por que rezou.
Ver Deus frente a frente: Terá muita alegria.
Deus concedendo a você o que desejava: Concretizará altas ambições.

DEVOÇÃO

Rezar com devoção: Terá alegria e felicidade.
Outras pessoas rezando com devoção: Mudança para melhor.
Marido e mulher que são devotados um ao outro: A felicidade está assegurada.
Filhos que são devotados aos pais: Acontecimentos importantes e benéficos a caminho.

DEZEMBRO

O mês de dezembro, durante esse mês: Será feliz na vida.
O mês de dezembro, durante outros meses: Bons rendimentos financeiros.
Nascer em dezembro: Terá vida longa.

Nascer em 25 de dezembro: Terá bênçãos de Deus.
Filhos nascidos em dezembro: Êxito rápido na vida.

DIA DE AÇÃO DE GRAÇAS

O Dia de Ação de Graças: Terá boa saúde.
Toda família junta no Dia de Ação de Graças: Grande alegria à frente.
Estar sozinho no Dia de Ação de Graças: Receberá bênçãos de Deus.
Passar o Dia de Ação de Graças com outras pessoas que não são da família: Contentamento em seu coração.

DIA DE FINADOS

Dia de Finados: Terá boa saúde e bênçãos.
Visitar os túmulos de parentes no Dia de Finados: Êxito futuro, rápido e grande.
Enfeitar os túmulos no Dia de Finados: Desfrutará de segurança por muito tempo.
Comparecer à igreja no Dia de Finados: Receberá boas notícias, sem demora.

DIA DO TRABALHO

Dia do Trabalho: Contentamento no lar.
Estar em uma parada no Dia do Trabalho: Grande alegria à frente.
Trabalhar no Dia do Trabalho: Receberá boa quantia em dinheiro.
Trabalhadores lutando no Dia do Trabalho: Comerá mais do que de costume, no futuro.

DIABO

O diabo: Viagem e prosperidade.
Uma moça sonhando com o diabo: Um casamento feliz se realizará em breve.
Uma pessoa idosa e doente sonhando com o diabo: Os problemas virão.
Pessoa pobre sonhando com o diabo: Haverá uma grande catástrofe.
Crianças sonhando com Satanás: Doenças.
Diabo com chifre grande e cauda comprida: Infortúnio nos assuntos sentimentais.
Bater no diabo e vencê-lo: Triunfo sobre os inimigos.
Ter uma conversa com o diabo: Será enganado por amigos.
Lutar com o diabo: Você corre grande perigo.
Ser levado pelo diabo: Ocorrerá um grande desastre.
Ferir o diabo: Recursos abundantes.
Ser perseguido pelo diabo e conseguir fugir: Complicações legais.
Ver o diabo enquanto está rezando: Resistirá à tentação.

DIAMANTE

Diamante: Fracasso nos assuntos pessoais.
Ter diamantes: Negócios e especulações felizes.

Perder diamantes: Pobreza e falta de saúde.
Achar um diamante: A pessoa que você ama é boa.
Possuir muitos diamantes: Você obterá êxito e honrarias.
Outras pessoas usando diamantes: Obterá grande lucro.
Comprar diamantes: Sentirá tristeza.
Vender diamantes: Um grande desastre acontecerá.
Roubar diamantes: Terá grandes prejuízos nos negócios.
Diamantes falsos: Morte de um inimigo.

DIAS

O dia de seu aniversário: Terá vida curta.
Dia do santo de seu nome: Grande alegria e prazer.
Um feriado durante a semana: Grande fortuna.
Um feriado no domingo: Receberá dinheiro.
O dia de pagamento: Sofrerá uma injustiça.
Dia de eleição: Não fique desalentado, as dificuldades terminarão logo.

DICIONÁRIO

Consultar um dicionário: Triunfo sobre os inimigos.
Outras pessoas consultando um dicionário: Brigas e perda de uma amizade.
Crianças estudando com um dicionário: Sorte e prosperidade.
Comprar um dicionário: Mudança no ambiente.

DIETA

Dieta: Dissolução das esperanças.
Estar fraco de tanto fazer dieta: Perda de dinheiro.
Fazer dieta em demasia: Perigo de doença.
Outras pessoas que seguem dieta: Você tem um coração bondoso.
Amigos fazendo dieta: Surgirá uma ação judicial.

DIFICULDADE

Estar em grande dificuldade de qualquer tipo: Mudança para melhor.
Passar por dificuldades de ordem pessoal: Bons tempos virão.
Passar por dificuldades financeiras: Receberá dinheiro.
Ter dificuldades que trazem perigo: Grande felicidade.
Namorado passando por dificuldade: Será bondoso e agradável, com certeza.
Outras pessoas passando por uma dificuldade: Tudo correrá bem.
Parentes que passam dificuldade: A felicidade está assegurada.

DILIGÊNCIA (carruagem para transporte coletivo)

Conduzir uma diligência sozinho: Poderá ter dificuldades.

Conduzir uma diligência com outras pessoas: Cuidado com a traição.
Outras pessoas conduzindo uma diligência: Será enganado por amigos.

DILIGENTE
Ser diligente: Boa sorte.
Crianças que se mostram diligentes na escola: Sofrerá ofensas.
Empregadas que se mostram diligentes: Sofrerá um acidente na rua.
Ser diligente nas atividades pessoais: Receberá boas notícias.

DILÚVIO
Um dilúvio: Má sorte nos assuntos amorosos.
Outras pessoas em um dilúvio: Sofrerá um acidente em breve.
Perder a casa em um dilúvio: Sorte e prosperidade.
Colheitas perdidas em um dilúvio: Desastre financeiro à frente.

DINÂMICO
Tornar-se dinâmico: Logo será pedido em casamento.
Não conseguir tornar-se dinâmico: A decepção é certa.
Ter dificuldades em tornar-se aerodinâmico: Consolo e alegria.
Outros que se tornam dinâmicos: Receberá visita indesejada.

DINHEIRO
Ter dinheiro: Grandes ganhos financeiros.
Manusear dinheiro: Será enganado.
Cobrar dinheiro: Passará por pequenos vexames.
Pagar dinheiro: A prosperidade virá.
Receber dinheiro: Mudanças iminentes.
Achar dinheiro: Perigos e prejuízos comerciais.
Perder dinheiro: Êxito.
Contar dinheiro: Felicidade.
Juntar dinheiro: Receberá boas notícias.
Roubar dinheiro: Doença de longa duração.
Gastar dinheiro: Colocará seus planos sob o risco do fracasso.
Trocar dinheiro em notas de papel: Você é o culpado pelas dificuldades.
Trocar moeda de cobre: Má sorte.
Trocar moeda de níquel: Obstáculos à frente.
Manusear notas de dinheiro estrangeiro: Prejuízos financeiros.
Manusear moedas estrangeiras de ouro: Ganhos domésticos.
Manusear ação: Risco de fracasso.
Manusear cheques: Perigo.
Um cambista de dinheiro: Rece berá notícias desagradáveis.

DINTEL
Essa viga horizontal encobrindo uma abertura: Mudanças importantes.

Estar sob um dintel: Você se mudará para uma casa maior.
Colocar um dintel em uma superestrutura: Sorte e prosperidade.

DIPLOMA

Ter um diploma: Não obterá êxito.
Outras pessoas que têm diplomas: Estará diante de uma tentação.
Filhos com diploma: Terá vida longa.
Receber um diploma: Seus talentos estão sendo negligenciados.

DIRETOR

Ser um diretor: Receberá boas notícias.
Ser nomeado diretor: Vencerá uma ação judicial.
Ser diretor de uma companhia: Alegria e ganho.
Demitir-se do cargo de diretor: Humilhação.

DIRIGIR (veículo)

Dirigir: Descoberta de objetos valiosos que estavam perdidos.
Outras pessoas dirigindo: Conte com prejuízos financeiros.
Parente dirigindo: Dê ouvidos às sugestões dos amigos.
A pessoa amada dirigindo: Evite os rivais.

DISCIPLINA

Disciplina: Será repreendido.
Disciplinar outras pessoas: Ficará assustado com os acontecimentos que estão a caminho.
Ser disciplinado pelos outros: Será punido pela lei.
Disciplinar os filhos: Precisa ter mais cautela em seus atos.
Pessoas que ignoram a disciplina: Um inimigo deseja tornar-se novamente amigo.
Disciplinar prisioneiros: Será magoado pela maledicência.
Um chefe de disciplina: Você está fazendo planos relativos a um romance.
Ser o chefe de disciplina de uma prisão: Receberá bênçãos.
Ser o chefe de disciplina de uma universidade: Receberá altas honrarias.
Ser o chefe de disciplina da Polícia Militar: Terá brigas com os amigos.

DISCOS (musicais)

Comprar discos: Morte na família.
Vender discos: Ganhos financeiros.
Colocar discos para tocar: Uma amizade falsa está por perto.
Fazer gravações musicais: Desfrutará de atividades sociais.

DISCUSSÃO

Ter uma discussão: Aviso de dificuldades.
Discutir assuntos com alguém: Perigo por causa de um segredo.
Ouvir outras pessoas que travam discussão: Vergonha e tristeza.

Marido e mulher que travam uma discussão: Perigo de incêndio.
Discutir com a família: Dificuldades causadas por intromissão nas questões alheias.
Discutir com parentes: Terá de fazer um grande esforço durante um bom tempo.
Discutir com advogado: Enfrentará dificuldades.
Discutir com outras pessoas: Um inimigo trama sua ruína.

DISENTERIA

Ter disenteria: Receberá um presente caro.
Tomar remédio para a disenteria: Você terá um bom futuro.
Filhos com disenteria: Será convidado a um banquete.
Recuperar-se de disenteria: Receberá notícias de um casamento.
Toda a família com disenteria: Dificuldades no lar.

DISFARÇAR

Disfarçar-se: Passará por pequenas dificuldades.
Ter-se disfarçado: Fará viagem longa e mudará de residência.
Disfarçar-se com uma fantasia: Evite os rivais.
Outras pessoas disfarçadas: Triunfo sobre os inimigos.
Parentes com disfarce: Acontecimentos importantes e muito benéficos a caminho.

DISPUTAR

Ter uma disputa: Levará uma vida feliz.
Ter uma disputa com parentes: Os obstáculos serão evitados.
Ter uma disputa comercial: Descoberta de objetos valiosos que estavam perdidos.
Outras pessoas travando disputas: Bons tempos virão.

DISTÂNCIA

Estar a alguma distância da família: Ocorrerá uma grande catástrofe.
Estar a alguma distância do marido: Receberá boas notícias.
Estar a alguma distância da esposa: Outra pessoa está desfrutando daquilo que você desejava.
Amigos a distância: Terá uma decepção.
Outras pessoas em lugares distantes: Ocorrerá uma grande catástrofe.

DISTINTIVO

Um distintivo: Está sob observação para ser promovido.
Um distintivo que põem em você: Grande segurança.
Pôr um distintivo em outras pessoas: Aviso de dificuldades.
Pôr um distintivo em um policial: Reunião de família.
Inimigos usando distintivo: Traição e infidelidade.

DISTRAÇÃO (passatempo)

Desfrutar boa distração: Brigas em família.

Sair antes que a distração termine: Perderá uma boa oportunidade.

Sentir-se pouco à vontade em uma distração: Grande sorte e dinheiro à frente.

Gostar da distração: Pesar causado pela própria negligência.

Estar com outras pessoas em local de distração: Logo terá dinheiro.

Estar com parentes em local de distração: Alegria sem ganho.

DIVERTIMENTO

Divertir-se muitíssimo: Concretização rápida de suas esperanças.

Outras pessoas que se divertem: O dinheiro virá com facilidade durante a vida.

Estar em um divertimento com parentes: Felicidade em diversas questões.

Estar em um divertimento com os filhos: A decepção é certa.

Divertir-se com pessoas amigas: Mudança para melhor.

Divertir-se com uma pessoa importante: Honraria e felicidade.

DÍVIDAS

Pagar dívidas: Aguarde um acontecimento importante e muito benéfico.

Dever a outras pessoas: Você tem um bom coração.

Outras pessoas que resgatam dívidas com você: Você terá prejuízo.

Não ter intenções de pagar as dívidas: Ocorrerá uma catástrofe.

DIVIDIR

Dividir roupa: Perda de toda a fortuna.

Dividir veludo: Você oferecerá pouca resistência a uma aproximação.

Dividir propriedade: Morte de um parente.

DIVÓRCIO

Querer o divórcio: Felicidade no lar.

Ser divorciado: Segurança.

Obter o divórcio e receber pensão alimentícia: Prosperidade.

Parentes que se divorciam: Maledicência por parte de amigos.

Filhos que se divorciam: Terá uma grande alegria.

Pessoas amigas que se divorciam: Perigo causado por um segredo.

Inimigos que se divorciam: Vida com sorte e prosperidade.

DOBRAR

Dobrar alguma coisa: Morte de pessoa amiga.

Outras pessoas dobrando coisas: Obterá êxito nos negócios.

Dobrar roupas: Realizará altas ambições.
Dobrar a roupa de cama da casa: Grandes ganhos financeiros.

DOBRAR (de sino)

Ser anunciado por toque ou dobrar de sinos: Bons tempos virão.
Outras pessoas anunciadas pelo dobrar de sinos: Tempos alegres.
Anunciar outras pessoas com dobrar de sinos: Alegria sem ganho.

DOCAS

Docas: Perigo nos assuntos amorosos.
Estar sozinho nas docas: O pesar será inevitável.
Estar nas docas com um marinheiro: Inimizade secreta de alguém.
Estar nas docas com trabalhadores ou estivadores: Boas perspectivas para os negócios.

DOCES

Doces: Será enganado por amigos.
Receber doces: Precavenha-se contra uma mensagem enganadora.
Mandar doces: Tenha cuidado nos assuntos sentimentais.
Fazer doces: Ganhos financeiros.
Provar doces: Prosperidade.

DOCE DE FRUTAS

Fazer doce de frutas: Terá muitas amizades encantadoras.
Comprar doce de frutas: Terá um lar feliz.
Dar doce de frutas a crianças: Felicidade na família.
Receber doce de frutas de presente: O êxito virá mais tarde.

DOCE PASTOSO (semelhante à marmelada)

Fazer doce em forma de marmelada: Dificuldades e preocupações.
Comer esse doce sozinho: Cuidado com amizades falsas.
Comer esse doce em companhia de outras pessoas: Riqueza.
Dar esse doce de presente: Os assuntos sentimentais vão bem.

DOENÇA

Ter uma doença: Infortúnio nos assuntos amorosos.
Filhos com uma doença: Consolo e felicidade.
Parentes com uma doença: Infelicidade.
Inimigos com uma doença: Grande tentação não lhe será favorável.
Ter doença do cérebro: Sorte.
Ter doença do estômago: Você esbanja dinheiro.
Ter uma doença desconhecida: Ganho financeiro.

Outras pessoas doentes: Ganhará dinheiro de modo igual.

Pessoa apaixonada sonhando com uma doença: Bons tempos virão.

DOENTE

Estar doente: Você tem tendência à melancolia.

Filhos doentes: Felicidade.

Visitar pessoas doentes: Descobrirá o modo de alcançar sua meta.

Outras pessoas que estão doentes: Afeição.

Uma pessoa idosa doente: Concretiza altas ambições.

Parentes doentes: O êxito virá mais tarde.

Inimigos doentes: Ganho financeiro.

Pessoas amadas que estão doentes: Infelicidade.

Muitas pessoas doentes em um hospital: Alegria e ganho.

Estar mentalmente doente: Perderá a sorte.

Visitar pessoas doentes em hospital: A vida lhe oferecerá muitos prazeres.

Uma mulher que sonha estar doente: Desalento.

Namorado adoentado: Deve abrir mão de algum prazer com que contava.

DOMINGO

Domingo: Logo mudará de interesses.

Ir à igreja no domingo: Concretizará altas ambições.

Ter um domingo de descanso: Sorte e prosperidade.

Trabalhar no domingo: Terá domínio sobre muitas atividades.

DOMINÓ

Jogar dominó: Pequeno triunfo sobre as dificuldades.

Vencer um jogo de dominó: A felicidade está assegurada.

Perder um jogo de dominó: Evite os rivais.

Jogar dominó com os filhos: Grande alegria.

Jogar dominó com a família: Mudança para melhor.

Jogar dominó com uma pessoa amada: Infelicidade no amor.

Jogar dominó com amigos: Acontecimentos importantes e muito benéficos a caminho.

DONINHA

Uma doninha: Cuidado com os que parecem ser seus amigos.

Ter um capote feito de pele de doninha: Sorte e prosperidade.

Comprar um capote feito de pele de doninha: Procure economizar dinheiro.

Vender um capote de pele de doninha: Você será enganado.

DONO

Ser o dono de sua casa: Prosperidade.

Ser dono de seu negócio: A felicidade está assegurada.

Ser dono de um cão: Você não tem amigos fiéis.

O dono de um navio: Bons tempos virão.

Ser o dono de um navio: Dinheiro chegando.

DOR

Uma mulher com dor forte: Acontecimentos muito importantes e benéficos a caminho.

Um homem com dor: Negócios bons e prósperos.

Um agricultor com dor: Obterá uma boa colheita.

Um marinheiro com dor: Fará uma viagem bem-sucedida.

Uma pessoa que você ama sentindo dores: Momento adequado para paquerar.

Dor no coração: Doença.

Dor de dente: Infelicidade.

Dor nos ouvidos: Maledicência contra você.

Dor no estômago: Atividades sociais agradáveis.

Dor nos ombros: Tenha cautela nas atividades comerciais.

Dor no peito: Ganhos financeiros.

Dores na garganta: Descoberta de objetos valiosos que estavam perdidos.

Dores de parto: Morte.

Dores nas pernas: Receberá boas notícias.

Dores nos pés: Superará as dificuldades.

Dores por todo o corpo: Êxito.

Pessoa apaixonada, sonhando que tem dores por todo o corpo: O amor dela está garantido.

Outras pessoas com dor: Sua vida está cheia de erros.

Crianças sentindo dor: Perseguição por um inimigo.

DOR DE DENTE

Ter dor de dente: Receberá boas notícias de longe.

Filhos com dor de dente: Felicidade pelo recebimento de uma carta de um velho amigo.

Estar com uma dor de dente que não passa: Sorte no futuro.

Ir ao dentista para curar dor de dente: Você não faz idéia do que seja o amor.

Receber alívio para uma dor de dente: Brigas de amor.

DORMENTE

Sentir-se dormente: Bons resultados em sua vida.

As pernas dormentes: Grande felicidade.

Os braços dormentes: Grande êxito.

A mão direita dormente: Receberá visita de um amigo.

A mão esquerda dormente: Receberá visita de pessoa indesejável.
O corpo dormente de um filho: Muito dinheiro.

DOTE

Uma mulher que dá dote ao marido: As pessoas tomarão conta de você.
Um homem que dá uma propriedade à noiva: Passará por muita inquietação.
Dar dote às filhas: Ganhará mais dinheiro.
O dote de uma viúva: Haverá uma boa transformação em sua vida.

DOURADO

Ter alguma coisa que se assemelha a ouro: Vida feliz.
Ter as roupas cobertas de renda de ouro: Grande honraria.
Outras pessoas usando roupas douradas: O êxito virá posteriormente.
Comprar objetos dourados: Você terá muito dinheiro.

DOURAR (revestir com camada de ouro)

Dourar um objeto: Um presente lhe será oferecido.
Outras pessoas dourando objetos: Os amigos têm segundas intenções.
Trabalhar com douração: Uma amizade falsa está por perto.

DOUTRINA

Ensinar doutrina dos Testamentos: Você terá cargo elevado e honroso.
Ajudar a executar doutrina governamental: Será traído por inimigos.
Aprender os princípios de uma doutrina: Tratará os amigos com arrogância.
Ser um leitor de doutrina: Enfrentará tempos difíceis e pobreza.

DRAGÃO

Um dragão: Grande riqueza.
Muitos dragões: Grande decepção no amor.
Um militar sonhando com um dragão: Você terá muito dinheiro.
Um marinheiro sonhando com um dragão: Será visitado por um oficial superior.
Uma moça sonhando com um dragão: Grande alegria.

DRAGONAS

Usar dragonas como ornamento nos ombros: Honrarias e consideração.
Outras pessoas usando dragonas: Terá um namorado do Exército ou da Marinha.
A pessoa amada usando dragonas: Você será culpado por atos impensados.
Inimigos usando dragonas: Terá grande dignidade.

DROGAS (remédios)

Ter drogas: Doença.

Tomar drogas: Aflição.

Receber ordem para tomar drogas: O moral vai levantar.

Recusar-se a tomar drogas: Haverá confusão em sua vida.

Receber drogas de um médico: Contará com a proteção de amigos.

Dar drogas aos parentes: Está cercado por muita fofoca.

Dar drogas aos filhos: Especulação bem-sucedida.

Fazer drogas: Perda de dinheiro.

Outras pessoas que tomam drogas: Tempo propício para flerte.

Ter um armário cheio de drogas: Bons negócios, porém sem lucro.

Uma drogaria: Dará início a um novo negócio.

Vender drogas: Há por perto um homem desonesto.

DUELO

Entrar em um duelo para salvar a honra: Cuidado com o rival.

Duelar com um espadachim: Grande dificuldade na família.

Duelar com um amigo: Grande felicidade.

Bater-se em duelo com um cajado: Você dominará os amigos.

Ser ferido em um duelo: Sentirá tristeza.

Ser morto em duelo: Aviso de dificuldades.

DUENDE

Um duende: Aguarde acontecimento importante e muito benéfico.

Crianças sonhando com um duende: Os filhos serão seus bons amigos.

DUETO

Cantar em dueto: Boa sorte no amor e no casamento.

Outras pessoas cantando em dueto: Felicidade no lar.

Ouvir crianças cantando em dueto: Um mistério será solucionado.

Ouvir amigos cantando em dueto: A tentação o tomará de surpresa.

DUPLO

Qualquer coisa que seja dupla: Não deposite esperanças demais no futuro.

Ir a algum lugar com o dobro da velocidade: Obterá boa comida.

Duas crianças andando em uma bicicleta dupla: Terão amizades boas e sinceras.

Um ovo de gema dupla: Um membro da família sofrerá um acidente.

Um casamento duplo de membros da família: Você não está à altura de sua posição.

DUQUE

Um duque: Receberá boas notícias.

Ser um duque: Você flerta demais.
Ser apresentado a um duque: Terá culpa por agir erradamente.
Encontrar-se com um duque: Novos amores à vista.

DÚVIDA

Estar em dúvida: Pode confiar em um bom amigo.
Outras pessoas duvidando de você: Você desconfia dos amigos.
A pessoa amada duvidando de você: Boa sorte.
Uma esposa que duvida do marido: Futuro feliz e vida longa.
Um marido que duvida da mulher: A felicidade está assegurada.

E

ÉBANO
O ébano, madeira ou árvore: Viajará a um país.
Ter madeira de ébano: Conhecerá alguém do exterior.
Comprar madeira de ébano: Êxito nos negócios.
Ganhar coisas feitas de ébano: Obterá bons ganhos.

ECLIPSE
Eclipse do Sol: Sofrerá prejuízos.
Eclipse da Lua: Será atingido por um pequeno infortúnio.
Observar o eclipse da Lua em companhia da família: Felicidade.
Observar o eclipse da Lua em companhia de alguém que você ama: Você é enganado

ECO
Ouvir um eco por perto: Receberá a visita de um bom amigo.
Ouvir um eco distante: Tomará conhecimento de alguma boa sorte.
Ouvir eco em uma caverna: Triunfo sobre os inimigos.

EDEMA
Ter edema: Irá para a prisão.
Outras pessoas com edema: Você tende a esbanjar dinheiro.
Parentes com edema: Obterá fortuna de maneira desonesta.
Pessoas amigas com edemas: Está sendo enganado.

EDIFICAÇÃO
Grandes edificações: Ocorrerão mudanças imediatas na sua vida.
Pequenas edificações: Os negócios atuais não darão bons resultados.
Edificações muito altas: Alcançará grande êxito.
Diversas edificações: Vai irritar-se muito.

EDREDOM
Um edredom: Ganhos financeiros.
Um edredom sujo: Um mistério será solucionado.
Um belo edredom: Concretizará suas ambições.
Um edredom estendido na cama: Terá vida longa.

Um edredom caindo da cama: Atividades sociais alegres.

EDUCAÇÃO ESCOLAR

Não ter educação escolar: Sofrerá por sua própria insensatez.
Procurar uma educação escolar: A sorte deverá sorrir a seus esforços.
Filhos que têm educação escolar: Os filhos causarão problemas.
Ter uma educação escolar limitada: Perda de dinheiro.

EDUCADO

Ser educado: Necessitará de pão.
Outras pessoas que são educadas com você: Receberá convite para uma festa.
Filhos que são educados: As posses de uma família aumentarão por seu intermédio.
Pessoas amigas sendo educadas: Cuidado para não ser traído.

EIXO

Um eixo: Doença por longo período.
O eixo de roda em um automóvel: Será orientado por outras pessoas.
O eixo de roda em um caminhão: Terá pouca saúde.
O eixo de uma máquina: Recursos abundantes.
Um eixo partido: Cuidado com os inimigos.

ELÁSTICO

Elástico: A sorte melhorará.
Ter alguma coisa feita de elástico: Bons tempos virão.
Ter um espartilho de elástico: Grande alegria.
Pôr elástico em trouxas de coisas: Cuidado com amigos invejosos.

ELEFANTE

Um elefante: Medo e perigo para as pessoas ricas.
Uma pessoa pobre sonhando com elefante: Estará em situação nova e boa.
Dar de comer a um elefante: Uma pessoa importante se tornará sua amiga.
Subir em um elefante: Boa sorte.
Muitos elefantes: Prosperidade.
Outras pessoas com elefantes: Receberá ajuda de um amigo.
Dar água a um elefante: Prestará serviço a uma pessoa influente.
Um elefante no circo: Perigo de morte para um parente.
Um elefante que foge do circo: Brigas de família.
Um elefante em liberdade: Desfrutará de muita independência na vida.

ELEIÇÃO

Ajudar em uma eleição: Concretização rápida de suas esperanças.
Outras pessoas em uma eleição: Acontecimentos importantes e muito benéficos a caminho.

Ocupar um cargo após ser eleito: Mudança no ambiente.
Vencer uma eleição: Um amigo falso está por perto.

ELETRICIDADE

Usar eletricidade: Um acontecimento lhe causará grande surpresa.
Levar um choque elétrico: Será enganado por amigos.
Outras pessoas lidando com eletricidade: Tenha cautela nos empreendimentos comerciais.
Lidar com aparelhos elétricos: Harmonia entre amigos.

ELEVADOR

Descer de elevador: Sofrerá um infortúnio avassalador.
Subir de elevador: Aumento na fortuna e melhoria na posição.
Estar em um elevador com outras pessoas: Evite os rivais.
Estar em um elevador com a família: Ganhos financeiros.
Um elevador com defeito: Aviso de dificuldades.
Ficar preso entre dois andares em um elevador: Sentirá tristeza.

ELMO

Um elmo: Visitas agradáveis.
Usar um elmo: Evite as extravagâncias.
Comprar um elmo: Você vai precisar de todas as suas poupanças.
Outras pessoas usando elmo: Evite os rivais.

ELOGIOS

Receber elogios nos negócios: Obterá bons lucros.
Receber elogios de um homem: Vaidade.
Receber elogios de uma mulher: Presunção.
Uma moça recebendo elogios de um homem: Alegria.
Um rapaz recebendo elogios de uma moça: Prosperidade.
Elogiar crianças: Receberá um cão de presente.
Filhos que elogiam os pais: Felicidade na família.
Outras pessoas que o elogiam para receber favores: Breve travará uma briga.

EMAGRECER

Emagrecer: Terá esplendor e alegria.
Tomar remédio para emagrecer: Receberá um presente.

EMBAIXADOR

Um embaixador: Amigos fiéis estão por perto.
Ser um embaixador: Perderá a posição atual.
Chamar um embaixador de volta: Atividades sociais alegres.
Manter uma conversação com um embaixador: Concretizará altas ambições.

EMBALSAMAR

Um corpo embalsamado: Grandes honrarias.

O corpo de um parente sendo embalsamado: Terá de contar com seu próprio julgamento.
Um dignitário sendo embalsamado: Está trabalhando com diligência.
Um animal ou ave embalsamado: Você conta demais com favores.

EMBARAÇAR

Estar embaraçado: Quanto mais embaraçado, maior seu êxito.
Outras pessoas embaraçadas: Felicidade.
Embaraçar os amigos: Concretização imediata de todas as esperanças.
Ficar embaraçado pelos filhos: Você está agindo de modo antiquado.

EMBARALHAR

Embaralhar: Terá boa saúde.
Embaralhando cartas, sem ver: Traição de parentes.
Embaralhando cartas: Porá à prova a pessoa que você ama.
Outras pessoas embaralhando cartas: Advertência de dificuldades.
Fazendo truques no embaralhamento de cartas: O êxito virá mais tarde.

EMBARCADOURO

Um embarcadouro: Levará felicidade a alguém.
Estar sozinho em um embarcadouro: Aviso de dificuldades.
Estar em um embarcadouro com outras pessoas: O perigo está diante de você.
Outras pessoas em um embarcadouro: Tenha cautela em todos os negócios.
Trabalhadores em um embarcadouro: Obterá bons ganhos.
Marujos em um embarcadouro: A felicidade virá em futuro próximo.

EMBARCAR

Soldados embarcando em um navio: Fracasso dos inimigos.
Pessoal da Marinha embarcando em um navio: Os inimigos serão derrotados.
Marujos mercantes embarcando em um navio: A felicidade está assegurada.
Outras pessoas entrando em qualquer embarcação para viajar: Prosperidade no amor.

EMBRULHO

Preparar um embrulho: Realizará uma curta viagem.
Pôr um embrulho nos correios Infelicidade causada por atos dos filhos.
Carregar um embrulho: Preocupações causadas pela saúde dos filhos.
Carregar um embrulho grande: Grande decepção.

Carregar um embrulho pequeno: Terá de enfrentar dificuldades.
Receber um embrulho: Há alguém que o ama muito.
Abrir um embrulho: O casamento durará para sempre.
Receber um embrulho dos filhos: Os assuntos sentimentais não andam bem.

EMIGRAR

Emigrar: Receberá carta enviada de outro país.
Outros que estão emigrando: Cuidado com a traição.
Ter problemas com as autoridades de emigração: Terá uma grande alegria.
Ter o ingresso em um país negado pelas autoridades de imigração: Perigo causado por um segredo.

EMPALAR

Estar empalado entre grades: Será ameaçado por inimigos.
Outras pessoas empaladas em grade. Enfrentará dificuldades.
Escapar da situação em que está empalado: Felicidade.
Ser torturado ou punido: O triunfo é certo

EMPENA

Uma empena: Receberá bons conselhos.
Estar na janela de uma empena: Terá boa sorte.
A janela da empena de sua casa: Descoberta de objetos valiosos que estavam perdidos.
A empena de casas alheias: Aviso de dificuldades.

EMPINAR

Um cavalo que empina: Êxito nos planos difíceis.

EMPREENDIMENTO

Iniciar novo empreendimento: Tome cuidado para evitar a ruína.
Levar à frente um bom empreendimento: Notícias tristes estão chegando.
Ser obrigado a participar de mau empreendimento: Ganhará mui to dinheiro.
Outras pessoas em um bom empreendimento: Grandes mudanças à frente.

EMPREGADOR

Ser um empregador: Haverá uma modificação em seu cargo.
Falar com o empregador: Dentro em breve você melhorará de posição.
Ser contratado por um empregador: Precisa corrigir seu modo de viver.
Ser despedido pelo empregador: Um mistério será solucionado.
Um empregador que encerra suas atividades: Terá mente vigorosa.
Empregar outra pessoa: Os interesses dela colidirão com os seus.

EMPREGADOS

Um empregado: Algo lhe será roubado.

Uma empregada: Fofocas.

Contratar diversos empregados: Persevere e cuide bem dos seus interesses.

Empregados no trabalho: Infidelidade.

Contratar um empregado: Receberá dinheiro.

Despedir um empregado: Sofrerá grandes prejuízos.

Pagar a um empregado: Terá grande alegria.

EMPREGADOS DOMÉSTICOS

Contratar empregados domésticos: Enfrentará trabalho pesado.

Despedir empregados domésticos: Você conta demais com favores.

Ter bons empregados domésticos: Miséria.

EMPREGO

Não conseguir emprego: Infortúnio nos assuntos amorosos.

Ter um bom emprego: Bons tempos virão.

Conseguir emprego para outras pessoas: Grande pobreza à frente.

Estar na agência de empregos procurando trabalho: Mudança para melhor.

EMPRESA

Uma empresa forte: Terá domínio sobre as pessoas.

Ter uma empresa: Você gosta demais de se divertir.

EMPRESTAR

Emprestar dinheiro: Em breve você estará querendo dinheiro.

Emprestar objetos: Um inimigo trama sua ruína.

Emprestar roupas: Enfrentará dificuldades.

Emprestar seu automóvel: Mudança no ambiente.

Emprestar artigos domésticos: A decepção é certa.

Emprestar máquinas: Você deveria corrigir seu modo de viver.

Outras pessoas que lhe emprestam dinheiro: Fracasso nos negócios.

EMPURRAR

Empurrar: Mudança de estado civil.

Empurrar uma porta: Os obstáculos serão retirados de seu caminho.

Empurrar outros objetos pesados: Os obstáculos serão superados.

Outra pessoa empurrando: Ficará abatido por causa de notícias tristes.

Ser empurrado por outras pessoas: Prosperidade.

Empurrar as crianças para que façam as coisas corretamente: Abundância.

ENCABULAR

Ser encabulado: Passará momentos agradáveis em uma grande festa.

Ter filhos encabulados: Alegria.

Ter amigos encabulados: Aviso de dificuldades.

ENCADERNAR

Encadernar livros: Descobrirá alguma coisa que estava escondida.

ENCANTAR

Estar encantado: Influências negativas por perto.

Outras pessoas encantadas: Prestará ajuda financeira.

Parentes encantados: Prejuízo nos negócios.

Encantar outras pessoas: Concretizará altas ambições.

Resistir a um encantamento: Muitas pessoas procurarão o seu conselho.

ENCANTO

Um encanto: Cuidado com amigos invejosos.

Usar um encanto: Breve terá de tomar uma decisão importante.

Comprar um encanto para afastar o mal: Logo estará casado.

Vender um encanto: Infelicidade.

ENCHARCAR

Estar encharcado: Perigo de febre para você ou alguém próximo.

Outras pessoas encharcadas: Você conta demais com favores.

Encharcar por uso de força: Um mistério será solucionado.

Levar alguém a encharcar-se de bebida: Há um amigo falso por perto.

ENCHER

Encher: Será envolvido em uma transação secreta.

Encher garrafas: Felicidade para a mulher da casa.

Encher os bolsos: Honraria.

Encher uma bolsa de mão: Receberá um presente de jóias.

Encher um buraco: Você passa tempo demais se divertindo.

ENCOBRIR

Encobrir os trabalhos de uma investigação: Sua decepção é certa.

Encobrir vícios e crimes: Tenha cautela nos empreendimentos comerciais.

ENCONTRO

Marcar um encontro: Fará negócios com pessoa que não merece confiança.

Faltar a um encontro: Você tende a ser insincero.

Mudar a hora de um encontro: Os inimigos estão dentro da sua casa.

Outras pessoas que faltam a um encontro: Amigos falsos por perto.

ENCORAJAR

Ser encorajado: Será ofendido.
Necessitar de encorajamento: A inveja está fazendo com que você seja injusto.
Encorajar pessoa doente: Receberá ajuda financeira.
Encorajar os filhos: Terá discussões com o marido ou com a mulher.
Encorajar amigos: Seus próprios atos lhe causarão tristeza.
Receber encorajamento dos parentes: Infelicidade.

ENCRUZILHADA

Pessoa solteira sonhando com uma encruzilhada: Logo estará noiva.
Pessoa casada sonhando com uma encruzilhada: Perda do cônjuge amado.
Parentes em uma encruzilhada: Você se restabelecerá de uma doença.
Amigos em uma encruzilhada: Inimizade secreta de alguém.

ENDEREÇO

Escrever um endereço: Tenha cautela para não entrar em especulações arriscadas.
Outras pessoas que escrevem um endereço: Infortúnio nos negócios.
Escrever um endereço comercial: Sorte e prosperidade.
Escrever o endereço em uma carta de amor: Receberá boas notícias.

ENEMA (medicamento de ação tópica e secante)

A seringa usada para um enema: Confusão nos negócios.
Aplicar um enema: Ficará enojado de um assunto sentimental.
Recebe a aplicação de um enema: Infelicidade.
Aplicar um enema em si próprio: Ficará sem dinheiro.

ENFADONHO

Ter amigos enfadonhos em casa: Fará um novo conhecimento.

ENFEITAR

Estar enfeitado: Dificuldades e problemas à frente.
Enfeitar o quarto dos filhos: Bons tempos estão chegando.
Enfeitar sua casa: As circunstâncias mudarão em breve.
Outros se enfeitando: Morte de um parente.

ENFEITE

Enfeites: Frivolidade.
Usar enfeites: Altas honrarias.
Dar enfeites aos outros: Extravagância.
Outras pessoas usando enfeites: Dificuldades a caminho.
Enfeites de igreja: Terá bom ânimo.
Enfeites de flores: Terá prazer e fortuna.
Ter diversos outros tipos de enfeites: Felicidade da família.

ENFERMAGEM

Enfermagem: Altas honrarias.

Servir de enfermeiro ao marido ou à esposa: Amor constante.

Servir de enfermeiro para os filhos: Receberá boas notícias.

Tratar dos pais: Perigo de morte.

Tratar dos parentes: Receberá uma herança.

Tratar de alguém até que ele volte a ter saúde: Será compreendido por pessoa amiga.

Outras pessoas que tratam de você: Grande fortuna.

ENFERMARIA

Estar em uma enfermaria de hospital: Infortúnio dentro de pouco tempo.

Outras pessoas em uma enfermaria: Trabalho agradável e boas notícias.

Inimigos em uma enfermaria: Miséria.

Filhos em uma enfermaria: Fome.

Parentes em uma enfermaria: Tempos difíceis virão.

Deixar uma enfermaria completamente restabelecido: Vencerá as dificuldades.

Ser tratado por uma pessoa religiosa em uma enfermaria: Será ajudado por Deus.

Estar em uma enfermaria para doentes mentais: Precisa controlar suas paixões.

ENFERMEIRA

Uma enfermeira: Ocorrerá uma grande briga.

Ser enfermeira de crianças e dar alimento ao filho: Receberá notícias desagradáveis.

Enfermeiras em um hospital: Alegria e contentamento.

Enfermeiras em uma residência: Prejuízos financeiros.

Precisar da ajuda de enfermeira: Engravidará.

Uma enfermeira com um médico: Miséria.

Contratar uma enfermeira: Bom futuro.

Uma mulher que sonha ser enfermeira: Alcançará uma alta posição graças a sacrifícios.

ENFORCAR

Ser enforcado: Recursos abundantes.

Ser condenado à forca: Honrarias excepcionais lhe serão conferidas.

Alguém que vai ser enforcado: Comerá excelente carne nas refeições.

Outras pessoas que são enforcadas: Boa sorte para a pessoa que está no sonho.

Uma pessoa amiga enforcada: A pessoa que você ama não terá fé.

Um parente enforcado: Riqueza e grande honraria.

Pessoa desconhecida sendo enforcada: Enganos e falsas amizades.

Um criminoso enforcado: Ganhará dinheiro de modo vergonhoso.
Alguém enforcado sem motivo: Você tende a ser sovina.
Ser libertado pouco antes de o enforcarem: Concretizará suas ambições.

ENGANO

Ter cometido um engano: Evite a presunção.
Outras pessoas cometendo um engano: Verifique suas informações antes de agir.
Esposa e marido cometendo um engano: Procure orientação antes de agir.
Cometer enganos nas contas: O que você desejava não se realizará.

ENGOLIR

Engolir: Boas notícias.
Sentir dores quando engole: Viverá até os noventa anos de idade.
Engolir pílulas: Ganhos financeiros.
Engolir uma história em que você não acredita: Frivolidade.

ENGRENAGEM

Engrenagem: Terá uma visão nova de sua própria vida.
Duas engrenagens: Obterá êxito nos planos a partir de agora.
Uma engrenagem quebrada: Dinheiro chegando.

ENGUIA

Uma enguia: Restabelecimento imediato após doença.
Segurar uma enguia: Será beneficiado pela sorte.
Uma enguia morta: Você se vingará.
Pegar uma enguia morta: Aviso de sofrimento.
Pegar uma enguia viva: Você é muito esperto.
Muitas enguias na água: Você está trabalhando demais.
Muitas enguias mortas: Sairá da prisão.

ENIGMAS

Ouvir outros que falam de modo enigmático: Oferta inesperada feita por parente.
Você próprio falando de modo enigmático: Cuidado com o perigo que está próximo de você.
Parentes que falam de modo enigmático: Triunfo sobre os inimigos.
Namorado que fala de modo enigmático: Precisa controlar suas paixões.
Filhos que falam de modo enigmático: Logo receberá dinheiro inesperado.

ENOJAR

Ficar enojado: Terá amigos em outros países.
Estar enojado da atitude de outra pessoa: Infidelidade.

Estar enojado dos parentes: Não realizará seus planos.
Outras pessoas que estão enojadas de você: Miséria.

ENREDAMENTO
Um fio de lã enredado: Terá de enfrentar pessoas difíceis.
Ficar enredado: A paciência será bem recompensada.
Estar enredado em uma transação comercial: Enfrentará trabalho pesado.
Outras pessoas enredadas: Evite os rivais.

ENRIJECIDO
O corpo enrijecido: Será atacado.
Enrijecimento que causa dor: Miséria.
Crianças enrijecidas: Discussões de família.
O corpo enrijecido do marido ou da mulher: Chegada de um amigo.
Estar com o pescoço enrijecido: Bons negócios.

ENRUGAR
Ter rugas no rosto: Vida longa após uma doença.
Não ter rugas no rosto: Terá uma boa aparência por toda a vida.
Uma pessoa idosa e sem rugas: Cumprimentos e prazeres sociais.
Estar enrugado ao chegar à meia-idade. Você é muito crédulo.
Homens de meia-idade com rugas: Prejuízos nos negócios.
Homens idosos com rugas: Perda de amizade.
Amigos de pouca idade que adquirem rugas: Prosperidade.
Ter rugas nas roupas: Surgirão pequenas discordâncias.

ENSAIO
Um ensaio: Enfrentará dificuldades.
Estar em um ensaio: Receberá honrarias no futuro.
A pessoa amada presente a um ensaio: Receberá boas notícias.
Amigos presentes a um ensaio: Viverá muito.
Filhos presentes a um ensaio: Contentamento na família.

ENSEADA
Uma enseada: Passará por acontecimentos novos e fará uma curta viagem.
Enseada seca: Terá uma grande desilusão.
Pessoas em uma enseada: Outra pessoa está desfrutando daquilo que você queria para si.

ENSINO FUNDAMENTAL (1ª a 8ª série)
Estar cursando o ensino fundamental: As brigas terminarão com bom resultado.
Lecionar no ensino fundamental: Será feliz, graças à inocência.
Filhos que cursam o ensino fundamental: Modéstia.
Filhos que se diplomam no ensino fundamental: Felicidade.

ENSOPAR

Ensopar alguma coisa: Terá vida longa.
Ensopar comida na água: Trabalho agradável e boas notícias.
Ensopar frituras no café: Você tem um amigo leal.
Ensopar a roupa na água: Brigas de família.

ENTALHAR

Fazer entalhes em metal: Mudança de trabalho.
Fazer entalhes em madeira: Atividades sociais alegres.
Ser um entalhador: Morte de um inimigo.
Um entalhador de sinetes: Infortúnio nos assuntos sentimentais.

ENTERRAR

Enterrar: Terá boas propriedades imobiliárias.
Enterrar uma panela de aço: Infelicidade.
Enterrar uma panela de ouro: Sofrerá um acidente.
Enterrar objeto roubado em uma caixa: Terá vida feliz.
Enterrar dinheiro: Dissolução de suas esperanças.

ENTERRO

Comparecer ao enterro de uma pessoa amiga: Está esperando uma herança.
Comparecer a enterro de parente: Logo se casará.
Comparecer a enterro de parentes estando casado: Divórcio.
Comparecer ao enterro da mãe ou do pai: Boas especulações financeiras.

ENTRADA

Passar pela entrada de um lugar público: Os desejos serão realizados.
Passar pela entrada de uma propriedade privada: Terá um futuro glorioso.
Fazer entrada solene: Você tem um coração extremamente bom.
Fazer grande entrada na sociedade: Está preparado para saber de uma morte.

ENTRETENIMENTO

Um lugar de entretenimento: Use seu tempo de modo mais proveitoso.
Entreter-se: Infelicidade.
Entreter-se e à família: Terá discussões.
Entreter-se em companhia de amigos: Perda de dinheiro.
Entreter-se com o namorado: Virão grandes esperanças.
Outras pessoas que se entretêm: Você se casará com um dançarino.

ENTREVISTA

Uma entrevista: Uma reconciliação terminará de modo romântico.
Esperar no local marcado para a

entrevista: Infortúnio nos assuntos sentimentais.
Outras pessoas que esperam por uma entrevista em lugar marcado: Haverá tristeza.

ENVELOPES

Um envelope: Receberá notícias tristes.
Um envelope fechado: Enfrentará dificuldades.
Abrir um envelope e retirar o conteúdo: A preocupação se dissipará.
Pôr uma carta em um envelope: Descoberta de objetos valiosos que estavam perdidos.
Receber um envelope com muitas cartas: Grande decepção no amor.
Pôr um envelope no correio: Sorte e prosperidade.
Comprar envelopes: Mudança para melhor.

ENVERGONHAR

Estar envergonhado: Sorte nos negócios.
Estar envergonhado da castidade: Conhecerá uma pessoa rica.
Estar envergonhado de atos: A consciência culpada o aflige.
Estar envergonhado dos filhos: Dê ouvidos aos conselhos de amigos.
Marido ou mulher envergonhado do outro: A separação está para acontecer.

ENVERNIZAR

Envernizar: As aparências não enganarão os outros.
Envernizar o chão de uma casa: Hipocrisia.
Envernizar as portas de uma casa: O fanatismo causará prejuízos aos negócios.
Envernizar móveis: Tempos difíceis virão.

ENVIAR

Enviar um presente a uma pessoa que você ama: Boa colheita.
Enviar roupas em um embrulho: Tomará conhecimento da morte de uma pessoa amiga.
Enviar mercadoria: Segurança nos negócios.
Enviar alimentos a pessoas pobres: Receberá notícia triste.
Enviar uma carta ou pacote: Muitas preocupações a caminho.

ENXADA

Diversas formas de enxada: Boas esperanças no futuro.
Usar uma enxada: Será uma pessoa competente.
Usar uma enxada para cultivar o próprio jardim: Melhorias dentro de pouco tempo.

ENXAGUAR

Enxaguar roupa de cama lavada: Mudança de residência.
Enxaguar as roupas dos filhos: Segurança na família.
Uma moça sonhando que enxá-

gua roupa de criança: Pedido de casamento.
Uma mulher casada sonhando que enxágua roupa de criança: Ficará grávida.
Enxaguar a roupa lavada de outras pessoas: Ouvirá fofocas a seu respeito.
Outros que enxáguam sua roupa: Será enganado por amigos.
Homens enxaguando roupas lavadas: Mudança para melhor.

ENXAME

Um enxame de abelhas: O fogo estará por perto de você.
Observar um enxame de abelhas: Prosperidade na família.
A abelha rainha de um enxame: Você tem muitos inimigos que querem prejudicá-lo.
Ser mordido por abelhas de um enxame: Cuidado com os inimigos.

ENXOFRE

Enxofre: Infortúnio.
Comprar enxofre: Atos alheios causarão tristeza a você.
Vender enxofre: Aguarde acontecimentos alegres.
Outras pessoas usando enxofre: Fará uma cirurgia.
Borrifar enxofre em plantações: Terá um grande amor.

EPILEPSIA

Ser epiléptico: Obterá grandes ganhos.
Filhos com epilepsia: Será assustado.
Parentes com epilepsia: Fim de preocupações e cuidados.
Outras pessoas com epilepsia: Receberá dinheiro inesperado.

EPITÁFIO

Um epitáfio em um túmulo: Haverá um casamento ou nascerá uma criança.
Epitáfio de um parente em um túmulo: Grande êxito na família.
Epitáfio em uma estátua: Dignidade e distinção.
Os epitáfios em túmulos de soldados: Novos interesses e ambientes.

EQUADOR

O Equador: Terá nova felicidade na vida.
Atravessar o Equador em um navio: Voltará a ser batizado num navio.
Outros que atravessam o Equador: Cuidado com inimigos.

EQUIPAMENTO

Qualquer tipo de equipamento: Pobreza.
Comprar qualquer tipo de equipamento: Receberá dinheiro inesperado.
Vender equipamento comercial: Receberá um presente valioso.
Comprar equipamento para casa: Está com inveja da riqueza do vizinho.

Comprar equipamento para uma loja: Fará bons negócios.

EQUIPE

Uma equipe de jogadores: Mudará de residência.

Uma equipe de jogadores ganhando: Altas honrarias.

Uma equipe de jogadores perdendo: Problemas no amor.

Ser membro de uma equipe: Obterá êxito.

Filhos, membros de uma equipe: Reunião inesperada de família.

EREMITA

Um eremita: Se você tivesse usado mais audácia, teria ganhado mais.

Ser um eremita: Está sendo enganado por pessoa amiga.

Tornar-se um eremita: Logo adoecerá.

ERGUER

Erguer alguma coisa: Você se restabelecerá de uma doença.

Erguer algo muito pesado: Aviso de dificuldades.

Ser erguido por outras pessoas: Vencerá os inimigos, tendo perseverança.

Erguer uma criança: Dignidade e distinção.

Outras pessoas que são erguidas: Alguém tem inimizade secreta por você.

Erguer algo com máquina: Dinheiro a caminho.

Uma mulher sendo erguida por um homem: Grande alegria.

Ser erguido em um elevador: O êxito é muito provável.

Descer em um elevador: Sua vida inspira muita desconfiança.

ERRAR NAS CONTAS

Errar nas contas de dinheiro: Felicidade.

Um caixa que erra nas contas: Terá vida confortável.

Errar nas contas das compras: Bons ganhos nos negócios.

Outras pessoas errando nas contas: Seus rendimentos aumentarão.

ERRO CRASSO

Um erro crasso: Você se sairá inesperadamente bem em seu novo empreendimento.

Errar fragorosamente e de modo desajeitado: Êxito em todas as atividades.

Outras pessoas cometendo erros crassos: Harmonia entre amigos.

Parentes que cometem erros crassos: Bons tempos virão.

ERUDITO

Um homem de erudição: Fará bons negócios comerciais.

Aceitar a orientação de um erudito: Uma mulher o está enganando.

Ser um erudito: Boa sorte nos assuntos sentimentais.

Inimigos que vão a um erudito: Os negócios serão abandonados.

ERVA DANINHA

Ervas daninhas: Enfrentará obstáculos em uma tarefa que lhe promete grandes honrarias.

Catar ervas daninhas: Felicidade.

Destruir ervas daninhas: Dificuldades nos negócios.

Queimar ervas daninhas: Todas as preocupações terminarão.

ERVAS

Ervas: Será muito amado.

Ervas crescendo com grande vigor: Boa sorte.

Ervas com suas flores: Recursos abundantes.

Cortar ervas: Terá vida longa.

ERVILHAS

Ervilhas: Saúde e vida longa.

Cozinhar ervilhas: Contrairá doença contagiosa.

Ferver ervilhas: Doença grave.

Descascar ervilhas: Você se restabelecerá de uma doença.

Comer ervilhas: Saúde de ferro e riqueza que aumenta.

Ervilhas ainda nas plantas: Empreendimentos de sucesso.

Plantar ervilhas: Realização de suas ambições.

Filhos comendo ervilhas: Eles obterão êxito nas atividades cotidianas.

Ervilhas crescendo no jardim: Ganhos financeiros.

Ervilhas secas: Grandes ganhos adquiridos de modo duvidoso.

Ervilhas que não ficaram inteiramente cozidas: Tenha paciência em suas atividades.

ESBANJAR

Esbanjar: Sofrerá miséria.

Esbanjar a fortuna: Seu futuro será melhor.

Outras pessoas esbanjando: Sofrerá dor.

Outras pessoas esbanjando seu dinheiro: Futuro infeliz.

ESBARRÃO

Esbarrão: Será atormentado pelo ciúme.

Esbarrar em diversas coisas: Será acusado por amigos que não são dignos de confiança.

Esbarrar em pessoas: Haverá um casamento equilibrado.

Esbarrar em um veículo: Obterá lucros de modo desonesto.

Esbarrar em uma porta: Emprestará dinheiro a alguém.

ESBOÇOS

Esboços: As atividades comerciais estão muito confusas.

Fazer um esboço: Infelicidade.

Outras pessoas fazendo um esboço: Você está cercado por pessoas que falam demais.

Comprar esboços: Desastre no casamento.

Esboços de pessoas que você conhece: Cuidado com os rivais.

ESCADA

Uma escada alta: Será abandonada pelo namorado.
Subir uma escada: Felicidade e prosperidade incomuns.
Descer uma escada: Decepção nos negócios.
Cair de uma escada: Fracasso.
Subir uma escada de caracol: Alcançará sua meta.
Descer uma escada de caracol: A preocupação se dissipará.
Ficar tonto quando está em uma escada: Acontecimento importante e muito benéfico a caminho.
Subir uma escada de corda: Lucro.
Levar uma escada com você: Salvará alguém.
Levantar uma escada até uma janela: Será uma pessoa terna.
Subir ao portaló de um navio: Algo lhe será roubado.
Outras pessoas subindo uma escada: Você tem amigos fiéis.
Subir uma escada em casa: Êxito.
Subir a escada de uma fortaleza: Ação judicial vantajosa.
Pular de uma escada: Obterá boa posição.
Subir uma escada portátil: Boa sorte inesperada.

ESCADARIA

Uma escadaria larga: Riqueza e honraria.
Uma escadaria muito alta: Sera abandonado pela pessoa amada.
Ficar tonto em uma escadaria: Aguarde acontecimento importante e muito benefico.
Cair de uma escadaria: Sua própria inveja causará sofrimentos.
Subir escadaria: Felicidade e prosperidade extraordinárias.
Subir escadaria em companhia de outras pessoas: Você tem amigos leais.
Descer escadaria: Decepções nos negócios.
Descer escadaria em companhia de outras pessoas: Perigo causado por um segredo.

ESCALAR

Escalar: Prosperidade nos negócios.
Não conseguir escalar: Os esforços atuais não são suficientes.
Escalar uma montanha e chegar ao cume: Ganhará uma fortuna.
Escalar, mas deixar de chegar ao cume: Os planos mais acalentados fracassarão.
Escalar uma escada até o alto: Êxito nos negócios.
Uma escada que se quebra enquanto você a está escalando: Encontrará dificuldades inesperadas.
Escalar uma árvore: Obterá uma boa posição.
Escalar a escadaria de uma casa: Vencera todos os obstáculos.

ESCALDAR

Ser escaldado: Altas ambições.
Escaldar a propria mão enquanto cozinha: Miseria ou doença.
Outras pessoas que se escaldam: Riqueza.

Crianças que se escaldam: Brigas de família.

Parentes que se escaldam: Prosperidade.

ESCALER (embarcação pequena destinada à execução de serviços de um navio)

Um escaler a bordo de um navio: Encontrará oposição em todas as áreas.

Um escaler na praia: Enfrentará dificuldades.

Um escaler flutuando no mar: Triunfo sobre os inimigos.

Muitos escaleres flutuando no mar: A sorte mudará para melhor.

Um escaler no rio: Aviso de dificuldades.

Um escaler em um lago: Um mistério será solucionado.

Um escaler destroçado: Mudança para melhor.

Um escaler sendo construído: Melhorias em suas atividades.

Um escaler que salva vidas: Viverá em paz.

Comprar um escaler: Dignidade e distinção.

ESCAMAS

Ter escamas por todo o corpo: Alcançará grande riqueza.

Fazer tratamento contra escamas: Terá grande fortuna pelo resto da vida.

Contrair doença que cria escamas: Vencerá uma ação judicial.

Filhos com doença que cria escamas: Discussão em família.

Cão com o corpo escamoso: Será magoado por atos de inimigos.

ESCÂNDALO

Um escândalo: Honraria e triunfo.

Estar envolvido em escândalo: Será ofendido.

Tomar conhecimento de escândalo: Será pedido em casamento.

Amigos envolvidos em escândalo: Ganhos financeiros.

Inimigos envolvidos em escândalo: Prosperidade.

Agricultores envolvidos em escândalo: Terá boa colheita.

ESCAPAR

Escapar a confinamento: Um aumento rápido na atividade comercial.

Escapar a acidente ou ferimento: Boas coisas virão durante a vida.

Escapar a dificuldades: Êxito nas atividades pessoais.

Escapar a fogo ou incêndio: Triunfo.

Escapar de um afogamento: Terá momentos de aflição, mas o êxito virá.

Escapar a um animal furioso: A traição está bem próxima a você.

Não conseguir escapar: Honrarias e alegria.

Parentes que escapam ao perigo: Ganhos financeiros.

Outras pessoas que escapam ao perigo: Será enganado por amigos.

ESCAPATÓRIA

Uma escapatória: Você tem a capacidade de ver longe.
Criar uma escapatória: Você tem a capacidade de ajudar-se na realização de seus desejos.
Outros que descobrem escapatórias: Infortúnios nos assuntos amorosos.

ESCARLATE

A cor escarlate: Brigas de família.
Material escarlate de qualquer natureza: Perigo nos assuntos amorosos.
Comprar um vestido escarlate para a noite: Dignidade e distinção.
Comprar roupas de cor escarlate: A tristeza virá.

ESCARLATINA

Ter escarlatina: Riqueza.
Filhos com escarlatina: Será determinado na vida.
Parentes com escarlatina: As coisas darão certo.
Outras pessoas com escarlatina: Tenha fé em si mesmo.

ESCOLA

Uma escola: Sofrerá humilhação.
Ir à escola: Os negócios irão bem.
Levar crianças à escola: Dará bom exemplo aos filhos.
Crianças que vão sozinhas à escola: Discórdia na família.
Crianças que obtêm boas notas na escola: Felicidade na família.
Freqüentar escola do ensino fundamental: Modéstia.
Gastar dinheiro em estudo: Você está cercado por pessoas violentas.
Estar você próprio na escola: Aumento do conhecimento.
Crianças que se tornam professores: Você tem negócios promissores.
Ir ao jardim-de-infância: Fará coisas doidas.
Ir à escola primária: Ansiedade.
Ir a uma escola de natação: Algo lhe será roubado em breve.
Ir a uma escola de dança: Seus maus costumes o tornam incapacitado para o cargo.

ESCOLA, MESTRE

Ser um professor primário: Terá posição de honra.
Tornar-se um professor: Os negócios vão bem.
Lecionar na escola: Amor proibido.
Uma mulher que sonha tornar-se professora: Ganhará dinheiro por sua atividade.
Ser professor de escola: Você tem muitos amigos falsos.
Conversar com um professor de escola: Receberá notícias tristes.
Ser um professor de línguas estrangeiras. Alguém o engana.

Contratar um professor de escola: Evite o divertimento excessivo.

ESCOLA PRIMÁRIA

Filhos que vão à escola primária: Abundância.
Lecionar na escola primária: Receberá boas notícias.
Filhos que terminam a escola primária: Prosperidade

ESCOLHER

Escolher: Contrairá uma doença que poderá levá-lo a uma cirurgia.
Escolher rápido demais: Você está se esforçando em excesso.
Escolher uma bela mulher: Possuirá muito dinheiro.
Escolher um homem rico: Miséria.
Escolher empregados: Discórdia em família.

ESCONDER

Esconder-se: Más notícias logo chegarão.
Parentes que se escondem: Você está sendo enganado.
Outras pessoas que se escondem: Evite os rivais.

ESCORA

Uma escora usada para manter alguma coisa em pé: Receberá ajuda de alguém.
Usar uma escora dentro de casa: Não deixe de ajudar as pessoas necessitadas.
Pessoas que põem uma escora para firmar algo: Vida feliz.

ESCORPIÃO

Um escorpião: Sofrerá prejuízos causados por inimigos.
Diversos escorpiões: Os inimigos estão falando por trás de você.
Um ninho de escorpiões: Vencerá os inimigos.
Escorpiões comendo lagartos: Você é um idealista.
Um escorpião na gaiola: Você está cercado por pessoas violentas.
Ser mordido por um escorpião: Os negócios prosperarão.
Matar um escorpião: Sofrerá prejuízos por intermédio de falsos amigos.

ESCOVA

Uma escova: Surgirão problemas em breve.
Usar uma escova: O seu maior desejo será realizado.
Ter uma escova velha: Decepções.
Comprar uma escova nova: Bons tempos virão.
Uma loja que vende escovas: Doença.
Um fabricante de escovas: Ficará embriagado.

ESCRAVO

Um escravo: Estará livre de problemas.
Ser um escravo: Felicidade.
Deixar que um escravo se liberte: Sofrerá uma injustiça.

Tornar alguém escravo: Grande prazer.

Muitos escravos: Segurança no amor.

ESCREVER

Escrever: Previsão de um grave erro que ameaçará sua paz.

Escrever em um papel: Sofrerá uma acusação falsa.

Escrever carta: Alguém o está roubando.

Escrever em letras maiúsculas: Alegria.

Escrever um relatório: Será acusado de calúnia.

Escrever suas memórias: Desonra.

Escrever uma agenda: Doença.

Escrever carta de amor ao marido ou à mulher: Felicidade e união.

Escrever uma carta a parentes: Lucro.

Escrever carta aos filhos: Precisa gastar dinheiro.

Escrever uma carta comercial: Receberá dinheiro.

Escrever uma carta como lembrete sobre pagamento que lhe é devido: Não obterá muito sucesso.

ESCRITOR

Um escritor: Felicidade.

Lidar com um escritor: Bons tempos estão chegando.

Pessoa casada sonhando com um escritor: Fortuna na família.

Pessoa solteira sonhando com um escritor: Notícias boas e inesperadas.

Um organizador de empresas sonhando com um autor: Deveria cuidar melhor dos negócios.

ESCRITÓRIO (firma)

Ter um escritório: A honestidade trará prosperidade.

Trabalhar em um escritório: Cuidado com a saúde.

Abrir um escritório: Você será insultado.

Ter um escritório de cobranças: Desastre financeiro.

Trabalhar em escritório de imprensa: Notícias desfavoráveis.

ESCRITURA

Assinar uma escritura: Você corre perigo.

Ter assinado uma escritura: Perda de dinheiro.

Outras pessoas que assinam escritura para você: Perda de afeto.

Receber o pagamento de uma escritura: Gozara saúde até à morte.

ESCRIVANINHA

Trabalhar em uma escrivaninha: Má sorte.

Trabalhar em uma escrivaninha aberta: Conte com boas notícias.

Uma escrivaninha fechada: Sentirá tristeza.

Outras pessoas trabalhando em

diversas escrivaninhas: Um mistério será solucionado.
Trabalhar em uma escrivaninha em casa: A felicidade está assegurada.
Trabalhar em uma escrivaninha de um advogado: Melhoria em sua posição.
Trabalhar em uma escrivaninha de contador: Trabalho excessivo em questões científicas.

ESCRIVÃO

Um escrivão: Será pedido em casamento.
Ser um escrivão: Ficará casado por muito tempo.
Ser um escrivão de tribunal: Receberá notícias de muitas mortes.
Ser escrivão (mesário) em uma eleição: Felicidade e contentamento.

ESCRIVÃO (cartório)

Um cartório de escrivão: Você está numa encruzilhada da vida.
Ir a cartório de escrivão: Tome as decisões e não olhe mais para trás.
Ir a cartório de escrivão com outras pessoas: Ganhará muito dinheiro em uma loteria.
Ir a cartório de escrivão com a pessoa amada: Anúncio de casamento.

ESCULTOR

Um escultor: Mudança na situação atual.
Visitar um escultor: Receberá honrarias.
Manter amizade com um escultor: O amor virá, porém você terá menos dinheiro.
Posar para um escultor: Atividades sociais alegres.
Um modelo posando sem roupa para um escultor: Realizará altas ambições.
Uma mulher casada posando para um escultor: Será abandonada pelo marido.
Uma virgem posando para um escultor: Ela se casará com um homem rico.
Uma viúva posando para um escultor: Momento adequado para levar à frente os desejos dela.

ESCURIDÃO

A escuridão: Uma possível mudança para melhor.
Estar na total escuridão: Não hesite em aproveitar uma oportunidade.
Outras pessoas na escuridão: Grande infelicidade.

ESCUTAR

Escutar alguém por perto: Terá mente vigorosa.
Escutar parentes falando: Logo ocorrerá uma mudança na sua vida.
Escutar crianças: Ganhos financeiros.
Escutar outras pessoas: Você está sendo enganado.

ESFARRAPADO

Uma pessoa esfarrapada: O futuro será bom.

Um homem esfarrapado: Você está desperdiçando esforços.

Uma mulher esfarrapada: Ela será uma grande amante.

Crianças esfarrapadas: Bom futuro.

Falar com pessoas esfarrapadas: Bons ganhos.

Dar algo a pessoas esfarrapadas: Grande lucro.

Você próprio esfarrapado: Algo atrapalhará o andamento dos negócios.

Circular em roupas esfarrapadas: Em breve terá roupas novas.

ESFREGÃO

Um esfregão: Precisa ter cuidado para evitar dificuldades.

Usar esfregão: Melhoria em sua posição.

Comprar um esfregão: Boa sorte para alguém por quem você se interessa.

Jogar um esfregão fora: Dinheiro chegando.

Outras pessoas usando esfregão: Infortúnio nos assuntos sentimentais.

ESFREGAR

Esfregar o chão do quarto: Obterá êxito em tudo.

Esfregar o chão do apartamento: As pessoas depositam confiança em você.

Esfregar um porão: Fará maus negócios.

Esfregar o chão diante da casa: Amigos virão visitá-lo.

Esfregar coisas sujas: Você deixará sua casa.

Esfregar coisas: Logo mudará de residência.

Ser esfregado: Irá a um baile.

Esfregar outra pessoa: Grande escândalo na vizinhança.

ESGOTADO

Estar esgotado: Atividades sociais alegres.

Outras pessoas esgotadas: Um mistério será solucionado.

O marido ou a mulher esgotado: Recursos abundantes.

Os filhos esgotados: Tenha cautela nos negócios.

ESGRIMIR

Esgrimir: Boas aventuras à frente.

Outras pessoas esgrimindo: Infortúnio nos assuntos sentimentais.

Inimigos esgrimindo: Cuidado com amigos invejosos.

Ensinar esgrima: Passará por muitos altos e baixos.

ESMAGAR

Esmagar alguma coisa: Grandes prejuízos.

Esmagar comida: Será uma pessoa bem-humorada.
Outras pessoas esmagando comida: Bons dias virão.
Esmagar a comida para crianças: Um parente terá uma morte terrível.
Esmagar insetos: Possuirá muito dinheiro.
Esmagar morangos: Miséria.

ESMERALDA
Uma esmeralda: Passará por dificuldades por causa de uma herança.
Ter esmeraldas: Obterá a maior fortuna possível.
Vender esmeraldas: Separação de uma pessoa que você ama.
Comprar uma esmeralda: Bons negócios com pessoa distante.

ESMOLA
Esmola: Tristeza causada por afeição de alguém.
Receber esmolas: Perda de sua casa.
Dar esmolas livremente: Grande felicidade.
Alguém que pede esmola a você: Infortúnio, se se recusar a dar.

ESMOLAR
Esmolar: Infortúnio na família.
Outras pessoas esmolando: Terá muita felicidade.
Inimigo esmolando: Escapará a um perigo atual.
Amigos esmolando: Receberá um legado.

ESMOLER
Um esmoler: Receberá ajuda inesperada.
Muitos esmoleres: Terá fortuna e felicidade.
Um esmoler idoso: Faça economia.
Um esmoler aleijado: Brigas de família.
Dar dinheiro a um esmoler: O amor será retribuído.
Um esmoler que entra na sua casa: Dificuldades e preocupações surgirão.

ESPADA
Uma espada: Grandes honrarias.
Usar espada: Terá posição de confiança pública.
Ser ferido por espada: Grande perigo à frente.
Uma espada quebrada: Desencorajamento profundo.
Ferir outras pessoas com espada: Bons resultados nos negócios.
Ser ferido com espada por pessoa conhecida: Receberá um trabalho.
Sangue que sai de ferimento causado por espada: Receberá um grande favor.
A vida em perigo por uma espada: Grandes benefícios.
Ser ferido na mão por espada: Grandes honrarias.
Uma mulher sonhando que fere alguém: Receberá muitos presentes.
Uma mulher grávida sonhando que fere alguém: Dará à luz um menino.

Golpear pessoa desconhecida com espada: Êxito nos empreendimentos.
Ser espadachim: O perigo trará ameaças.
Afiar uma espada: Segurança.

ESPANCAR

Espancar o marido ou a esposa: Ambos serão muito felizes.
Pessoa casada sonhando que espanca alguém: Terá uma vida tranqüila.
Solteiro sonhando que espanca alguém: Boa sorte nos assuntos amorosos.
Moça solteira sonhando que espanca homens: Êxito no amor.
Uma amante espancando a esposa do amante: O caso terminará.
Uma mulher espancando o homem que a paquera: Grande sucesso no amor.
Um marido espancando a mulher: Felicidade e lar confortável.
Uma esposa espancando o marido: Casamento duradouro.
Um homem espancando uma mulher que não seja a esposa: Negócios favoráveis.
Pais que espancam os filhos: Bons negócios inesperados.
Espancar os filhos de pessoas desconhecidas: Longo período de doença.
Um homem espancando a namorada: Noivado futuro.
Uma mulher espancando o namorado: Felicidade no amor.
Espancar um amigo: Contentamento.
Ser espancado por um amigo: Infelicidade do amor.
Um solteiro esbofeteando alguém no rosto: Logo se apaixonará.
Um homem casado esbofeteando alguém no rosto: O casamento durará para sempre.
Uma mulher casada esbofeteando um homem: Ela é fiel ao marido.
Espancar um porco ou outros animais: Prejuízos em suas atividades.

ESPARTILHO

Seu espartilho: Outra pessoa desfruta daquilo que você deseja.
O espartilho da esposa: Evite os rivais.
Os espartilhos de outras pessoas: Será abandonado pela pessoa amada.
O espartilho da namorada: Você estará diante de uma tentação.
Perder um espartilho: Você encontrará outra pessoa pela qual se interessará.
Comprar espartilho: Terá mente vigorosa.

ESPÁTULA

Uma espátula de madeira: Ganhará a vida com trabalho pesado.
Trabalhadores usando uma espátula: Obstáculos no caminho dos filhos.
Pintor que usa espátula: Divórcio.
Usar espátula ao cozinhar: Evite os vizinhos.

ESPECIFICAÇÃO

Escrever especificações: Alcançará grande êxito.
Pôr especificações no correio: Os esforços trarão bons rendimentos.
Receber especificações: Alguém procura fazer-lhe mal.
Escrever especificações em letra de imprensa: Ficará embriagado.

ESPELHO

Um espelho: Traição.
Uma mulher olhando-se ao espelho: Os amigos o estão enganando.
Um homem olhando-se ao espelho: Tenha cautela nos negócios.
Um diretor comercial olhando-se ao espelho: Os subordinados não estão dando apoio.
Moça olhando-se ao espelho: É aconselhável mudar de namorado.
Uma mulher casada olhando-se ao espelho: Ela é infiel ao marido.
Uma amante ao espelho: O namorado não é fiel.
Uma viúva olhando-se ao espelho: Deveria procurar por verdades secretas.
Ver a si próprio em um espelho: Doença.
Ver o marido em um espelho: Será tratada injustamente.
Ver uma pessoa que você ama no espelho: Riqueza.
Ver outras pessoas em um espelho: Casamento infeliz.
Um espelho quebrado: Morte inesperada de um parente.

ESPERANÇA

Ter esperanças: Perda de bons amigos.
Perder a esperança: Bons dias se aproximam.
Ter boas esperanças para a família: Perigo à frente.
Ter esperança de êxito para os filhos: Grandes discussões com os parentes.

ESPERAR

Esperar que alguém chegue: Há um amigo falso por perto.
Esperar, pronto a agir: Um amigo procura ajudá-lo em segredo.
Esperar a chegada de alguém que foi retardado: Estará diante de obstáculos insuperáveis.
Esperar a chegada de uma pessoa que você ama: Bons tempos virão.

ESPERTO

Ser esperto: Você tem muitos amigos bons.

Ter marido ou mulher esperto: Acontecimentos felizes a caminho.
Ter filhos espertos: Pequenas discussões em família.
Ter amigos espertos: Triunfo e honrarias.

ESPETAR

Espetar a si próprio: Um presente será dado com amor.
Outras pessoas que se espetam: Vergonha pública.
Ser espetado com uma agulha: Infortúnio nos assuntos sentimentais.
Ser espetado com espinho: Perda da posição atual.

ESPIÃO

Um espião: Você deseja prestar um serviço, mas sua oferta foi recusada.
Ser um espião: As aventuras o envolverão.
Conhecer um espião: Proteja-se de más influências.
Lidar com um espião: Os negócios correrão sem tropeços.

ESPIGAS

Espigas de milho, trigo, centeio ou cereal: Disporá de recursos abundantes.

ESPINAFRE

Espinafre: Boa saúde.
Comprar espinafre: Obterá bons ganhos.
Plantar espinafre: Desfrutará de vida longa.
Comer espinafre: Será aborrecido por vizinhos desagradáveis.
Cozinhar espinafre: Contará com a gratidão da família.
Moer espinafre: Êxito nos negócios.

ESPINGARDA

Ver Armas.

ESPINHEIRO

Essa flor da primavera: Harmonia entre amigos.
Um espinheiro branco: Terá muito dinheiro.
Um espinheiro roxo: A felicidade está assegurada.
Sentir a fragrância das flores do espinheiro: Grande alegria.

ESPINHO

Espinhos: Terá muito contentamento.
Ser espetado por um espinho: Aviso de dificuldades.
Crianças espetadas por espinho: Mudança de ambiente.
Ficar irritado por causa de um espinho: Mudança para melhor.
Ter espinhos no corpo: Doença.

ESPINHOS (do mato)

Espinhos do mato: Pobreza e privação.

Passar em meio a espinhos do mato sem ser arranhado: Felicidade.
Outras pessoas que passam em meio a espinhos do mato: Decepção no amor.
Cortar caminho em meio a espinhos do mato: Vergonha e tristeza.

ESPÍRITO

Um espírito aparecendo: Boa sorte.
Ser assustado por um espírito: Passará por dificuldades.
Não ter medo de espírito: Você se sairá bem das dificuldades.
Um espírito que lhe fala: Cuidado com os inimigos.

ESPÍRITO SANTO

O Espírito Santo: Terá de suportar fatalidades.

ESPÍRITOS MAUS

Ter espíritos maus: Cuidado nos negócios.
Expulsar espíritos maus: Evite os rivais.
Espíritos maus que causam tristeza: Será enganado por amigos.
Espíritos maus que prejudicam a felicidade: Terá domínio sobre muitas questões.

ESPIRRAR

Espirrar: Terá vida longa.
Espirrar muitas vezes: Você se apaixonará.
Criancinhas espirrando: Terão problemas estomacais de pouca gravidade.
Filhos espirrando: Cuidado com ferimentos nas crianças.
Outras pessoas espirrando: Desastre.

ESPLENDOR

Esplendor: Terá vida movimentada e feliz.
Estar em esplendor: Alegria e felicidade.
Outras pessoas em esplendor: Preocupações de família.
Os filhos em esplendor: Você está procurando esconder más notícias.

ESPONJA

Esponja: Você tende a ser sovina.
Uma mulher sonhando com esponjas: Terá um admirador destacado.
Uma mulher sonhando que aperta uma esponja: O homem que ela ama entrará para o Exército ou para a Marinha.
Uma moça solteira sonhando com esponjas: Está com pressa de casar-se.
Uma moça solteira apertando uma esponja: Ela se casará com um homem rico.
Usar esponja de banho: Espera ansiosamente que alguma coisa aconteça.
Um mergulhador na pesca de esponjas: Receberá dinheiro em breve.

Um mergulhador que pratica pesca de esponjas sonhando que as colhe: Miséria.

ESPORA (roda dentada)

Ter rosetas de espora: Desfrutará de atividades sociais agradáveis.
Esporear um cavalo com as rosetas: Receberá dinheiro.
Ajustar a correia das rosetas: Aflição quanto aos resultados nas transações comerciais.
Ter muitas rosetas: Vaidade.
Ter rosetas de prata: Riqueza.

ESPOSA

Sua própria esposa: Precisa controlar suas paixões.
Casar-se: Realização de desejo.
Ser chamado pela esposa: Será atormentado.
Discutir com a esposa: Haverá uma briga que durará diversos dias.
A esposa belamente vestida: Aviso de problemas.
Sua esposa despindo-se: Você precisa corrigir seu modo de viver.
Sua esposa despida: Ela o engana.
A esposa em uma banheira: Infortúnio nos assuntos sentimentais.
A esposa tomando sol na praia: Evitará um perigo atual.
A esposa nadando em uma piscina: Um rival vai roubar a afeição dela.
A esposa casada com outro: Mudança de situação ou separação.
Uma esposa que sonha casar-se com outro homem: Separação repentina ou morte do marido.

ESPREGUIÇAR-SE

Espreguiçar-se: Tocará um solo em instrumento musical.

ESPUMA

Espuma criada ao escovar os dentes: Terá muita felicidade.
Espuma criada ao preparar alimento: Será cercado por amigos animados.
Espuma na boca de um cavalo: Você tem amigos leais.
A espuma que sai da boca de um cão: Não está à altura de sua posição.

ESQUECER

Esquecer: Os negócios não melhorarão.
Esquecer-se de um encontro: Decepção no amor.
Esquecer-se de pôr uma carta no correio: Receberá más notícias.
Esquecer-se de pagar uma conta: Um mistério será solucionado.
Esquecer uma pessoa que você ama: A fortuna está por perto.

ESQUELETO

Um esqueleto: Terá crises de enjôo.
Ser um esqueleto: Problemas no lar.
O esqueleto de um antepassado: Morte na família.

O esqueleto de um animal: Terá medo por ter cometido transgressões.
O esqueleto de alguém que você conhece: Perigo ou doença.

ESQUILO
Esquilos: Enganação.
Um homem sonhando com esquilos: Vai amar a empregada.
Uma mulher sonhando com esquilo: Será surpreendida enquanto comete uma transgressão.
Uma moça sonhando com esquilo: Não será fiel ao namorado.
Filhos sonhando com esquilo: Surpreenderão um ladrão.
Matar um esquilo: Fará alguns novos amigos.
Domesticar um esquilo: Felicidade no lar.
Ser mordido por esquilo: Você se casará por dinheiro.

ESSA (estrado fúnebre)
Uma essa na igreja: A preocupação se dissipará.
Uma essa que leva alguém morto à sepultura: Felicidade.
Uma essa militar transportando mortos: Sentirá tristeza.

ESTABELECIMENTO PÚBLICO
Um estabelecimento público: Será convidado à casa de pessoa amiga.
Beber em um estabelecimento público: Negligência nas questões comerciais.
Pessoa que ama sonhando estar em um estabelecimento público: Engano por parte de alguém que você ama e em quem confia.
Pessoa casada sonhando que está em um estabelecimento público: Infelicidade.
Homem de negócios sonhando que está em um estabelecimento público: O perigo está ao seu lado.
Agricultor sonhando que está em um estabelecimento público: Más colheitas.
Ser dono de um estabelecimento público: Trabalhará muito para recuperar um prejuízo.
Estar com amigos em um estabelecimento público: Tempos animados estão chegando.

ESTÁBULO
Um estábulo: Riqueza.
Um estábulo iluminado pelo luar: Felicidade no amor.
Um estábulo em pistas de corrida: Ganhará muito dinheiro.

ESTADO (unidade da Federação)
Um estado do país: Logo realizará uma viagem.
Seu próprio estado: Sua velhice será tranqüila e feliz.
Sair do estado: Receberá boas notícias.
Mudar-se para outro estado: Honrarias e alegria.
Ser cidadão do estado: Terá dinheiro na velhice.

ESTADOS UNIDOS DA AMÉRICA

Estados Unidos: Muitas pessoas o invejam.

Ser cidadão dos Estados Unidos: Terá felicidade em idade avançada.

Ver os Estados Unidos em um mapa: Grande alegria.

Estar nos Estados Unidos: A felicidade será obtida por meio de seus próprios esforços.

Fazer uma viagem aos Estados Unidos: Logo se casará.

Fazer uma viagem aos Estados Unidos em companhia de outras pessoas: Terá futuro incerto.

Ir aos Estados Unidos, partindo do exterior: Riqueza e prosperidade.

Ir para o exterior, partindo dos Estados Unidos: Os empreendimentos estão distantes.

Ser deportado para os Estados Unidos, partindo do exterior: Será vítima de uma acusação falsa.

Ser deportado dos Estados Unidos: Será culpado por atos impensados.

ESTALEIRO

Um estaleiro: Perda de dinheiro.

Trabalhar em um estaleiro: Terá dinheiro durante a velhice.

Um estaleiro onde se constroem navios: Logo receberá notícias tristes.

Um estaleiro onde se desmontam navios: Ganhos financeiros.

Levar navios para serem reparados em um estaleiro: Enfrentará problemas financeiros.

ESTAMBRE (tecido)

A lã em estambre: A boa sorte o virá.

Enrolar lã de estambre: Receberá rendimento fácil e bom.

Costurar malha com fio de estambre: Herdará mais do que ganha.

Parentes tricotando com fio de estambre: O êxito virá mais tarde.

ESTANHO

Estanho: As pessoas estão falando por trás de você.

Objetos de estanho brilhante: Aceitará amigos falsos como verdadeiros.

Comprar estanho: Melhorará sua posição financeira.

Vender estanho: Ponha à prova os amigos antes de confiar neles.

Trabalhar com estanho: Não empreste dinheiro com muita facilidade.

Ser dono de muito estanho: Você tem grande caráter.

ESTANTE

Uma estante vazia: Conte com a sorte, mas se esforce.

Uma estante cheia: Sofrerá por causa de trabalho negligente e descuidado.

Uma estante pela metade: Você tem má personalidade.

Comprar uma estante: Perda de emprego.

Vender uma estante: Dificuldades financeiras nos negócios.

ESTÁTUA

Estátuas: Infelicidade.

Adorar uma estátua: Grande tristeza.

Uma estátua que se movimenta: Riqueza.

A estátua de um santo: Riqueza.

A estátua de uma mulher nua: Honraria e distinção.

A estátua de um homem nu: Bons resultados nos empreendimentos.

Diversas estátuas: Seu amor não é desejado.

ESTEREOSCÓPIO (visor binocular)

Um estereoscópio: Alguém procura pegá-lo em uma mentira.

Crianças olhando por um estereoscópio: Você se livrará de um inimigo.

Outras pessoas olhando por um estereoscópio: Cuidado com inimigos que o cercam.

Observar paisagens agradáveis por um estereoscópio: Terá vida longa.

ESTÉRIL

Ser estéril: Receberá tristes notícias.

Marido ou mulher falando da incapacidade de terem filhos: Adotarão uma criança.

Membros da família sendo estéreis: Felicidade doméstica.

Amigos que são estéreis: Você é generoso demais com as pessoas a quem ama.

ESTICAR

Esticar algo depois de lavá-lo: Alguém procura destruí-lo.

Não conseguir esticar alguma coisa: O êxito virá mais tarde.

Outras pessoas esticando cordas: Elas estão recebendo o que você desejava.

ESTILETE

Uma adaga pontiaguda: Discórdia em família.

Enfiar um estilete em alguém: Sofrerá um abalo em seus sentimentos.

Sofrer um golpe de estilete: Descoberta de objetos valiosos que estavam perdidos.

Usar estilete em um uniforme: Um mistério será solucionado.

ESTIVADOR

Estivadores: Fará coisas boas por outras pessoas.

Contratar estivadores: Acontecimentos importantes e muito benéficos a caminho.

Discutir com estivadores: Sorte e prosperidade.

Pagar estivadores: Pouca felicidade nas questões amorosas.

Estivadores ociosos: Enfrentará dificuldades à frente.

ESTOLA

Uma estola para mulheres: Terá remorsos.

Uma estola para sacerdotes: Será assustado por uma aparição.

Uma mulher com bela estola: Levará uma vida fácil.
Uma mulher comprando estola: Alegria em casa.
Usar estola: Você está tentando esconder transgressões.
Vender uma estola: Alguém procura prejudicá-lo.
Perder uma estola: Doença.

ESTÔMAGO

Estômago cheio e satisfeito: Riqueza, de acordo com a quantidade ingerida.
Não estar com o estômago cheio: Será convidado a um jantar.
Filhos com o estômago cheio: Eles farão progressos nos estudos.
Parentes com o estômago cheio: Decepção em suas esperanças.
Ter estômago grande: Miséria e infortúnio.
Ter estômago pequeno: Ninguém descobrirá seus segredos.

ESTORVO

Ser um estorvo para outros: Receberá uma fortuna considerável.
Um amigo que é um estorvo: Receberá notícias inacreditáveis.
Parentes que são um estorvo: Infelicidade no amor.
Credores que são um estorvo: Seja moderado em seus desejos.
Inimigos que se tornam um estorvo: Falência total dos negócios.
Crianças que se tornam um estorvo: Você será enganado.

ESTRADA

Uma estrada: Terá boa saúde.
Viajar em uma estrada: Segurança.
Viajar em estrada reta: Felicidade duradoura.
Viajar em estrada sinuosa: Descoberta de um segredo.
Viajar em estrada de má qualidade: Novos empreendimentos causarão tristeza e prejuízos.
Perder-se em uma estrada: Erro na decisão causará prejuízos.
Viajar em estrada bem pavimentada: Ganhos financeiros.
Viajar em estrada larga: Grande sorte.
Viajar em estrada estreita e cheia de curvas: Encontrará muitos obstáculos.
Viajar em estrada com outras pessoas: Terá vida longa.
Viajar em estrada com o namorado: Será enganado por amigos.

ESTRADA PAVIMENTADA

Uma estrada pavimentada: As dificuldades aumentarão.
Atravessar uma estrada pavimentada: Surgirá um trabalho de natureza artística.
Uma estrada que ainda não foi pavimentada: Receberá carta com dinheiro.

ESTRANGEIRO

Conhecer um estrangeiro: Descoberta de objetos valiosos que estavam perdidos.

Estar em companhia de estrangeiros: A felicidade está assegurada.

Casar-se com um estrangeiro: Será feliz nos assuntos sentimentais.

Apaixonar-se por um estrangeiro: Terá vida longa.

Não gostar de um estrangeiro: Não obterá êxito nos empreendimentos.

ESTRANGULAR

Estrangular: Dificuldades.

Ser estrangulado: Um amigo falso está por perto.

Alguém que estrangula você: Seu desejo se concretizará.

Outras pessoas que são estranguladas: Êxito rápido nos seus planos.

ESTRANHO (forasteiro)

Ser um estranho: Grande amor e amizade.

Ser um estranho indesejável: Vergonha e tristeza.

Ser apresentado a um estranho: Receberá dinheiro em cobrança.

Um estranho que muda de cidadania: Aguarde acontecimentos muito importantes e benéficos.

ESTREBARIA

Uma estrebaria: A felicidade está assegurada.

Estar na estrebaria de um hipódromo: Não especule.

Estar dentro de uma estrebaria em um pasto: Notícias surpreendentes de um noivado.

Outras pessoas dentro de uma estrebaria: Um noivado será cancelado.

ESTREITO

Uma trilha estreita: Haverá um acontecimento insignificante.

Seguir com dificuldade por uma trilha estreita: Obterá êxito por meio de extremo esforço.

Outras pessoas esforçando-se para seguir por uma trilha estreita: Obterão aquilo que você não se atrevia a querer.

Inimigos em uma trilha estreita: Alcançará uma posição respeitável.

ESTRELA

Estrelas: Felicidade.

Estrelas de luz fraca: Tudo dará errado, por isso não deposite confiança nos outros.

Estrelas cadentes: Grande sorte.

Ver estrelas à noite: Acontecimento importante e muito benéfico a caminho.

Uma estrela de brilho extraordinário: Prejuízo nos negócios.

Uma estrela que brilha, a luz chegando a um cômodo da casa: Perigo de morte para o chefe da família.

Diversas estrelas juntas: Perigo de guerra.
Ver estrelas brilhantes: Prosperidade e satisfação de todos os desejos.
Ver estrelas brilhantes com a esposa: Fará uma viagem.
Ver estrelas brilhantes com os filhos: Boas notícias.
Ver estrelas brilhantes com o namorado: Realização dos desejos.
Uma pessoa rica sonhando com estrelas que desaparecem: Perda de dinheiro.
Uma pessoa pobre sonhando com estrelas que desaparecem: Morte.
Estrelas caindo do céu: Desastre.
Estrelas com cauda caindo do céu: Abandonará a casa por causa de incêndio.
Estrela que cai em sua casa: Perda de amor.
Estrela que cai em um telhado: Doenças.

ESTREMECER

Estremecer: A felicidade trazida pela alegria no lar.
Outros estremecendo: Haverá um casamento.
Estremecer e tremer muito: Realizará altas ambições.
Parentes estremecendo: A decepção é certa.

ESTRIBO

Estribos: Suas esperanças se concretizarão.
Prender os estribos: Será obrigado a fazer uma viagem.
Soltar os estribos: Receberá notícias inesperadas.
Ter dificuldades para prender os estribos: Discussões violentas com pessoa amiga.

ESTRUME

Adubar o solo com estrume: Prosperidade.
Comprar estrume: Riqueza.
Vender estrume· Recursos abundantes.
Lidar com estrume: Bons lucros.

ESTRUTURA

Uma grande estrutura: Boa sorte no casamento.
Uma pequena estrutura: Cuidado com os parentes.
Você assistindo à construção de uma estrutura: Será muito maltratado pelos credores.
Estar dentro de uma estrutura: Seu futuro está assegurado.
Estar do lado de fora de uma estrutura: Trabalhará com esforço por toda a vida.

ESTUDANTE

Ser um estudante: Será atacado.
Muitos estudantes: Levará uma vida de crimes.
Estudantes estrangeiros: Prosperidade.
Um professor com muitos bons estudantes: Alcançará sua meta.

Um professor com más estudantes: Ficará apaixonado por uma delas.

ESTUDAR

Estudar: Terá consciência tranqüila.
Filhos estudando: Todos os desejos serão realizados.
Filhos que não estudam: Abusará da confiança alheia.
Marido ou mulher estudando: Terá um casamento infeliz.
Um professor estudando: Será pedido em casamento.

ESTÚDIO

Um estúdio: Receberá muito consolo no amor.
O estúdio de um fotógrafo: Haverá uma grande decepção.
O estúdio de um pintor: Decepção em suas ambições.
Possuir um estúdio: Receberá convidados desagradáveis.
Ter estúdio particular: Estará livre de um inimigo.

ESTUFA

Uma estufa: A decepção é inevitável.
Estar em uma estufa: Acontecimento importante e muito benéfico a caminho.
Muitas plantas e flores em uma estufa: Sorte e prosperidade.

ESTUPRO

Ser estuprado: Será pedido em casamento.
Estuprar alguém menor de idade: Infortúnio.
Estuprar alguém com mais de 21 anos: Alegria e prosperidade.
Sofrer violência sexual de uma mulher: Receberá uma herança inesperada.
Pessoas amigas que são estupradas: Passará por grandes dificuldades.

ESVAZIAR

Retirar objetos da casa: A infelicidade se aproxima.
Esvaziar uma casa: Receberá más notícias.
Esvaziar o local de negócios: Ganhará dinheiro no futuro.
Outras pessoas esvaziando sua propriedade: Perderá dinheiro no jogo.
Outras pessoas retirando móveis, em pagamento de dívidas: Morte de um parente distante.

ETERNIDADE

Eternidade: Será muito feliz.
Viver até a eternidade: Existência válida do tempo.
Ser imortal: Felicidade na família.

EUROPA

Europa: Alegria sem ganho.
Ver a Europa em um mapa: Melhoria no emprego.
Fazer uma viagem à Europa: Travará conhecimentos que serão importantes.
Fazer uma viagem à Europa em companhia de outras pessoas:

Rival ficará com seu namorado.
Visitar diversos países europeus: Boas atividades financeiras.
Regressar de países europeus: Brigas com amigos.
Ser deportado de países europeus: Estará diante de um grande trabalho.
Ser deportado para países europeus: Perigo causado por um segredo.
Ser cidadão de um país europeu: Receberá notícias falsas.
Ter negócios em países europeus: Fracasso dos inimigos.

EVA

Ser Eva: Prosperidade.
Ser Eva e estar nua: Ganhos financeiros.
Uma moça sonhando que é Eva: Logo ocorrerá uma mudança na sua vida.
Falar com Eva: Infortúnio no amor.

EVAPORAR

Coisas evaporando-se: Cairá na pobreza.
Perfume que se evapora: Gostar de alguém quando o encontra e receber um beijo.
Odores desagradáveis que se evaporam: Decepções no amor.
Éter ou álcool evaporando: Terá vida longa.
Vapor desaparecendo: Terá de contar com seu próprio bom senso.

EVIDÊNCIA

Ter evidência de alguma coisa: Má reputação.

EXAME

Fazer um exame: Não está à altura de ocupar sua posição.
Passar em um exame: Terá preocupações nos negócios.
Responder corretamente a todas as perguntas de um exame: Ganhos financeiros.
Não responder corretamente às perguntas: Trabalho agradável e boas notícias.
Filhos que passam em um exame: Realizará altas ambições.
Outras pessoas que passam em um exame: A decepção é inevitável.

EXCESSO

Ter excesso de mercadorias: Você enganará outras pessoas.
Ter excesso de algo em casa: Uma carta trará más notícias.
Um agricultor com excedente na colheita: Desfrutará vida feliz no futuro.
Um agricultor que vende o excedente: Grande fortuna.
Uma loja que vende saldos: Terá gosto delicado.
Comprar excedentes: Divórcio.

EXCITAR

Estar excitado e feliz: O êxito virá mais tarde.
Estar excitado, mas de forma de-

sagradável: Realização vitoriosa dos planos.
Ser excitado por outras pessoas: Pobreza.
Outras pessoas que o excitam levando-o à raiva: Passará fome.

EXCREMENTO

Excremento: Possuirá muito dinheiro.
O excremento de criancinhas nas fraldas: Obterá grandes vantagens.
Excremento de animais: Alcançará grandes lucros.
Qualquer outro tipo de excremento: Receberá um presente.

EXCURSÃO

Estar em uma excursão: Cuidado com os companheiros casados.
Fazer uma excursão com pessoa amiga: Cuidado, este amigo pode não ser sincero.
Fazer uma excursão com a família: Acontecimento importante e benéfico a caminho.
Marido e mulher fazendo uma excursão: O êxito virá mais tarde.
Outras pessoas fazendo uma excursão sem você: Ganhos financeiros.

EXECUÇÃO

Uma execução: O êxito dos empreendimentos causará desconfianças.
Sua própria execução: Precisa controlar suas paixões.
Execução da pessoa amada: Sofrerá por sua própria insensatez.
Execução do namorado: Evite os rivais.
Execução de uma pessoa culpada: Triunfo sobre os inimigos.
Execução de uma pessoa inocente: Será abandonado pela pessoa amada.
Comparecer a uma execução: Você tem amigos infiéis.

EXEMPLO

Exemplo: Será um modelo em sua vida.
Ser um exemplo para os filhos: Alcançará alta posição.
Pessoas que são bons exemplos: Obterá êxito nos negócios.
Pessoas que são maus exemplos: Escreverá uma sentença de morte.

EXERCÍCIO

Exercício: Tudo correrá bem.
Sentir-se cansado de um exercício: Cuidado com prejuízos monetários.
Gostar de exercício vigoroso: Você está sendo enganado.
Exercitar-se com membros da família: Fortuna e alegria.
Esposa e marido exercitando-se: Perseguição e traição.
Outras pessoas se exercitando: Fracasso dos inimigos.

EXÉRCITO

Um exército: Guerra dentro da família.

Diversos exércitos de países diferentes: Fortuna e alegria.
O exército de seu próprio país: Terá pequeno êxito nos negócios.
Um exército lutando: Traição e perseguição.

EXÍLIO
Ser exilado: Previsão de grandes prejuízos.
Estar para ser exilado: O êxito virá mais tarde.
Estar no exílio: Dificuldades passageiras.
Uma mulher que sonha ser exilada: Terá de sacrificar o prazer para fazer uma viagem.
Regressar do exílio: Felicidade durante a vida.
Ser exilado com culpa: Terá uma doença de pele por anos seguidos.

EXOGAMIA (casamento entre raças)
O casamento entre raças: Terá amigos inesperados para o jantar.
Uma mulher casada com um estrangeiro: Trabalho agradável e boas notícias.
Um homem casado com uma estrangeira: Sorte e prosperidade.

EXPEDIÇÃO
Ir em expedição: Concluirá seus objetivos.
Planejar uma expedição, mas não a concretizar: Grande catástrofe à frente.
Deixar de alcançar a meta de uma expedição: Sofrerá prejuízo financeiro.
Outras pessoas que não alcançam a meta da expedição: Preocupações nos negócios.

EXPLODIR
Explodir: Terá divertimentos e alegria.
Fazer explodir alguma coisa: Receberá uma herança.
Pessoas amigas que fazem explodir alguma coisa: Bons resultados nos negócios.
Inimigos que fazem explodir alguma coisa: Reconheça o valor sempre que ele existir.

EXPLORADOR (de área)
Um explorador: Você está cercado por falsos amigos.
Ser um explorador: Logo terá conhecimentos dignos de confiança.
Sair em exploração de uma área: Doença.
Discutir uma descoberta com um explorador: Receberá más notícias.

EXPLOSÃO
Uma explosão: Os amigos vão desaprovar seus atos.
Ferir-se em uma explosão: Terá de suportar constrangimento.
Rosto que é marcado por ferimentos em uma explosão: Será acusado injustamente.
Estar envolto em chamas após explosão: Os amigos desrespeitam seus direitos.

Outras pessoas em uma explosão: Perigo para um parente.
Sentir-se culpado por causar explosão: Os amigos perderão a confiança em você.

EXPOSIÇÃO

Uma exposição: Enfrentará dificuldades.
Visitar uma exposição: Prejuízos financeiros.
Ir a uma exposição com outras pessoas: Boa sorte inesperada.
Ir a uma exposição com a família: Aviso de dificuldades.

EXPRESSO

Viajar em um ônibus expresso: Um inimigo procura sua ruína.
Viajar em trem expresso: Tenha cuidado para não ofender os superiores.
Pôr no correio uma carta expressa: Perigo causado por um segredo.
Receber uma carta expressa: Será enganado por amigos.

EXPULSÃO

Ser forçado a aceitar a expulsão: Terá sorte no amor.
Ser expulso: As coisas melhorarão.
Outras pessoas que são expulsas: Em breve receberá muito dinheiro.
Ser expulso para sempre: Prosperidade.
Ser expulso de sua própria casa: As condições financeiras serão muito ruins.

EXTERIOR (no estrangeiro)

Ir para o estrangeiro: Ocorrerá mudança de trabalho.
Estar no exterior: Mente e modo de pensar irresolutos.
Regressar do exterior: Modificações na situação atual.
Outros que vão para o exterior: Triunfo sobre os inimigos.
Outros que estão no exterior: Será enganado.

EXTINGUIR

Debelar um incêndio: Grande perigo à frente.
Extinguir uma chama: Não terá dinheiro suficiente.
Extinguir uma luz: Brigas sérias por amor.
Extinguir uma ação judicial: Será perseguido por uma mulher.

EXTRAVAGANTE

Ser extravagante: Vergonha e tristeza.
Outras pessoas que são extravagantes: Ganhos financeiros.
A esposa extravagante: Concretizará altas ambições.
Marido extravagante: Tenha cautela nos empreendimentos comerciais.

F

FÁBRICA

Pessoas entrando em uma fábrica: Acontecimento importante e benéfico a caminho.

Fábricas que pertencem a outras pessoas: Há um amigo falso por perto.

Estar em uma fábrica: Grande riqueza no futuro.

Construir uma fábrica: Morte de um amigo.

Comprar uma fábrica: Você será abençoado.

Vender uma fábrica: Contrairá uma doença.

Uma fábrica de papel: Os negócios prosperarão.

Uma fábrica de seda: Os negócios irão de mal a pior.

Uma fábrica de veludo: Receberá um convidado indesejado.

Uma fábrica de linho: Tenha cautela nos empreendimentos comerciais.

Uma fábrica de pratos: Terá vida longa.

Uma fábrica de artigos de cerâmica: Será visitado por um bom amigo.

Uma fábrica de roupas: Trabalho agradável e boas notícias.

FÁBULA

Narrar uma fábula: Aguarde acontecimento importante e muito benéfico.

Ouvir outros que contam uma fábula: Precisa corrigir seu modo de viver.

Contar uma fábula aos filhos: Grande alegria.

FACA

Uma faca: Será convidado para um grande jantar.

Uma faca aguçada: Muitas preocupações.

Uma faca enferrujada: Descontentamento e contrariedades em casa.

Uma faca partida: Fracasso no amor.

Uma faca de cozinha: Brigas com amigos.

Uma faca de açougueiro: Bons tempos virão.

Ter muitas facas: Brigas.

Uma faca de mesa: Terá uma grande discussão.

Ter uma faca pequena, de carregar no bolso: Separação de amantes.

Achar uma faca: Fracasso nos negócios.
Cortar-se com uma faca: Precisa controlar suas emoções.
Ter o pescoço ferido por uma faca: Será insultado por amigos.
Duas facas em posição de cruz: Alguém será assassinado.

FAÇANHA

Realizar façanhas: Fracasso e humilhação.
Outras pessoas que realizam façanhas: O êxito virá mais tarde.
Pessoas amigas que realizam façanhas: Trabalho pesado no seu caminho.

FACES

Faces bonitas: Alegria e contentamento.
Faces rosadas: Vida longa.
Faces pálidas: Necessitará de mantimentos.
Uma mulher sonhando com suas próprias faces: Será muito amada.
Um homem sonhando com suas faces: Terá muita alegria.

FACULDADE

Homem ou mulher sonhando que está na faculdade: Receberá más notícias.
Filhos que vão à faculdade: Será enganado.
Uma mulher que sonha estar dentro de uma faculdade: Terá um filho.
Um homem que sonha estar dentro de uma faculdade: Em breve ocorrerá uma mudança na sua vida.
Os edifícios de uma faculdade: Em breve as coisas vão melhorar para você.

FADA

Uma fada: Terá uma vida de alegria.
Crianças sonhando com fadas: Você deveria corrigir seu modo de viver.

FADIGA

Estar fatigado: Obterá êxito em algum de seus empreendimentos.
Outras pessoas fatigadas: Os amigos procuram destruí-lo.
Marido ou mulher fatigado: Recursos abundantes.
Filhos fatigados: Tenha cautela em seus negócios.
Esgotar-se por fadiga: Felicidade em família.

FAISÃO

Um faisão: A prosperidade será maior do que você espera.
Comer um faisão: Tudo dará certo para você.
Cozinhar um faisão: Grande felicidade.
Segurar um faisão com o dedo: Lucro e alegria.
Ter um faisão sentado em seus ombros: Desfrutará de ótima saúde.
Matar um faisão: Recursos abundantes.

FALAR

Falar: Você gosta de muitos tipos de entretenimento.

Falar com sua própria mãe: Receberá boas notícias.

Marido e mulher falando um com o outro: Cuidado com as fofocas dos vizinhos.

Um homem que sonha falar com uma mulher: Bons empreendimentos nos negócios.

Uma mulher que sonha estar falando com um homem: Submeta-se à vontade do homem.

Falar com um amigo: Sofrimento que virá.

Falar com um inimigo: Brigas em família.

Falar com um cachorro ou papagaio: Morte.

FALAR COM CHIADO

Ouvir alguém que fala com chiado: Tenha cuidado com os rivais.

Outras pessoas falando com chiado: Os amigos são falsos.

Filhos que falam com chiado: Os amigos procuram enganá-lo.

FALCÃO

Um falcão: Sua sorte aumentará.

Segurar um falcão nas mãos: Prazer.

Outras pessoas segurando um falcão: Está cercado por inimigos invejosos.

Falcões voando: Será enganado por amigos.

FALCOEIRO

Um falcoeiro: Nova influência está prestes a entrar em sua vida.

Falar com um falcoeiro: Seja reservado com os companheiros atuais.

Negociar com um falcoeiro: Terá negócios com uma mulher.

FALÊNCIA

Estar na falência: Os negócios prosperarão.

Entrar em falência: Receberá a estima dos amigos.

Ter de declarar falência: Evite a especulação.

Outras pessoas na falência: Os negócios requerem vigilância imediata.

FALSIFICAÇÃO

Ser culpado de falsificação: Receberá dinheiro inesperado.

Outras pessoas praticando uma falsificação: Os amigos não lhe estão dizendo a verdade.

Falsificar uma assinatura: Riqueza à sua frente.

Outras pessoas falsificando sua assinatura: Ganhos financeiros.

Receber dinheiro falsificado: Um mistério será solucionado.

Falsificar dinheiro: Receberá uma promoção no emprego.

Lidar com dinheiro falso: Será solicitado a ajudar alguém.

FALTA

Estar com falta de tudo: Terá a felicidade na velhice.

Estar com falta de dinheiro: O êxito virá mais tarde.

Estar com falta de comida: Melhorias na vida financeira.

Estar com falta de peso: Um inimigo trama sua ruína.

Estar com falta de pertences: Bons dias virão.

Estar em falta: Será repreendido pelos amigos.

Filhos em falta: Vergonha e tristeza.

Marido em falta: Há um amigo falso por perto.

Esposa em falta: Um mistério será solucionado.

Sócio em falta: Terá vida longa.

Outros em falta: Sofrerá uma decepção.

FAMÍLIA

Sua própria família: Tenha cautela em seus empreendimentos.

Ter família numerosa: Tempos prósperos estão chegando.

Ter família pequena: Um amigo procura ajudar.

Não ter família ou parente: Você está sendo enganado.

A família de outras pessoas: Fracassos dos inimigos.

FAMOSO

Ser famoso: Prejuízos e mudanças para pior.

Filhos que se tornam famosos: Suas esperanças se concretizarão em pouco tempo.

Marido que se torna famoso: Ele está apaixonado por outra mulher.

Outras pessoas famosas: A tristeza está prestes a chegar.

FANTASIA

Fantasia: Desfrutará de boas coisas.

Fantasiar situações: Ficará muito desiludido.

Uma bela mulher em uma fantasia: Logo amará outra pessoa.

Um belo homem em uma fantasia: Perda de dinheiro.

FANTASMA

Um fantasma: Sofrerá uma decepção.

Um fantasma vestido de branco: Alegria e consolo.

Um fantasma vestido de preto: Evite as más tentações.

Um fantasma desaparecendo: Fortuna e alegria.

Muitos fantasmas: Ficará em estado de desespero.

Amante que sonha com um fantasma: Aquele a quem ama não consegue decidir-se.

Pessoa solteira sonhando com um fantasma: Evite brigas com os amigos.

Pessoa casada sonhando com fantasma: Não viaje, o destino está contra você.

Pessoa do comércio sonhando com um fantasma: Evite emprestar dinheiro, ou dar crédito.

FANTÁSTICO

Ser alguém fantástico: Infortúnio.
Outras pessoas que estão agindo de modo fantástico: Cuidado para não ser traído.
Parentes que agem de modo fantástico: Logo surgirão grandes discussões.
Amigos que estão agindo de modo fantástico: Cobrirá de favores uma bela mulher.

FANTOCHE

Fantoches: Os empregados não são suficientemente bons.
Ser um fantoche: Será amado pelas mulheres.
Movimentar fantoches: Enfrentará discussão em família.
Pessoa importante sonhando com fantoches: Você tem subordinados fiéis.

FARDO

Fardo de algodão: Boa sorte.
Possuir fardos de algodão: Passará por muitas dificuldades.
Comprar fardos de algodão: Vencerá os inimigos.
Vender fardos de algodão: Dinheiro chegando.

FARINHA

Comprar farinha: Ganhará dinheiro.
Ter farinha: Abundância.
Cozinhar usando farinha: Perda de um amigo.
Queimar farinha: Perigo à frente.
Fazer frituras com farinha: Vida feliz em breve.
Negociar no mercado de farinha: Fará especulações arriscadas.

FAROL

Estar em um farol: Terá uma vida boa e sadia.
Ir a um farol: Êxito nos negócios.
Voltar de um farol: Receberá carta de um parente.
Ver um farol em mar calmo: Terá uma vida sossegada.
Ver um farol em meio à tempestade: A felicidade logo virá.

FARTURA

Ter fartura excessiva: Precisa acalmar seu mau gênio.
Ter fartura: Grande êxito em seus planos.
Ter fartura de dinheiro: Um mistério será solucionado.
Parentes com fartura de tudo: Receberá dinheiro.
Outros que têm fartura: Bons resultados nos assuntos amorosos.

FAVOR

Fazer um favor a outros: Perda de amizade.
Outras pessoas que lhe prestam favor: Perda de dinheiro.

Receber um favor dos parentes: Aviso de discussões que ocorrerão em breve.
Receber favor de um amigo leal: Mudança de ambiente.
Receber favor de uma pessoa que você ama: Morte de um inimigo.

FAVORITO

A pessoa favorita: Alegria.
Ser a pessoa favorita de alguém: Receberá uma coisa de que gosta.
Parentes favoritos: Infelicidade.
Amizade favorita: Alguém lhe pedirá dinheiro.

FAZENDA

Possuir uma fazenda grande: Herdará dinheiro.
Possuir uma fazenda pequena: Realizará altas ambições.
Fazendeiro sonhando com a compra de uma fazenda: Grande colheita.
Vender uma fazenda: Terá de lutar.
Visitar uma fazenda: Boa saúde.
Outras pessoas que visitam sua fazenda: Êxito rápido em seus negócios.
Trabalhar na própria fazenda: Grande êxito nos negócios.
Parentes que trabalham em uma fazenda: Fará uma viagem sem perigo.
Contratar pessoas para trabalhar em uma fazenda: Você deveria corrigir seu modo de agir.
Trabalhar inteiramente sozinho em uma fazenda: Êxito material.
Abrir trilhas em uma fazenda: Trabalho pesado em breve.
Uma fazenda que se incendeia: Fortuna considerável à frente.
Uma fazenda próspera: Vantagens nos negócios, casamento e herança.
Uma fazenda vazia: Miséria.
Fazenda que pertence a outros: Trabalho agradável e boas notícias.

FAZENDA DE CRIAÇÃO

Uma fazenda de criação: Terá de suportar a infelicidade por período curto.
Trabalhar em uma fazenda de criação: Um casamento se realizará em breve.
Possuir uma fazenda de criação: Alegria e prosperidade.
Vender uma fazenda de criação: Infelicidade.
Comprar uma fazenda de criação: Receberá boas notícias.

FAZER GRAÇA

Fazer graça: Desejos secretos serão descobertos.
Fazer graça de outras pessoas: Verá uma mulher nua.
Outras pessoas fazendo graça de você: Será abandonado pela esposa.
Um cão que faz graça e brinca com você: Terá brigas com inimigos.

Brincar com um cão: Obterá bons ganhos.
Amigos que fazem graça de você: Será ofendido por inimigos.
Parentes que brincam e fazem graça de você: Estará à frente deles.
O namorado que faz graça de você: Você está profundamente apaixonado.
Crianças que brincam e fazem graça de você: Alegria.

FEBRE
Estar com febre muito alta: Os amigos virão com mentiras.
Sofrer com febre: Será aborrecido por pequenas preocupações.
Crianças com febre: Obterá o que desejava.
Parentes com febre: Ganhos financeiros.
Amigos com febre: Será enganado por amigos.

FECHADURA
Abrir uma fechadura: A felicidade está assegurada.
Não conseguir abrir a fechadura: Cuidado com os problemas que estão a caminho.
Uma mulher abrindo a fechadura: Será infiel ao homem que a ama.
Um homem abrindo a fechadura: Ele está flertando com diversas mulheres.
Uma fechadura aberta: Momento adequado para levar à frente uma paquera.
Não encontrar a chave para a fechadura: Tenha cautela nas questões de dinheiro.
Achar a chave para uma fechadura: Você vai sair-se bem de suas dificuldades.
Ter chaves para as fechaduras: Evite especulações de qualquer tipo.
Possuir muitas fechaduras: Você tem parentes muito sovinas.

FECHADURA (buraco de)
Espiar por um buraco de fechadura: Grandes prejuízos.
Outras pessoas espiando por um buraco de fechadura: Brigas.
Inimigos espiando por um buraco de fechadura: Morte de um inimigo.
Parentes espiando por um buraco de fechadura: Frivolidade.

FECHAR
Fechar: Receberá um presente.
Fechar uma porta: Será tido em alta consideração.
Fechar uma porta na cara de alguém: Doença.
Fechar uma caixa: A felicidade chegará logo.
Fechar um cofre: Ciúme na família:
Fechar gavetas: Alegria dentro de pouco tempo.
Fechar um estojo de jóias: Desfrutará de saúde.

FECHAR PORTAS

Fechar portas: Grande escândalo na vizinhança.
Fechar as portas de sua própria casa: Fortuna à frente.
Fechar as portas de sua loja: Você está sempre atrasado.
Fechar as portas de seu escritório ou negócios: Deveria fazer planos para a velhice.

FECHO *ÉCLAIR*

Fechar sua roupa com fecho *éclair*: Receberá uma proposta de amor.
Abrir o fecho *éclair* das roupas: Desfrutará boa saúde.
Outras pessoas que fecham as roupas: Terá sorte no jogo.
Outras pessoas que abrem as roupas: Receberá notícia do nascimento de uma criança em breve.
Um homem que abre o fecho *éclair* do vestido de uma mulher: Receberá riquezas.
Comprar fecho *éclair*: Será ofendido.
Crianças que fecham o fecho *éclair*: Felicidade em família.

FEIÇÕES

Não se lembrar das feições de alguém: Apresentação importante.
Feições com olhos azul-esverdeados: Novas amizades.
Feições com olhos escuros: Terá um amante.
Feições com olhos cor de avelã: Acontecimento importante.
Feições com uma face barbuda: Um viajante regressará.
Feições sorridentes: Um desejo será realizado.

FEIJÕES

Ter feijões: Dificuldades virão.
Feijões crescendo: Enfrentará problemas.
Comprar feijões: Será criticado e caluniado.
Comer feijões: Contrairá doença contagiosa.
Cozinhar feijões: Bons empreendimentos comerciais.

FEIO

Ser feio: Terá vida longa.
Outras pessoas que são feias: Será enganado por amigos.
Filhos que são feios: Brigas de amor com o marido ou a mulher.
Empregados que são feios: Você está sendo observado por alguém com más intenções.
Uma moça sonhando que é feia: Romperá o noivado.

FEIRA

Estar em uma feira: Atividades sociais agradáveis.
Outros que vão a uma feira: Mudança para melhor.
Ir a uma feira com a família: O êxito virá mais tarde.
Ir a uma feira com amigos: Sentirá tristeza.

FEITIÇARIA

Ser alguém que pratica feitiçaria: Levará vida feliz.
Receber o conselho de um feiticeiro: Sua boa-fé está sendo explorada.
Um feiticeiro muito idoso: Cuidado para não ser enganado.
Uma moça, consultando um feiticeiro: Decepção com o namorado.

FEITICEIRA

Uma feiticeira: Você está sendo observado por alguém mal-intencionado.
Ser assustado por uma feiticeira: Abuso de confiança.
Ficar nervoso por causa de uma feiticeira: Danos à sua saúde.
Ignorar uma feiticeira: Cuidado com traição.
Ser uma feiticeira: Mudança para melhor.
Falar com uma feiticeira: Você deveria corrigir seu modo de viver.

FEITIÇO

Beber: Sofrerá desonra.
Fazer: Infelicidade.
Oferecer, sob a forma de bebida, a amigos: Um grande infortúnio acontecerá.
Receber de outras pessoas: Ficará na miséria no futuro.

FEIXE

Muitos amontoados de varas ou gravetos: Receberá notícias falsas.
Carregar feixes: Dias infelizes virão.
Outras pessoas carregando feixes: Você está sendo enganado por um amigo.
Filhos carregando feixes: Mudança para melhor.

FELIZ

Ser feliz: Realizará suas ambições.
Ter mais felicidade: Quanto mais felicidade tiver, piores serão os seus empreendimentos comerciais.
Marido e mulher felizes: Alegria e êxito.
Filhos felizes: Suas esperanças se concretizarão em breve.
Parentes felizes: A preocupação se dissipará.
Amigos felizes: Um amigo falso está por perto.
Outras pessoas felizes: Evite os rivais.
Empregados felizes: Atividades sociais agradáveis.

FENO

Um campo de feno: Prosperidade excepcional.
Carregar feno: Terá uma vida de liberdade e calma.
Cortar feno: Êxito nos assuntos amorosos.
Um monte de feno: Recursos abundantes.
O cheiro de feno: Sofrerá um pequeno acidente.
O cheiro de feno apodrecido: Perda de dinheiro.

FENO, CARROÇA DE

Uma carroça de feno: Mudança de residência.
Uma carroça de feno sendo enchida: Doença.
Estar em uma carroça de feno: Desonra.
Desembarcar de uma carroça de feno: Perda de honra.

FENO, MONTE DE

Um monte de feno: Você está lançando o alicerce de um futuro próspero.
Perder alguma coisa em um monte de feno: Você está sendo enganado.
Achar alguma coisa em um monte de feno: Recursos abundantes.
Deitar-se em um monte de feno com o namorado: Precisa contar com suas próprias forças.

FERA

Falar com feras: Reviravoltas e infortúnio.
Feras que fazem ruídos: Pesar.
Feras lutando: Doença.
Feras andando de um lado para outro: Sofrimento cruel.
Ser perseguido por feras: Constrangimento causado por inimigos.
Feras que iniciam uma luta: Será atacado por amigos.
Feras correndo: Doença grave.

FÉRIAS

Fazer planos para as férias: Terá muitos dias felizes.
Sair em férias: Desfrutará momentos ótimos.
Sair em férias com a pessoa amada: Será perseguido.
Regressar das férias: Terá prosperidade.
Outras pessoas que saem em férias: Possuirá uma fortuna considerável.

FERIDAS

Feridas: Dinheiro chegando.
Ter feridas no corpo: Receberá grande riqueza.
Tratar de feridas: Você se sacrificará muito por outras pessoas.
Outras pessoas com feridas no corpo: Você tem muitos amigos fiéis.
Filhos com feridas no corpo: Abundância de dinheiro.

FERIDO

Ser ferido por outra pessoa: Você tem rival nos negócios ou no amor.
Ferir outra pessoa: Perigo à frente.
Ferir a si próprio: Abundância em tudo.

FERIMENTO

Um ferimento: Há uma amizade falsa por perto.
Você próprio com ferimento: Evite os rivais.
Amantes feridos: Haverá brigas sérias.
Crianças feridas: Bons tempos virão.

Marido ou mulher ferido: Aviso de dificuldades.
Outras pessoas feridas: Não cumprirá os votos do casamento.
Inimigos com ferimento: Melhoria em sua posição.
Parentes com ferimento: Estará livre de dificuldades.

FERMENTO

Fermento: Dinheiro acumulado com economia será deixado para você.
Fazer pão com fermento: Abundância.
Cozinhar com fermento: Receberá dinheiro em circunstâncias estranhas.
Comprar fermento: Riqueza extraordinária.

FERRADURA

Achar uma ferradura: Receberá um legado.
Perder uma ferradura: Brigas de família.
Pôr ferradura nova em um cavalo: Infortúnio no amor.

FERRAMENTA

Ter muitas ferramentas: Riqueza.
Carregar ferramentas: Servirá sob ordens.
Receber ferramentas de presente: Coisas agradáveis serão feitas por você.
Comprar ferramentas: Muitas transformações boas virão.
Vender ferramentas por bom preço: Receberá dinheiro.
Vender ferramentas agrícolas: Terá um romance.
Ter ferramentas de maquinista: Receberá um presente.
Ter ferramentas de carpinteiro: Receberá proposta de uma mulher.
Ter ferramentas e apetrechos de pesca: Ocorrerá um prejuízo nos negócios.
Ter ferramentas de prata: Terá vida longa e confortável.

FERRÃO

Um ferrão: Doença.
Ser ferroado: Passará por grande pesar.
Ser ferido por um ferrão venenoso: Terá remorso.
Outras pessoas ferroadas: Mudança de residência.
Ser ferroado por um inseto: A infelicidade o acossará.

FERREIRO

Um ferreiro: Sofrimento e infortúnio.
Ser um ferreiro: Logo perderá a fé em si próprio.
Falar com um ferreiro: As pessoas acreditam em você.
Um ferreiro ferrando um cavalo: Encontrará obstáculos.
Um ferreiro trabalhando: Dificuldades nos assuntos amorosos.
O fogo de um ferreiro: Riqueza.
Uma forja de ferreiro: Seu amor não está seguro.

FERRO

Chapas de ferro: Enfrentará dificuldades.
Ferro cinzento: Precisa controlar suas paixões.
Ferro negro: Será enganado por amigos.
Ferro derretido: A felicidade está assegurada.
Barras de ferro: Descoberta de objetos valiosos que estavam perdidos.
Barras dobradas, feitas de ferro: Harmonia entre amigos.
Comprar ferro: Receberá notícias do exterior.
Vender ferro: O dinheiro virá com facilidade.
Ferro em brasa: Brigas.
Cortar ferro: O êxito virá mais tarde.
Malhar ferro: Êxito no amor.
Usar ferro de passar roupa: Ganhos financeiros.

FERRO, MOLDE DE

Um molde de ferro: Fim do amor.
Marcar roupa de cama com um molde de ferro: Doença grave na família.
Outras pessoas que marcam com molde de ferro: Cura imediata da doença.

FERRO, PASSAR A

Passar roupa a ferro: Problemas por causa de um rival.
Passar a ferro roupas de homem: Lar confortável e amor que aumenta.
Passar vestidos a ferro: Brigas com o marido.
Passar roupa de cama a ferro: Mantenha-se livre de qualquer ligação.
Passar tecido de seda a ferro: Ajuda inesperada será prestada a você.
Passar roupas engomadas a ferro: Doença na família.

FERROVIA

Uma ferrovia: Bons tempos virão.
Estar sozinho em uma ferrovia: Ascensão rápida em seus negócios.
Estar em uma ferrovia com pa rentes: Recursos abundantes.
Estar em uma ferrovia com amigos: Tempos difíceis virão.
Caminhar sobre os dormentes de uma ferrovia: Perturbação e preocupação.
Ser obrigado a caminhar nos trilhos: Os negócios lhe trarão felicidades sem limites.

FERROVIA, VAGÃO DE

Um vagão de ferrovia: Bons acontecimentos em breve.
Estar sozinho em um vagão de ferrovia: Boa iniciativa nos negócios.
Estar em vagão de ferrovia com os parentes: Boas transações comerciais.
Estar em um vagão de ferrovia com amigos: Trabalho pesado a caminho.

Estar em um vagão de ferrovia com os filhos: Vida familiar feliz.
Outras pessoas em um vagão de ferrovia: Tenha cautela nas atividades comerciais.
Inimigos em vagão de ferrovia: Catástrofe à frente.

FERRUGEM

Ferrugem: Os inimigos vão comemorar seu infortúnio.
Objetos enferrujados: Cuidado com prejuízos.
Lidar com objetos enferrujados: Você negligencia seus negócios.
Outras pessoas lidando com objetos enferrujados: Aviso de dificuldades.

FERVER

Ferver água: Precisa moderar suas paixões.
Ferver comida: Terá muita felicidade.
Ferver café: Sentirá tristeza.
Ferver sopas: Ganhos financeiros.

FESTA

Estar em uma festa: Alegria sem ganho.
Estar com outras pessoas em uma festa: Sorte inesperada.
Dar uma festa: Brigas.
Outras pessoas que lhe oferecem uma festa: Decepção no amor.
Estar desacompanhado em uma festa: A vida reserva coisas boas a você.
Levar os filhos a uma festa: Perderá as esperanças.
Estar em festa desbragada: Será vítima de fofocas.
Alguém que se machuca em uma festa: Terá vida longa.
Dar uma festa: Conte com dificuldades em futuro próximo.
Preparar uma festa: Outra pessoa está desfrutando daquilo que você desejava.
Parentes dando uma festa: Receberá notícias felizes.
Filhos dando uma festa: Felicidade.
Inimigos dando uma festa: A miséria virá.
Outras pessoas dando uma festa: Alegria e contentamento.

FESTA DE GALA

Estar em uma festa de gala: Lucro certo.
Estar em uma festa de gala com pessoas amigas. Há um amigo falso por perto.
Estar em uma festa de gala com o marido ou com a mulher: Mudança de residência.
Estar em uma festa de gala com o namorado: Terá muitos empregados.

FESTIVAL

Um festival: Enfrentará dificuldades em futuro próximo.
Preparar um festival: Outra pessoa está desfrutando daquilo que você desejava.

Outras pessoas em um festival: Alegria e contentamento.
Estar em um festival com parentes: Receberá notícias felizes.
Estar em um festival com os filhos: Felicidade.
Inimigos presentes a um festival: A miséria virá.

FEVEREIRO

Fevereiro, durante esse mês: Boa ocasião para negócios.
Receber um presente em fevereiro: Traição da pessoa amada.
Dar à luz em fevereiro: Terá muitas preocupações.
Fevereiro, durante outro mês: Doença.
Nascer em fevereiro: Acontecimentos importantes e muito benéficos a caminho.
Filhos nascidos em fevereiro: Obterão êxito na vida política.

FIANÇA

Solicitar fiança: A situação atual melhorará.
Proporcionar fiança: Surgirão problemas com velha amizade.
Não conceder fiança: Logo haverá uma modificação em suas atividades.
Perder o direito à fiança: Bons tempos virão.

FIAPOS

Uma grande quantidade de fiapos: Seja prudente.
Encobrir um ferimento com fiapos: Saiba perdoar ou se arrependerá.
Outras pessoas envoltas em fiapos: Prosperidade a caminho.
Comprar fiapos para tratar de ferimentos: Sua vida está protegida.

FIAR

Fiar algodão: Riqueza.
Fiar lã: Não negligencie os filhos, se quer que eles se tornem destacados.
Um fiandeiro trabalhando: Obterá bons ganhos.
Acionar uma roca de fiar: Não será recompensado por sua diligência.
Possuir uma roca de fiar: Novos conhecidos poderão mostrar-se indignos de confiança.
Uma velha que sonha fiar: Irritação e ansiedade.

FIASCO

Fazer um fiasco ridículo: Realizará altas ambições.
Outras pessoas fazendo fiasco: O êxito virá mais tarde.
Filhos fazendo fiasco: Maus empreendimentos comerciais.
Marido fazendo fiasco: Não está à altura de sua posição.

FICHAS

Fichas: Obterá êxito nos negócios ou ganhará uma aposta.

Manusear fichas: Logo receberá dinheiro.
Jogar fichas: Perda de negócio.

FIEL

Ser fiel: Passará a ser ciumento.
Ter marido ou mulher fiel: Felicidade entre filhos e pais.
Ter filhos fiéis: Cuidado com os rivais.
Ter parentes fiéis: A felicidade está assegurada.
Ter amigos fiéis: Doença.

FÍGADO

Ter muita quantidade de fígado: Doença.
Ter fígado estragado: Miséria.
Comer fígado: Terá boa saúde.
Comer fígado de animais sem chifres: Em breve receberá herança.
Comer fígado de animais com chifres: Logo será muito rico.
Comer fígado para melhorar a saúde: Dinheiro a caminho.
Dar aos filhos fígado para comer: Terá uma família feliz.
Amigos comendo fígado: Vencerá ação judicial contra um inimigo.

FIGOS

Figos, durante a estação: Prazer e honrarias.
Figos, fora da estação: Tristeza.
Comer figos: Esbanjamento do dinheiro.
Ter figos secos: Perda de fortuna.

FILA

Uma fila: Amizade restabelecida.
Esperar em uma fila: Você se casará.
Estar em uma fila com a família: Cuidado com as fofocas causadas pelo despeito.
Outras pessoas em uma fila: Acontecimento importante e muito benéfico.

FILHA

Um pai sonhando com uma filha: Prazer e harmonia em casa.
A filha tocando instrumento musical: A felicidade está assegurada.
Diversas filhas reunidas: Melhoria em sua situação.
Falar com uma filha: Sentirá tristeza.
Uma mãe sonhando com a filha única: Logo engravidará.
Uma filha adotiva: Acontecerá um grande desastre.

FILHO

Ter um filho: Logo engravidará.
Ter diversos filhos: Êxito nos negócios.
Dar à luz um filho quando não está grávida: Felicidade.
Adotar um filho: Os seus filhos não vão gostar do que foi adotado.
Um filho que é morto: Miséria causada por pais.
Falar com os próprios filhos: Prejuízos nos negócios.

Salvar seu filho do perigo: Ele alcançará destaque.
Seu filho adoentado: Obstáculos à frente.
Seu filho aleijado: Enfrentará dificuldades.

FILHOTES

Um filhote: Um amigo dará um aviso.
Muitos filhotes: Sentirá tristeza.
Muitos filhotes em uma gaiola: Morte de um inimigo.

FILIAÇÃO

Entregar a alma a Deus como filho: Grande alegria.
Filiar-se a um partido: Cuidado com os inimigos.
Inscrever alguém como membro: Receberá muitas honrarias.
Adotar outra pessoa como pai ou mãe: Uma modificação virá para melhor.

FILME

Ter filme: Evite os rivais.
Comprar filme: Possível viagem ao exterior, em futuro próximo.
Usar filme: Muito cuidado com o que diz.
Outras pessoas usando filme: Está havendo uma grande discussão a seu respeito.

FILOSOFIA

Filosofia: Perda de tempo.
Estudar filosofia: Empreenderá uma aventura tola.
Dedicar-se com afinco à filosofia: Terá de esforçar-se muito para ganhar dinheiro.
Ser filósofo: Estará muito apertado de dinheiro.

FIM

Ouvir o fim de alguma coisa: Bons tempos estão chegando.
Assistir ao fim de uma peça: Fatos muito surpreendentes ocorrerão.
O fim do mundo: Alegria sem ganho.
O fim de outras pessoas: ocê se restabelecerá de uma doença.

FIO

Fio de tecido: Melhoria em sua posição.
Fio de ouro: A felicidade está assegurada.
Fio de prata: Evitará um perigo.
Fio de latão: Será apresentado a artistas.
Fio de aço: Terá de lutar contra a oposição.
Fio de seda: Grande alegria.
Fio de algodão: Bons tempos estão chegando.
Fio de lã: Escapará a um perigo atual.
Fios partidos: Amigos desleais lhe causarão prejuízos.
Enrolar fio: Riqueza obtida com economia.
Desenrolar fios com nós: Um mistério será solucionado.
Desperdiçar fio: Descoberta de um segredo.

FIO TÊXTIL

Fio têxtil: Êxito nos assuntos sentimentais.

Um homem sonhando com fio têxtil: Alcançará êxito nos negócios.

Uma mulher sonhando com fio têxtil: Terá muito dinheiro.

Um marido sonhando com fio têxtil: Obterá recursos abundantes.

Uma esposa sonhando com fio têxtil: Encorajará o marido a ter modos pacíficos.

Pessoa solteira sonhando com fios têxteis: Logo se casará.

Comprar fio têxtil: Receberá um presente inesperado.

FIRMAMENTO

O firmamento enluarado: Ganhos financeiros.

Ver o firmamento em companhia de uma pessoa que você ama: Sorte e prosperidade.

Ver o firmamento sem nuvens: Grande fortuna à frente.

Ver o firmamento encoberto por nuvens: Infelicidade.

FISCALIZAR

Fiscalizar os negócios pessoais: Miséria.

Fiscalizar atividades militares: Estará trabalhando com boa-fé.

Fiscalizar as crianças: Prosperidade e êxito.

Ser fiscalizado: Receberá boas notícias.

FITA

Fitas: Sinceridade nos assuntos sentimentais.

Lidar com muitas fitas: Grande satisfação.

Amarrar fitas: Fará bom negócio com alguma coisa.

Desatar fitas: Fará boas transações comerciais.

Você usando fitas: Notícias agradáveis e inesperadas nas questões de amor.

Uma moça sonhando que usa fita: Receberá uma proposta.

Uma moça sonhando com outras moças que usam fitas: Rival no amor.

Comprar muitas fitas: Falta de comedimento nos gastos.

Medir fitas: Complicações em ações judiciais.

Parente usando fita: Prosperidade inesperada.

FIVELA

Uma mulher com a fivela aberta: Problemas e dificuldades a caminho.

Um homem abrindo a fivela de uma mulher: O casamento se realizará em breve.

Ter uma fivela muito enfeitada: Haverá mudança para melhor.

Comprar uma fivela: Evite os rivais.

Uma fivela partida: Um inimigo trama sua ruína.

FOLE

Um fole: Amigos ausentes desejam vê-lo.
Muitos foles: Receberá um relatório falso.
Usar foles em um fogo: Estará diante de dificuldades.
Emprestar foles: Bons resultados no amor.

FOLHAGEM

Folhagem caída ao chão: Doença perigosa.
Ter uma coroa de folhagem: Grandes honrarias.
A folhagem de figueiras: As pessoas têm inveja de você.
Comer folhagem fervida: Discórdia na família.
Folhagem verde: Prazeres estão sendo reservados a você.
Folhagem seca: Doença.
Folhagem marrom: Alegria.
Folhagem de uva: Perderá a calma.
Folhagem morta: Não obterá êxito nos empreendimentos.

FOLHAS

Uma árvore com todas as folhas: Acontecimento importante e muito benéfico a caminho.
Recolher folhas verdes: Receberá dinheiro.
Flores entre as folhas: Duas pessoas são muito felizes quando estão juntas.
Folhas que caem: Contrairá uma doença perigosa.
Folhas verdes: Saúde e felicidade.
Folhas murchas: Você é muito decidido.
Folhas secas: As pessoas não lhe querem bem.
Folhas de figueira: As pessoas estão dizendo coisas ruins a seu respeito.
Folhas de uva: Você tende a perder a calma.
Folhas de louro: Alegria.
Comer folhas: Brigas.
Uma coroa de folhas: Honrarias.
Usar folhas para temperar: Você gosta muito de comer.
Folhas de cozinhar: Dinheiro chegando.
Folhas que caem no outono: Decepção no amor.
Vento que arranca as folhas das árvores: Infelicidade nas questões domésticas.
Folhas no chão: Brigas com amigos.
Folhas em um tronco com frutas: Casamento feliz.
Folhas que cobrem a terra no quintal da casa: Divórcio.
Folhas de papel: Ganhará dinheiro por ser diligente.

FOME

Estar com fome: Fofocas maledicentes.
Filhos com fome: Aguarde acontecimento importante e muito benéfico.
Outras pessoas com fome: Fracasso dos inimigos.
Inimigos com fome: Será enganado por amigos.

FOME (causada por miséria)

Passar fome por estar na miséria: Triunfo sobre os inimigos.

Passar fome durante muito tempo por estar na miséria: Viverá em grande conforto.

Outras pessoas passando fome porque estão na miséria: Mau andamento dos negócios.

Fartura, após passar fome por causa da miséria: Será muito rico.

FONTE

Uma fonte sagrada: A devoção trará êxito.

Uma fonte cheia: Felicidade e vida longa.

Uma fonte com esguichos altos: Uma coisa extraordinariamente boa acontecerá dentro de pouco tempo.

Estar em uma fonte de água límpida: Será muito feliz no amor.

Uma fonte grande: Abundância e saúde.

Uma fonte borrifando água: Negócios lucrativos.

Estar em uma fonte com o namorado: Grande felicidade e êxito no amor e no casamento.

Uma fonte com água enlameada: A sorte virá mais tarde.

Uma fonte com água de detritos: Problemas e constrangimento.

Lavar-se em uma fonte: Alegria e prosperidade.

Secar-se em uma fonte: Pobreza ou morte.

Uma fonte seca: Grande desolação.

FORCA

Uma forca: A felicidade está assegurada.

Ter de morrer na forca: Obterá posição honrosa.

Uma forca pública: Receberá grande honraria.

Ser posto na forca: Dignidade e dinheiro.

Outras pessoas enforcadas: Ruína à sua frente.

Um parente enforcado: Será perseguido.

Alguém que você conhece na forca: Evite os rivais.

FORÇA

Usar muita força para obrigar a realização de algo: Será dominado pelos outros.

Usar força contra outras pessoas: Suas esperanças se concretizarão.

Forçar outras pessoas a fazerem sua vontade: Você permite que outros o dominem.

Usar força contra um prisioneiro: Desalento.

Abrir um cofre à força: Comprará um cofre de modelo antigo.

FORMA

A forma de seu corpo: Felicidade.

A forma de um corpo de mulher: As pessoas estão flertando com essa mulher.

A forma de um corpo de homem: Bons empreendimentos comerciais.

A forma de crianças: Fará uma viagem.
A forma de uma pessoa anormal: Você terá um bom futuro.
Formas de coisas feitas de cera: Falirá.

FÔRMA (molde, utensílio de cozinha)

Uma fôrma: Boa sorte para alguém de quem você gosta.
Usar uma fôrma: Acontecimento importante, referente à felicidade.
Uma fôrma de assar: Não especule em seus negócios.
Outras pessoas usando uma fôrma de assar: Alguém por perto está com problemas.
Uma fôrma usada para metais fundidos: Sorte e prosperidade.
Uma fôrma usada para molduras: Traição de um amigo.
A configuração de uma fôrma: Obterá ganhos financeiros.
Pão em uma fôrma: Receberá herança por meio de um amigo.
Comida em uma fôrma: Poupe seu dinheiro ou não o terá por muito tempo.

FORMIGA

Formigas trabalhando: Boa atividade comercial.
Ter formigas na casa: Doença na família.
Formigas subindo em uma árvore: Passará por constrangimentos.
Formigas na comida: A felicidade está assegurada.

FORMIGA, ANIMAIS COMEDORES DE

Um animal comedor de formigas: Você irá à falência.
Um animal alado comedor de formigas: Perda de propriedade imobiliária.
Um animal comedor de formigas comendo vermes: Perda de amigos.

FORNALHA

Uma fornalha com o fogo apagado: Boa sorte.
Uma fornalha com o fogo aceso: O dinheiro virá com facilidade durante a vida.
Acender uma fornalha: Dificuldades causadas pelos próprios filhos.
Apagar urna fornalha: Boas notícias a caminho.
Outra pessoa acendendo uma fornalha: Os seus empregados não são fiéis.

FORNO

Um forno: Riqueza.
Um forno sendo aceso: Abundância.
Desligar um forno: Prestará serviço a alguém.
Cozinhar algo em um forno: Suas atividades ficarão estacionadas.
Fazer boa comida em um forno: Os negócios melhorarão um pouco.
Um forno muito quente, fora de casa: Felicidade.

Queimar comida no forno: Você está trilhando maus caminhos.
Cozinhar comida em um forno por um longo tempo: Não se arrisque.
Uma mulher sonhando com forno quente: Será profundamente amada.
Um forno em que os tijolos estão cozidos: Grande lucro nos negócios.

FORROS
Material usado para forros: Vaidade.
Tirar o forro de uma roupa: Cuidado com os rivais.
Tirar o forro de um terno de homem: Ocorrerá uma discussão.
Comprar material para forros: Receberá visita inesperada.

FORTE (fortificação)
Um forte: Prepare-se para problemas e prejuízos.
Estar em um forte: Evite os rivais.
Estar em um forte com outras pessoas: Perdoará alguém que está sendo desprezado.
Ser honrado durante sua entrada em um forte: Receberá um presente inesperado.

FORTE (dotado de força)
Ser forte: Morte de um parente.
Outras pessoas fortes: Comparecerá a um funeral.
Filhos que são fortes: Você se restabelecerá de uma doença.
Cônjuge forte: Cuidado com enganações por parte do marido ou da mulher.
Ter mente forte: Receberá um presente valioso.
Ter muita força de vontade: Decepção em suas ambições.
Animais fortes: Será culpado por transgressões.

FORTUNA
Receber uma fortuna: Problemas e prejuízos.
Receber uma fortuna de parentes: Êxito em tudo.
Ser afortunado nos negócios: Ocasião alegre chegará.
Ser afortunado no amor: Perderá muito dinheiro no jogo.
Ser afortunado na política: Terá emprego firme.

FÓRUM DA CIDADE
Fórum: Alcançará seus desejos devagar, mas com certeza.
Ir ao fórum da cidade: Vitória sobre a perseguição.
Casar-se no fórum da cidade: Acontecimentos desagradáveis a caminho.
Trabalhar no fórum da cidade: Desfrutará grande prosperidade.
Fazer negócios no fórum da cidade: Terá uma vida de liberdade.

FÓSFOROS

Fósforos: Seus esforços trarão riquezas.
Ter uma caixa de fósforos no bolso: Ganhos financeiros estão para acontecer.
Ter fósforos em casa: Infortúnio nos assuntos sentimentais.
Comprar fósforos: Conte com algum dinheiro.

FÓSSEIS

Cavar fósseis na terra: Saberá da doença de alguém.
Possuir fósseis: Encontro com uma velha amizade.
Cavar muitos tipos de fósseis: Um mistério será solucionado.

FOTOGRAFIA

Sua própria fotografia: Infortúnio nos assuntos amorosos.
Fotografias de outras pessoas: Dignidade e distinção.
Outras pessoas tirando sua fotografia: Sofrerá prejuízos com especulações.
Tirar fotografias de outras pessoas: Um rival roubará a afeição de seu namorado.
Tirar fotografias das crianças: Dinheiro chegando.
Tirar fotografias de parentes: Alegria sem ganho.
Tirar fotografia de pessoa amiga: Você é enganado pelos amigos.
Tirar fotografia de uma pessoa morta: A felicidade está assegurada.
Ter a fotografia de alguém que você estima em volta do pescoço: Prosperidade.
Receber ou dar sua própria fotografia: Traição.

FRACASSO

Ser um fracasso: Realizará altas ambições.
Parentes que são um fracasso: Tenha cautela nos empreendimentos comerciais.
Outras pessoas que são um fra casso: O êxito virá mais tarde.
Marido que é um fracasso: Não esta à altura de sua posição.

FRACO

Ser fraco: Suas esperanças se concretizarão dentro de muito pouco tempo.
Marido ou mulher que é fraco: Realização de altas ambições.
Filhos fracos: Ganhos financeiros.
Amigos fracos: Obterá bons ganhos.

FRÁGIL

Quebrar alguma coisa frágil: As esperanças não se concretizarão.
Pôr no correio alguma coisa frágil: Felicidade.
Receber um presente feito de algo frágil: Tomará boas decisões.
Receber coisas frágeis que estão quebradas: Irá para a cadeia.

FRAGRÂNCIA

Uma fragrância agradável: Aguarde acontecimento benéfico e importante.

Uma fragrância desagradável: Maus resultados, mas nada muito sério.
A fragrância preferida: Pequeno êxito.

FRALDA
Muitas fraldas: Você é belicoso.
Segurar uma fralda: Você gosta de peças cômicas.
Pôr uma fralda no corpo: Receberá muito dinheiro.
Pôr uma fralda nos filhos: Terá uma família grande.
Tirar as fraldas dos filhos: Os desejos se concretizarão.

FRAMBOESA
Framboesas: Você está apaixonado.
Comer framboesas: Alegria e fortuna.
Colher framboesas: Os amigos escondem alguma coisa de você.
Comprar framboesas: Sofrerá uma decepção.
Fazer doce com framboesas: Mudança na situação atual.
Dar doce de framboesa de presente: Grande amizade.

FRANÇA
Ir à França: Seu futuro é incerto.
Ser francês: Você não se decide nas questões comerciais.
Turismo na França: Suas decisões são sábias, não abra mão delas.

FRANCÊS
Ter nacionalidade francesa: Perigo causado por um segredo.
Falar francês: Êxito nos assuntos sentimentais.
Casar-se com uma francesa: Terá muitas roupas.
Casar-se com um francês: Precisa controlar suas paixões.

FRANJA
Coisas com uma franja: Vaidade.
Ter roupas com franjas: Amará alguém.
Comprar franja para pôr em alguma coisa: Receberá notícias falsas.
Cortinados com franjas: Seu futuro será incerto.

FRANZIR AS SOBRANCELHAS
Franzir as sobrancelhas: Muitas felicidades em casa.
Outras pessoas franzindo as sobrancelhas: Você tem confiança nos amigos.
Filhos franzindo as sobrancelhas: Melhoria em sua situação.
Amigos franzindo as sobrancelhas: Infortúnios em suas atividades.

FRASCO
Um frasco: Ignorará os amigos.
Possuir um frasco: Desfrute.
Tomar vinho de um frasco: Problemas causados por excesso de bebida.

Um frasco cheio d'água: Será rico.
Quebrar um frasco: Prejuízos.
Outras pessoas que bebem em um frasco: Cuidado com fofocas.

FRASES
Ver uma frase em um livro: Você desperdiça tempo demais com prazeres.
Escrever frases incorretas em uma carta: Você não tem a consciência limpa.

FRAUDE
Ser defraudado: Grande traição.
Cometer fraude: Prosperidade em breve.
Ser defraudado pelos parentes: Será enganado no amor.
Ser defraudado por outras pessoas: Os inimigos procurarão em vão denegrir a sua reputação.

FREIRA
Uma freira: Infidelidade no amor.
Muitas freiras: Você é uma pessoa prestativa.
Freiras cantando: Você tem grande inteligência.
Uma freira com um abade: Será muito esperto.
Ser auxiliado por uma freira: Receberá dinheiro.
Uma freira tratando de pessoas doentes: Contentamento.
Uma freira de escola: Grande tranqüilidade.
Uma freira cuidando de crianças: Pessoas invejosas estão por perto de você.
Uma freira que sai de sua casa: Você tem muitos inimigos.
Uma freira que vive em sua casa: Boa sorte.
Diversas freiras com seus amigos: Comparecerá a um funeral.
Freiras com seus inimigos: Perigo de morte.
Uma mulher rezando com uma freira: Perda do marido.
Freiras cuidando de crianças: Discórdia entre enamorados.

FRENÉTICO
Estar frenético: Tempos de grande esforço, seguidos de períodos de sossego.
Outras pessoas frenéticas: Melhoria na sua posição.
Parentes frenéticos: Receberá pequena herança.

FRETAR
Fretar um vagão: Outra pessoa desfruta daquilo que você queria conquistar.
Fretar um navio: Sorte e prosperidade.
Fretar um automóvel: Enfrentará trabalho pesado.
Fretar qualquer tipo de máquina: Ganhos financeiros.

FRIEIRAS
Frieiras: Você tem desejos que causarão desgraças.

Ter frieiras: Um mal-entendido será elucidado.
Outras pessoas com frieiras: Receberá notícias inesperadas.
Filhos com frieiras: Receberá dinheiro inesperado.

FRIGIDEIRA
Cozinhar algo em uma frigideira: Infelicidade nos assuntos amorosos.
Queimar comida em uma frigideira: Harmonia entre amigos.
Outras pessoas cozinhando algo em uma frigideira: Dificuldades nas atividades comerciais.
Comprar uma frigideira: Momento adequado para paquerar.

FRIO
Sentir frio: Terá conforto e amizade.

FRITAR
Fritar comida: Cuidarão de você na sua velhice.
Fritar comida para uma festa: Terá uma briga lamentável.
Fritar ovos: Obterá ganhos financeiros.
Fritar galinha: Terá vida longa.
Fritar batatas: Será muitíssimo amado por alguém que conheceu recentemente ou que conhecerá no futuro.

FROTA
Uma frota naval: Receberá carta de uma pessoa que você ama.
Uma frota mercante: Receberá carta de pessoa amiga.
Uma frota naval em um desfile: Você está sendo enganado.
Uma frota naval em manobras: Mudança nos negócios.
Uma frota naval estrangeira: Receberá hóspede indesejável.

FRUTA
(O significado de "frutas" varia de acordo com a cor e o tipo. Ver, pelo nome, cada fruta com que sonhou.)

FRUTAS SILVESTRES
Frutas silvestres: O êxito virá mais tarde.
Colher frutas silvestres: Suas esperanças se concretizarão dentro de pouco tempo.
Comer frutas silvestres: Acontecimento importante e muito benéfico a caminho.
Comprar frutas silvestres: Brigas de família.

FRUTINHAS SILVESTRES
Frutinhas silvestres: Desfrutará de atividades sociais alegres.
Colher frutinhas silvestres: Ganhos financeiros.
Comer frutinhas silvestres: Recursos abundantes.
Comprar frutinhas silvestres: Aguarde acontecimentos importantes e muito benéficos.

FUGA ROMÂNTICA

Pessoa casada sonhando com uma fuga romântica: Não está à altura de sua posição.
Pessoa solteira sonhando com uma fuga romântica: Infelicidade nos assuntos amorosos.
Uma moça que sonha com fuga romântica: Perderá sua reputação.
Filhos em fuga romântica: Precisa corrigir seu modo de viver.
Pessoas amigas em fuga romântica: Fracasso dos inimigos.

FUGIR

Fugir de alguém: Decepção e tristeza.
Fugir de amigos: Você conta demais com favores.
Fugir de inimigos: A preocupação se dissipará.
Outras pessoas fugindo: Será enganado por amigos.

FUMAÇA

Fumaça que sai de uma edificação: Um amigo o engana.
Fumaça negra que sai de uma edificação: Glória efêmera.
Fumaça que sai de uma chaminé: Logo haverá um casamento.
Fumaça muito espessa: Sofrerá uma grande decepção.
Ser intoxicado pela fumaça: Cuidado com bajulações.

FUMAR

Fumar: Lágrimas e dúvidas.
Você próprio fumando: Êxito imediato.
Outras pessoas fumando: Será altamente respeitado.
Filhos fumando: A sorte sorrirá para quem sonha.
Amigos fumando: Desfrutará de fortuna.

FUMO

Fumo: Faça planos e guarde dinheiro para a velhice.
Uma loja de fumo: Muitas fofocas às suas costas.
Fumar cigarro: Você está esbanjando dinheiro.
Mulheres que sonham fumar cigarro: As dificuldades logo desaparecerão.
Fumar charutos: Comparecerá a uma grande festa.
Folhas de fumo: Fracasso no amor; êxito nos negócios.
Enrolar cigarros: Nunca terá preocupações com dinheiro.
Pôr fumo no nariz: Você se irrita com muita facilidade.
Comprar fumo: Pesar.
Vender fumo: Vai conhecer alguém muito interessante.
Uma bolsa de fumo: Você está esbanjando dinheiro.

FUNCIONÁRIO GRADUADO

Um funcionário graduado: Boas transações nos negócios.
Ser um funcionário graduado: Triunfo em todas as atividades.
Estar entre funcionários graduados: Obterá êxito em suas tarefas.

Ser nomeado funcionário graduado: Dignidade e distinção.
Ser demitido como funcionário graduado: Aviso de dificuldades.

FUNDIÇÃO

Uma fundição: Receberá compensação.
Uma fundição funcionando: Procure economizar nas despesas.
Uma fundição que faz aço: Fofocas e decepção.
Uma fundição que faz sinos grandes: Não se preocupe com conversa à-toa.

FUNERAL

Estar presente a um funeral: Terá sorte nos assuntos sentimentais.
Ir a um funeral com a pessoa amada: Você é invejado pelos inimigos.
Ir a um funeral com outras pessoas: Boa saúde.
Ir a um funeral com a família: Perda de amigos.
Comparecer ao funeral de pai ou mãe: Contrairá doença sem gravidade.
Comparecer ao funeral de um irmão ou irmã: Dias prósperos adiante.
Comparecer ao funeral do melhor amigo: Vida longa.
Comparecer ao funeral de um parente: Morte de pessoa amiga.
Comparecer ao funeral do marido ou da mulher: Infortúnio.
Comparecer ao funeral vestindo preto: Perda de marido ou esposa.
Uma mulher de luto que comparece a um funeral: Infelicidade no casamento.

FUNERAL, CARREGAR O CAIXÃO NUM

Ser uma das pessoas que carregam o caixão: Grande afeição.
Quatro pessoas carregando um caixão: Honraria.
Muitas pessoas carregando um caixão: Você é uma pessoa distinta.
Oficiais carregando um caixão: Será enganado por uma mulher.
Pessoas pobres que carregam um caixão: Sofrerá complicações constantes, causadas pelo inimigo.

FUNIL

Um funil usado para derramar líquido: Você é incorrigível.
Derramar líquido por um funil: Fofocas dos amigos.
Outras pessoas usando funil: Devagar alcançará a meta.

FUNILEIRO

Um funileiro: Não se imiscua em negócios de amigos.
Um funileiro que conserta chaleiras e panelas: Grande alegria.
Trabalhar como funileiro: Infortúnios nos assuntos sentimentais.
Um funileiro que não consegue consertar coisa alguma: Terá mente vigorosa.

FURACÃO

Um furacão: Perda de amigos.

Estar em um furacão: Tenha muito cuidado com o que faz.

Perder uma propriedade em um furacão: Terá vida longa.

A devastação causada por um furacão: Um mistério será solucionado.

FURÃO

Esse pequeno animal: Cuidado com fofocas causadas pelo despeito.

Usar um furão para caçar: Terá mente vigorosa.

Um furão que caça coelhos: Dinheiro chegando.

Um furão que caça ratos: Sentirá tristeza.

FURGÃO

Um furgão: Honraria.

Um furgão aberto: Não aja de modo impulsivo.

Um furgão coberto: Planos para uma viagem não se concretizarão.

Sair num furgão: Perda do emprego.

Outras pessoas que vão em um furgão: As boas coisas só vêm com paciência.

FÚRIA

Encher-se de fúria: Bons tempos estão chegando.

Outra pessoa enfurecida: Negócios malsucedidos.

Parentes que se enfurecem: Infelicidade na família.

Enfurecer-se com amigos: Brigas.

Enfurecer-se com o namorado: Frivolidade.

A esposa enfurecida: Um futuro melhor a aguarda.

Um marido enfurecido: Volúvel no amor.

Um namorado enfurecido: Brigas de curta duração.

Outras pessoas enfurecidas: Honrarias de curta duração.

FURIOSO

Ser uma pessoa furiosa: Haverá compatibilidade.

Ser extremamente furioso: As pessoas falam a seu respeito.

Uma mulher furiosa: Ciúme por causa da pessoa amada.

Um homem furioso: Fracasso nos negócios.

Outras pessoas furiosas: Você é detestado pelas pessoas.

Filhos furiosos: Os vizinhos não gostam deles.

Duas pessoas que você ama furiosas: Alegria e felicidade prolongada.

Um animal furioso: Um amigo defende seu nome.

Muitos animais furiosos em uma jaula: Bons tempos estão chegando.

FURTO

Um furto: Sofrerá grandes prejuízos.

Cometer um furto: Perda de dinheiro nos empreendimentos comerciais.

Furtar roupas: Perda de amigos.

Furtar comida: Sofrerá prejuízo financeiro.

Furtar dinheiro: Dias difíceis se aproximam.

Pessoas que furtam: Dinheiro a caminho.

Ter algo seu furtado: Casamento dentro de muito pouco tempo.

Ter seu dinheiro furtado: Sofrerá grande prejuízo.

Ter roupas suas furtadas: Bons amigos lhe darão apoio.

Ter jóias suas furtadas: Receberá uma herança.

Ter títulos seus furtados: Conseguirá se sair bem das dificuldades atuais.

FUTEBOL

Jogar futebol: Bons empreendimentos comerciais.

Vencer uma partida de futebol: O futuro está assegurado.

Não fazer gols em uma partida de futebol: Terá vida longa.

Assistir a uma partida de futebol: Você terá preocupações.

Outras pessoas fazendo gols em uma partida de futebol: Um amigo causará preocupações.

Filhos jogando futebol: Um amigo procura ajudá-lo.

Marido jogando futebol: Triunfo sobre os inimigos.

FUTURO

Seu próprio futuro: Terá oportunidade de desfazer uma briga antiga.

Seu próprio futuro que não é bom: Muita alegria nas afeições.

O futuro dos filhos: A felicidade está assegurada.

G

GADO

Um boi sendo morto em uma fogueira: Doença.

Exibir um boi em exposição: Os atos serão recompensados.

Bois brigando entre si: Felicidade na família.

Bois correndo: O segredo será revelado.

Uma manada de bois bebendo água: Perda de alguma coisa.

Um boi bebendo água: Boa sorte.

Muitas cabeças de gado: Prosperidade, de acordo com o número de cabeças.

Gado negro: Surgirão dificuldades nos negócios.

Gado de outras cores: Prosperidade nos negócios.

Tanger gado: Precisa trabalhar bastante.

Gado gordo: Terá um ano frutífero.

Gado magro: Você necessitará de mantimentos.

Ser acompanhado pelo gado: Prejuízos nos negócios.

Ser rico e dono de gado: Vergonha e prejuízo nos negócios.

Ser pobre e possuir gado: Bons lucros.

GAFANHOTO

Gafanhotos: Desfrutará de um período curto de êxito, como imaginava.

Gafanhotos em seu quintal: Mau presságio para os doentes.

Matar gafanhotos: Chegada de pessoa inesperada.

Outras pessoas matando gafanhotos: A chegada de um ladrão é certa.

GAGUEJAR

Gaguejar: Você é uma pessoa muito decidida.

Outras pessoas que gaguejam: Novos interesses levarão à felicidade.

Crianças gaguejando: Elas terão boa situação no futuro.

Pessoas amigas gaguejando: Cuidado com elas; sugerirão que cometa transgressões.

GAIO (pássaro)

Um gaio: Felicidade no amor.

Capturar um gaio: Casamento imediato.

Ter um gaio na gaiola: Má colheita.

Uma moça sonhando que tem um gaio: Logo ficará noiva.

GAIOLA

Uma gaiola vazia: Um membro da família realizará uma fuga romântica.

Uma gaiola cheia de pássaros: Riqueza extraordinária.

Apenas uma ave na gaiola: Terá muitos filhos encantadores.

Duas aves em uma gaiola: Será bem-sucedido nos assuntos sentimentais.

Três aves em uma gaiola: O noivado será desfeito.

Animais selvagens em uma gaiola: Perigo de ser preso.

GAITA DE FOLES

Uma gaita de foles: Perda de dinheiro.

Possuir uma gaita de foles: Prazer à frente.

Outros que tocam gaita de foles: É profundamente amado.

Outras pessoas tocando gaita de foles: Será pedido em casamento.

Outras pessoas que possuem gaita de foles: Preocupações no casamento.

GAIVOTA

Uma gaivota em uma árvore: Infortúnio no amor.

Uma gaivota sobre o gramado: A felicidade está assegurada.

Casais vendo uma gaivota juntos: Felicidade no lar.

Amantes vendo uma gaivota: Terão amigos fiéis.

GALÃO

Um galão: Felicidade.

Um galão de bebida alcoólica: Recursos abundantes.

Um galão de vinho: Bons tempos estão chegando.

Um galão de vinagre: Evite os rivais.

Um galão de água: Saúde e prosperidade.

Um galão de leite: Terá vida longa.

Um galão de óleo: Ganhos financeiros.

GALERIA

Uma galeria: Um amigo falso procura causar-lhe prejuízo.

Estar em uma galeria: Ganhos financeiros.

Cair de uma galeria: Brigas de família.

Uma galeria de pintura: Grandes honrarias e fortuna.

Uma galeria comercial: Fortuna nos negócios.

GALGO

Um galgo: Vencerá os inimigos.
Possuir um galgo: Ganhará nas corridas.
Um galgo que pertence a outras pessoas: Ganhará em uma loteria.
Um galgo correndo: Receberá carta com boas notícias.

GALHOS

Cortar galhos das árvores: Terá uma pequena desavença.
Ser machucado por um galho: Sofrerá um acidente.
Juntar galhos: Fará uma cirurgia.
Queimar galhos: Receberá um legado.
Um galho com os ramos arrancados: Descobrirá um ladrão.
Cortar galhos de uma oliveira: Paz e serenidade.
Uma árvore com muitos brotos: Receberá um legado inesperado.
Uma árvore de galhos quebrados: Infortúnio.
Uma árvore com galhos mortos: Um amigo procura ajudá-lo em segredo.
Uma árvore com os galhos murchos: Cura de uma doença.

GALINHA

Uma galinha: Ganhos financeiros.
Uma galinha pondo ovos: Conte com boa sorte.
Uma galinha com os pintos: Terá muitos filhos ou receberá um favor.
Pôr uma galinha no ninho: Promessa de realização de um desejo muito antigo.
Um galinheiro: Grande alegria na família.
Uma bela galinha: Será feliz no amor.
Diversas galinhas: Terá muitas amizades boas.
Galinhas pondo ovos: Alegria e contentamento.
Uma galinha sentada sobre os ovos: Alegria e felicidade.
Comer galinha: Sofrerá aflição.
Cozinhar galinha: Ganhará muito dinheiro.
Matar galinha: Lucro.

GALO

Um galo: Alegria e felicidade.
Um galo pondo ovo: Grande lucro.
Dois galos lutando: Brigas em família e decepção.
Uma moça que ouve um galo cantar: Ela em breve terá outro namorado.
Um amante ouvindo o galo cantar: Ele tem um grande rival.
Uma mulher casada ouvindo o galo cantar: Está apaixonada por um belo homem.
Um homem casado ouvindo o galo cantar: Alguém se apaixonou por sua esposa.

GALOCHAS

Calçar galochas: Prepare-se para um casamento em futuro próximo.

Comprar galochas: Bons tempos estão chegando.
Outras pessoas usando galochas: Obterá grande lucro.

GALOPE

Um galope moderado: Pense bem antes de agir.
Um galope: Acontecimentos importantes e muito benéficos a caminho.
Galopar em um cavalo: Sentirá tristeza.
Um jóquei galopando em seu cavalo: Bons tempos virão.
Diversos cavalos galopando: Suas esperanças se concretizarão em pouco tempo.

GAMÃO

Jogar gamão: Ganhos financeiros.
Vencer uma partida de gamão: Conte com uma herança.
Perder uma partida de gamão: Sofrerá um prejuízo comercial.
Outros que jogam gamão: Triunfo sobre os inimigos.

GANGORRA

Uma gangorra: Grande felicidade.
Crianças brincando em uma gangorra: Alegria na família.
Criança que se machuca ao brincar em uma gangorra: Terá vida longa.
Uma gangorra que se quebra: Receberá visita inesperada.
Segurar uma gangorra: Questões de amor inesperadas e que não durarão muito tempo.

GANGRENA

Ter gangrena: Perda de amigos.
Outras pessoas na família com gangrena: Felicidade na família.
Sua perna sendo cortada por causa de gangrena: Enfrentará trabalho pesado.
Outras pessoas com as pernas cortadas por causa de gangrena: Os amigos não são leais.

GANHO

Obter um grande ganho: Infortúnio nos assuntos sentimentais.
Um ganho comercial: Uma grande catástrofe está para acontecer.
Ganhar algo por meio de uma tapeação: Vergonha e tristeza.
Obter um ganho com propriedade imobiliária: Terá boa alimentação durante a vida.
Ganhar no jogo: Terá uma boa amizade.
Obter um ganho sob circunstâncias desfavoráveis: Você se restabelecerá de uma doença.

GANSO

Um ganso: Infortúnio no mar.
Um ganso voando: Fará uma viagem prolongada.
Comer ganso: Boa sorte.

Um ganso grasnando: Haverá uma morte no círculo familiar.

Um ganso nadando: Aumento da fortuna.

Tirar as penas de um ganso: Herança.

Outras pessoas comendo ganso: Alegria.

Um ganso selvagem: Seus amigos o esqueceram.

GARAGEM

Uma garagem: As coisas tomarão um rumo melhor em breve.

Uma garagem vazia: Marido ou mulher está enganando o outro.

Uma garagem cheia de automóveis: Terá saúde e dinheiro.

Pôr um automóvel na garagem: O dinheiro virá com facilidade durante a vida.

Uma garagem incendiada: Trabalho agradável e boa notícia.

GARÇOM

Um garçom: Terá dinheiro.

Um garçom em um salão: Você é confiante demais.

Ser servido por um garçom: Você ficará inválido, e necessitará de um enfermeiro.

Muitos garçons servindo outras pessoas: Você tem subordinados desonestos.

Garçom servindo em um banquete: Vitória sobre os inimigos.

GARÇONETE

Uma garçonete: Perigo nos assuntos sentimentais ou receberá notícias falsas.

Uma garçonete em um salão: Fofocas.

Ser uma garçonete: Sua vida melhorará devagar.

Ter uma garçonete: Dificuldades devido à sua própria negligência.

Marcar encontro com uma garçonete: Cuidado com amigos invejosos.

Casar-se com uma garçonete: Em breve terá problemas.

GARFOS

Garfos: Grandes brigas em família.

Comer com garfo: A felicidade está assegurada.

Usar garfo para cozinhar: Há parasitas perto de você.

Outras pessoas usando garfos: A reconciliação com inimigos é impossível.

Convidados usando garfos para comer: Suas esperanças se concretizarão em pouco tempo.

Receber garfos de presente: A decepção é certa.

GARGANTA

Sua própria garganta: Suas esperanças se realizarão.

Ter problemas na garganta: Ganhos financeiros.

Cortar a garganta: Enfrentará dificuldades causadas por outros.

Cortar a garganta de alguém: Perigo a caminho.
A garganta dos filhos: Perigo nos assuntos sentimentais.

GAROTOS

Um garoto: Felicidade em casa.
Seus garotos: Recursos abundantes.
Os garotos dos parentes: Alegria sem ganho.
Garotos de outras pessoas: Aviso de brigas na família.

GARRAFA

Uma garrafa cheia: Prosperidade.
Uma garrafa vazia: Infortúnio.
Derramar o conteúdo de uma garrafa: Preocupações no lar.
Uma garrafa de vinho: Ficará de mau humor.
Uma garrafa vazia: Sofrerá uma decepção no amor.
Uma garrafa cheia de bebida alcoólica: Você se divorciará.
Uma garrafa de bebida alcoólica vazia: Tudo correrá bem.

GARRAFA (para servir vinho)

Uma garrafa para servir vinho: Perigo causado por um segredo.
Uma garrafa para servir bebidas alcoólicas: Doença.
Beber de uma garrafa de servir vinho: Vergonha e tristeza.
Outras pessoas bebendo em uma garrafa de servir vinho: Evite os rivais.

GARRAFÕES

Ter um garrafão: Perda de dinheiro causada por outra pessoa.
Quebrar um garrafão: Morte.
Um garrafão já quebrado: Bons tempos virão.
Beber em um garrafão: Doença.
Beber água em um garrafão: Um mistério será revelado.

GARROTE

Estar com uma coleira de ferro, usada para execução por estrangulamento: Recursos abundantes.
Outras pessoas com um garrote no pescoço: Tenha firmeza em suas convicções, pois está certo.
Um criminoso com garrote no pescoço: Oposição violenta a suas opiniões.

GÁS

Acender uma chama de gás: Descobrirá o meio de evitar o infortúnio que o ameaça.
Apagar a chama de gás: Os inimigos procuram prejudicá-lo.
Uma luz de gás, porém fraca: Será prejudicado em seus interesses.

GASOLINA

Gasolina: Tenha cautela nos empreendimentos comerciais.
Comprar gasolina: Ganhos financeiros.
Vender gasolina: Êxito rápido nos negócios.
Outras pessoas comprando gasolina: O êxito virá mais tarde.

GASTAR

Gastar dinheiro: Entretenimento agradável.
Gastar dinheiro em viagens: Frivolidade.
Gastar dinheiro com a família: Perda de boas amizades.
Gastar dinheiro com comida: Terá dias felizes.
Gastar dinheiro com os filhos: Prestará serviços a uma pessoa ingrata.
Gastar dinheiro para viajar: Romance de curta duração.
Gastar dinheiro em divertimentos: Brigará com amigos.
Um homem gastando dinheiro com a esposa: Consolo familiar.
Um homem gastando dinheiro com outras mulheres: Abandonará o lar.
Uma mulher gastando dinheiro com um homem: Terá a consciência pesada.
Uma mulher gastando dinheiro com a família: Bênçãos de Deus.
Gastar dinheiro de modo insensato: Tenha cuidado e economize por algum tempo.
Gastar dinheiro em obras de caridade: As coisas melhorarão depois de bastante tempo.

GASTRONOMIA

Ser um *gourmet* ou bom gastrônomo: Será abandonado pela pessoa amada.
Grande gastrônomo: Você tem um amigo leal.
Outras pessoas que apreciam comidas finas: Bons tempos virão.
Você próprio sendo um apreciador de comidas finas: Precisa controlar suas paixões.

GATILHO

Puxar o gatilho de uma arma de fogo: Grande infelicidade na família.
Uma mulher casada que puxa o gatilho: Desonra nos assuntos sentimentais.
Uma pessoa solteira que puxa o gatilho: Logo se casará.
Adolescentes puxando o gatilho: Receberão cumprimentos por sua capacidade.
Puxar um gatilho contra um inimigo: Será extremamente criticado.
Outros que puxam o gatilho contra você: Uma melhoria está a caminho.

GATINHO

Gatinhos recém-nascidos: Você se restabelecerá de uma doença.
Gatinhos com a gata: Sentirá tristeza ou terá infelicidade no casamento.
Um gatinho que se machuca: Morte de um inimigo.
Um gatinho que não se machuca: Você se sairá bem do perigo atual.

GATO

Gatos marrons, brancos ou cinzentos: Está sendo enganado por uma pessoa em quem confia.

Um gato negro: Uma doença ronda você.
Defender-se de um gato: Algo lhe será roubado.
Gatos brincando: Será visitado em casa por inimigos.
Um gato furioso: Terá discussões com a pessoa amada.
Ser arranhado por uma gata: Alguém trama a sua queda.
Uma gata prenhe: Algo lhe será roubado.
Um gato comendo ratos: Receberá pagamentos por dinheiro emprestado.
Um gato dormindo: Pequeno êxito.
Uma gata comendo: Divórcio.
Um gato brigando com um cão: Terá brigas com os vizinhos.
Bater em um gato: Andará em má companhia.
Muitos gatos e cães: Perda de dinheiro em transação comercial.
Um gato no telhado da casa: Não obterá êxito nos negócios.
Uma gata tendo gatinhos: O divórcio está bem próximo.

GATUNO

Um gatuno dentro de sua casa: Cuidado com a traição.
Um gatuno que entra em sua casa à noite: Dificuldades em breve.
Flagrar um gatuno: Ganhará uma fortuna.
Gatunos que roubam objetos de valor: Bons investimentos.

GAVETA

Uma gaveta aberta: Ocasião adequada para paquerar.
Abrir uma gaveta: A felicidade está assegurada.
Abrir uma gaveta trancada: Descobrirá um segredo.
Não conseguir abrir uma gaveta fechada: Cuidado com as dificuldades que surgirão.
Uma mulher casada sonhando com suas gavetas: É infiel ao homem que a ama.
Um homem casado sonhando com suas gávetas: Vergonha e tristeza.
Uma moça solteira sonhando com suas gavetas: Logo ficará noiva.
Um homem solteiro sonhando com suas gavetas: Ficará noivo de uma moça rica em breve.

GAVETA DE DINHEIRO

Uma gaveta de guardar dinheiro: Dinheiro chegando.
Uma gaveta cheia de dinheiro em uma loja comercial: Fará negócios com homens ricos.
Uma gaveta de guardar dinheiro vazia: Você tem subordinados desobedientes.
Uma mulher que sonha tirar dinheiro de uma gaveta: Ela se casará com um homem rico.
Um homem que sonha tirar dinheiro de uma gaveta: Ele se apaixonará por uma bela mulher.

GAVIÃO

Um gavião: Sua fortuna aumentará.
Um gavião voando: Prejuízos causados por intriga.
Diversos gaviões juntos: Cuidado com as especulações comerciais.
Dar tiro em gavião: Nenhum obstáculo será insuperável.

GAVOTA (antiga dança francesa)

Dançar uma gavota: Futuro calmo e feliz.
Outras pessoas dançando uma gavota: Acontecimento importante e muito benéfico a caminho.
Moças e rapazes dançando uma gavota: Grandes prejuízos em dinheiro.
Dançar uma gavota com o namorado: Receberá uma herança.

GAZE

Gaze: Trabalho agradável e boa notícia.
Usar gaze: Ganhos financeiros.
Jogar gaze fora: Atividades sociais agradáveis.
Outras pessoas utilizando gaze: Uma pessoa está escondendo os sentimentos de você.

GAZE DE CHIPRE

Esse cetim grosso e belo: Problemas causados por sua intromissão em assuntos alheios.
Ter gaze de Chipre: A conclusão dos negócios vai demorar.
Comprar um vestido feito de gaze de Chipre: Melhoria de sua situação financeira.

GAZELA

Esse antílope: Grande alegria.
Ver uma gazela: Ficará apaixonado.
Uma moça sonhando com uma gazela: Terá um admirador grosseiro, porém um marido sincero.

GEADA

Uma geada: Viajará pelo exterior.
A geada que danifica suas plantas: Muitas dificuldades surgirão.
Uma geada espessa: Melhoria em sua situação.
Uma geada que derrete sob a luz do sol: Dinheiro a caminho.

GELÉIA

Fazer geléia: Boa sorte.
Ter geléia: Sinal certo de vida longa.
Comer geléia: Felicidade na vida familiar.
Ter grande quantidade de geléia: Terá vida longa.

GELO

Grande quantidade de gelo: Grande prosperidade nos negócios.
Deslizar no gelo: O desastre o ameaça.
Cair, o gelo se quebrando: Ansiedade sem motivo.
Correr no gelo: Aviso de engano no amor.

Caminhar com outros sobre o gelo: Não ouse demais.
O gelo em seu próprio refrigerador: Felicidade no amor.
Um agricultor sonhando com gelo: Boas colheitas.
Trabalhadores sonhando com gelo: Ganharão dinheiro.
Comerciantes sonhando com gelo: Melhoria nos negócios.
Homem de negócios sonhando com gelo: Obstáculos nas transações.
Militares sonhando com gelo: Promoção.
Senhoras sonhando com gelo: Farão uma longa viagem.
Pessoa jovem sonhando com gelo: Logo estará apaixonada.

GELO, PINGENTES DE

Muitos pingentes de gelo: Pobreza.
Pingentes que descem dos beirais no telhado: Saúde debilitada.
Pingentes que gotejam: Perda de uma pessoa que você ama.

GEMA DE OVO

Uma gema de ovo: Ganhos financeiros.
Um ovo de gema dupla: Descoberta de objetos valiosos que estavam perdidos.
Bater gemas de ovo: Terá ganho em dinheiro com especulação.
Comer uma gema de ovo cozida e dura: O dinheiro virá com facilidade durante a vida.
Comer a gema crua de um ovo: Abundância de dinheiro.
Usar gemas de ovo para fazer frituras: Grande fortuna.

GÊMEOS

Ter gêmeos: Felicidade na família.
Uma mulher sonhando que terá gêmeos: Evite os rivais.
Um homem sonhando que a esposa terá gêmeos: Mudança de ambiente.
Ter gêmeos do mesmo sexo: Terá vida longa.
Ter gêmeos de sexo diferente: Dignidade e distinção.
Uma mulher solteira sonhando que tem gêmeos: Logo ficará noiva.
Possuir cavalos gêmeos: Você se sairá bem de um perigo atual.

GEMER

Gemer por causa de dor ou pesar: Cuidado com amigos falsos.
Filhos gemendo: Recursos abundantes.
Outras pessoas gemendo: Tenha cautela em todas as transações.

GEMIDO

Gemidos em um sonho: Evite os rivais.
Os filhos gemendo: Terão vida longa.
Parentes gemendo: Ganhos financeiros.
Ouvir gemidos de inimigos: Você tem um amigo fiel.

GENERAL

Ser um general: Receberá honrarias.

Ser um general de artilharia: Receberá muito dinheiro.

Ser um general do Exército: Receberá diversos favores.

Generais marchando em uma parada: Tenha cautela em seus empreendimentos.

Um amigo que é promovido a general: Infelicidade no lar.

GENGIVA

Suas gengivas: Discórdias na família.

As gengivas inflamadas: Resultados desfavoráveis nos negócios.

As gengivas das crianças doendo: Receberá convidado inesperado.

As gengivas tratadas por um dentista: Morte de um amigo.

GENTE

Gente feliz: Será respeitado na sociedade.

Um grande grupo de pessoas: Dignidade e respeito.

Contar pessoas: Receberá ordens de um superior.

Gente que vem à sua casa: Tristeza e lágrimas.

Gente que aparece sem ser convidada: Infelicidade.

Gente armada: Será visitado por oficiais do Exército.

Gente cega: Infortúnio.

Gente vestida de branco: Perda de amizade.

Gente vestida de preto: Acontecimentos infelizes em breve.

Homens idosos: Terá fortuna.

Mulheres idosas: Sofrerá vergonha.

Homens influentes: Será perseguido.

Gente em altos cargos: Honrarias e dignidade.

Ser paquerado por mulheres de alta classe: Miséria e transgressões.

Estar com gente: Altas honrarias.

Gente da mais baixa classe: Não deixe que seu patrão o maltrate.

Negociar com pessoas de baixa classe: Mantenha-se firme a seus princípios.

Ter a proteção de gente da classe baixa: Você conta demais com favores.

GENTIL

Ser gentil com uma mulher: Satisfação e boa saúde.

Uma mulher casada sendo gentil com um homem: Boa sorte nos negócios.

Um homem sendo gentil com uma moça solteira: Incoerência no amor.

Um homem sendo gentil com uma viúva: Bons resultados nas atividades comerciais.

GEOGRAFIA

Um livro de geografia: Seu amor será recusado por alguém.

Estudar um livro de geografia: Tenha muita cautela nos assuntos cotidianos.
Filhos estudando geografia: Em breve estará aflito por dores de menor importância.
Ser professor de geografia: Perigo em sua vida.
Comprar um livro de geografia: As preocupações atuais são desnecessárias.

GERÂNIO

Gerânios: Riqueza considerável.
Colher gerânios: Você será sempre amado.
Jogar gerânios fora: Brigas de família.
Sentir o cheiro de gerânios: Receberá boas notícias.
Receber um buquê de gerânios de presente: Ciúme da pessoa amada.
Comprar um pé de gerânio: Terá muito dinheiro.
Gerânios pertencentes a outras pessoas: Altas honrarias.
Gerânios brancos: Dificuldades.
Gerânios amarelos: Tristeza.
Gerânios roxos: Será visitado por uma pessoa que você ama.
Gerânios vermelhos: Doença.
Gerânios vermelhos com manchas pretas: Morte.

GIGANTE

Conhecer um gigante: Alcançará êxito.
Matar um gigante: Recursos abundantes.
Um gigante monstruoso: Muito êxito.
Um gigante em companhia de outras pessoas: Triunfo nos assuntos sentimentais.

GIM

Beber gim: Terá vida curta.
Tomar gim com amigos: Você tem amigos falsos.
Tomar gim com a pessoa amada: Prazeres efêmeros.
Comprar gim: Ocorrerão muitas transformações na sua vida.
Servir gim: Você tem amigos falsos.
Receber gim de presente: Brigas de família.
Dar gim de presente: Favores falsos.
Quebrar uma garrafa de gim: Será visitado por uma pessoa amiga.

GINÁSTICA

Fazer ginástica em um ginásio: A preocupação se dissipará.
Parentes que fazem ginástica: Dificuldades surgirão.
Filhos que fazem ginástica em um ginásio: Ganhos financeiros.
Possuir um ginásio para ginástica: Você deveria cuidar melhor dos negócios.

GIRASSOL

Um girassol: Seu amor não é retribuído.

Um girassol que se volta para o Sol: Preocupação à frente.
Colher um girassol: Não se apresse em seus interesses.
Comer sementes de girassol: Vencerá alguém.

GIZ
Giz: Decepção pelo fim de alguma esperança.
Comprar giz: Terá vida longa.
Lidar com giz: Logo se casará.

GLADIADOR
Um gladiador em combate: Terá muito dinheiro.
Um gladiador em um festival: Alguma coisa acontecerá, causando tristeza.
Diversos gladiadores em combate: Mudança de ambiente.
Um gladiador a quem matam: Infelicidade.

GLOBO
Um globo: Sorte nos negócios.
Fazer uma viagem em volta do globo: Terá vida longa.
Outras pessoas que dão a volta ao globo: Receberá ajuda de amigos.
Um *globetrotter:* Terá bons amigos.

GLUTÃO
Ser um glutão: Você está correndo o risco de ficar pobre.
Parentes que são glutões: Não conte com dinheiro algum.
Outras pessoas que são glutonas: Prepare-se para grandes prejuízos nos negócios.
Os filhos glutões: Perderá todas as suas propriedades imobiliárias.

GOIVO AMARELO
Goivos amarelos: Sua mulher ficará grávida.
Sentir o cheiro de goivos amarelos: Terá de enfrentar inimigos.
Goivos amarelos crescendo: Prazer e contentamento.
Colher goivos amarelos: Terá um bom futuro.

GOLA
Pôr uma gola nova: Você é profundamente amado.
O colarinho de um homem: Ganhos com especulações.
A gola de peles de uma mulher: Amor na família.
Uma mulher com vestido de gola branca: Prosperidade.
Estar com a gola suja: Frivolidade por parte da pessoa amada.

GOLFE
Jogar golfe: A esposa terá um filho.
Passar muito tempo jogando golfe: As atividades comerciais requerem atenção.
Ganhar um torneio de golfe: Acontecimento importante e muito benéfico a caminho.

Alcançar mau escore no golfe: Há um amigo falso por perto.

Jogar golfe com amigos: Muita alegria.

GOLFE, CAMPO DE

Jogar num campo de golfe: Terá uma vida movimentada em casa.

Jogar em um campo de golfe com outras pessoas: Não está à altura de sua posição.

Inimigos que jogam em um campo de golfe: Aviso de dificuldades.

GOLFO

Um golfo: Mudança para melhor.

Estar em um golfo: Partida de uma pessoa por quem você se interessa.

Outras pessoas em um golfo: Evite os rivais.

Estar em uma embarcação em um golfo: Vencerá as dificuldades.

Desembarcar em um porto de golfo: Alegria sem ganhos.

GOLPE

Receber golpes: Reconciliação após uma briga.

Desferir golpes nos outros: Boa sorte vinda de uma pessoa amiga.

Amigos que se golpeiam: Aviso de dificuldade.

Inimigos que recebem golpes: Mudança de ambiente.

Filhos dando golpes uns nos outros: Melhoria em sua situação.

GOLPEAR

Golpear alguém: A situação atual piorará.

Ser golpeado por um bandido: Mudanças nas relações pessoais.

Ser golpeado por um amigo: Melhoria na situação pessoal.

Ser golpeado por um parente: Fortuna nos negócios.

Golpear um parente: Fará uma longa viagem.

Pessoas que o golpeiam: Infortúnio nos negócios.

Pessoas que se golpeiam: A vergonha recairá sobre você.

Ser golpeado por uma pessoa alucinada: Conquistará o amor da pessoa que deseja.

GÔNDOLA

Uma gôndola: Vida feliz, mas sem romance.

Estar em uma gôndola com o marido ou a mulher: Bons dias virão.

Estar em uma gôndola com a pessoa amada: O amor não durará muito tempo.

Outras pessoas em uma gôndola: Aviso de dificuldades.

GONGO

Ter um gongo em sua casa: Trabalho agradável e boas notícias.

Ouvir o som de um gongo: Um acontecimento animado ocorrerá na família.

Ouvir o gongo de um navio: Evite menosprezar questões importantes.

GORDURA

Uma mulher sonhando que engorda: Será abandonada pela pessoa amada.
Uma moça sonhando que engorda: Logo se casará.
Um homem sonhando que engorda: Logo será um homem livre.
Mulher casada sonhando que engorda: Dias felizes à frente para ela.
Uma mulher sonhando que engorda muito: Grande riqueza e amor sincero.
Crianças que engordam: Mudança feliz para quem sonha.
Parentes que engordam: Riqueza.
Outras mulheres que engordam: Atividades desonestas e perigosas.
Outras pessoas que são gordas: O êxito virá mais tarde.
Comer gordura: Êxito nos assuntos sentimentais.
Cozinhar com gordura: Bons empreendimentos comerciais.

GORJEIO

Ouvir o gorjeio de um pássaro: Felicidade no amor.
Ouvir muitos pássaros gorjeando: Discórdia entre pessoas casadas.
Ouvir as crianças cantando: Não permita que as pessoas o ameacem.
Ouvir cantores famosos cantando com voz melodiosa: Receberá más notícias.

GORJETAS

Dar gorjetas: Alguém está tentando subornar você.
Receber uma gorjeta: Alguém procura causar-lhe mal.
Dar uma gorjeta em segredo: Logo receberá a notícia de um casamento.
Viver de gorjetas: Não conseguirá ter filhos.
Dividir gorjetas entre pessoas: Terá uma fortuna obtida de modo desonesto.

GORRO

Um gorro negro: Você tem falsas amizades do sexo oposto.
Uma mulher jovem sonhando com um gorro novo: Ela gosta de flertar.
Um homem sonhando com uma mulher que experimenta um gorro novo: Boa sorte.
Perder um gorro novo: Perda de liberdade.

GOTA (doença)

Ter gota: Vexame.
Ter gota por muito tempo: Precisa evitar os esforços excessivos, por causa da fraqueza.

Uma pessoa idosa com gota: Infortúnio nos negócios.
Uma pessoa jovem com gota: Você corre perigo.
Ter gota nas mãos: Logo contrairá uma doença.
Ter gota nos pés: Ficará na miséria.
Ter gota em qualquer outra articulação do corpo: Prejuízos financeiros causados por um parente.

GOTAS DE REMÉDIO
Contar gotas de remédio: Breve lhe será deixada uma pequena quantia.
Outras pessoas contando gotas: Não corra atrás de pequenas quantias.
Pôr gotas de remédio na água: Melhoria em sua situação.
Uma enfermeira que põe gotas de remédio na água: Aguarde acontecimento importante e muito benéfico.

GOVERNO
Ter um cargo no governo: Atividades sociais alegres.
Ser-lhe oferecido um cargo no governo: Bons tempos virão.
Outras pessoas ocupando cargo no governo: Enfrentará dificuldades.
Perder um cargo no governo: Em breve passará por muitos altos e baixos.

GRAÇA
Pedir uma graça a Deus: Ocorrerão modificações importantes na sua vida.
Receber graça: Obterá bons ganhos.
Dar graças às refeições: Voltará a ter saúde perfeita.
Pedir graça em favor de um prisioneiro: Recursos abundantes.

GRADE (agricultura)
Uma grade agrícola (gradador): Fracasso dos inimigos.
Comprar uma grade: Sorte e prosperidade.
Usar uma grade: Fará bons negócios em breve.
Outras pessoas usando uma grade: Mudança para melhor.

GRÁFICO
Um gráfico: Segredos familiares.
Ser um gráfico: Precisa fazer economia extrema.
Outros que são gráficos: Ficará na pobreza.
Um parente que é gráfico: Fortuna familiar.
Gráficos exercendo o ofício: Declínio nos negócios.

GRALHA
Essa ave: Felicidade no amor.
Capturar uma gralha: Casamento imediato.
Ter uma gralha na gaiola: Má colheita.
Uma moça sonhando que tem uma gralha: Logo ficará noiva.

GRALHA CALVA

Essa ave européia: Receberá convidado indesejado.
Muitas gralhas calvas: O êxito virá mais tarde.
Duas gralhas calvas lutando: Você deveria corrigir seu modo de viver.
Matar uma gralha calva: Um mistério será solucionado.

GRAMA

Grama: Riqueza para os que têm negócios.
Grama muito comprida: Doença.
Cortar grama: Vida longa.
Grama verde que cresce bem: Fracasso dos inimigos.
Cães ou animais comendo grama: Ficará pobre.
Uma mulher sonhando com grama: Felicidade com o amante.
Uma pessoa culta sonhando com grama: Boa reputação.
Um artista sonhando com grama: Grande alegria.

GRAMADO

Seu próprio gramado: Seus negócios prosperarão.
Cortar o gramado: Receberá visita inesperada.
Um gramado que precisa ser aparado: Receberá tristes notícias.
O gramado de outra pessoa: O êxito virá mais tarde.
Outras pessoas cortando o gramado delas: Um amigo falso está por perto.
Crianças brincando em um gramado: Receberá hóspede indesejado.
Um cão dormindo em gramado: Dinheiro chegando.
Regar o gramado: Vida longa.
Caminhar sobre um gramado: Terá ansiedade.
Um gramado verde e liso: Prosperidade e bem-estar.

GRAMÁTICA

Um livro de gramática: Muito trabalho pela frente.

GRAMOFONE

Ter um gramofone: Notícias agradáveis vindas de longe.
Ouvir discos tocados por gramofone: Um mistério será solucionado.
Outras pessoas tocando discos em um gramofone: Descoberta inesperada será feita.
Comprar um gramofone: Felicidade na família.

GRAMPO DE CABELO

Grampo de cabelo: Você está sendo enganado.
Lidar com grampo de cabelo: Visitará um novo lugar de diversão.
Achar grampos de cabelo alheios no chão: Uma pessoa amiga o observa.
Comprar grampos de cabelo: Recebimento de dinheiro em breve.

Perder grampo de cabelo: Uma transformação logo ocorrerá.
Descobrir grampo de cabelo de mulher rival: Será culpado por atos impensados.

GRANADEIRO

Ser um granadeiro: Felicidade nos assuntos amorosos.
Uma mulher casada sonhando com um granadeiro: Terá um casamento feliz.
Uma moça sonhando com um granadeiro: Logo se casará com um civil.

GRANDE

Ser uma pessoa de muita importância: Riqueza e honraria.
Ser excepcionalmente grande e alto: Será amado pelo sexo oposto.
Ter posição de destaque na sociedade: Perseguição.
Ser um grande falador com as mulheres: Honrarias e dignidades.
Ser visitado por gente grande: Abundância.

GRANIZO

Granizo caindo: Enfrentará dificuldades.
Estar fora de casa durante uma tempestade de granizo: Decepção.
Outras pessoas em uma tempestade de granizo: Grande tristeza.
A colheita arruinada por uma chuva de granizo: Disporá de recursos abundantes.
Granizo: Prazer.
Uma chuva pesada de granizo: Você está cercado por inimigos.
Estar em uma tempestade de granizo: Tenha mais paciência com as pessoas ao seu redor.
Outras pessoas em uma tempestade de granizo: Receberá informações interessantes.

GRATIDÃO

Ser grato a alguém: Acontecimentos surpreendentes a caminho.
Outras pessoas que lhe exprimem gratidão: Acontecimentos surpreendentes na vida de uma pessoa que você ama.
Receber gratidão dos filhos: Terá vida longa.

GRAVATA

Ter gravatas: Irritação na garganta.
Vender gravatas: Alguém terá de cuidar de seus negócios.
Usar uma gravata: Luxo e grandiosidade.
Dar nó em gravata: Você ficará bom do reumatismo.
Tirar uma gravata: Perda de emprego.
Ter muitas gravatas: Receberá uma fortuna inesperada.

GRAVIDEZ

Estar grávida: A saúde em breve melhorará.

Uma mulher casada sonhando que está grávida: Infelicidade no casamento.
Mulher solteira sonhando que está grávida: Problemas e mágoa por causa de escândalo.
Um homem sonhando que a esposa está grávida: Ela dará à luz um menino.
Uma viúva sonhando que está grávida: Breve se casará.
Um viúvo sonhando com mulher grávida: Terá muito dinheiro.
Uma moça sonhando que está grávida: Demorará muito para se casar.
Um rapaz sonhando que engravidará a namorada: Remorso.
(Ver também **Tabela de Sonhos com Gravidez** no Prefácio.)

GRAXA DE SAPATOS

Um engraxate limpando seus sapatos: Haverá transações de ordem legal com um advogado.
Ser uma pessoa que engraxa sapatos: O orgulho ultrapassou a razão.
Um menino engraxando sapatos dos outros: Alegria e contentamento.
Mulher sonhando que um menino engraxa os sapatos do marido dela: Ela receberá convite para um baile.
Um negro engraxando sapatos: Cuidado com os rivais.

GRÉCIA

Ir à Grécia: Perda de uma pessoa que você ama.
Ser grego: Será enganado.
Viajar pela Grécia: Disporá de bons recursos em breve.
Um grego se casando com uma estrangeira: Fofocas feitas por mulheres.
Pessoas de outras nacionalidades se casando com grego: Humilhação e miséria.

GREGAS

Trabalho de gregas: Outra pessoa está desfrutando do que você desejava.
Estar enfeitado com gregas: Mudança no ambiente.
O trabalho de gregas em uma folha: Em breve estará diante de uma tentação.

GRELHA

Uma grelha: Infelicidade.
Preparar carne na grelha de um forno: Voltará a desfrutar a liberdade.
Preparar peixe na grelha de um forno: Doença seguida de morte.
Quebrar uma grelha: Preocupação à frente.
Uma grelha usada para churrasco: Terá o amor de uma pessoa rica.

GREVE

Uma greve: Terá gosto muito delicado.
Organizar uma greve: Ajude as pessoas que precisam de dinheiro.

Ser financeiramente prejudicado por uma greve: Dignidade.
Ser um líder grevista: Algo lhe será roubado.
Encerrar uma greve: Será acusado por algo que não fez.
Ser furador de greve: Uma pessoa desconhecida apaixonou-se por você.

GRILHÕES

Ser liberto de grilhões: Escapará a alguma dificuldade.
Estar agrilhoado: Más notícias virão.
Outras pessoas agrilhoadas: Os encargos estão a ponto de terminar.
Parentes agrilhoados: Você tem diversos amigos fiéis.
Inimigos agrilhoados: Você está sendo enganado.
Partir os grilhões: Terá preocupações por algum tempo.

GRINALDA

Uma grinalda: Felicidade.
Uma grinalda de belas flores: Esperanças elevadas e êxito.
Uma grinalda de aço: Será atormentado.
Uma grinalda de estanho: Perda de propriedade imobiliária.
Uma grinalda de papel crepom: Será acometido por doença grave.
Uma grinalda de ouro: Será protegido por pessoa influente.
Colocar uma grinalda na cabeça de alguém: Terá o respeito das pessoas.
Ser coroado com uma grinalda: Boas amizades.
Colocar uma grinalda em túmulo: Dignidade.

GRIPE

Ficar gripado: Possuirá uma fortuna.
Membros da família gripados: Um segredo será descoberto.
Filhos gripados: Levará uma vida simples e honesta.
Morrer de gripe: Amigos fiéis demonstrarão compaixão por você.

GRITAR

Gritar: Cuidado com os inimigos.
Gritar pedindo ajuda: Perigo nos assuntos sentimentais.
Soltar gritos medonhos: As preocupações se dissiparão.
Filhos gritando: Felicidade.
Parentes gritando: Brigas e discussões.
Outras pessoas gritando: Um inimigo trama sua ruína.

GRITOS

Ouvir gritos de satisfação e alegria: Conte com más notícias.
Ouvir gritos de agitação e dificuldades: Tudo correrá bem.
Ouvir gritos de crianças: Mudança para melhor.

GROSELHA

Fazer doce de groselha: Evite os rivais.
Fazer torta de groselha: Será abandonado pela pessoa amada.
Ter groselhas: Acontecimento importante e muito benéfico a caminho.
Juntar groselhas: Melhores perspectivas de negócios.
Comer groselhas: A decepção é certa.
Comprar groselhas: Solidão e problema.
Colher groselhas: Um mistério será solucionado.
Groselha negra: Aviso de dificuldades.
Groselha marrom: Melhoria nos negócios.
Comprar groselhas secas: Um inimigo trama sua ruína.
Comprar geléia de groselha: Será enganado por amigos.
Cozinhar groselhas em pudim ou bolo: Riqueza.

GRUTA

Estar em uma gruta: Mudança e provável separação relacionada às pessoas que você ama.
Fugir de uma gruta: Tudo transcorrerá bem nos negócios.
Cair em uma gruta: Prepare-se para ter preocupações nos negócios.
Estar com outras pessoas em uma gruta: Recursos abundantes.

GUARDA

Estar em guarda quanto ao perigo: Evite pronunciar palavras rudes.
Ser um guarda de segurança: Será salvo de grande perigo.
Ser um guarda-noturno: Grande tristeza em breve.
Golpear um guarda: Logo terá alegria.
Um guarda que leva um prisioneiro: Será insultado por amigos.
Ser levado por um guarda: Terá fortuna segura.
Matar um guarda: Perda de dinheiro.
Um guarda da presidência do país: Você está esperando uma ajuda inútil.
O guarda de um parque público: Você tem um bom coração.

GUARDA-CHUVA

Ter um guarda-chuva: Terá prosperidade.
Carregar um guarda-chuva: Será aborrecido por problemas e muitos vexames.
Carregar um guarda-chuva aberto sobre a cabeça: Alguém virá em seu auxílio.
Ter um guarda-chuva aberto dentro de casa: Grande infortúnio.
Outras pessoas com guarda-chuva: Nascimento de uma criança.
Outras pessoas com um guarda-chuva fechado: Doença.
Apanhar um guarda-chuva emprestado: Total desentendimento com amigos.

Emprestar um guarda-chuva: Será magoado por falsos amigos.

Vazar água de um guarda-chuva: Ficará insatisfeito com a pessoa amada.

GUARDANAPO

Guardanapos: Será visitado por pessoas de destaque na sociedade.

Usar um guardanapo para limpar a boca: Será respeitado pelas pessoas.

Ter guardanapos bordados: Casamento em breve.

Receber guardanapos de presente: Brigas de família.

Um guardanapo ou babador de criança: Vida saudável.

GUARDA-ROUPA

Um guarda-roupa: Honrarias.

Examinar o próprio guarda-roupa: Você finge ser rico.

Ter um grande guarda-roupa: Você tem certeza do que quer.

Ter um pequeno guarda-roupa: Conhecerá uma pessoa muito influente.

Pôr mais roupas no guarda-roupa: Decepção.

Ter um guarda-roupa malcuidado: Outras pessoas desconfiam de você.

Comprar vestidos para um guarda-roupa: Muitas transformações a caminho.

Ver roupas velhas no guarda-roupa: Terá sorte, à custa de outra pessoa.

Dar roupas de um guarda-roupa: Terá uma surpresa.

GUERRA

Guerra: Problemas e perigo.

Fazer guerra contra outra pessoa: Perseguição.

Assistir a uma guerra: Infortúnio.

Estar em uma guerra: Risco de doença.

Documentos de guerra: Alegria.

Vencer uma guerra: Felicidade.

Perder uma guerra: Perda de papéis sem importância.

GUIA

Ser um guia: Enfrentará trabalho pesado.

Ser guiado pelos outros: Dê atenção às sugestões de um amigo.

Outras pessoas sendo guiadas: Perda de dinheiro.

Guiar pessoas em uma caminhada: Receberá a bondosa ajuda de um amigo.

GUINDASTE

Trabalhar com guindaste: Problemas virão.

Um guindaste que suspende pesos grandes: Perderá propriedade pessoal.

Suspender alguma coisa com guindaste: Solidão e dificuldades.

GUIRLANDA

Uma guirlanda: Ganhos financeiros.

Ter uma guirlanda de flores: Você está apaixonado.

Receber uma guirlanda de flores de presente: Sorte e prosperidade.

Mandar um presente feito de guirlanda de flores: Cuidado com os rivais.

GUSANO (teredo, praga que destrói madeiras submersas)

Um gusano: Mudança para melhor.

Muitos gusanos: Mudança no ambiente.

Matar gusanos: Fracasso dos inimigos.

H

HÁBITO
Ter bons hábitos: Receberá boas notícias.
Ter maus hábitos: Doença.
Ter hábito especial: Será bem recebido aonde quer que vá.
Parentes com maus hábitos: Será humilhado.
Outras pessoas com maus hábitos: Aviso de dificuldades.

HADOQUE (peixe)
Hadoque: Boa saúde.
Comprar hadoque: Terá o controle de muitas questões.
Cozinhar hadoque: Você tem mais amigos do que pensava.
Pescar hadoque: Sua própria estupidez lhe trará o perigo.
Comer hadoque: Harmonia entre amigos.

HÁLITO
Ter mau hálito: Será abandonado.
Outras pessoas com mau hálito: Evite os rivais.
Filhos com mau hálito: Morte de um amigo.

HALO
Um halo: As dificuldades atuais levarão ao êxito algum tempo depois.
Ver um halo em torno do Sol: Suas esperanças se concretizarão logo.
Ver um halo em torno da Lua: Mudança em seu ambiente.
Um círculo de luz em volta de alguma coisa: Tristeza emocional.

HAMLET (Shakespeare)
Ler *Hamlet*, de Shakespeare: Novos interesses e ambientes.
Assistir à peça *Hamlet:* Um rival roubará sua namorada.

HANSENÍASE (lepra)
Homem sonhando que tem hanseníase: Contrairá uma doença.
Mulher sonhando que tem hanseníase: Será auxiliada por um homem rico.
Outras pessoas com hanseníase: Você tem capacidade de vencer as preocupações.

Filhos com hanseníase: Ganhos financeiros.
Parentes com hanseníase: Obterá bons rendimentos.
Inimigos com hanseníase: Infortúnio em sua vida doméstica.

HARÉM
Um harém: Você gosta da vida luxuosa.
Viver em um harém: A verdade aparecerá.
Outras mulheres em um harém: Segredos estão alimentando fofocas.
Homens em um harém: Terá sucesso em suas atividades.
Turcos em um harém: Recursos abundantes.
Pessoas do Extremo Oriente em um harém: Ganhos financeiros.
Estrangeiros em um harém: Mudança para melhor.

HARMONIA
Estar em harmonia: Alegria e contentamento.
Outras pessoas em harmonia: Um amigo o ajuda secretamente.
Ouvir uma harmonia musical: Felicidade.
Ver harmonia na família: Mudança no ambiente.

HARMÔNICA
Uma harmônica: Receberá algum dinheiro.
Comprar uma harmônica: Recursos abundantes.
Tocar uma harmônica: Receberá notícias boas e inesperadas.
Ouvir uma harmônica: Haverá uma grande briga.
Outras pessoas tocando uma harmônica: Discussões na família.

HARMÔNIO (pequeno órgão com palhetas livres)
Um harmônio: Logo contrairá uma doença.
Ouvir um harmônio: A felicidade virá.
Tocar um harmônio: Ocasião feliz, porém cheia de solenidade, dentro de pouco tempo.
Outras pessoas tocando um harmônio: Será convidado para o casamento de pessoa amiga.

HARPA
Uma harpa que é quebrada: Alguém que você ama ficará doente.
Tocar harpa: Não confie demais nos amigos.
Outras pessoas tocando harpa: Dissolução.
Uma filha tocando harpa: Ela não fará um casamento feliz.
Inimigos tocando harpa: Desfrutará prazeres caros.
Uma harpa sendo tocada em um teatro: Você tem um amigo leal.

HERA
Plantar hera: Cuidado com um noivado rompido.
Hera crescendo nas árvores: Grande pesar.

Hera crescendo em uma casa: Riqueza.
Hera crescendo em casa de um amigo: Terá saúde de ferro.
Ter hera em jarro, em casa: A felicidade está assegurada.

HERANÇA
Receber uma herança: Morte na família.
Não receber uma herança: Morte de um irmão.
Receber pequena herança: Aflição.
Ser deserdado: Ficará na miséria.

HERMAFRODITA
Ter os órgãos genitais masculino e feminino: Sentirá tristeza.
Outros que são hermafroditas: Será culpado por atos impensados.
Os filhos de Hermes e Afrodite juntos em um corpo: Felicidade.

HÉRNIA
Uma hérnia: Será muito invejoso.
Ter uma hérnia: Sorte e prosperidade.
Operar uma hérnia: Boa sorte virá a você.
Outras pessoas que operam uma hérnia: Morte de inimigos.

HERÓI
Um herói: Alguém que trata você com indiferença vai mudar de atitude.
Ser um herói: A felicidade está assegurada.
Um parente que é herói: Vencerá os inimigos.

HIDROFOBIA (raiva)
Um animal com hidrofobia: Roubo e prejuízo.
Seu cão com hidrofobia: Guarde seus tesouros.
Um cão com hidrofobia mordendo alguém: Recursos abundantes.

HINO NACIONAL
Cantar um hino nacional: Estará diante de uma tentação.
Ouvir um hino nacional: Felicidade.
Ouvir um hino em cerimônia oficial: Receberá boas notícias.
Ouvir um hino na igreja: Doença na família.

HINOS
Cantar hinos: Sucesso em seus planos.
Ouvir outras pessoas cantando hinos: Você se restabelecerá de uma doença.
Ouvir hinos cantados por amigos: Boas perspectivas de negócios.
Ouvir estrangeiros cantando hinos: Contentamento.
Cantar hinos na igreja: Bons resultados em seus negócios.

HIPNOSE
Estar hipnotizado: Traição de confiança.
Hipnotizar outras pessoas: Triunfo sobre os inimigos.
Outras pessoas que são hipnotizadas: Novos interesses e ambiente.

HIPÓCRITA

Ser hipócrita: Um amigo falso está enganando você.
Ter negócios com uma pessoa hipócrita: Riqueza e honrarias.
Compreender que você é hipócrita: Segurança nos negócios.
Ser hipócrita no amor: Receberá um presente.

HIPOGLOSSO (peixe)

Comer hipoglossos: Boa sorte para alguém por quem você se interessa.
Comprar hipoglossos em uma loja: Será generoso com os amigos.
Cozinhar hipoglossos: Em breve estará grávida.
Pescar hipoglossos: Seus desejos estão insatisfeitos.
Receber hipoglossos dos outros: Realizará altas ambições.

HIPOTECA

Ter uma hipoteca: Terá muito dinheiro para pagar todas as dívidas.
Outros que têm uma hipoteca: Infortúnio nos negócios.
Dar uma hipoteca: Crise financeira em sua vida.
Pagar uma hipoteca: Ganhos financeiros.
Outras pessoas que pagam uma hipoteca a você: Bons tempos virão.

HISTERIA

Ser histérico: Terá uma mente vigorosa.
Filhos histéricos: Não se deixe ser dominado.
Parentes histéricos: Seja firme para obter êxito.

HISTÓRIA

História antiga: Grande honraria.
Ler um livro de História: Irá à falência.
Ser professor de História: Segurança nos negócios.
Consultar um livro de História antiga: Terá sorte à custa de alguém.
Ler livros de História contemporânea: Não acredite em mentiras.
Ouvir uma história: Enfrentará muito trabalho pesado.
Ler uma história: Os desejos serão realizados.
Escrever uma história: Infelicidade e fraqueza de espírito.
Outras pessoas escrevendo uma história: Discussão na família.
Vender história a uma revista para publicação: Cuidado para não ser seduzido.

HOMEM

Um homem alto: Boa sorte.
Um homem armado: Tristeza.
Um homem calvo: Abundância.
Um homem gordo: Más aventuras.
Um homem despido: Cuidado com as pessoas que lhe são apresentadas.
Um homem de aspecto horrível: Não terá amigos.
Um homem sujo: Brigas de família.

Um homem com barba: Perda da calma.
Um homem altivo e orgulhoso: Alguém a ama em segredo.
Um homem em um jardim: Você será assustado.
Um homem selvagem na floresta: Você será enganado.
Um homem morto: Perda de uma ação judicial.
Um homem de boa aparência: Grande satisfação e alegria.
Uma mulher sonhando com homem de boa aparência: Travará uma briga terrível.
Uma moça sonhando com homem de boa aparência: Cuidado com as fofocas.
Um homem destacado: Abundância.
Ouvir discurso feito por um homem destacado: Desonra.
Conversar com um homem destacado: Melhoria nos negócios.
Um político: Felicidade.
Ser vista em companhia de um político: Vergonha para você.
Um homem sonhando com homem desconhecido: Glória e honraria.
Uma mulher sonhando com um homem desconhecido: Imensa riqueza.
Um homem vestido de branco: Sorte muito grande.
Um homem vestido de preto: Infortúnio.
Um homem que é assassino: Segurança.
Um homem lutando com um animal selvagem: Boa amizade.
Matar um homem: Terá vida longa.
Um homem sendo executado: Perda de negócios.
Um homem sendo enforcado: Doença.
Um homem com coroa: Grande lucro.
Um homem com uma cruz, no verão: Bons empreendimentos.
Um homem com uma cruz, no inverno: Maus negócios.

HOMICÍDIO

Planejar um homicídio: Terá vida longa.
Outras pessoas que cometem homicídios: Terá segurança.
Amigos cometendo homicídios: Evitará um perigo.
Ser a vítima de um homicídio: Evitará o perigo.
Ser absolvido de homicídio: Tenha cautela em seus empreendimentos.
Ser culpado de homicídio: Aviso de divórcio.

HOMOSSEXUAL

Homossexuais: Ganhos financeiros.
Conhecer alguém que é homossexual: Recuperação de dinheiro perdido.
Homossexuais que são presos: Precisa controlar suas paixões.

HONRARIA

Receber uma honraria: Alegria na vida.

Outras pessoas que recebem honrarias: Perderá dinheiro.

HORA

A hora mostrada em um relógio: Descoberta de um segredo.

Um relógio batendo a hora: Fortuna.

Um cuco dando as horas: Riqueza inesperada.

Olhar a hora em um relógio de pulso: Perderá um amigo.

Ver a hora em relógio da rua: Fará doações de caridade.

HORÓSCOPO

Comprar um livro de horóscopo: Dinheiro chegando.

Alguém que lhe diz a previsão do horóscopo para o seu signo: Será extremamente atormentado.

Ler a previsão do horóscopo para o seu signo: Terá dificuldades.

HORTELÃ-PIMENTA (menta)

Hortelã-pimenta: Você sente orgulho dos filhos.

Comer hortelã-pimenta: Alcançará seu objetivo.

Receber hortelã-pimenta dos outros: Você tem companhias falsas.

Dar hortelã-pimenta aos outros: Os amigos virão em seu auxílio, se for necessário.

Dar hortelã-pimenta aos filhos: Verifique bem seus planos.

HOSPEDARIA

Estar em uma hospedaria: Sentirá tristeza.

Descansar em uma hospedaria: Você tem grande coragem.

Uma bela hospedaria: Será atormentado.

Ser cliente regular de uma hospedaria: Perda de dinheiro.

Estar em uma hospedaria com o marido ou com a mulher: Infelicidade.

Estar em uma hospedaria com o namorado: Haverá insegurança.

Encontrar pessoa amiga em uma hospedaria: Contentamento.

Comparecer a uma comemoração em uma hospedaria: Miséria na sua velhice.

Estar em uma hospedaria com os filhos: Melhoria em sua posição.

Estar em uma hospedaria com parentes: Mudança para melhor.

Estar em uma hospedaria com amigos: Triunfo sobre os amigos.

Ser dono de uma hospedaria: Terá muitas preocupações.

Travar uma briga com um dono de hospedaria: Muitos bons negócios em seu caminho.

Não pagar ao dono da hospedaria: As fofocas prejudicarão seu prestígio.

Uma dona de hospedaria culpada de atos imorais: Honrarias e orgulho.

HOSPÍCIO

Um hospício: Levará vida longa e saudável.

Estar em um hospício: Problemas sérios pela frente.
Evitar ser posto em um hospício: Cuide da saúde.
Uma moça sonhando que está no hospício: Logo se casará.

HOSPITAL

Um hospital: Miséria.
Ser paciente em um hospital: Esperanças de bons negócios.
Estar em um hospital de religiosos: Esperanças divinas.

HÓSTIA

Comer uma hóstia: Fará transações relativas a assuntos civis.
Receber hóstia de um sacerdote: Terá alegria no coração.

HOTEL

Um hotel: Em breve concretizará suas esperanças.
Morar em um hotel: Terá uma vida sem dificuldades.
Um hotel de primeira qualidade: Fará uma longa viagem.
Estar em um hotel com seu namorado: Será rico.
Transformar sua casa em um hotel: Um mistério será solucionado.

HUMOR

Estar de bom humor: Discordâncias e infelicidade.
Estar de mau humor: Amigos falsos por perto.
Marido ou mulher de mau humor: Fofocas tolas estão sendo espalhadas.
Outras pessoas de mau humor: Fortuna nos negócios.
Namorados de mau humor: Encontrará alguém que você ama.
Namorados de bom humor: Fará uma longa viagem.
Patrão de mau humor: Receberá um convite para jantar.
Parentes de mau humor: Discordâncias em família.

I

IANQUE

Um ianque: Você cumprirá seu dever de modo honroso.

Lutar com pessoas da mesma nacionalidade: Alegria.

O Norte lutando contra o Sul: Receberá boas notícias.

IATE

Um iate: Boa sorte.

Estar em um iate: Realização de suas ambições.

Um iate a pleno pano: Visita agradável a um belo lugar.

Um iate a toda a força dos motores: Grande alegria.

Um iate navegando em mar calmo: Prosperidade.

Um iate navegando em mar encapelado: Decepções.

Um iate encalhado: Empreendimentos comerciais lhe causarão perturbações.

ICEBERG

Um *iceberg*: Haverá julgamento em um tribunal.

Um navio quebra-gelo: Boa sorte.

Um navio quebrando um *iceberg*: Faça grandes esforços e você vencerá.

ICTERÍCIA

Ter icterícia: Infelicidade nos assuntos sentimentais.

Filhos com icterícia: Ganhos financeiros.

Marido com icterícia: Brigas com a mulher.

Parentes com icterícia: Sua fortuna está assegurada.

Amigos com icterícia: Doença e pobreza.

IDADE

Preocupar-se com sua idade: Ficará doente.

A idade de outras pessoas: Terá muitas amizades íntimas.

Idade do sócio: Está sendo enganado.

Idade de um parente: Morte na família.

A idade de amigos: Terá mente vigorosa.

IDÉIA CONTRÁRIA

Ter idéia contrária à de alguém: Alegria, prazer e saúde.
Outras pessoas com idéias contrárias: Harmonia entre amigos.
Inimigos com idéias contrárias: Você está sendo enganado.

IDIOTAS

Idiotas: Terá boa sorte inesperada.
Muitos idiotas: Terá mente vigorosa.
Ser um idiota: Está a caminho de ser nomeado para um cargo ministerial.
Filho idiota: Ocupará sempre uma posição de destaque na vida.

ÍDOLO

Um ídolo: Há intenções de se cometer injustiça contra outras pessoas.
Idolatrar um santo: Você é profundamente amado.
Ser idolatrado pelos outros: Haverá apreensões por motivos comerciais.
Idolatrar os filhos: Precisa esconder melhor seu sentimento.

IGNORÂNCIA

Ser ignorante: Seus esforços serão coroados de êxito.
Lidar com pessoas ignorantes: Você se restabelecerá de uma doença
Filhos ignorantes: Recursos abundantes.

IGREJA

Uma igreja em construção: Terá dificuldades a superar.
Diversas igrejas sendo construídas: Grande felicidade.
Construir uma igreja: Você é amado por Deus.
Entrar em uma igreja: Receberá uma graça.
Estar sentado em uma igreja: Mudará de hábitos.
Falar em uma igreja: Você tem muitos amigos invejosos.
Uma igreja plenamente ornamentada: Receberá uma herança.
Estar na igreja durante uma missa: Receberá aquilo com que está contando.
Ouvir discussão em uma igreja: Enfrentará dificuldades na família.
Estar na igreja de um convento: Encontrará paz e contentamento.
Cantar em coro de igreja: Terá notícias de uma velha amizade.
Estar com um sacerdote em uma igreja: Casamento feliz e êxito.

IGREJA (adro)

Um adro: Levará vida agradável.
Estar em um adro: Terá uma família feliz.
Outras pessoas em um adro: Terá vida longa.

ILHA

Estar em uma ilha: Você está com a consciência pesada.
Outras pessoas em uma ilha: Logo se restabelecerá de uma doença.

Estar em uma ilha com a família: Aguarde acontecimento importante e muito benéfico.
Estar em uma ilha com parentes: Brigas de família.
Sair de uma ilha: Aguarde acontecimento importante e muito benéfico.
Deixar parentes em uma ilha: Enfrentará dificuldades.
Uma ilha coberta de vegetação verde: Viagem, riqueza e honrarias.
Uma ilha densamente povoada: Precisa lutar para alcançar destaque na vida.

ILUMINAR

Cômodos da casa iluminados: Miséria e aflições.
Salões iluminados: Boa sorte à frente.
Namorado em um lugar iluminado: Sorte excepcionalmente boa.
A casa de um inimigo iluminada: Esteja precavido contra traição.

ILUSIONISTA

Um ilusionista executando truques: Cuidado com os inimigos.
Outras pessoas entretidas por um ilusionista: Será enganado por um impostor.
Aprender truques com um ilusionista: Fartura.

ÍMÃ

Um ímã: Êxito e segurança nos negócios, mas não seja imprudente.
Usar um ímã: Em breve haverá uma alta nos negócios.
Mulher sonhando que usa um ímã: Será rica.
Homem sonhando que usa um ímã: Perderá uma vida honrada por causa de uma mulher.
Profissionais usando um ímã para trabalhar: Amor duradouro.

IMAGEM

Uma imagem: Você é muito diligente no trabalho.
A imagem de uma pessoa morta: Falecimento de um parente.
A imagem de um santo: Fracasso nos negócios e amor.
A imagem de seus filhos: Infortúnio nos assuntos amorosos.
A imagem de parentes falecidos: Adie uma decisão importante.
Diversas imagens belas: Prazer e amizade.

IMOBILIZAR

Ser imobilizado: Terá aborrecimentos causados pelos inimigos.
Outras pessoas imobilizadas: Vencerá todos os obstáculos.
Parentes imobilizados: Superará as dificuldades.
Inimigos imobilizados: Boas perspectivas para os negócios.

IMORAL

Ter conduta imoral: Amigos o enganarão.

Outros com conduta imoral: Humilhação.
Ser corrupto: Terá vida longa.

IMPACIENTE
Estar impaciente: Alcançará as metas devagar, mas com segurança.
Sentir impaciência com crianças: Receberá uma carta contendo dinheiro.
Estar impaciente com os amigos: Fofocas.
Estar impaciente com problemas comerciais: Felicidade.
Outras pessoas impacientes: Receberá castigo de Deus.

IMPERADOR
Ser um imperador: Fará planos para fugir.
Ser apresentado a um imperador: Fará uma longa viagem.
Casar-se com um imperador: Sua reputação será abalada.

IMPERATRIZ
Ser uma imperatriz: Perda de uma pessoa que você ama.
Ser apresentado a uma imperatriz: Perda da dignidade.
Casar-se com uma imperatriz: A felicidade está assegurada.

IMPERMEABILIZADO
Tecido impermeabilizado: A traição causará sofrimento.
Usar algo impermeabilizado: Boa sorte.
Cobrir móveis com tecido impermeabilizado: Receberá más notícias.
Usar uma toalha de mesa de tecido impermeabilizado: Receberá notícias muito tristes.
Comprar tecido impermeabilizado: Doença.

IMPLORAR
Implorar: Tenha confiança em suas próprias forças.
Outros implorando em seu favor: Em breve terá uma compro vação de confiança.
Um advogado implorando por você: Aguarde acontecimentos importantes e benéficos.
Um advogado implorando por outros: O êxito virá mais tarde.
Implorar em defesa dos filhos: Vergonha e tristeza.
Implorar em sua própria defesa: Você tem amigos leais.
Implorar em defesa de outros· Sorte e prosperidade.

IMPORTADOR
Ser um importador: Seja diligente em seu trabalho.
Ser importador de mercadorias em geral: Ficará envergonhado de seus atos.
Ser importador de animais raros: Desfrutará muita riqueza.
Outras pessoas que são importadoras de mercadorias: Segurança nos empreendimentos.

IMPOSTO

Impostos: Terá de suportar grandes sacrifícios.

Preencher um formulário de imposto: Terá bons ganhos.

Pagar os impostos: Prestará serviço a pessoa amiga.

Não poder pagar os impostos: Enfrentará trabalho pesado.

Receber uma restituição de imposto: Mudança para melhor.

Ser cobrador de impostos: Terá orgulho de si.

IMPOSTO DE RENDA

Pagar seu imposto de renda: Você tem parentes sovinas.

Não poder pagar o imposto de renda: Prejuízos financeiros.

Receber uma restituição do imposto de renda: Êxito em suas iniciativas.

Sonegar o imposto de renda: Cuidado com grandes prejuízos.

Ter havido aumento do imposto de renda: Será auxiliado por um amigo.

IMPOTENTE

Faltar-lhe poder: Logo contrairá uma doença.

Ter impotência sexual: Terá riqueza imprevista.

Ser impotente: Receberá um legado.

Outra pessoa impotente: Esperanças de bons ganhos.

IMPRIMIR

Imprimir: Cuidado com os inimigos.

Ter alguma coisa impressa: Herança.

Algo que lhe pertence sendo impresso: Êxito.

Imprimir cabeçalhos de papel para cartas: Problemas legais por causa de herança.

Imprimir cartões de visitas: A paciência não trará vantagens a você.

Imprimir documentos oficiais: Ficará desacreditado publicamente.

Imprimir jornais: Desfrutará de muito sucesso.

Imprimir livros: Seu futuro está assegurado.

Uma gráfica: Vida longa.

Trabalhar numa gráfica: Terá má sorte.

Examinar uma prova de impressão: Cuidado com as fofocas.

Observar o processo de impressão: Cuidado contra amigos perigosos.

IMPUDENTE

Ser impudente: Falta de modéstia.

Outras pessoas que são impudentes com você: Será salvo nas transações comerciais.

Outras pessoas impudentes: Será enganado por amigos ou mudará de residência.

INADEQUADO

Fazer coisas inadequadas: Você será repreendido.
Crianças que agem de modo inadequado: Você vive apenas para obter sucesso nos negócios.
Marido ou mulher que se comportam de modo inadequado: Infelicidade na família.
Outras pessoas que agem de modo inadequado: Sofrerá humilhação.

INATIVO

Estar inativo: Bons dias virão.
Ter propriedades inativas: Perda do namorado.
Um homem inativo: Infelicidade no amor.
Uma mulher inativa: Não terá namorado ou marido.
Outras pessoas inativas: Levará uma vida de preocupações.

INCÊNDIO

Bombeiros apagando um incêndio: Receberá boas notícias.

INCÊNDIO CRIMINOSO

Um incêndio criminoso na terra: Mudança para melhor.
Incêndio criminoso no mar: Aventuras bem-sucedidas.
Incêndio criminoso em casas alheias: Dignidade.
Incêndio criminoso em casa, com chamas claras: Bom emprego.
Incêndio criminoso em casa, com chamas escuras: Falência.
Incêndio criminoso em casa, com chamas pequenas: Será bem-sucedido.

INCENSO

Incenso: Grande adulação.
Queimar incenso antes da chegada da pessoa amada: Prestará cumprimentos.
Incenso queimando em uma igreja: Seus problemas chegaram ao fim.
Outros que queimam incenso: Receberá atenções agradáveis.
Queimar incenso em sua casa: Adulação por parte de pessoas que você ama.

INCHAR

Estar inchado: Receberá más notícias.
Parentes inchados: Riqueza.
Amigos inchados: Honraria.
Outras pessoas inchadas: Morte de um inimigo.

INCIDENTE

Um incidente: Bom futuro à frente.
Escapar a um incidente perigoso: Estará envolvido em um acidente de automóvel, mas sairá ileso.
Ser vítima de um incidente: Sofrerá prejuízos financeiros.
Uma edificação sob risco de um incidente: Falirá.

INCONSTANTE

Ser inconstante: Logo estará apaixonado.
Mulher sonhando que é inconstante: Receberá tristes notícias.
Homem sonhando que é inconstante: Terá preocupações e vergonha.
Outras pessoas que se mostram inconstantes: Está cercado por inimigos que procuram causar-lhe mal.

INCRIMINAR

Ser incriminado por alguma coisa: Mostre humildade com os superiores.
Incriminar outras pessoas: Alegria.
Ser incriminado por alguém: Doença.
Incriminar o marido ou a mulher por alguma coisa: Alegria após discussão.
Incriminar os filhos por algo: Receberá presentes do exterior.
Incriminar os amigos por algo: Será cruelmente enganado.

INDECÊNCIA

Ser indecente: Será posto em seu lugar.
Um homem que é indecente: Você vive exclusivamente para ter sucesso nos negócios.
Uma mulher indecente: Será traída por diversos namorados.
Amigos indecentes: Contrairá dívida com agiotas.
Ser posto na cadeia por indecência: Desfrutará de excelentes negócios.

ÍNDIA

Ir à Índia: Sentirá tristeza.
Estar na Índia: Haverá uma catástrofe.
Viajar à Índia com o namorado: Você está sob o poder de pessoas falsas.
Regressar da Índia: A felicidade está assegurada.
Parentes na Índia: Receberá mensagem de uma mulher hostil.
Um indiano: Em breve viverá uma aventura.
Ser um indiano: Ganhos financeiros.

ÍNDICE

Consultar o índice de um livro: O êxito virá mais tarde.

INDIGENTE

Um indigente: Boa sorte.
Mulher sonhando com um indigente: Herdará fortuna.
Parentes indigentes: Ganhará dinheiro.
Muitas pessoas indigentes: Pobreza.
Filhos crescidos e indigentes: Grande felicidade.
Inimigos na indigência: Brigas de família.

ÍNDIGO

Pôr índigo na água: Fará uma viagem por rio ou mar.
Tingir material com índigo: Terá uma longa estada longe de sua casa.
Outras pessoas tingindo algo com índigo: Êxito imediato.

INDÚSTRIA

Ter uma indústria: Enfrentará muitas dificuldades.
Outras pessoas que têm uma indústria: Aguarde acontecimento importante e muito benéfico.
Outras pessoas trabalhando na indústria: Bons tempos estão chegando.
Ser uma pessoa industriosa: Todos os esforços realizados serão bons.

INDUZIR

Induzir: Desfrutará da solidão.
Induzir outras pessoas à sua vontade: Será prejudicado.
Ser induzido por outra pessoa a fazer a vontade dela: Perda de tempo em questões preliminares.
Obter vantagem induzindo outras pessoas: Terá a consciência limpa.

INFELICIDADE

Ser infeliz: Será visitado por um juiz.
Uma mulher sendo infeliz com o marido: Receberá convite de uma pessoa destacada.
Namorados infelizes um com o outro: Dúvidas e desconfianças sem fundamento.
Um homem infeliz com a mulher: Alegria e inocência.
Crianças infelizes: Desfrutará de muita felicidade.
Parentes infelizes: Miséria na velhice.
Amigos infelizes: Alguém o enganou.
Outras pessoas infelizes: Receberá cartas com boas notícias.

INFERIOR

Ser inferior: Você tende a ser apreensivo demais.
Ter complexo de inferioridade: Bom acontecimento a caminho.
Lidar com pessoas inferiores: Fidelidade.
Sentir-se inferior nas transações comerciais: Necessitará de dinheiro.

INFERNO

Inferno: Mudança completa no ambiente.
Estar no inferno: Bons tempos estão chegando.
Fugir do inferno: Alegria.
Regressar do inferno: Decepção.
Ouvir os gemidos de pessoas no inferno: Terá vida curta.

INFIEL

Ser infiel: Alguém está tirando vantagem de sua confiança.

Homem sonhando que é infiel à esposa: Clima desagradável em casa.
Mulher sonhando que é infiel ao marido: Incerteza quanto à gravidez.
Um homem que é infiel à namorada: Grande sorte à frente.
Uma moça infiel ao namorado: Receberá notícias desagradáveis.
Um homem solteiro infiel à amada: Risco de morte.
Uma moça solteira infiel ao amado: Você está sendo enganado.
Outras pessoas infiéis umas às outras: Receberá dinheiro de homem desonesto.

INFLUÊNCIA

Ser influente: Será ofendido por um subalterno.
Outras pessoas influentes: Será surpreendido por boas notícias.
Lidar com pessoas influentes: Tomará conhecimento do fim do contrato de trabalho.
Alcançar posição influente: Você se casará com uma mulher rica e bela.

INFORTÚNIO

Você próprio sofrendo um infortúnio: Golpe de sorte nos negócios.
Outros que estão sofrendo um infortúnio: Perigo nos assuntos sentimentais.
Namorados sofrendo um infortúnio: Grande êxito.
Inimigos sofrendo um infortúnio: Cuidado com amizades ciumentas ou invejosas.
Parentes sofrendo um infortúnio: Ganhará no jogo.

INGLÊS

Uma pessoa inglesa: Um bom amigo tem segundas intenções.
Muitas pessoas inglesas: Amigos falsos estão por perto.
Ir à Inglaterra: Os credores vão querer pagamento.
Viver na Inglaterra: Os desejos não se concretizarão.
Ter caso de amor com uma pessoa inglesa: Contrairá uma doença desconhecida.

INGRATIDÃO

Pessoas que são ingratas: Você está com a consciência pesada.
Família que se mostra ingrata: Precisa contar com seu próprio bom senso.
Parentes que se mostram ingratos: Será visitado por alguém que lhe pedirá um favor.
Filhos que se mostram ingratos: Ficará na miséria.
Ser ingrato com outras pessoas: Vencerá a perseguição.

INIMIGO

Encontrar-se com um inimigo: Boa sorte.
Estar em companhia de quem não gosta: Haverá uma catástrofe.

Ser levado por um inimigo: Enfrentará dificuldade causada por amigos.
Lutar com inimigos: Será enganado por amigos.
Vencer um inimigo: Vencerá em uma ação judicial.

INOCENTE
Ser inocente: Você é uma pessoa muito apaixonada.
Saber que você não é inocente: Obterá uma posição nova e importante.
Uma pessoa inocente declarada culpada: Terá sorte.
Membros da família inocentes: Terá discussões por motivos comerciais.

INQUÉRITO
Estar em um inquérito: Prosperidade.
Outras pessoas em um inquérito: Aviso de dificuldades.
Inimigos em um inquérito: Haverá uma catástrofe.
Dirigir um inquérito: Mudança para melhor.
Um inquérito decidido a seu favor: Ganhos financeiros.

INQUIETO
Estar inquieto: Você tende ao mau gênio.
Crianças inquietas: Lutará em vão para realizar seus desejos.
Marido ou mulher inquieto: Cuidado com o rival.
Cão inquieto: Cuidado com os ladrões.

INQUIRIDOR
Ser inquiridor: Não desanime.
Parentes que se mostram inquiridores: Não se intrometa nas questões alheias.
Outras pessoas que se mostram inquiridoras a seu respeito: Pobreza.
A lei que vem inquirir sobre sua vida: Você não pode conhecer o futuro.

INSETO
Insetos sujos: Terá muito ouro e prata.
Ter insetos em sua casa: Tenha consideração com os outros.
Matar insetos fora de casa: Ganhos financeiros.
Matar insetos dentro de casa: Recursos abundantes.
Matar insetos com veneno: Um mistério será solucionado.
Muitos insetos: Boa sorte.
Ter insetos no corpo: Não seja severo demais com quem transgride a lei.
Insetos em outras pessoas: Alguém quer prejudicá-lo.

INSOLAÇÃO
Uma insolação: Evite os rivais.
Sofrer uma insolação: Outras pessoas terão motivos para invejá-lo bastante.

Parentes com insolação: Brigas de família.
Outras pessoas com insolação: A preocupação se dissipará.

INSOLÊNCIA

Ser insolente com os outros: Enfrentará dificuldades.
Outras pessoas que são insolentes com você: Aguarde acontecimento importante e muito benéfico.
Filhos que se mostram insolentes: Terá mente vigorosa.
Empregados demonstrando insolência: Encontrará um novo namorado.
Amigos demonstrando insolência: A preocupação se dissipará.
Patrão sendo insolente com os empregados: Será enganado por amigos.

INSTRUÇÃO

Dar instruções: Uma pessoa amiga lhe pedirá ajuda.
Receber instruções: Necessitará da compreensão dos amigos.
Dar instruções a empregados: Um rival ficará com aquilo que você deseja.
Instruir os filhos: Fracasso dos inimigos.
Marido e mulher instruindo-se mutuamente: Terá vida longa.
Receber instruções de um juiz: Logo ocorrerá uma mudança na sua vida.
Receber instruções de um advogado: Ganhos financeiros.
Receber instrução religiosa: A preocupação se dissipará.

INSTRUMENTO

Instrumento: Fará um casamento vantajoso.
Instrumentos musicais: Passará muito tempo se divertindo.
Instrumentos cirúrgicos: Não descarte a dor.
Tocar instrumentos musicais: Grande felicidade.
Usar instrumentos cirúrgicos: Discórdia na família.
Diversos outros tipos de instrumentos: Grande reunião da família.

INSTRUMENTO DE PALHETA

Tocar um instrumento de palheta: Reconciliação com um inimigo.
Outras pessoas tocando instrumento de palheta: Terá vida longa e boa.

INSULTO

Insultar outras pessoas: Você tem amizades falsas.
Ser insultado: Está chegando uma fase de tristeza.
Ser insultado por amigos: Enfrentará problemas.
Insultar amigos: Sofrerá por sua própria insensatez.
Ser insultado por inimigos: Mudança de profissão.

Insultar inimigos: Sorte e prosperidade.
Ser insultado por parentes: Mudança de residência.
Ser insultado, mas não ficar com raiva: Cuidado com as dificuldades que surgirão.

INTEGRAÇÃO
Integração: Triunfo sobre os inimigos.
Estar em processo de integração: Logo ocorrerá uma mudança na sua vida.
Outras pessoas integrando-se: Mudança na sua vida.

INTESTINOS
Ter dores nos intestinos: Infortúnio no amor.
Filhos com dores nos intestinos: Consolo e felicidade.
Parentes com dores nos intestinos: Infelicidade.
Namorado com dores nos intestinos: Terá de desistir do prazer.
Outras pessoas com dores nos intestinos: Receberá uma visita.
Inimigos com dores nos intestinos: Resultados desfavoráveis em relação a seus interesses.
Ter parte dos intestinos retirada: Brigas de família.
Parentes com parte dos intestinos retirada: Perda de dinheiro.
Filhos com parte dos intestinos retirada: A decepção é certa.
Comer os intestinos dos animais: Terá uma grande fortuna.

INTIMAÇÃO
Receber uma intimação: Críticas adversas e escândalos causarão vergonha a você.
Emitir uma intimação: Infelicidade.
Aceitar uma intimação: O êxito virá mais tarde.
Recusar-se a aceitar uma intimação: Sofrerá humilhação.

INUNDAÇÃO
Uma grande inundação: Será abandonado pela pessoa amada.
Salvar-se de uma inundação: Você tem um amigo leal.
Parentes em uma inundação: Uma amizade falsa está por perto.
Outras pessoas em uma inundação: Será malsucedido nos assuntos amorosos.
Inundações que causam devastação: A preocupação se dissipará.
Destruição causada por inundações: O êxito virá mais tarde.
Estar em uma inundação: Você não correrá perigo.
Ver uma grande inundação: Sofrerá prejuízos de todos os tipos.

INUNDAR
Sua terra sendo inundada: A preocupação será afastada.
Sua casa sendo inundada: Um amigo procura ajudá-lo secretamente.

INVÁLIDO

Ser um inválido: Você se restabelecerá de uma doença.
Recuperar-se do estado de invalidez: O êxito virá mais tarde.
Filhos inválidos: Enfrentará dificuldades antes de obter êxito.
Parentes inválidos: Trabalho agradável e boas notícias.
Amigos inválidos: Todos os negócios correrão bem.
Inimigos inválidos: Tenha cautela nos empreendimentos comerciais.
Ficar inválido pelo resto da vida: Logo receberá dinheiro.

INVASÃO DE TERRENO

Um sinal de "É proibida a entrada": A prosperidade logo virá.
Ser proibido de entrar em uma dependência: Atração por uma pessoa casada.
Ser pego invadindo uma propriedade: Infidelidade.
Outras pessoas invadindo sua propriedade: Terá um futuro desagradável.
Amigos invadindo sua propriedade: Negócios agradáveis.
Inimigos invadindo sua propriedade: Danos inevitáveis.
Animais invadindo sua propriedade: Doença grave.

INVEJAR

Invejar outras pessoas: Triunfo sobre os inimigos.
Ser invejado por outros: Ganhos financeiros.
Ser invejado pelos amigos: Terá mente vigorosa.
Ser invejado pelos parentes: Terá vida longa.
Ser invejado por inimigos: Está sendo observado por alguém malintencionado.

INVENTÁRIO

Preparar-se para fazer um inventário: Mudanças para melhor nos negócios.
Fazer um inventário: Recursos abundantes.
Outros que fazem um inventário: Realizará altas ambições.
Obter bons resultados de um inventário: Alegria e ganho.

INVENTOR

Ser um inventor: Altas honrarias.
Outros inventores: Serão recompensados por seu trabalho.
Filhos que se tornam inventores: Sorte e prosperidade.

INVERNO

Inverno: Poderá ficar inválido.
Um inverno muito rigoroso: Felicidade.
Um agricultor sonhando com um inverno rigoroso: Boa colheita.
Navegadores sonhando com um inverno rigoroso: Ganhos financeiros.
Danos causados pelo clima de inverno: Morte de um inimigo.
Adoecer durante o inverno: Os parentes o invejam.

Atravessar um inverno rigoroso: Receberá um presente.
Atravessar um inverno ameno: Você está se intrometendo em questões alheias.
Atravessar um inverno com temperaturas mais altas que o normal: Boa sorte e prosperidade.

INVISÍVEL

Alguma coisa invisível: Aguarde acontecimento importante e muito benéfico.
Quando tudo se torna invisível: Noivado em breve.
Dados financeiros que se tornam invisíveis nas declarações: Mudança para melhor.
A pessoa amada tornando-se invisível: Aviso de que algo será descoberto.
Coisas invisíveis em uma igreja: Conte com o êxito.

INVULNERÁVEL

Ser invulnerável: Realizará altas ambições.
Ser ameaçado, mas não ferido: Terá vida longa.
Ser levemente ferido: Aguarde acontecimento importante e muito benéfico.
Outras pessoas invulneráveis: Brigas nos negócios.

IR

Ir a algum lugar com muita pressa: Você é uma pessoa muito despreocupada.
Ir a algum lugar em uma carruagem: Terá muitas recordações agradáveis.
Ir a algum lugar de automóvel: Morte.
Ir a lugares com homens: Boas notícias.
Ir pelos campos: Felicidade nos negócios.
Ir em volta da floresta: Receberá tristes notícias.
Ir mancando: Preguiça.
Ir de um lado para outro, escondendo-se: Perseguição.
Ir com muita lentidão: Você está negligenciando sua sorte.
Ir para a morte: Felicidade.
Outros que vão a diversos lugares: Receberá presente inesperado e valioso.
Mulheres que vão a diversos lugares: Recursos abundantes.

IRMÃ

Sua própria irmã: Fortuna.
Diversas irmãs: Discórdia na família.
Discutir com uma irmã: Vergonha na família.
Irmãs que se insultam mutuamente: Cuidado com a doença que contrairá.
Uma irmã discutindo com a cunhada: Conte com pequena sorte.
Duas cunhadas discutindo com uma irmã: Vergonha na família e tristeza.
Uma irmã discutindo com um cunhado: Boa sorte à frente.

IRMÃO

Homem sonhando com o irmão: Haverá uma briga.

Mulher sonhando com o irmão: Muita felicidade no lar.

Brigar com um irmão: Grande sorte.

Um irmão morrendo: Destruição dos inimigos.

Um irmão que se casa: Brigas de família.

ISCA

Pôr isca no anzol: Terá uma grande alegria.

Pôr iscas para ratos: O futuro depende de sua inteligência.

Outros que põem iscas: Decepção.

Outros que procuram agradá-lo, atraindo-o com uma isca: Não confie cegamente neles.

J

JACARÉ

Um jacaré: Está cercado por inimigos.

Diversos jacarés: Cuidado ao fazer novas especulações.

Ter sapatos de couro de jacaré: Logo ocorrerá uma mudança para melhor.

Ter bolsa de mão feita de couro de jacaré: Obterá bons ganhos.

JACINTO (pedra preciosa, variedade do zircão)

Ter um jacinto nas roupas: Fará um casamento duradouro.

Jacinto que dão a você: Você tem uma amizade leal.

Essa jóia: Terá um marido fiel.

Outras pessoas usando um jacinto: Alguém procura destruí-lo.

Inimigos usando jacinto: Infortúnio de outras pessoas.

Parentes usando jacinto: Doença no futuro.

JACOBINO

Um membro de sociedade jacobina: Abundância de amor.

Um pombo jacobino: Terá diversos amantes.

JADE

Usar jade: Prosperidade.

Usar brincos de jade: Receberá notícias inesperadas.

Um colar de jade: O casamento durará para sempre.

Comprar jade: Ganhos financeiros.

Vender jade: Perda de dinheiro.

Outras pessoas usando enfeite de jade: Morte de parente.

JANEIRO

Janeiro, durante esse mês: Ganhos financeiros.

Janeiro, durante outros meses: Um mistério será solucionado.

Nascer no mês de janeiro: Um amigo falso está por perto.

Filhos que nascem em janeiro: Eles gostarão de esportes.

JANELA

Uma janela aberta: Obterá êxito.

Uma janela fechada: Será abandonado pelos amigos.

Uma janela quebrada: Desconfie de roubo por parte de amigos.

Pular de uma janela: Estará envolvido em uma ação judicial.
Subir a uma janela usando escada: Falência.
Sair de uma janela para descer a escada de incêndio: Bons ganhos no futuro.
Uma janela muito grande: Êxito nos negócios.
Uma janela em frente à sua casa: Discussões entre irmãos.
Uma janela atrás de sua casa: Discussões entre irmãs.
Ver pessoas se beijando diante de uma janela: Morte de uma ave de estimação.
Ver algo de uma janela: Vitória sobre os inimigos.
Fogo saindo por uma janela: Terá vida longa.
Jogar coisas por uma janela: Melhoria em sua posição.

JANELA DE ÁGUA-FURTADA

Olhar por uma janela de água-furtada: Recuperação rápida.
Cair de uma janela de água-furtada: Ficará doente.
Ver outras pessoas em uma janela de água-furtada: Evite os rivais.

JANGADA

Uma jangada: Logo fará uma viagem.
Uma jangada muito grande e comprida: Viajará por muito tempo.
Navegar em uma jangada: Outros viajarão em seu lugar.
Comprar uma jangada: Residirá em países distantes.
Vender uma jangada: Êxito.
Salvar a vida em uma jangada: Terá seus interesses sob controle.
Outras pessoas em uma jangada: Ouvirá promessas falsas.
A família em uma jangada: Sorte e prosperidade.

JANTAR

Jantar: Aviso de dificuldades.
Receber amigos para o jantar: Triunfo sobre os inimigos.
Receber parentes para o jantar: Precisa controlar seus nervos.
Jantar com um grupo numeroso de pessoas: Desfrutará a companhia dos amigos.
Outras pessoas que dão um jantar: Você tem uma amizade leal.

JAQUETA

Usar uma jaqueta de cor escura: Doença.
Usar uma jaqueta esportiva: Ganho financeiro.
Usar uma jaqueta social: Você será enganado.
Usar uma jaqueta simples, de casa: Infidelidade.
Usar uma jaqueta de garçom: Sorte e prosperidade.

JARDIM

O jardim do Paraíso: Momento adequado para levar à frente as iniciativas no amor.

Um jardim bem cuidado: Boas atividades financeiras.
Um jardim abandonado: Perigo causado por um segredo.
O jardim de um vizinho: Terá prosperidade.
O jardim de uma pessoa amiga: Momentos desagradáveis virão.
O jardim de parentes: Êxito, a despeito das dificuldades atuais.
Um belo jardim: Aumento da fortuna.
Um jardim estéril: Morte em breve.
Cuidar de um jardim: Logo receberá dinheiro.
Um jardim malcuidado e sujo: Irá à falência.
Caminhar em um jardim: Alegria.
Um jardim cheio de árvores: Grande felicidade.
Um jardim com belas flores: Casamento dentro de muito pouco tempo.

JARDIM PÚBLICO

Um jardim público: Prazer e felicidade.
Caminhar em um belo jardim público: Aumento da família.
Passear por um jardim público malcuidado: Reveses nos negócios.
Crianças brincando em um jardim público: Felicidade no amor.
Sentar-se sozinho em um jardim: Aumento de sua sorte.
Sentar-se em um jardim público com o namorado: Os inimigos serão punidos.

JARDIM ZOOLÓGICO

Um jardim zoológico: Escolha com cuidado as amizades.
Ir sozinho a um jardim zoológico: Será atacado.
Ir ao jardim zoológico com família e crianças: Boas esperanças para o futuro.
Marido e mulher que vão ao jardim zoológico: As esperanças não se concretizarão.
Ir ao jardim zoológico com o namorado: Perigo e infortúnio.
Amigos que vão ao jardim zoológico: Não confidencie seus segredos.
Pessoa rica visitando um jardim zoológico: Pobreza.
Pessoa pobre visitando um jardim zoológico: Logo terá dinheiro.
Visitar um jardim zoológico com crianças: Alegria e contentamento.

JARDINEIRO

Um jardineiro: As atividades atuais logo o tornarão rico.
Ser um jardineiro: Aumento da fortuna.
Ser o jardineiro em seu próprio jardim: Logo estará rico.
Um jardineiro que não cuida do jardim: Infortúnio.
Um jardineiro podando árvores: Alegria e casamento.
O jardineiro de outras pessoas: Receberá a notícia da morte de uma pessoa amiga.

JARRO

Pessoa solteira sonhando com um jarro: Casamento imediato e nascimento de um filho.
Um jarro próximo a uma fonte: Enfrentará trabalho pesado.
Um jarro cheio de flores: Aumento da riqueza.
Uma loja que vende jarros: Prosperidade na família.
Um jarro quebrado: Prepare-se para uma tristeza avassaladora.
Quebrar muitos jarros: Perda de amizade.
Um jarro de prata: Felicidade.
Jarro de prata cheio de flores: Boa sorte.
Jarro de metal: Terá uma vida confortável.
Receber um jarro de presente: Será amado.
Quebrar um jarro e derramar a água: Você se preocupa demais com as aparências.
Um jarro feito de boa cerâmica: Dê grande valor às virtudes da pessoa amada.

JARRO D'ÁGUA

Um jarro d'água de boca larga e cheio: Será enganado por amigos.
Ter um jarro d'água vazio: Um amigo procura ajudá-lo secretamente.
Quebrar um jarro d'água: Atividades sociais alegres.
Receber um jarro d'água de presente: Aguarde acontecimento importante e benéfico.
Beber em um jarro d'água: Terá dinheiro com facilidade durante a vida.
Filhos bebendo em um jarro d'água: Alegria na família.

JASMIM

Jasmim desabrochado: Realizará altas ambições.
Ter um buquê de jasmins: Você tem uma amizade leal.
Uma moça sonhando com jasmim: Logo será pedida em casamento.
Viúva sonhando com jasmim: Ela se casará dentro de um ano.

JAVALI

Caçar um javali: Esforços inúteis.
Ser perseguido por um javali: Separação da pessoa amada.
Matar um javali: Sua situação vai melhorar.
Um javali em um jardim zoológico: Um segredo logo será descoberto.

JEJUAR

Jejuar: Grande honraria.
Membros da família jejuando com você: Grande riqueza.
Jejuar de acordo com sua religião: A felicidade está assegurada.

JERUSALÉM

Jerusalém: Passará por momentos amargos.
Ir a Jerusalém: Fará uma longa viagem.

Estar em Jerusalém: Dignidade e autocontrole.
Orar em Jerusalém: Será respeitado na sociedade.
Muitas pessoas adorando em Jerusalém: Os filhos terão recursos abundantes.

JESUS CRISTO
Jesus Cristo: Boas esperanças.
Falar com Jesus Cristo: Será consolado.
Agradecer a Jesus Cristo: Fará caridade a pessoas necessitadas.

JINRIQUIXÁ (carrinho de duas rodas, puxado por homem, usado no Oriente)
Um jinriquixá: Você não está levando boa vida.
Estar em um jinriquixá: Descoberta de um segredo.
Pessoas que puxam um jinriquixá: Você trabalha demais.
Seguir com uma bela moça em um jinriquixá: Fará uma longa viagem por rio.
Outras pessoas em um jinriquixá: Morte de alguém que mora perto.

JOANETE
Sofrer por causa de um joanete: Regresso de alguém.
A secreção que sai de um joanete: Terá um novo admirador.
Parentes que sofrem com um joanete: Enfrentará dificuldades.
Amigos que sofrem com um joanete: Está diante de obstáculos insuperáveis.

JOANINHA (inseto)
Uma joaninha: Infelicidade nos assuntos sentimentais.
Outras pessoas que têm uma joaninha: O êxito nos negócios virá mais tarde.
Matar uma joaninha: Tenha cautela nos empreendimentos comerciais.

JOELHO
Os joelhos: Doença.
Os joelhos muito machucados: Sofrerá humilhação.
Os joelhos levemente machucados: As coisas transcorrerão bem.
Os joelhos dobrados: Longo período de doença.
O joelho quebrado: Pobreza.
Cair de joelhos: Infortúnio nos negócios.
Os joelhos de uma mulher: Boa sorte.
Os joelhos de uma mulher casada: Prosperidade.
Os joelhos de uma mulher solteira: Momento adequado para paquerar.
Os joelhos de uma moça: Casamento com a moça que você escolheu.
Sentir muito cansaço nos joelhos: Você se restabelecerá de uma doença.

Ter um joelho deslocado: Ficará desempregado.
Cortar os próprios joelhos: Encontrará obstáculos nos negócios.
Recuperar-se de um corte no joelho: Fortuna e alegria.
Os joelhos de animais: Enfrentará trabalho pesado.

JOGAR

Jogar: Ganhos financeiros.
Um jogador: As coisas transcorrerão como você deseja.
Ganhar no jogo: Atividades sociais alegres.
Perder no jogo: Receberá alívio para as dores.
Jogar damas: Perderá dinheiro.
Jogar cartas: Perda de prestígio.
Jogar roleta: Esperanças vãs.
Jogar em máquina caça-níqueis: A decepção é certa.
Jogar jogos eletrônicos (fliperama): O êxito virá mais tarde.
Jogar com pessoa amiga e ganhar: Perda de uma pessoa que você ama.
Jogar com pessoa amiga e perder: Amará outra pessoa.
Os filhos em jogos infantis: Sorte em seus interesses.

JOGO

Participar de um jogo: Ganhos financeiros.
Outros participando de um jogo: A preocupação se dissipará.
Ganhar no jogo: Infortúnio nos negócios.
Seu lado vencendo um jogo: Solidão e dificuldades.
Seu lado perdendo um jogo: Aguarde acontecimento importante e muito benéfico.
Filhos participando de jogo e brincadeira: Sorte em seus interesses.

JÓIA

Ter jóias: Infelicidade nos assuntos amorosos.
Comprar jóias: Sofrerá um acidente.
Usar jóias: Sofrerá por causa da inveja.
Roubar jóias: Você corre o risco de cometer algum ato vergonhoso.
Receber um presente com jóia: Você é detestado por alguém.
Admirar jóias: Cometerá extravagâncias.
Dar um presente com jóias: Você falirá.
Ser um joalheiro: Enganará as pessoas amigas.

JÓQUEI

Um jóquei: Cuidado com traição.
Um jóquei que vence uma corrida: Terá dinheiro com facilidade durante a vida.
Um jóquei que perde uma corrida: Será enganado por amigos.
Mulher sonhando que um jóquei está correndo muito: Proposta inesperada.
Uma moça fascinada por um jóquei: Pedido de casamento.

JORNADA

Partir em uma jornada: Lucros, se a jornada for agradável.

Partir em uma jornada desagradável: Grande decepção.

Uma jornada longa: Você conseguirá evitar os fatos desagradáveis.

Estar armado em uma jornada: Logo se casará.

Seguir em uma jornada levando uma espada ao lado: Você se casará dentro de um mês.

Fazer uma jornada por estrada esburacada: Tudo terminará bem.

Encontrar tempo ruim durante uma jornada: Tenha cautela em seus negócios.

Parentes que fazem uma jornada: Mudança para melhor.

Inimigos que fazem uma jornada: Fracasso dos inimigos.

Fazer uma jornada com os filhos: A felicidade está assegurada.

JORNAL

Ler o jornal: A morte está por perto.

Outras pessoas que lêem um jornal para você: Estão lhe dizendo inverdades.

Um jornal diário: Fofocas.

Um jornal semanal: Melhoria nos negócios.

Um jornal dominical: Terá vida curta.

Comprar um jornal: Viverá um grande amor.

Vender um jornal: Os amigos o enganam.

Rasgar um jornal: Pobreza.

Jogar fora um jornal: Desonra.

JOVEM

Pessoa idosa sonhando que é jovem: Receberá notícias felizes.

Mulher idosa sonhando que é jovem: Terá marido dedicado.

Tornar-se jovem outra vez: Aguarde acontecimentos importantes e muito benéficos.

Ser jovem: Uma mudança para melhor não durará muito tempo.

JOVIAL

Ser jovial: As pessoas procuram destruí-lo.

Outras pessoas em uma reunião jovial: Tenha cautela ao fazer especulações.

Ser jovial demais: Perderá muito dinheiro.

JUBILEU

Um jubileu: Você se casará bem cedo na vida.

Estar em um jubileu: Um parente rico lhe deixará uma fortuna.

Pessoas casadas que vão a um jubileu: Suas esperanças se concretizarão.

Uma moça sonhando com um jubileu: Logo ficará noiva.

JUDEU

Um judeu: Ganhos financeiros.
Negociar com um judeu: Alegria no lar.
Manter relações comerciais com um judeu: Recursos abundantes.
Casar-se com um judeu: Você receberá convidados, de quem gostará.
Ter diversos amigos judeus: Arcará com culpa por insensatez.
Receber um favor de um judeu: Fortuna e êxito inesperados.
Uma sinagoga: Ganhos financeiros.

JUIZ

Ser chamado por um juiz: Tristeza e dificuldades.
Um juiz que toma seu partido: Suas preocupações terminarão bem.
Ser um juiz e tomar decisões: Infelicidade.
Ser um árbitro: Você tem diversos bons amigos.
Um juiz de paz: Tempos difíceis.
Ser declarado culpado por um juiz: Ocupará alta posição social.
Ser absolvido por um juiz: Receberá uma grande fortuna.

JULGAMENTO

Um julgamento: Será testemunha de uma injustiça cometida contra alguém.
Estar em um julgamento: Você tem um admirador que merece sua atenção.
Ser levado a julgamento: Desfrutará segurança por toda a vida.
Ser injustamente acusado em um julgamento: Você está desfrutando muito a paixão.
Ser acusado por um funcionário graduado em um julgamento: Honraria e proveito.
Ser levado a julgamento por questões comerciais: Êxito.
Ser levado a julgamento por transgressões contra uma mulher: Receberá más notícias.
Ser levado a julgamento por transgressões contra um homem: Dias difíceis virão.
Amigos levados a julgamento: Receberá boas notícias.
Inimigos levados a julgamento: Evite os rivais.
Parentes levados a julgamento: Brigas de família.

JULHO

O mês de julho, durante esse mês: Será feliz no amor.
Julho, durante os outros meses: Tenha cautela nos negócios.
Nascer em julho: Êxito rápido na concretização de suas esperanças.
Filhos que nascem em julho: Obterão bons rendimentos na vida.

JUMENTO

Um jumento: Fará muitos negócios.
Possuir um jumento: Entrará em disputa com o melhor amigo.

Perseguir um jumento: Comentários escandalosos estão sendo feitos a seu respeito.
Tirar um jumento do paiol: Os seus casos amorosos vão terminar.
Ouvir um jumento zurrar: Vergonha.

JUNHO

O mês de junho, durante esse mês: Obterá bons ganhos.
Junho, durante os outros meses: Evite os rivais.
Nascer em junho: Precisa contar com seu próprio bom senso.
Filhos nascidos em junho: Realizará altas ambições.

JUNTAR

Juntar diversas coisas: Você terá boa alimentação.
Juntar lenha: Boa amizade.
Juntar flores: Boas relações com os parentes.
Juntar rosas: Alegria.
Outras pessoas juntando coisas: O êxito virá mais tarde.
Juntar papéis: Cuidado com a especulação.
Juntar livros: Lucro.
Juntar cartas de amor: Um segredo pesa em sua consciência.

JURAMENTO

Fazer um juramento: Um bom cargo será seu.
Outras pessoas que fazem um juramento: Receberá más notícias de um amigo.
Parentes que fazem um juramento: Morte de um parente.
Comerciantes fazendo um juramento: Mudança de ambiente.
Inimigos fazendo um juramento: Sofrerá humilhação.
Marido ou mulher fazendo o juramento matrimonial: Prosperidade.
Marido e mulher fazendo um juramento após seu casamento: Presságio de divórcio.

JÚRI

Ser nomeado membro de um júri: Morte de um inimigo.
Um júri que se forma: Vencerá as dificuldades.
Um júri sentado no tribunal: Fracasso dos inimigos.
Um júri pronunciando seu veredicto: Mudança para melhor.

JUROS

Pagar juros: Receberá más notícias.
Receber um pagamento de juros: Infelicidade.
Juros que lhe são cobrados com percentagem excessiva: Morte.
Dever juros: Terá motivos para ciúmes.
Outras pessoas que lhe devem juros: Grandes transformações estão para acontecer.

JUSTIFICATIVAS

Apresentar justificativas: Sofrerá prejuízos devido à sua própria insensatez.

Outros que lhe apresentam justificativas: Terá vida longa.

Um sócio que apresenta justificativas: A felicidade está assegurada.

Crianças que apresentam justificativas: Ganhos financeiros.

Amigos que apresentam justificativas: Evite os inimigos.

L

LÃ

Lã: Êxito no lar e nos negócios.

A lã de uma ovelha: Você tende a ser muito bajulador.

A lã de um cordeiro: Você é uma pessoa muito bondosa e bonachona.

Vender lã: Desfrutará de uma vida confortável.

Comprar lã: Prosperidade e êxito.

Fazer tecidos de lã crua: Terá vida longa.

Vender roupas de lã: Grande infelicidade.

Comprar roupas de lã: Perda de um amigo.

LÁBIOS

Seus lábios: Dinheiro chegando.

Lábios finos: Constrangimento.

Lábios grossos: Casamento infeliz.

Lábios feridos: Pobreza.

Belos lábios: Terá o controle de muitas atividades.

Um homem beijando os lábios de uma mulher: Bons negócios.

Uma mulher beijando os lábios de um homem: Obterá muitas vantagens.

Lábios de crianças: O êxito virá mais tarde.

Lábios de pessoas desconhecidas: Mudança de residência.

Lábios repulsivos: Fracasso dos inimigos.

LABIRINTO

Um labirinto: Desvendará algum mistério.

Estar em um labirinto: Um mistério será solucionado.

Confundir-se em um labirinto: Está cercado de infelicidade.

Descobrir a saída: Solução feliz para fatos que o deixam perplexo.

Não conseguir encontrar a saída: Cuidado com o controle por parte de amigos falsos.

LABORATÓRIO

Um laboratório: Grande perigo.

Estar em um laboratório: Segurança.

Pessoas que trabalham em um laboratório: Tenha cautela nos empreendimentos comerciais.

LABURNO

Esse arbusto ornamental: Terá mente vigorosa.
Possuir flores amarelas e brilhantes de laburno: Triunfo sobre os inimigos.
Outras pessoas lidando com laburno: Você está sendo enganado.

LACAIO

Um lacaio: Evite os rivais.
Ter um lacaio a seu serviço: Dificuldades inesperadas.
Ser um lacaio: Há um amigo falso por perto.
Seu próprio lacaio ou valete: Evite os rivais.
Seu lacaio servindo você: Obterá bons ganhos.
Seu lacaio servindo outras pessoas: Amigos procuram destruí-lo.
Seu lacaio atendendo parentes: Ganhos financeiros.

LAÇO DE CORDA

Um laço de corda: Obstáculos e competição.
Ter um laço de corda: Use moderação.
Ser pendurado em um laço de corda: Perseguição.
Outras pessoas penduradas em um laço de corda: Louvor para seus atos.

LACRAINHA (tesourinha, inseto)

Uma lacrainha: Um inimigo causará dificuldade.
Lacrainhas sobre outras pessoas: Cuidado com os inimigos.
Muitas lacrainhas: Você se restabelecerá de uma doença.

LADO

Tomar um lado: Traição de parentes.
Não ter pessoas a seu lado: Perseguição.
Ter pessoas a seu lado: As finanças vão melhorar bastante.
O lado esquerdo ou direito de seu corpo: Cuidado com o flerte.
O lado de qualquer coisa: Será convidado a um concerto.
Pessoas que caminham a seu lado: Cuidado com as fofocas.
Sentar-se ao lado de alguém: Felicidade nos assuntos sentimentais.

LADRÃO

Ladrões: Segurança nas questões financeiras.
Um ladrão que entra em sua casa: Fará negócios excepcionalmente.
Pegar um ladrão: Será indenizado pelos danos sofridos nos negócios.
Ter algo seu roubado: Perda de dinheiro.
Ladrões que roubam outras pessoas: Você é descrente demais.
Matar um ladrão: Infortúnio.
Prender um ladrão: Morte de um amigo.

LADRILHOS

Ladrilhos: Procure aumentar seus rendimentos.

Lidar com ladrilhos: Tome cuidado com um acidente.

Muitos ladrilhos: Bons lucros nos negócios.

Ladrilhos que se quebram: Enfrentará dificuldades.

Ladrilhos que caem: Morte de um inimigo.

LAGARTA

Possuir uma lagarta: Cuidado com seus atos.

Trabalhar com uma lagarta: Bons negócios virão.

LAGARTO

Um lagarto: Será prejudicado pelos inimigos.

Matar um lagarto: Recuperará a fortuna perdida.

Ter um lagarto em uma gaiola: Terá boa reputação.

Ter um cinto feito de pele de lagarto: O casamento durará para sempre.

Ter uma bolsa feita de pele de lagarto: Terá dinheiro por toda a vida.

Ter sapatos feitos de pele de lagarto: Será muito rico.

Amigos com objetos feitos de lagarto: Traição.

LAGO

Um lago enlameado: Infelicidade nos negócios.

Um lago límpido: Obterá êxito em todas as iniciativas.

Um lago grande: Grandes relacionamentos amorosos.

Um lago com águas calmas: Será abandonada por seu namorado.

Barco velejando em um lago: Enfrentará conflitos em casa.

Um barco a remo em um lago: Êxito nos negócios.

Um lago com águas agitadas: Você está diante de dificuldades.

Chuva que cai sobre um lago: Com paciência vencerá as preocupações.

Pescar em um lago: Sua situação vai melhorar.

LAGOA

Uma lagoa: Brigará com uma pessoa que você ama.

Uma lagoa límpida: Saúde e amizade duradoura.

Uma lagoa enlameada: Brigas em casa.

Uma lagoa com águas calmas: Grande afeição entre namorados.

Uma lagoa cheia de peixes mortos: Logo irá à falência.

Uma lagoa cheia de peixes vivos: Abundância e riqueza.

Uma lagoa seca: Pobreza.

Uma lagoa muito pequena: Você está cercado por muita fofoca.

Uma lagoa muito grande: Bons tempos virão.

LAGOSTA

Uma lagosta: Felicidade em casa.

Comer lagosta: Felicidade nos assuntos sentimentais.

Filhos comendo lagostas: Riqueza na família.

Inimigos comendo lagosta: Os inimigos procuram destruí-lo.

Amigos comendo lagostas: Você tem apenas uma amizade leal.

Parentes comendo lagostas: A decepção é certa.

LÁGRIMAS

Lágrimas: A oposição terminará de modo feliz.

Chorar: Receberá um presente.

Crianças derramando lágrimas: Recuperação de dinheiro que lhe devem.

Marido em lágrimas: Felicidade no casamento.

Namorado em lágrimas: Terá consolo.

Parentes em lágrimas: Logo passará por muitos altos e baixos nos negócios.

LAMA

Lama: Terá vida longa.

Lama na rua: Sua situação vai melhorar.

Andar na lama: Perturbações em família.

Ter lama na roupa: Sua reputação está sendo atacada.

Tirar lama de suas roupas: Escapar à calúnia dos inimigos.

Outras pessoas com lama nas roupas: Boa sorte em breve.

LAMBER

Um cão lambendo você: Sorte e prosperidade.

Um cão lambendo outras pessoas: Bons tempos estão chegando.

Ser lambido por uma criancinha: Você vai se dar bem na vida.

Outras pessoas lambendo você: Felicidade.

Um cavalo lambendo sua mão: Perigo nos assuntos sentimentais.

Outras pessoas sendo lambidas: Uma pessoa amiga o procurará pedindo orientação.

LAMBRIS

Folhas de lambris de carvalho: Tenha cautela em seus negócios.

Lambris encaixados na parede: Será enganado por amigos.

Pôr painéis de lambris em uma parede: Fracasso nos negócios.

LAMENTAR

Lamentar: Grande alegria.

Chorar de tristeza: Fracasso nas transações comerciais.

Chorar e lamentar-se: Perda de alguém estimado.

Outras pessoas se lamentando: Receberá boas notícias.

Crianças se lamentando: Recursos abundantes.

Animais se lamentando: Receberá uma herança.

LÂMPADA

Uma lâmpada: Os negócios sofrerão uma parada.
Acender uma lâmpada: Terá de dar explicações às pessoas.
Uma lâmpada acesa: Paixão.
Uma lâmpada brilhante: Boa sorte em um pequeno empreendimento.
Apagar uma lâmpada: Frieza no amor.
Uma lâmpada de luz muito fraca: Trabalhará muito e enfrentará dificuldades.
Muitas lâmpadas: Seu caminho na vida será fácil.
Uma lâmpada que se extingue: Fracasso de seus planos.
Uma lâmpada comum e apagada: Você ficará apaixonado.
Lâmpadas em lares alheios: Aviso de dificuldades.

LÂMPADA DE GÁS

Ter uma lâmpada de gás: Seus negócios sofrerão uma parada.
Acender uma lâmpada de gás: Terá muito dinheiro.
Uma lâmpada de gás acesa: Paixão.
Apagar com sopro uma lâmpada de gás: Perda das esperanças no amor.
Uma lâmpada de gás decorativa: As pessoas estão mentindo para você.
Uma lâmpada de gás que se apaga de repente: Ocorrerá uma catástrofe.
A lâmpada de gás de outras pessoas: Bons relacionamentos amorosos e felicidade em casa.

LANÇA

Uma lança: Felicidade.
Usar uma lança para pegar peixe: Recursos abundantes.
Um homem com lança, pegando peixe: Êxito rápido na concretização de suas esperanças.

LANÇAR BOLA

Outros lançando a bola no beisebol: Obterá dinheiro com facilidade.
Filhos lançando a bola: Os empreendimentos serão realizados.
Um lançador de bola, no beisebol, ao perder a partida: Sua reputação poderá sofrer um abalo.

LANTEJOULAS

Uma vestimenta com lantejoulas: Novos interesses e ambientes.
Um enfeite com lantejoulas: Frivolidade.
Espalhar lantejoulas em alguma coisa: Um inimigo trama sua ruína.
Comprar lantejoulas: Boa saúde.
Outras pessoas lidando com lantejoulas: Será convidado a um lugar de diversão.

LANTERNA

Uma lanterna apagada: Cuidado com a falsidade de um amigo.

Uma lanterna de sinais: Terá cargo importante, de responsabilidade.
Uma lanterna mágica: Sofrerá por causa de uma dissolução.
Apagar uma lanterna: Pobreza e doença.
Uma bela chama dentro de uma lanterna: Alegria e felicidade.
Uma lanterna fraca: Dificuldades no lar.
Uma lanterna que se apaga: Enfrentará preocupações e dificuldades

LAPA (abrigo formado por uma grande laje ou pedra)

Uma lapa: Boas mudanças na situação financeira atual.
Ser levado para uma lapa: Terá muitos amigos.
Ir a uma lapa para comer: Receberá uma herança.
Dar uma grande festa em uma lapa: Obterá uma grande fortuna.
Ser levado à força para uma lapa: Fará uma viagem perigosa.

LÁPIS

Lápis: Você é influenciado por coisas boas.
Receber lápis: Cuidado com a pessoa que lhe deu o lápis.
Dar lápis: Você vai se separar da pessoa a quem está dando os lápis.
Comprar lápis: Êxito comercial.
Fazer a ponta de um lápis: Suas contas estão em ordem.
Filhos que usam lápis: Terão boa saúde.

LARANJA

Chupar laranja: Você ficará magoado.
Vender laranjas: Amor verdadeiro.
Comprar laranjas: Decepção no amor.
Fazer doce de laranja: Morte de soldados.
Uma laranjeira: Derramará lágrimas.
Plantar uma laranjeira: Fará uma viagem malsucedida.
Descascar laranjas: Morte de um parente.
A cor laranja: A fortuna está próxima.
Materiais cor de laranja: Bons tempos estão chegando.
Comprar roupas de cor alaranjada: Pequenos ganhos financeiros.

LAREIRA

A lareira de sua casa: Felicidade.
O chão de uma lareira: Terá boa sorte.
Cozinhar no fogo de uma lareira: Obterá êxito em tudo.
A grade de uma lareira: Melhoria nos assuntos de seu interesse.
Uma bela soleira de lareira: Cuidado com traição.

Um relógio sobre a soleira da lareira: Cuidado com aqueles em quem deposita confiança.

LAREIRA, ESPAÇO AO LADO

Sentar-se sozinho ao lado de uma lareira: Será feliz no amor.
Sentar-se ao lado de uma lareira com outras pessoas: Está sendo enganado por amigos.
Sentar-se ao lado da lareira com a família: Terá vida longa.
Sentar-se ao lado da lareira com o noivo: Logo se casará.

LASCÍVIA

Uma pessoa lasciva: Será abandonado por seu amante.
Surpreender uma pessoa lasciva: Infelicidade nos assuntos sentimentais.
Uma pessoa lasciva que é presa: Tenha cautela em suas transações.

LASTRO

Um lastro quebrado: Os amigos não merecem confiança.
Um navio com pleno lastro: O sócio não merece confiança.
Um navio afundando com o lastro: Recursos abundantes.
Tirar o lastro de um navio: Dinheiro chegando.

LATA

Muitas latas: Receberá boas notícias.
Beber o líquido de uma lata: Grande alegria.
Abrir uma lata: Rival conquistará a afeição de seu namorado.
Comprar diversas latas com suco de frutas: Evite os inimigos.
Jogar fora uma lata vazia: Haverá um grande desastre.

LATA DE MANTIMENTOS

Ter uma lata de mantimentos: A decepção é certa.
Abrir uma lata de mantimentos: Descobrirá o segredo de uma pessoa amiga.
Fechar uma lata de mantimentos: Está procurando esconder segredos.
Ter mantimentos em latas apropriadas: Terá um segredo a guardar.

LATÃO (liga de cobre e zinco)

Latão: Vigie com muito cuidado seus companheiros.
Ter alguma coisa feita de latão: Um amigo causará infelicidade.
Comprar latão: Sua situação vai melhorar.
Vender latão: Está sendo enganado.
Trabalhar com latão: Encontrará muitas dificuldades.

LATICÍNIO

Um laticínio: Boa sorte.
Comprar produtos em um laticínio: Uma mudança para melhor.
Trabalhar em um laticínio: Fracasso dos inimigos.

LATIM

Aprender latim: Encontrará um bom emprego.
Ler latim: Triunfo sobre os inimigos.
Falar latim: Cuidado com uma queda.
Filhos que aprendem latim: Terá caráter forte.

LATIR

Ouvir um cão latindo: Aceite o conselho de um amigo.
Ver um cão latindo: O momento não é oportuno para os negócios.
Um cão latindo para pessoas amigas: Um mistério será solucionado.
Ouvir diversos cães latindo: Aguarde acontecimento importante e benéfico.

LAVANDA

O arbusto de lavanda: Seja tolerante com os maus atos alheios.
Um ramalhete de flores de lavanda: Muito dinheiro.
Flores secas de lavanda em meio à roupa de cama: Casamento sem demora.
Perfume de lavanda: Terá sorte no jogo.
Seda de lavanda: Você é abençoado pela Igreja.
Qualquer outro material de lavanda: Êxito na concretização de seus interesses.

LAVANDERIA

Uma lavanderia: Será extremamente feliz em companhia das pessoas.
Cuidar da lavagem de suas próprias roupas: Alguém lhe prestará serviço.
Uma lavanderia pública: Verá uma pessoa desconhecida morta.

LAVAR

Lavar: Uma pessoa desconhecida lhe prestará um serviço.
Lavar em água límpida: Desfrutará de muitos prazeres na vida.
Lavar as mãos em água fria: Contentamento.
Lavar as mãos em água quente: Êxito.
Lavar o corpo: Cuidado com a conduta imoral.
Lavar alimentos: Vida feliz.
Lavar roupa de cama: Enfrentará dificuldades.
Lavar pratos: Amigos visitarão sua casa.
Lavar uma caldeira: A fortuna virá um pouco tarde.
Lavar canos: Ficará na miséria.
Lavar roupas sob uma fonte: Alegria e prosperidade.
Lavar as roupas do namorado: O casamento não se realizará.

LEÃO

Um leão: Dignidade no futuro.
Mulher sonhando que ouve o rugido de um leão: Promoção inesperada.

Homem sonhando que ouve o rugido de um leão: Será admirado pelas mulheres.
Ser perseguido por um leão: Desgraça.
Um leão raivoso: Sofrerá infortúnio causado pela inveja ou ciúme.
O filhote de um leão: Terá uma amizade valiosa.
Estar ligado a um leão: Êxito.
Matar um leão: Enfrentará muitas mudanças, mas, no final, alcançará a vitória.
Um leão enjaulado: Os inimigos fracassarão na tentativa de magoá-lo.
Diversos leões: Irá ao exterior a negócios.
Ouvir o rugido de um leão: Sofrerá pesar.
Um leão morrendo: Morte de uma pessoa destacada.
Um leão acorrentado: Será surpreendido por um inimigo.
Surpreender um leão: Cuidado com amigos falsos.
Sentir medo de um leão: Será perseguido por inimigos.
Vencer um leão: Evite os rivais.
O esqueleto de um leão: Em breve terá dinheiro.

LEBRE

Uma lebre ou coelho: Fracasso dos inimigos.
Uma lebre correndo: Mudança de trabalho.
Diversas lebres correndo: Empreendimentos comerciais muito bons.
Comer lebres: Brigará com um amigo.
Dar tiros em uma lebre: Felicidade.
Ter lebres no quintal: Grande amizade.

LEGADO

Receber um legado: Tenha cautela nos empreendimentos comerciais.
Receber o legado de uma pessoa desconhecida: Ganhos financeiros.
Receber um legado e discutir o assunto com os parentes: Perda de dinheiro.
Deixar um legado para parentes: Ficará agitado por causa de dificuldades.
Um legado em seu próprio benefício: Em breve herdará dinheiro.
Cancelar um legado: Brigas na família.
Escrever os termos de um legado para outra pessoa: Lucro e alegria.

LEGAR

Legar dinheiro a alguém: Será infeliz por apenas um dia.
Legar toda a fortuna a pessoa desconhecida: Terá vida curta.
Não legar coisa alguma aos parentes: Morte iminente.

LEGISLAÇÃO

Preparar um projeto de lei: Aguarde acontecimento importante e muito benéfico.

Ter aprovado uma legislação: Evite os rivais.

Um grupo numeroso examinando uma legislação proposta: Sua situação vai melhorar.

LEGISLADOR

Um legislador: Vergonha e tristeza à frente.

Ser um legislador: A decepção é certa.

Tornar-se um legislador: Será abandonado pelos amigos.

Muitos legisladores juntos: Será enganado pelos amigos.

LEGUMES

Legumes: Trabalho pesado, com poucas recompensas.

Colher legumes: As preocupações financeiras diminuirão bastante, graças à economia.

Outras pessoas colhendo legumes: Brigas.

Legumes que ainda estão no chão: Sofrerá muitas aflições.

Comer legumes: Prejuízos nos negócios.

Legumes verdes: Continue a perseverar e mantenha as esperanças.

Sentir o cheiro de legumes cozinhando: Descobrirá segredos desagradáveis.

LEI

Ser um agente para o cumprimento da lei: Terá de vencer obstáculos.

Ser um procurador no fórum: Realizará altas ambições.

LEITE

Leite: Infortúnio nos assuntos sentimentais.

Beber leite: Recursos abundantes.

Vender leite: Sorte nos assuntos sentimentais.

Derramar leite: Perda de negócios.

Um recipiente grande, cheio de leite: Fortuna inesperada.

Tirar muito leite de uma vaca: Prosperidade nos assuntos sentimentais.

Possuir grande quantidade de leite: Boa saúde.

Dar leite a outras pessoas: Levará uma vida de caridade.

Beber grande quantidade de leite: Colheita abundante para o agricultor.

Uma mulher que vende leite: Grandes lucros para comerciantes.

Uma moça ordenhando uma vaca: Jornada tranqüila para o viajante.

Leite de uma jumenta: Riqueza.

O leite de uma mulher: Fofocas.

Uma mulher casada, com muito leite: Ela voltará a engravidar.

Uma mulher velha, com leite: Grande riqueza.

LEITE, BALDE DE

Baldes de leite: Infortúnio nos assuntos sentimentais.
Carregar baldes cheios de leite: Boas notícias no que toca a um nascimento.
Carregar um balde de leite vazio: Você está sendo enganado pela pessoa amada.
Ter diversos baldes cheios de leite: Mudança de ambiente.

LEITÕES

Leitões: Obterá bons rendimentos.
Leitões bem nutridos: A prosperidade virá.
Leitões magros: Os filhos causarão pequenos constrangimentos.
Muitos leitões: Receberá dinheiro após a morte de um parente.
Comprar leitões: Terá alegria.
Vender leitões: Será odiado por amigos.
Um leitão de comportamento selvagem: Um amigo procurará causar-lhe malefício.
Outras pessoas que têm leitões: Evite os rivais.

LEME

Um leme: Você tem espírito irresoluto.
Um leme quebrado: Fase ruim para os negócios.
Um navio sem leme: Evite fazer uma viagem.
Um leme novo: Receberá a visita de uma pessoa muito amiga.
Um navio que perde o leme no mar: Grande lucro.

LENÇO

Perder um lenço: Noivado desfeito.
Um lenço rasgado: Dificuldades sérias entre amantes.
Dar um lenço de presente: Chorará por muito tempo.
Usar um lenço para assoar o nariz: Será amado pelas pessoas.
Um lenço de linho: Logo adoecerá.
Um lenço de seda: Você é egoísta.
Um lenço bordado: Você tende a ser presunçoso.
Enxugar o suor: Enfrentará dificuldades.
Pôr um lenço em volta do pescoço: Cuidado com os inimigos.
Comprar um lenço: Tenha cuidado com novos empreendimentos.
Receber um lenço de presente: Receberá um presente.

LENHADOR

Ser um lenhador: Terá muitos prazeres.
Trabalhar como lenhador: Os esforços não resultarão em grande proveito.
Contratar um lenhador: Triunfo sobre os inimigos.
Ser um lenhador ineficiente: Enfrentará dificuldades.

LENTE DE AUMENTO

Uma lente de aumento: Prosperidade nos negócios.
Ter uma lente de aumento: Futuro glorioso.

Comprar uma lente de aumento: Descoberta de objetos valiosos que estavam perdidos.
Ler com lente de aumento: Terá vida curta.

LEOA
Uma leoa: Sorte na família.
Uma leoa com os filhotes: Alegria e felicidade.
Leoa lutando com leão: Doença.
Uma leoa andando de um lado para outro: Haverá sofrimento.
Uma leoa correndo: Doença grave.
Uma leoa matando um leão: Cuidado com amizades invejosas ou ciumentas.
Uma leoa que morre ao ter filhotes: Receberá dinheiro.
Uma leoa comendo carne: Terá muita riqueza.
Uma leoa em um circo: Terá muitos amigos prestativos.
Ser atacado por uma leoa: Terá vida longa.
Ter uma pequena leoa como animal de estimação: Será pedido em casamento.

LEOPARDO (pantera)
Um leopardo: Vitória sobre os inimigos.
Ser atacado por um leopardo: Êxito.
Matar um leopardo: Virão muitas transformações, mas, no final, você obterá a vitória.
Um leopardo enjaulado: Os inimigos procurarão causar-lhe mal, mas fracassarão.
Muitos leopardos: Irá ao exterior a negócios.
Ouvir o rugido de um leopardo: Sofrerá pesar.
Leopardos lutando: Doença.
Leopardos se engalfinhando: Passará por um sofrimento cruel.
Leopardos correndo: Doença grave.
Um leopardo morrendo: Morte de uma pessoa destacada.
Um leopardo acorrentado: Será surpreendido por um inimigo.
Surpreender um leopardo: Cuidado com amigos falsos.
Sentir medo de um leopardo: Será perseguido por inimigos.
Vencer um leopardo: Evite os rivais.
O esqueleto de um leopardo: Logo terá dinheiro.
Filhotes de leopardos: Alegria e felicidade.

LEQUE
Ter um leque: Boas notícias a caminho.
Moça sonhando que a abanam: Breve se casará.
Uma mulher solteira abanando-se com um leque: Em breve estabelecerá bons conhecimentos.
Uma mulher que perde o leque: Uma amizade íntima se afastará.

Uma mulher comprando um leque: Está interessada em outro homem.
Outras pessoas com leques: Você tem muitos rivais.
Um rival com leque: Perda de dinheiro.

LER
Ler: Você está empenhado em um trabalho difícil.
Ler sem compreender: Provavelmente perderá dinheiro.
Ler um livro: Prazeres.
Ler uma revista de história em quadrinhos: Alegria e consolo.
Ler poesia: Vencerá os obstáculos.
Ler livros científicos: Conhecerá uma pessoa inteligente.
Ler em voz alta: Mudanças em seu futuro.
Fazer com que as crianças leiam em voz alta: Bons acontecimentos.
Filhos lendo: Desfrutarão da amizade de muitas pessoas.
Outras pessoas lendo: Boa sorte.

LESTE
Leste: Está a ponto de ser mandado em uma viagem prolongada.
Estar no leste: Ocupará cargo religioso.
Outras pessoas no leste: Obterão resultados importantes.
Regressar do leste: Ganhos financeiros.

LETREIRO
Um letreiro: Há inimigos em sua casa.
Ver um letreiro sem lhe dar atenção: Uma empresa comercial fechará as portas.
Bater em um letreiro: Dificuldades em sua vida.
Pintar um letreiro: Você tem um amigo leal.
Destruir um letreiro: Causará dificuldades a outras pessoas.
Erguer um novo letreiro: Vencerá aqueles que procuram prejudicá-lo.
Colar alguma coisa em um letreiro: Desonra.
Ler um letreiro: Trabalhará muito sem proveito.

LEVANTAMENTO
Um levantamento sendo feito: Você tende a ser sovina.
Fazer um levantamento: Fará bons negócios.
Escrever um relatório com levantamentos: Surgirão grandes problemas.
Ler o relatório de um levantamento: Sofrerá muitas desilusões.

LEVANTAR-SE
Levantar-se bem cedo: Ganhará muito dinheiro.
Levantar com o sol: Grande felicidade.
Levantar-se da cama: Doença.
Levantar-se do chão: Problemas e aflição.

Levantar-se de uma cadeira: Boas notícias.

Levantar-se de um sofá: Receberá carta inesperada.

Levantar-se com a pessoa amada: Ocorrerão discussões.

LIBELO

Um libelo dirigido contra você: Grande êxito na vida.

Elaborar um libelo contra alguém: Vencerá os inimigos.

Outras pessoas contra quem um libelo é dirigido: Infortúnio nos negócios.

Esposa ou marido que dirigem um libelo um ao outro: Haverá divórcio.

LIBERAR

Ser liberado de um empreendimento comercial: Participará de uma briga em família.

Ser liberado de um contrato: Infidelidade.

Ser liberado da prisão: Será bem aceito na sociedade.

Ser liberado do casamento: Alegria inesperada.

Liberar alguém de um contrato: As dificuldades em breve terminarão.

LIBRA (peso)

Uma libra de peso: Aguarde acontecimento muito importante e benéfico.

LIÇÃO

Preparar-se para uma lição: Grande alegria.

Aprender uma lição: Recursos abundantes.

Tomar lições: Felicidade.

Filhos preparando as lições: Boa sorte.

Dar lições aos filhos: Bons tempos estão chegando.

Dar lições a adultos: Mudança de ambiente.

Dar lições a um estrangeiro: Dignidade e distinção.

Dar lições a cegos: Boa sorte para alguém com quem você se importa.

Receber lição: Você se sairá bem na vida.

Corrigir as lições de outras pessoas: A felicidade está assegurada.

LICENÇA

Ter obtido uma licença: Ocorrerá uma mudança em seu cargo.

Requerer uma licença: Mudança de residência.

Uma licença que lhe é concedida: Dignidade e distinção.

Uma licença que lhe é negada: Aguarde acontecimento importante e muito benéfico.

Outras pessoas que recebem uma licença: Tristeza.

Outras pessoas a quem é negada uma licença: Em breve ocorrerá uma transformação na sua vida.

LIGAS

Mulher sonhando com ligas: O êxito virá mais tarde.
Mulher sonhando que perdeu as ligas: Terá um amante ciumento.
Ligas frouxas: Uma amizade falsa está por perto.
Ligas que caem: O êxito virá mais tarde.
Alguém que apanha suas ligas do chão: Você tem uma amizade leal.
Ligas perdidas sendo devolvidas: Será auxiliado nas dificuldades.
Ligas perdidas e que não são devolvidas: As dificuldades aumentarão.
Ligas de outras pessoas: Concretizará altas ambições.
Achar apenas uma liga: Sorte no amor.
Achar diversas ligas: Doença.

LILÁS (flor)

Lilás: Presunção.
Ter perfume de lilás: Receberá um presente de pessoa amiga.
Receber um presente de lilases: Você não se importa com as aparências.
Dar lilases aos outros: Mudança de residência.

LIMA (tipo de lixa)

Uma lima: Um mistério será solucionado.
Uma lima de maquinista: Notícias desagradáveis chegarão em pouco tempo.
Diversas limas: Concretizará altas ambições elevadas.
Usar uma lima: Terá trabalho novo a executar.

LIMA (fruta)

Beber o suco de uma lima: Dinheiro chegando.
Lima: Um bom acontecimento em breve.

LIMÃO

Um limoeiro: Você deveria corrigir seu modo de viver.
Um limão que não amadureceu: Frivolidades.
Uma flor de limoeiro: Fará viagem ao exterior.
Limões maduros: Você se apaixonará.
Comer limões: Infelicidade.
Tomar suco de limão: Boa saúde.
Comer limão-doce: Prosperidade.
Espremer limões: Você se livrará dos inimigos.
Tomar uma limonada quente: Sua saúde vai melhorar.
Tomar remédio feito com limões-doces: Fará bem à sua saúde.

LIMPAR

Limpar: Dificuldade e brigas.
Limpar-se: Terá uma amizade duradoura.
Limpar os dentes: Felicidade.
Limpar os filhos: Vencerá os inimigos.
Limpar a casa: Receberá notícias de uma pessoa ausente.

LINCE

Um lince: Será perseguido.
Um lince sobre uma árvore: Descobrirá o segredo de um inimigo.
Um lince sobre o telhado: Terá vida longa.

LÍNGUA (idioma)

Falar em sua própria língua: Você não é sincero.
Aprender línguas estrangeiras: Deveria praticar a modéstia.
Falar em línguas estrangeiras: Honraria.
Ouvir outras pessoas falando em língua estrangeira: Será vítima das circunstâncias.
Filhos que aprendem línguas estrangeiras: Felicidade no amor.

LÍNGUA (órgão)

Uma língua: Será vítima de atos indiscretos.
Mulher sonhando com uma língua grande: Honraria e modéstia.
Homem sonhando com uma língua grande: Conseguirá disciplinar-se pelo raciocínio.
Uma língua suja: Evitará uma doença.
Uma língua extraordinariamente comprida: Você precisa curar seu nervosismo.
Queimar a língua: Enfrentará dificuldade.
Morder a língua: Você é romântico.
Filhos que mordem a língua: Serão muito inteligentes.

LINHO

Linho: Obterá êxito em tudo que empreender.
Ter linho: Em breve ocorrerá uma mudança na sua vida.
Fiar linho: Terá vida longa.

LINHO (roupa de)

Roupa de linho: Riqueza e prazer.
Estar vestido com linho limpo: Boa sorte.
Outras pessoas vestidas com linho: Herdará dinheiro.
Filhos vestidos com linho: Espere notícias dentro de pouco tempo.
Roupa de linho que está suja: Sérios prejuízos nos negócios.
Roupa de linho manchada: Infortúnio nos assuntos amorosos.
Mudar roupas de linho: Vencerá as piores dificuldades.
Manusear roupas de linho: Fofocas por parte de amigos.
Pendurar roupas de linho para secar: Fim de suas dificuldades.
Roupa de linho de sua família: Abundância.
Usar vestido de linho branco: Terá muita alegria.

LÍRIO

Lírios na estação: Muita felicidade.
Lírios fora da estação: Perda de todas as esperanças.
Plantar lírios: Haverá um casamento dentro de pouco tempo.
Comprar lírios: Não conte com auxílio alheio.

Vender lírios: Precisa contar com seus próprios esforços.
Lírios murchando: Será culpado por atos impensados.
Jogar lírios fora: Atos impensados causarão sua queda.
Receber um buquê de lírios de presente: Frivolidade.

LISONJA

Ser lisonjeado pelos outros: A atenção deles é falsa.
Lisonjear outras pessoas: Você será vítima de uma fraude.
Lisonjear o marido ou a mulher: Terá vida longa.
Lisonjear o noivo: Precisa controlar suas paixões.
Lisonjear os amigos: Passará por muitos altos e baixos.

LITORAL

Estar no litoral: Riqueza.
Ir a uma praia: Verá alguém em quem andou pensando.
Estar no litoral com os filhos: Deus proverá para você.
Estar no litoral com parentes: Evitará os perigos.
Estar no litoral com a pessoa amada: Não se decepcionará.
Pessoas amigas no litoral: Cuidado com fofocas.
Um barco que vem para o litoral: Receberá um presente caro, inesperadamente.

LIVRO

Livros em uma biblioteca: Passará por situações inesperadas.
Livros em casa: Felicidade.
Ler um livro: Prazeres.
Ler romances policiais: Receberá consolo de amigos.
Ler livros de ciência: Conhecerá uma pessoa inteligente.
Ler histórias e livros de detetives: Levará uma vida tranqüila.
Ler livros religiosos: Contentamento.
Ler livros de escola: Prosperidade.
Encadernar livros: Descobrirá algo que estava escondido.
Escrever livros: Desperdiçará tempo e dinheiro.

LIVRO CONTÁBIL

Um livro contábil: Vida longa.
Um livro contábil, com cifras: Descoberta de dinheiro perdido.
Um livro contábil de caixa: Ganhos financeiros.
Escrever em livro contábil: Receberá dinheiro.
Descobrir erros em livro contábil: Aviso de dificuldades.
Fazer o balanço em livro contábil: Descoberta de seus próprios erros na vida.

LIXA

Lixa: Alegria sem ganho.
Usar lixa: Alegria no lar.
Um trabalhador usando lixa: Você está enjoado da vida que leva.
Lixar um objeto: Você tem muita imaginação.

LIXO

Lixo: Conhecerá uma pessoa sovina.
Lidar com lixo: Você está a ponto de fazer uma descoberta valiosa.
Jogar lixo fora: Você se restabelecerá de uma doença.
Outras pessoas lidando com lixo: Você tem um inimigo secreto.

LOBO

Um lobo: Sorte e prosperidade.
Ser assustado por um lobo: Algo que lhe pertence será roubado por ladrões.
Diversos lobos: Os empregados estão abusando de sua confiança.
Um lobo correndo: Realizará transações com inimigos espertos e traiçoeiros.
Um lobo domesticado: Será beijado muitas vezes.
Um lobo amestrado: Seu amor foi muito mal manifestado.
Dois lobos brincando juntos: Você tem amigos falsos.
Uma loba com filhotes pequenos: Decepção e fim do amor.
Matar um lobo: Fracasso nos negócios.
Um lobo morto: Você está diante de obstáculos insuperáveis.
Capturar um lobo: Abundância de dinheiro.

LOCOMOTIVA

Uma locomotiva: Viajará muito.
Uma locomotiva que vem em sua direção: Chegada de amigos.
Uma locomotiva que se afasta de você: Será abandonada por seu amante.
Uma locomotiva a plena velocidade: Ficará rico rapidamente.
Uma locomotiva destroçada: Perda da prosperidade.
Duas locomotivas engatadas: Grandes preocupações pela frente.
Ser um maquinista: As dificuldades serão superadas com facilidade.

LODAÇAL

Um lodaçal: Terá segurança.
Atolar-se em um lodaçal: Honrarias e riqueza.
Sair de um lodaçal: As preocupações logo acabarão.
Outras pessoas atolando-se em um lodaçal: Ansiedade e melhoria.

LOJA

Uma loja: Aumento da riqueza.
Ter uma loja: Não esbanje dinheiro.
Estar em uma loja: Evite os rivais.
Comprar coisas em uma loja de muitos artigos: Alegria sem ganho.
Fazer compras em uma loja de alimentos: Um mistério será solucionado.

LOJA DE MIUDEZAS

Uma mulher que vai a uma loja de miudezas: Logo se casará.
Comprar artigos em uma loja de miudezas: Perda de amizade.

Ser balconista em uma loja de miudezas: Terá uma vida difícil.
Outras pessoas que compram artigos em loja de miudezas: Perda de dinheiro.

LONTRA
Uma lontra: Amigos falsos magoarão você.
Muitas lontras: Ficará em dificuldades por causa de muitas dívidas.
Capturar uma lontra: Boa sorte.
Uma lontra comendo peixes: Uma amizade ausente logo voltará.

LORDE
Falar com um lorde: Êxito social.
Um lorde falando com outras pessoas: Terá grande autoridade.
Uma mulher falando com um lorde: Ganhos momentâneos.
Uma moça falando com um lorde: Você tem muitas atividades pessoais.

LOTE
Um lote de terra: Correspondência importante a caminho.
Comprar um lote de terra: Mudanças e surpresas.
Vender um lote de terra: Transformações surpreendentes em seus interesses.
Ter um lote no cemitério: Possibilidade de noivado.

LOTERIA
Uma loteria: Você não merece o êxito.
Operar uma loteria: Pequenos riscos pela frente.
Interessar-se por uma loteria: Inimigos desconhecidos estão por perto.
Ter bilhetes de loteria: Boa sorte.
Amantes com um bilhete de loteria: Associação infeliz.
Uma extração de loteria: Você ganhará dinheiro.
Os números da loteria de cabeça para baixo: Noivado com pessoa sem valor.

LOTO
Jogar na loto: Terá uma companhia agradável.
Ter um bilhete da loto: Você tem uma oportunidade ruim na vida.
Jogar na loto com o namorado: Frivolidade.
Ganhar na loto: Bons tempos estão chegando.

LOUCO
Estar louco: Felicidade.
Homem sonhando que está louco: Você ama alguém profundamente.
Mulher sonhando que está louca: Terá um filho que se tornará famoso.
Moça sonhando que está louca: Breve se casará.
Enlouquecer: Vida longa.

Uma pessoa inteiramente louca e furiosa: A felicidade virá.
Uma pessoa louca que está morta: Terá um novo amor.
Ser louco: Receberá muita adulação.
Parentes loucos: Receberão muitos presentes.
Outras pessoas loucas: Um mistério será solucionado.

LOUVOR
Receber louvor: Está cercado por escândalo.
Prestar louvor: As pessoas falam a seu respeito.
Ouvir outros que o louvam: Você tem amigos fiéis.
Louvar a Deus: Recursos abundantes.
Louvar seus filhos: Ciúme de outro membro da família.

LUA
Lua cheia: Desfrute intenso da vida.
A Lua brilhando com muita claridade: Boa sorte.
A Lua livre de nuvens: Êxito no amor.
A Lua encoberta por nuvem: Viverá um tempo sem conforto.
Lua nova: Terá muita sorte nos negócios.
Lua vermelha de sangue: Indicação de esforços e luta.
Reflexo da Lua na água: Você se apaixonará por um homem bonito.
O eclipse da Lua: Pequeno infortúnio.
A Lua caindo do céu: Perda de dinheiro.
A Lua caminhando na direção do Sol: Felicidade.
A Lua ao ocaso: Morte de uma pessoa destacada.
Ser iluminado pela Lua: Receberá grandes favores de uma mulher.
Ir à Lua: Seus desejos são impossíveis.
Mulher sonhando que a Lua se torna brilhante: Grande lucro.
Um homem sonhando que a Lua se torna brilhante: Honrarias e alegria.
Mulher sonhando que a Lua se torna escura: Perda de dinheiro.
Homem sonhando que a Lua se torna escura: Infelicidade.
Mulher sonhando que a Lua está escura: Doença da mãe, irmã ou filha.
Homem sonhando que a Lua está escura: Doença do cérebro ou dos olhos.
Moça sonhando que a Lua está escura: Fará uma longa viagem.

LUA-DE-MEL
Partir em lua-de-mel: Logo ocorrerão mudanças em sua vida.
Estar em sua lua-de-mel: Você está sendo enganado.
Filhos que partem em lua-de-mel: Alegria sem ganho.

Parentes que partem em lua-de-mel: Realizará uma rápida viagem.
Amigos que partem em lua-de-mel: Decepção.

LUAR

A luz da Lua: Felicidade no casamento.
Ver o luar com um namorado: Enfrentará obstáculos insuperáveis.
Pessoas casadas vendo o luar juntas: Dedicação à vida familiar.
Jovens solteiros vendo o luar: Em breve estarão casados.

LUGAR

Um lugar de reunião: Terá muitas amizades fiéis.
Pôr as coisas no lugar: Bons relacionamentos amorosos.
Pôr as coisas em ordem e no lugar certo: Muitas pessoas estão interessadas em seu futuro.
Pôr as coisas fora de ordem e no lugar errado: Descobrirá uma falsa amizade.

LUGAR ESTRANHO

Um lugar estranho: Dinheiro herdado.
Estar sozinho em um lugar estranho: Receberá dinheiro imediatamente.
Estar em um lugar estranho com outras pessoas: Abundância.
Outras pessoas em um lugar estranho: Prosperidade.

LUGAR PRIVADO

Estar em um lugar privado: Alegria e bons resultados no amor.
Um homem em um lugar privado com bela mulher: Separação da esposa.
Um homem em um quarto privado com uma mulher feia: Grandes brigas.
Uma mulher em um quarto privado com um homem: Desonra pública e prisão.

LUNÁTICO

Um lunático: Receberá notícias surpreendentes.
Ser lunático: Aviso de dificuldades.
Amigos que são lunáticos: Morte de um inimigo.
Fazer companhia a um lunático: Será culpado por atos impensados.
Estar em um asilo para lunáticos: Perigo nos assuntos amorosos.

LUNETA

Usar luneta: Será desprezado.
Outras pessoas usando lunetas: Um amigo lhe dará boas notícias.
Inimigos usando lunetas: Em breve ocorrerá uma mudança na sua vida.

LUTA

Estar lutando: Infortúnio nos assuntos amorosos.

Outras pessoas lutando: Você se restabelecerá de uma doença.

Ser derrotado em uma luta: Encontrará oposição no amor.

Vencer uma luta: Vencerá as dificuldades.

LUTA DE BOXE

Uma luta de boxe: Você não tem autocontrole.

Estar em uma luta de boxe: Boa alimentação.

Vencer uma luta de boxe: Fará maus negócios.

Perder uma luta de boxe: Ganhará no jogo.

Ser lutador de boxe: Humilhação e miséria.

LUTAR CORPO-A-CORPO

A luta corpo-a-corpo: Discussões.

Lutar corpo-a-corpo com devedores: Receberá ajuda.

Lutar corpo-a-corpo com pessoas muito fortes: Doença.

Lutar corpo-a-corpo com profissionais: Os inimigos serão punidos.

Lutar corpo-a-corpo com pessoas loucas: Morte.

Lutar corpo-a-corpo com prisioneiros: Libertação.

Lutar corpo-a-corpo com amigos: Será elevado a uma posição melhor.

Lutar corpo-a-corpo com os filhos: Sorte inesperada.

Lutar corpo-a-corpo com cobras: Castigo severo para os inimigos.

Lutar corpo-a-corpo com animais selvagens: Escapará a algum perigo.

Lutar corpo-a-corpo com ovelhas: Enfrentará trabalho pesado.

Outras pessoas lutando corpo-a-corpo com pessoas loucas: Perda em uma ação judicial.

LUTO

Estar de luto pela morte dos pais: Brigas de família.

Estar de luto pela morte de parentes: Convite para dançar.

Esposa ou marido de luto, um pelo outro: Tristeza.

Usar roupas negras de luto: O infortúnio virá logo.

Amantes que usam roupas negras de luto: Cuidado com os desentendimentos.

LUVAS

Usar luvas velhas: Felicidade.

Usar luvas rasgadas: Muitas decepções.

Levar luvas nas mãos: Prosperidade e prazer.

Perder as luvas: Terá de viver à própria custa.

Encontrar um par de luvas: Você se casará cedo.

Outras pessoas usando luvas: O êxito virá mais tarde.

Comprar luvas: Há um amigo falso por perto.

Sujar as luvas: Solidão e dificuldades.

Ser fabricante de luvas: Alcançará posição elevada.

LUXO

Estar usufruindo de luxo: Infortúnio nos assuntos sentimentais.
Possuir um ambiente luxuoso: Será humilhado.
Exibir coisas luxuosas: Sua vaidade causará muitas inimizades.
Receber um presente luxuoso: Brigas de família.
Perder sua vida luxuosa: Perda de dinheiro por falta de pagamento de dívidas.
Uma vida familiar luxuosa: Brigas em casa.

LUXÚRIA

Luxúria: Rival roubará a afeição de seu namorado.

LUZ

Luz acesa: Herança.
Luz fraca: Contrairá uma doença.
Luz brilhante: Boa saúde.
Luz obscurecida: Enfrentará dificuldades.
Luz que se apaga: Perigo nos assuntos amorosos.
Uma luz a distância: Retornará a salvo de uma longa viagem.
Acender uma luz: Êxito nos negócios.
Apagar uma luz: Você está sendo enganada por seu amante.
Outras pessoas acendendo luzes: Você se restabelecerá de uma doença.
Outras pessoas apagando luzes: Aviso de uma pequena cirurgia.
Uma luz de navio a distância: Fará uma viagem com o namorado.
Uma luz em um navio no porto: Será apresentado a uma pessoa importante dentro de pouco tempo.
Acender uma lâmpada: Terá de dar explicações às pessoas.
Apagar uma lâmpada: Frieza no amor.
Acender a luz do quarto de dormir: Acontecimento infeliz.

M

MACA

Uma maca: Haverá discussão por questões importantes.

Ser levado em uma maca: Decepção na realização de suas ambições.

A família sendo levada em uma maca: Em breve ficará livre de um inimigo.

As pessoas que carregam a maca: Evite os rivais.

Uma pessoa que você ama sendo carregada em uma maca: Vergonha e tristeza.

MACACÃO

Macacão: Má sorte.

Trabalhar de macacão: Será recompensado por sua bondade.

Estar com o macacão sujo: Cuidado com a alimentação.

Rasgar o macacão: Cuidado com doença.

Mulher sonhando com um homem de macacão: Não conhece o caráter da pessoa amada.

MACACO

Macacos: Você tem amigos falsos.

Macacos tagarelando: Você será adulado.

Macacos subindo em alguma coisa: Os inimigos procurarão sua ruína.

Alimentar um macaco: Traição de um amigo.

Macacos em uma jaula: Oposição no amor.

Macacos dançando: Bons negócios com propriedades imobiliárias.

Pessoa pobre sonhando com macacos: Rendimentos e esperança no amor.

Pessoa rica sonhando com macacos: Dificuldades e doença à frente.

Criança sonhando com macacos: Êxito nos próximos anos.

MACACO (mecânico)

Um macaco de suspender automóvel: Há um amigo falso por perto.

Usar um macaco: Cuidado com a maledicência.

MACAÍRA (peixe)

Um macaíra: Receberá muito dinheiro de herança.

Pescar um macaíra: Obterá êxito em atividades mundanas.

Capturar diversos macaíras: Receberá uma grande recompensa.

MACARRÃO

Macarrão: Você tem propensão a ser parasita.

Comer macarrão: Jamais passará fome.

Fazer macarrão: Você se apaixonará por uma empregada.

Cozinhar macarrão: Trabalhe com afinco e a perseverança trará a felicidade.

Comprar macarrão: Receberá um convite para dançar.

MAÇÃS

Ter maçãs: Grandes ganhos e boa vida.

Comer maçãs sozinho: Bons recursos e acontecimentos favoráveis.

Comer maçãs ácidas: Causará dificuldades a si próprio.

Ter maçãs ácidas: Será feliz nos assuntos sentimentais.

Comprar maçãs ácidas: Lucros.

Uma macieira de maçãs ácidas: Obterá bons ganhos.

Comer molho de maçã: Ocorrerá uma mudança para melhor.

MACHADINHA

Uma machadinha: Perigo de morte.

Possuir uma machadinha: É impossível reconciliar-se com os inimigos.

Outras pessoas com machadinhas: Aviso de que sua vida corre perigo.

Um amigo com uma machadinha: Logo estará em perigo.

Inimigos com uma machadinha: Ansiedade e dificuldades.

MACHADO

Possuir um machado: Com sua coragem poderá evitar um perigo.

Brandir um machado: Receberá uma promoção.

Um machado enferrujado ou quebrado: Perda de fortuna.

Homem sonhando com um machado: Terá problema de amor.

Mulher sonhando com um machado: Terá uma pessoa amada digna dela.

Moça sonhando com um machado: Terá um namorado rico.

MACHUCADOS

Estar machucado: Sentirá tristeza.

Pessoas com machucados no corpo: Cuidado com os inimigos.

Outras pessoas com machucados no rosto: Perda de dinheiro.

Parentes com machucados: Enfrentará dificuldades.

MAÇOM

Ser maçom: Um mistério será solucionado.
Tornar-se um maçom: Terá novos amigos.
Outros membros fraternais: Viajará a um local bem distante.

MACONHA

A planta da maconha: Sofrerá com melancolia.
Vender maconha: Terá muita proteção.
Fumar maconha sozinho: Sonhará com coisas inatingíveis.
Fumar maconha com alguém do sexo oposto: Segurança no amor.
Ser preso por fumar maconha: Você gosta demais de se divertir.

MADEIRA

Madeira: Escândalo.
Comprar madeira: Passará necessidades.
Vender madeira: Recursos abundantes.
Pedaço reto de madeira: Dinheiro chegando.
Pedaço torto de madeira: Desgraça.
Madeira verde: Ocorrerá uma mudança para melhor.
Madeira seca: O êxito será seu, e virá com o trabalho esforçado.

MADEIRA APARELHADA (serrada e aplainada)

Madeira aparelhada: Grande decepção.
Ter muita madeira aparelhada: Infelicidade.
Comprar madeira aparelhada: Precisará de dinheiro.
Queimar madeira aparelhada: Receberá dinheiro inesperado.
Pilhas de madeira aparelhada: Enfrentará uma tarefa difícil.
Madeira aparelhada e curva: Cairá em desgraça.
Ser dono de um depósito de madeira: Não permita que outros o conduzam.
Um depósito de madeira: Cometerá erros inevitáveis.
Madeira de ébano: Alcançará seus objetivos trabalhando com dedicação.
Madeira de sândalo: Você hesita demais em suas questões.
Madeira de cedro: Você tem amigos falsos.

MADEIRA BRUTA

Madeira bruta: Infelicidade.
Grandes pilhas de madeira bruta: Será subordinado a alguém.
Pilhas de madeira bruta que caem: Terá um longo noivado.
Cortar madeira bruta: Receberá notícias desagradáveis.
Uma moça sonhando com madeira bruta: Noivado curto, encerrado por casamento feliz.
Mulher solteira sonhando com madeira velha: Não ficará noiva nem se casará.

MADONA

Uma Madona: Abundância.

Falar com uma Madona: Sorte e consolo.

O retrato de uma Madona: Riqueza.

Entrar em uma igreja e dar falta do retrato da Madona: Tem de suportar a dor.

MADRASTA

Ser madrasta: A morte está por perto.

Discutir com uma madrasta: Perseguição.

Ser boa madrasta: Viverá muito.

Não gostar da madrasta: Brigas de família.

MADREPÉROLA

Madrepérola: Os momentos mais felizes virão no futuro.

Comprar madrepérola: Terá vida longa.

Receber um presente de madrepérola: Aumento da família.

Dar um presente de madrepérola: Você está cercado por amigos falsos.

MADRESSILVA

Madressilva: Terá um casamento feliz.

A madressilva em flor: Você se mudará para uma casa melhor.

Colher madressilvas: Grande prosperidade.

MÃE

A própria mãe: Boa sorte.

Viver com a mãe: Segurança

Falar com a mãe: Boas notícias.

A mãe morta: Perigo para a propriedade e para você.

A mãe correndo perigo: Grande dignidade na vida.

A mãe com saúde: Acontecerá uma reunião de família.

Ver a mãe enquanto você está distante: Retornará logo para casa.

Abraçar a mãe: Conte com boa sorte.

Bater na mãe: Ocorrerá uma catástrofe.

A mãe enlouquecida: Seus interesses nos negócios correm risco.

Matar sua mãe: Morte na família.

MAGIA

Magia: Acontecerá uma mudança em sua vida.

Ler a respeito de magia: Receberá notícias de fonte inesperada.

Conversar sobre magia: Perda de uma amizade.

Envolver-se com acontecimentos mágicos imprevistos: Progressos nas iniciativas.

MÁGICO

Ser um mágico: Decepções na vida social.

Um mágico executando truques: Terá boas roupas.

Ser um mágico e executar truques: Um mistério será solucionado.
Outros que são mágicos e executam truques: Sua situação vai melhorar.

MAGISTRADO

Um magistrado: Progredirá na vida.
Ser chamado por um magistrado: Tristeza e dificuldades.
Um magistrado a seu favor: Superará as preocupações.
Ser declarado culpado por um magistrado: Tempos difíceis virão.
Ser absolvido por um magistrado: Receberá uma grande fortuna.
Ser um magistrado: Não confie nos parentes.

MAGNATA

Um magnata: Você se apaixonará.
Estar em companhia de um magnata: Dignidade e distinção.
Casar-se com um magnata: Sorte e prosperidade.
Divorciar-se de um magnata: Disporá de recursos abundantes.

MAGO

Um mago: Prosperidade na família.
Observar um mago: Há um amigo falso por perto.
Ser um mago: O êxito virá mais tarde.
Um mago fazendo parte da família: Aguarde acontecimentos importantes e muito benéficos.

MÁGOA

Ser magoado: Será extremamente rico.
Filhos magoados: Ganhos financeiros.
Parentes magoados: Você está sendo observado por alguém mal-intencionado.
Inimigos magoados: Brigas de família.

MAGRO

Ser magro: Desfrutará de grandes rendimentos.
Mulher sonhando que emagrece: Felicidade nos assuntos sentimentais.
Moça sonhando que emagrece: Chorará por um amor perdido.
Perder peso: Riquezas inesperadas.
Sofrer para emagrecer: Será pedido em casamento.
Homem sonhando que emagrece: Boas transações nos negócios.

MAIO

O mês de maio, durante esse mês: Não desanime.
Maio, durante os outros meses: Prejuízos financeiros.
Nascer em maio: Obterá êxito em seus empreendimentos.
Filhos nascidos em maio: Terão vida longa.
Flores que desabrocham em maio: Decepção e más notícias.
O primeiro dia de maio, Dia Internacional do Trabalho: Contentamento doméstico.

MALA

Malas de viagem: Abundância.

Carregar apenas uma mala: Contrairá muitas dívidas.

Carregar diversas malas: Traição de um amigo

Malas postas em uma carroça: Os negócios prosperarão.

Malas postas em um automóvel: Receberá dinheiro inesperado.

As malas de outras pessoas: Infortúnio nos assuntos amorosos.

MALA, FAZER A

Fazer as malas para viagem: As preocupações comerciais o manterão em casa.

Parentes fazendo as malas para viagem: Felicidade na família.

Uma mulher fazendo as malas para viagem: Talvez deixe o marido.

Um homem fazendo as malas para viagem: Será culpado por atos impensados.

MALCRIADO

Ser uma pessoa malcriada: Não permita que os outros o assustem.

Pessoas malcriadas: Sofrerá um acidente causado por outra pessoa.

Estar entre pessoas malcriadas: Êxito na realização de seus interesses.

Amigos que são malcriados: Precisa controlar seu gênio.

MALDADE

Fazer maldade com alguma pessoa: Infortúnio nos assuntos sentimentais.

Fazer maldade com muitas pessoas próximas: Perseguição.

Fazer maldade com a família: Perseguição.

Fazer maldade com o próprio namorado: Perigo causado por um segredo.

Maldade entre marido e mulher: Modificações na vida familiar.

MALDIZER

Amaldiçoar: Terá má sorte.

Ser maldito: As ambições não se concretizarão.

Ouvir maldições: As dificuldades foram superadas.

Outras pessoas que o maldizem: Aviso de dificuldades no amor.

MALHA

Esse pedaço de ferro em forma de anel: Solidão e dificuldades.

Mulher sonhando com malhas: Trabalho desagradável e difícil a enfrentar.

Homem sonhando com malha: Entrará em brigas.

MALHAR

Malhar cobre ou chumbo: Bons dias virão.

MALPASSADO

Comer carne malpassada: Alegria e prosperidade.

Comer legumes malpassados: Discutirá com a pessoa a quem ama.
Filhos comendo alimentos malpassados: Cobrará dinheiro.

MALTE

Malte: Fracasso dos inimigos.
Juntar água ao malte, causando fermentação: Boa sorte para alguém com quem você se importa.
Fazer malte usando cevada: Virá um período de sorte.
Fazer leite maltado: Evite os rivais.

MALVA

A cor de malva: Infelicidade.
Materiais de qualquer tipo, na cor de malva: Aviso de problemas.
Comprar roupas cor de malva: Prejuízos financeiros.

MAMUTE

Esse tipo de elefante indiano: Está diante de obstáculos insuperáveis.
Um mamute sendo adestrado: Obterá bons ganhos.
Um mamute em uma jaula: Receberá um presente inesperado.

MANÁ

O alimento fornecido por ordem divina: Obterá bons rendimentos.
Ter maná: Riquezas inesperadas.
Fornecer maná a outros: Dinheiro chegando.
Tomar maná como laxativo suave: Descoberta de objetos valiosos que estavam perdidos.

MANADAS

Muitas manadas: Alegrias.
Reunir uma manada: Fortuna.
Ter uma manada de gado gordo: Bons tempos chegando.
Ter uma manada de gado magro: Estará com muita falta de dinheiro.
Ordenhar uma manada: Ganhará dinheiro.

MANCAR

Mancar: Será desonrado.
Ter de descansar por estar mancando: Enfrentará trabalho pesado.
Não poder fazer uma viagem por estar mancando: Empreendimentos comerciais favoráveis.
Parentes mancando: Evite complicações.
Inimigos mancando: Tenha cautela em todas as transações.

MANCHA

Uma mancha de sujeira: Você é uma boa dona-de-casa.
Limpar uma mancha: Você está bem alimentado.
Ter uma mancha no rosto: Alguém quer amá-lo.
Ter uma mancha no corpo: Doença.
Ter manchas na roupa: Melancolia.
Manchas em roupa de homem: O seu tempo é bem controlado.

Mancha no peito de uma mulher: Contrairá uma doença.
Uma mancha no Sol: Alguém o assustará.
Diversas manchas nas roupas de senhoras: Preguiça.
Mancha nas roupas dos filhos: Os filhos crescerão sadios.
Manchas em uma toalha de mesa: Decepção em suas esperanças.
Mancha na gravata de um homem: Não deixe de aceitar a promoção que lhe será dada em breve.

MANDATO

Um mandato: Infortúnio e preocupações virão.
Receber novo mandato: Vantagens em sua vida.

MANDÍBULA

Estar com a mandíbula ferida: Desentendimentos com a pessoa amada.
Recuperar-se de um ferimento na mandíbula: Você venceu as dificuldades iniciais.
Uma mandíbula firme: Descoberta de objetos valiosos que estavam perdidos.
Lábios e mandíbulas belos: Mudança para melhor em sua vida.
Mandíbula deformada: Tenha cautela nos empreendimentos comerciais.
Uma mandíbula de parente: Ganho financeiro.

MANEQUIM

Um manequim sem roupa na vitrine: Ganhos financeiros.
Um manequim com roupa na vitrine: Cuidado para não ser abandonado.
Uma mulher ajeitando um manequim em uma vitrine: Evite os rivais.
Comprar um vestido de manequim: Frivolidade.

MANGA DE ROUPA

Mangas de roupa: Fará muitas viagens.
Mangas curtas: Desgraça.
Mangas compridas: Honrarias.
Mangas grandes: Mau gênio.
Mangas justas: Prazer.
Mangas de homem: Receberá boas notícias de uma pessoa que você ama.
Cortar as mangas: Será enganado no amor.
Rasgar as mangas: Perda do emprego atual.
Mangas bordadas: Dignidade e distinção.
As mangas de outras pessoas: Terá um novo emprego.

MANHÃ

Uma bela manhã: Um destino seguro.
Manhã nublada: Grande lucro.
Manhã chuvosa: Terá muitas vantagens na vida.
Manhã brumosa: Tenha confiança em si próprio.

Levantar-se cedo de manhã: Grande êxito.
Ver os filhos de manhã: Bons tempos estão a caminho.
Ver os parentes de manhã: Morte de um inimigo.
Ver amigos de manhã: Dignidade e distinção.

MANICURE

Uma manicure: A felicidade está assegurada.
Ser manicure: Você se casará com um homem rico.
Uma mulher que tem manicure: Vai se casar com um homem muito mais velho do que ela.
Um homem com uma manicure: Fará um casamento feliz.

MANSÃO

Ver uma mansão distante: Melhoria.
Estar em uma mansão: Riqueza.
Possuir uma mansão: Prazer de curta duração.
Ter diversas mansões: Será atacado.
Ter uma pequena mansão: Você é uma pessoa sem malícia.
Viver em uma mansão: Tristeza.
Demolir uma mansão: Alguém tirará algo de você usando a força.
Incendiar uma mansão: Tolice.
Ter uma mansão na cidade: Você gastará muito dinheiro.
Ter uma mansão régia: As pessoas não lhe são gratas.
Outras pessoas em uma mansão: Você está cercado por pessoas invejosas.

MANTEIGA

Comer manteiga: Felicidade.
Ter muita manteiga: Conte com algum tipo de boa sorte.
Comprar manteiga: Aguarde uma mudança para melhor.
Cozinhar com manteiga: Terá sorte nos negócios.
Vender manteiga: Evite as especulações financeiras.
Fazer manteiga em sua própria casa: Receberá um presente.
Fritar com manteiga: Terá um novo admirador.

MANTIMENTO

Comprar mantimentos: Terá uma vida tranqüila.
Comer mantimentos: Grande alegria.
Outras pessoas comprando mantimentos: Aguarde acontecimento importante e muito benéfico.
Parentes comprando mantimentos: Sorte e prosperidade.

MANTO

Usar um manto sobre os ombros: Dignidade.
Envergar o próprio manto: Terá um novo emprego.
Tirar o próprio manto: Cairá em desgraça.

MANUFATURAR

Material de manufatura: Estará ativo, ganhando dinheiro.

Vender materiais manufaturados: Realizará altas ambições.

Trabalhar em uma manufatura: Serviços lhe serão prestados.

Possuir uma manufatura: Ganhos financeiros.

MÃO

Suas mãos: Acordo perfeito entre marido e mulher.

Ter mãos grandes: Será um grande amante.

Ter mão pequena: Infidelidade.

Sofrer um corte na mão: Contrairá dívidas.

Queimar a mão: Perda de empregados.

As mãos limpas: Vencerá as dificuldades.

As mãos sujas: Tenha cautela nos negócios.

Apertar a mão de outra pessoa: Acontecimento bom e inesperado.

Ter as mãos atadas: Grandes dificuldades.

Ter as mãos inchadas: Riqueza.

Beijar mãos: Amizade e boa sorte.

Lavar as mãos: Grande trabalho à frente.

Ter um punhado de cabelos nas mãos: Terá aborrecimentos causados por amigos.

A mão decepada de uma mulher: O marido dela irá embora.

A mão decepada de um filho: Os filhos fugirão cedo de casa, para casar-se.

A mão decepada de um homem: Precisa cuidar melhor dos negócios.

Pessoas solteiras sonhando com as mãos: Amarão e serão amadas.

Trabalhar com a mão direita: Felicidade.

Escrever com a mão direita: Alegria.

Trabalhar com a mão esquerda: Contrariedade.

Escrever com a mão esquerda: Você está apaixonado.

MAPA

Um mapa colorido: Terá muito dinheiro.

Estudar um mapa: Mudança de residência.

Consultar um mapa: Mudança nos negócios ou no emprego.

Comprar um mapa: Fará uma longa viagem pelo exterior.

MAQUIAGEM

Uma bela mulher usando maquiagem: Tome cuidado ou será enganada.

Uma mulher de beleza comum usando maquiagem: Terá dificuldades nos assuntos sentimentais.

Ser uma mulher arrogante e presunçosa e maquiar-se: Perigo de perda de propriedade imobiliária.

Homem sonhando com uma mulher que usa maquiagem: Perda de autoridade.

Mulher sonhando que usa maquiagem: Satisfação e bom rendimento.
Prender os cabelos numa rede: Terá uma terrível dor de cabeça.

MÁQUINA FOTOGRÁFICA
Possuir máquina fotográfica: Receberá notícias desagradáveis.
Olhar o interior de máquina fotográfica: Será enganado.
Comprar máquina fotográfica: Alegria sem ganho.
Receber máquina fotográfica de presente: Enfrentará dificuldades no amor.

MAQUINARIA
Maquinaria: Você leva uma vida muito correta.
Maquinaria a vapor: Riqueza e felicidade.
Ter medo de máquinas: Cuidado com novos empreendimentos.
Ser ferido por máquina: Fracasso nos planos.
Comprar máquinas: Enfrentará trabalho pesado.
Estar interessado em máquina: Bons lucros.
Outras pessoas lidando com maquinaria: Você tem amigos falsos.
Vender maquinaria: Prosperidade.
Consertar uma peça de máquina: Dignidade e distinção.

MAR
O mar aberto, com pequenas ondas: Grande alegria.
O mar azul: Bom andamento das atividades comerciais.
Um mar com cor de sujeira: Pequeno lucro.
Grandes ondas no mar: Receberá ajuda inesperada.
Pequenas ondas em mar calmo: Alegria na administração dos negócios.
Um mar com a calma da morte: Ganhará dinheiro em transação comercial.
Estar em mar calmo com a pessoa amada: Lentidão nos negócios.
Cair no mar: Cuidado com amigos invejosos.
Acordar ao cair ao mar: O amor de uma mulher causará ruína e desonra.
Cair no mar e agarrar-se a um pedaço de madeira: Alcançará seu objetivo trabalhando com afinco.
Tomar banho de mar: Honra.
Homens e mulheres tomando banho de mar: Grande honra, sem proveito.
Ser atirado à força ao mar: Doença.
Viajar por mar muito calmo: Amor devotado da família.
Viajar por mar muito agitado: Prejuízo nas atividades comerciais.
Marido e mulher viajando em mar agitado: Amor grande e duradouro.
Estar no mar durante um tufão: Prejuízo e adversidade.
Maré alta: Sorte nos negócios.

Maré baixa: Prejuízos.
Filhos no mar com você: Cuidado com amigos invejosos.
Pessoa solitária sonhando com o mar: Presságio de vida sem amor.
Moça sonhando com mar tempestuoso: Angústia profunda por causa de uma traição.

MARCA DE QUALIDADE

Uma marca de qualidade: Sua reputação será denegrida por um amigo falso.
Uma marca de qualidade estampada em ouro e prata: Grande alegria.
Ausência de uma marca de qualidade em seu objeto de ouro: Você está sendo enganado.

MARCHA FÚNEBRE

Ouvir uma marcha fúnebre ser executada: Boa sorte para alguém com quem você se importa.
Tocar marcha fúnebre: Aguarde acontecimento importante e muito benéfico.
Militares tocando marcha fúnebre: Há um amigo falso por perto.

MARCHAR

Marchar: Sorte nos negócios.
Marchar em companhia de mulheres: Mudança de ambiente.
Marchar com bandeiras: Notícias inesperadas.
Marchar com soldados: Riqueza.
Marchar em passo rápido: Melhoria e êxito nos negócios.

MARCO

Um marco: Alguém alimenta inimizade secreta contra você.
Colocar um marco: Aviso de dificuldades.
Colocar diversos marcos: Será enganado por amigos.

MARÇO

O mês de março, durante esse mês: Os inimigos causarão danos.
O mês de março, durante os outros meses: Infelicidade.
Nascer em março: Tudo em sua vida acontecerá como você deseja.
Filhos nascidos em março: Eles realizarão as mais elevadas aspirações.

MARÉ

A cheia da maré: Acontecimentos favoráveis logo virão.
A baixa da maré: Morte de um inimigo.
Maré muito alta: Mudança no ambiente.
Maré muito baixa: Infortúnio nos assuntos sentimentais.

MARFIM

Possuir marfim: Terá talento literário.
Comprar marfim: Você tem uma amizade de confiança.
Vender marfim: Miséria.
Dar marfim de presente: Terá dinheiro com facilidade durante a vida.

MARGARIDA

Margaridas em um jardim: Você tem tudo para obter êxito.

Colher margaridas: Grande felicidade no amor.

Colocar margaridas em uma jarra na casa: Acontecimentos importantes e muito benéficos.

MARIA

Maria, a mãe de Jesus: Muita felicidade na família.

Senhoras que se chamam Maria: Terão grande sorte.

A esposa que se chama Maria: Honra sem proveito.

Ter uma filha com o nome de Maria: Precisa contar com suas próprias forças.

Mãe com o nome de Maria: Terá sorte nos negócios.

Pessoa amada chamada Maria: Receberá um grande favor de alguém.

MARIDO

Mulher solteira sonhando com um marido: Grande alegria.

Ter um bom marido: Evite os rivais.

Gostar do marido de outra: Enfrentará dificuldades.

Querer divorciar-se do marido: Precisa controlar suas paixões.

Ficar viúva: Aguarde acontecimentos importantes e muito benéficos.

Casar-se com segundo marido: Sorte e prosperidade.

Marido que se divorcia da esposa: Brigas com alguém que você estima.

Outras mulheres flertando com seu marido: Vocês viverão juntos por toda a vida.

MARINHA

Pessoas da Marinha: Perda de negócios.

Estar na Marinha: Doença.

Dar baixa da Marinha: Honra.

Homem casado sonhando que está na Marinha: A esposa dele o engana.

Esposa sonhando que o marido está na Marinha: Ele comete adultério.

Rapazes na Marinha: Ganhos financeiros.

Oficiais da Marinha de alta patente: Dificuldades no amor.

Pessoal subordinado da Marinha: Alcançará sua meta.

Pessoal alistado na Marinha: Ruína nos negócios.

Amigos na Marinha: Doença.

Inimigos na Marinha: Perda de sorte.

MARINHEIRO

Um marinheiro: Fará uma viagem perigosa.

Diversos marinheiros: Miséria.

Ser marinheiro: Inquietação e mudanças nos negócios.

Uma mulher em companhia de um marinheiro: Notícias de um lugar distante.
Um homem em companhia de um marinheiro: Chegada de amigos.

MARIPOSA

Mariposa: Rivais procurarão causar-lhe mal.
Mariposas no ninho: Cuidado com o que diz e faz.
Matar mariposas: Brigará com o seu namorado.
Mariposas que destroem as coisas: Brigas entre marido e mulher.
Mariposas que comem roupas: Alguém por perto está com problemas.
Jogar fora roupas comidas por mariposas: Seus empregados não são fiéis.
Mariposas em casa: Enfrentará uma pequena dificuldade.

MARITACA

Uma maritaca: Será enganado por alguém.
Mulher sonhando com muitas maritacas: Será lesada.
Homem sonhando com muitas maritacas: Amará uma virgem que o enganará.
Pessoa solteira sonhando com maritacas: Você é astuto.

MARMELO

Essa fruta, parecida com a maçã: Herdará muito dinheiro.
Essa árvore da Ásia Central: Receberá boas notícias.
Um marmeleiro florescendo: Prosperidade.
Um marmeleiro com frutas: Alegria e prazer.
Ter marmelos: Boa saúde e felicidade.
Colher marmelo: Será irritado pelos inimigos.
Cozinhar marmelo: Será perseguido por mulher de má fama.
Fazer doce de marmelo: Será perseguido pelos credores.
Marmelos estragados: Enfrentará dificuldades.

MÁRMORE

Uma jazida de mármore: Alcançará êxito em seus negócios.
Ter objetos de mármore em casa: Segurança.
Dar polimento no mármore: Receberá uma herança.
Mármore arranhado: A afeição virá alegrar sua vida.
Comprar mármore: Comparecerá a um funeral.

MARQUÊS

Um marquês: Você está se tornando orgulhoso demais.
Ser um marquês: Receberá grandes favores.
Estar em companhia de um marquês: Terá sorte no amor.
Lidar com um marquês: Oposição nos assuntos sentimentais.

Manter amizade com um marquês: Não se casará.
Mulher casada sonhando com marquês: Obterá algo favorável.
Mulher solteira sonhando com um marquês: Logo se casará.
Alguém que é um marquês: Humilhação.

MARROM
A cor marrom: Grande amizade.
Material de cor marrom: Será traído pelos empregados.
Cabelos na cor marrom/castanho: Logo ocorrerá uma mudança na sua vida.
Comprar roupas marrons: Alegria sem ganho.

MARTELO
Ter um martelo nas mãos: Trabalho agradável e boas notícias.
Martelar em madeira: Evite os rivais.
Martelar em emboço: Será abandonado pela pessoa amada.
Outras pessoas com martelo na mão: Estará diante de uma tentação.
Outras pessoas martelando: A situação financeira será melhor no futuro.
O som das batidas de um martelo: Você tem um amigo leal.
Ouvir outras pessoas martelando: Felicidade nos assuntos sentimentais.

MARTIM-PESCADOR (ave)
Um martim-pescador: Terá boa sorte.
Diversos martins-pescadores: Ganhos financeiros.
Um martim-pescador voando sobre a água: Recuperará dinheiro perdido.

MÁRTIR
Ser um mártir: Honraria e aprovação pública.
Fazer de alguém um mártir: Será oprimido pelos outros.
Tornar seus filhos mártires: A sovinice causará danos.
Tornar pessoas inocentes mártires: Pobreza.
Outros que fazem de você um mártir: Será salvo da morte.

MARUJO
Um marujo ou marinheiro: Fará uma viagem perigosa.
Ser um marujo: Inquietações e mudanças nos negócios.
Mulher sonhando que está com um marujo: Notícias vindas de longe.
Homem sonhando que está em companhia de um marujo: Chegada de amigos.
Diversos marujos: Miséria.

MÁSCARA
Uma máscara: Cuidado com os rivais.
Usar máscara: Ganhará muito dinheiro.

Alguém com uma máscara no rosto: Cuidado com vizinhos falsos.
Outras pessoas usando máscaras: Será prejudicado por falsidade e inveja.
Inimigos usando máscaras: Traição.

MÁSCARA DE OXIGÊNIO

Pôr máscara de oxigênio: Terá mente vigorosa.
Outros que põem máscara de oxigênio em você: Você se restabelecerá de uma doença.

MÁSCARAS, FESTA DE

Uma festa de máscaras: Alguém o enganará.
Estar sozinho em uma festa de máscaras: Prosperidade.
Estar em uma festa de máscaras com a pessoa amada: Terá uma vida vitoriosa.
Ser a rainha de uma festa de máscaras: Os inimigos tramam seu fracasso.

MASCOTE

Uma mascote: Notícias inesperadas modificarão suas oportunidades.
Ter uma mascote: Você se sairá bem de um perigo atual.
A mascote de um navio: Aguarde acontecimentos importantes e muito benéficos.
Ter uma mascote na casa: Boa sorte em assuntos de família.
Ter uma mascote no automóvel: Terá vida longa.

MASSACRE

Um massacre: Perda de pertences e riqueza.
Tomar conhecimento de um massacre: Ganhará dinheiro.
Ser massacrado: Sofrerá prejuízos em sua vida.
Muitas pessoas mortas em um massacre: Morte de um amigo.

MASSAGEM

Massagem: Levará uma vida agradável.
Fazer massagem em lugar público: Seus esforços serão recompensados.
Fazer massagem em uma mulher: Logo receberá dinheiro inesperado.
Fazer massagem em um homem: Terá dificuldades a enfrentar.
Fazer massagem em um doente. Alguém será bondoso com você.
Ser massageado para perder peso: Faça planos para a velhice.
Ser massageado com perfume: Você confia demais nos parentes.

MASSA PLÁSTICA

Massa plástica: Enfrentará trabalho pesado.
Usar massa plástica: Bons resultados no trabalho.
Comprar massa plástica: Sorte no amor.
Usar massa plástica em sua casa: Logo terá uma briga em casa.
Outra pessoa usando massa plástica: Não dê ouvidos a fofocas.

MASTIGAR

Mastigar: Terá de fazer vista grossa a seus próprios defeitos.

Outras pessoas mastigando: Terá paz de espírito e felicidade.

Filhos mastigando: Sua vida vai melhorar.

MASTIM

Esse cão de pêlo macio: Cuidado com desconfianças infundadas.

Ser mordido por um mastim: Dificuldades nos assuntos sentimentais.

Dois mastins lutando: Morte de um amigo.

Dois mastins brincando: Você gosta demais de comer.

Mulher sonhando com um mastim: Seu amante é fiel.

MASTRO

O mastro de um navio: Fará uma viagem importante dentro em breve.

Mastro muito alto: Fará uma viagem longa e agradável.

Subir em um mastro: Terá o controle de muitas questões.

Marinheiros que sobem em um mastro: Mudança de residência.

Inimigos subindo em um mastro: Correrão perigo.

Parentes subindo em um mastro: Terá uma vida longa e sempre feliz.

MASTRO DE BANDEIRA

Um pequeno mastro de bandeira: Discussões e guerra.

Um grande mastro de bandeira: Vitória.

Segurar um mastro de bandeira: Segurança.

Quebrar um mastro de bandeira: Trabalho pesado.

MATAR

Matar alguém: Morte para quem sonha.

Alguém que deseja matar você: Terá vida longa.

Matar uma serpente: Vitória sobre os inimigos.

Matar um homem de negócios: Segurança.

Matar uma pessoa amiga: Terá boa saúde.

Matar pai ou mãe: Ocorrerá uma catástrofe.

Matar um inimigo: Aviso de dificuldades.

Matar uma pessoa indefesa: Tristeza e fracasso.

Matar um animal selvagem: Vitória após transformações.

Matar aves ou abelhas: Grandes prejuízos nos negócios.

Matar um animal e depois comê-lo: Grandes lucros nos negócios.

MATAS

Muitas árvores nas matas: Fará muitos negócios satisfatórios.

Caminhar pelas matas: Enfrentará trabalho pesado.

Pessoa rica sonhando que está nas matas: Perda de dinheiro.
Pessoa pobre sonhando que está nas matas: Lucros e honrarias.
Muitas pessoas nas matas: Tenha cautela nos empreendimentos comerciais.
Árvores partidas nas matas: Atividades sociais agradáveis.
Matas incendiadas: Aflição.

MATRONA

Uma matrona: Terá uma vida longa.
Discutir com uma matrona: Morte em breve.
Ser uma matrona: Terá dias felizes.
Tornar-se uma matrona: Perigo relacionado à família.
Ser uma matrona de quem as pessoas não gostam: Ganhará dinheiro.

MAU

Ser mau: Felicidade.
Ser mau com outras pessoas: Terá uma briga em breve.
Outra pessoa que é má com você: Será enganado pelos amigos.
Membros da família que são maus: Fará uma longa viagem.

MAUSOLÉU

Um mausoléu: Dificuldades sérias.
Visitar um mausoléu: Doença por um longo período.
Estar em um mausoléu: Doença.
Outras pessoas em um mausoléu: Morte de uma pessoa amiga.

MEDALHA

Uma medalha: Você se sairá bem de um perigo atual.
Usar medalhas: Tempos alegres virão logo.
Outra pessoa que usa medalha: Perigo nos assuntos amorosos.
Militares do Exército ou da Marinha usando medalha: Ganhos financeiros.

MÉDICO

Um médico: Terá o controle de muitas questões.
Ser um médico: Alegria e ganho.
Chamar um médico para os filhos: Novos interesses e ambiente.
Chamar um médico para si próprio: Momento adequado para paquerar.
Chamar um médico para parentes: Você se restabelecerá rapidamente
Outras pessoas que chamam um médico: Enfrentará dificuldades.
Outra pessoa que chama um médico para você: Terá vida longa.
Um médico que visita os pacientes: Grande riqueza.

MEDIR

Medir: Grandes ganhos comerciais.
Medir ingredientes para cozinhar: Aviso para ter cautela.

Medir o próprio corpo: Recursos abundantes.
Medir roupas: Cuidado com os inimigos.
Medir a casa: Tenha cautela, poderá perder mais do que poupa.
Medir a temperatura: Bons tempos estão chegando.
Medir qualquer outra coisa: A falta de atenção prejudica sua vida.

MEDITERRÂNEO

Um mapa do Mediterrâneo: Sentirá tristeza.
Visitar cidade na costa desse mar: Prosperidade futura.
Viajar para o Mediterrâneo: Bons tempos estão chegando.
Regressar de viagem ao Mediterrâneo: Ganhos financeiros.

MEDO

Ter medo de alguma coisa: Alguém cuidará de você.
Vencer seus medos: Tudo correrá bem.
Ter medos persistentes: Enfrentará falsidade e traição.
Desconhecer o motivo do medo: Não acredite em uma pessoa em quem confia agora.
Ter grandes medos: Você tem uma coragem extraordinária.

MEIAS

Meias: Sorte e prosperidade.
Meias de algodão: Grande prazer.
Meias de seda: A tentação será grande.
Muitas meias de seda: Reviravoltas.
Meias de cor clara: Tristeza.
Meias de cor escura: Prazer.
Usar meias: Felicidade.
Meias rasgadas: Prejuízos financeiros.
Meias com buraco: Perda de alguma coisa.
Meias de lã: Abundância de recursos.
Cortar as meias: Sorte.
Tirar as meias: Bons dias voltarão.
Calçar meias: Honrarias e proveito.
Tricotar meias: Encontrará oposição.
Pessoas com meias: Receberá um mau serviço.

MEIO-DIA

Meio-dia: Controle sua avidez por comida.
Sonhar com o meio-dia em qualquer outro momento: Cuidado para não contrair pneumonia.
Reunir-se com alguém ao meio-dia: Êxito em sua vida.
Fazer refeição ao meio-dia: É certo que fará uma viagem.

MEIO-FIO

O meio-fio na margem de rio: Uma pessoa estranha se intromete em sua vida.
O meio-fio na margem de um lago: Você se divertirá com amigos.
O meio-fio de uma rua: Terá de concluir apressadamente um trabalho atual.

O meio-fio de uma casa: Alguém está procurando causar um malefício.

MEL

Ter mel: Êxito nos negócios.
Comer mel: Grande êxito em todas as transações.
Ganhar mel: Ganhos financeiros.
Fazer mel em uma fazenda ou no quintal: Grande prosperidade.

MELADO

Como cura para envenenamento: Você ouvirá palavras agradáveis das quais se recordará.
Comer melado: Terá vida longa.
Fazer melado: Alegria.
Comprar melado: Você se restabelecerá de uma doença.

MELANCIA

Uma melancia: Êxito.
Comer melancia: Esperanças vãs.
Comprar melancia: Sorte.
Plantar melancia: Receberá presente de uma pessoa desconhecida.
Dar melancia para os filhos comerem: Felicidade.
Pessoas doentes sonhando que comem melancia: Logo se restabelecerão.

MELANCOLIA

Estar melancólico: Realizará altas ambições.
Outra pessoa melancólica: Separação de amantes.
Uma moça melancólica: Decepção pelo fim do noivado.
Pessoa casada e melancólica: Trabalho agradável e boas notícias.

MELÃO-DA-PÉRSIA

Melão-da-pérsia: Êxito nos assuntos amorosos.
Comer melões-da-pérsia: Receberá notícia de uma pessoa que você ama.
Comprar melões-da-pérsia: Alegria sem ganho.
Plantar melões-da-pérsia: Boa sorte.
Ter melões-da-pérsia em casa: Êxito.

MELODIA

Ouvir uma melodia agradável: Obterá êxito.
Cantar uma melodia: Há um amigo falso por perto.
Outras pessoas cantando uma melodia: Casamento certo e feliz.
Tocar uma melodia: As coisas melhorarão.

MELÕES

Melões: Grandes rendimentos e vida boa.
Comer melões: Coerência no amor.
Plantar melões: Boa sorte.
Ter um melão: Êxito.
Comprar um melão: Bom sinal nos assuntos sentimentais.
Uma pessoa doente, sonhando que come melão: Logo se restabelecerá.

MELRO (ave)

Um melro: Será importunado.
Mulher sonhando que ouve melros cantando: Terá dois maridos.
Homem sonhando que ouve melros cantando: Terá duas esposas.
Pessoa solteira ouvindo melros cantando: Logo ficará noiva.

MEMÓRIA

Ter perda de memória: Desonra na família.
Recuperar a memória: Logo terá uma posição de destaque.
Amigos com perda de memória: Você deveria corrigir seu modo de viver.
Amigos que recuperam a memória: Adquirirá alguma coisa grande.
Filhos com perda de memória: Terá vida longa.

MENDIGO

Um mendigo: Um período de tristeza está chegando.
Ser um mendigo: Você tem um amigo leal.
Um mendigo pedindo esmolas na rua: Fracasso dos inimigos.
Ser um mendigo e pedir esmolas: Prosperidade em suas atividades.
Ser abordado na rua por um mendigo: Enfrentará dificuldades.
Ajudar um mendigo: Vencerá as dificuldades.
Conhecidos seus pedindo esmolas: Receberá a ajuda de um bom amigo.

MENINO

Meninos: Aumento da família.
Meninos brigando: Tomará uma boa decisão.
Meninos saltando: Receberá dinheiro.
Meninos lutando boxe: Em breve acontecerá algo ruim.
Ter um menino: Uma mulher engravidará dentro de pouco tempo.
Um menino que adoece: Enfrentará obstáculos.
Salvar um menino de perigo: Alcançará uma posição de grande importância.
Um menino que é morto: Miséria causada pelos pais.
Um menino aleijado: Enfrentará dificuldades.
Adotar um menino: Seus outros filhos não gostarão do menino adotado.
Um menino pequeno: Logo se casará.
Diversos meninos pequenos: Receberá boas notícias.
Um menino que se encontra com uma menina: Precisa colocar mais ordem em sua casa.
Um menino trabalhando em uma loja: Desfrutará de bons negócios.
Um menino procurando trabalho em uma loja: Infelicidade.

MENSAGEIRO

Um mensageiro trazendo cartas: Receberá notícias desagradáveis.
Ouvir o assovio de um mensageiro: Receberá um convidado inesperado.

Receber uma entrega especial por um mensageiro: Sorte e prosperidade.
Um mensageiro pondo correspondência em sua caixa: Fracasso dos inimigos.
Entregar uma carta a um mensageiro: Será magoado por causa de ciúme ou inveja.
Um mensageiro que não traz coisa alguma para você: Decepções.

MENSAGEM
Uma mensagem: Sua situação vai melhorar.
Receber uma mensagem: Segurança nos negócios.
Enviar uma mensagem: Circunstâncias desagradáveis.
Enviar mensagem a parentes: Perigo, causado por um segredo.
Receber mensagem de parentes: Acontecimento importante e muito benéfico.
Mandar mensagem a um namorado: Cuidado com os rivais.
Receber mensagem de um namorado: Haverá uma catástrofe.

MENTIR
Mentir: Terá vida longa.
Outra pessoa que mente a você: Será enganado por amigos.
Marido ou mulher mentindo um ao outro: Sofrerá por sua própria insensatez.
Filhos que mentem aos pais: Realizarão altas ambições.
Outra pessoa mentindo: Você tem muitos inimigos.
Dizer mentira no tribunal: Sua má conduta lhe causará dificuldades.

MERCADO
Um mercado vazio: Enfrentará dificuldades e problemas.
Apenas observar um mercado: Perda de oportunidade.
Estar em um mercado: Novas amizades.
Fazer compras em um mercado: Boa saúde.
Vender algo em um mercado: Você terá dinheiro com facilidade durante a vida.
Estar em um pequeno mercado, Doença sem gravidade.
Ir a um mercado de peixes: Assumirá uma alta posição.
Ir a um mercado de carnes: Receberá honrarias.

MERCADO DE AÇÕES
Um mercado de ações: Pobreza.
Estar no mercado de ações: Morte de um amigo.
Negociar com ações: Obterá vantagens se for paciente.
Ganhar no mercado de ações: Desfrutará paz de espírito.
Perder no mercado de ações: Fartura e riquezas.
Ser membro do mercado de ações: Negociará com devedores.

MERCÚRIO

Mercúrio: Terá dinheiro.
Tomar mercúrio em forma de remédio: Ficará enojado dos amigos.
Lidar com mercúrio: Será bem considerado pelas pessoas.
Caminhar sobre mercúrio: Os rendimentos aumentarão de modo considerável.

MERGULHAR

Mergulhar: Perda de dinheiro por causa de especulação.
Outra pessoa mergulhando: Aviso de dificuldades.
Filhos mergulhando: Dignidade e distinção.
Membros da família mergulhando: Um empreendimento comercial será arriscado.

MÉRITO

Receber mérito: Terá um futuro melhor.
Receber mérito pelas realizações: Receberá uma fortuna inesperada.
Filhos recebendo mérito: Proveito.
Alguém que recebe mérito indevidamente: Perda de dinheiro.

MESA

Uma mesa: Alegria.
Uma mesa de mogno: Você se restabelecerá de uma doença.
Uma mesa de banquete: Satisfação na vida.
Uma mesa com tampa de mármore: Levará uma vida confortável.
Uma mesa quebrada: Miséria e pobreza.
Quebrar uma mesa: Perda de sorte.
Uma mesa vazia: Ficará pobre.
Estar sentado à mesa: Felicidade.
Sentar-se à mesa com a família: Felicidade no casamento.
Amigos sentados à mesa: Harmonia entre amigos.
Filhos sentados à mesa: Sorte e prosperidade.
Parentes sentados à mesa: Mudança no ambiente.
Uma convenção com pessoas sentadas à mesa: Mudança para melhor.
Convidados de um casamento sentados à mesa: A felicidade está assegurada.
Sentar-se à mesa com o namorado: Triunfo sobre os inimigos.

MESQUITA

Uma mesquita: A ignorância impede que você seja firme em sua fé.
Uma mesquita muçulmana: Alegria e proveito.
A mesquita de Omar em Jerusalém: Você se sairá bem de um perigo atual.
Uma mesquita turca: Sentirá tristeza.
Uma mesquita oculta: Cuidado com as pessoas ignorantes.

Adorar sozinho em uma mesquita: Terá boa sorte.
Adorar em uma mesquita com outras pessoas: Terá muitas amizades fiéis.
Adorar em uma mesquita com a família: Recursos abundantes.

MESTRE

Ser um mestre de dança: Frivolidade.
Ser um professor primário: Seus rendimentos aumentarão.
Ser um mestre de idiomas: Você está sendo enganado.
Ser um mestre de esgrima: Seus amigos não são leais.
Um mestre-de-capela: Enfrentará dificuldades nos assuntos sentimentais.

META

Alcançar uma meta: Ganhos financeiros.
Não alcançar uma meta: Sorte e prosperidade.
Outra pessoa que alcança uma meta: Acontecimento importante e muito benéfico.
Atingir a meta durante um jogo: Fracasso dos inimigos.
Outra pessoa atingindo a meta durante um jogo: Terá vida longa.

METAIS

Metais: Riqueza.
Comprar metais: Dinheiro chegando.
Vender metais: Recursos abundantes.
Fundir metais: Você está diante de obstáculos insuperáveis.

METAMORFOSE

Metamorfose: Fará uma viagem.
Um animal que passa por metamorfose: Fofocas.
Plantas que passam por metamorfose: Mudará de residência.
Seres humanos que se transformam em animais: Sua situação vai melhorar.

METRO (objeto de medir)

Um metro: Outras pessoas cuidarão de você.
Usar um metro: Ouvirá música agradável.
Comprar um metro: Você tem certeza de que não está sendo ludibriado nas compras.
Marido ou mulher usando um metro: Sorte no amor e nos negócios.
Vendedores usando um metro: Será tapeado nos negócios.

MEXILHÃO

Esse tipo de molusco: Sorte e prosperidade.
Juntar mexilhões: Ganhará muito dinheiro.
Comer mexilhões: Enfrentará trabalho pesado.
Cozinhar mexilhões: Fracasso dos inimigos.

Comprar mexilhões em um mercado de peixe: Alguém lhe fará uma proposta.
Comprar mexilhões em lata: Sua situação vai melhorar.
Dar mexilhões aos outros: Você se sairá bem de um perigo atual.
Receber mexilhões de presente: Alegria sem ganho.

MIÇANGAS
Pôr miçangas em fios ou cordões: Receberá favores de uma pessoa rica.
Comprar miçangas: Terá falsos amigos.
Espalhar miçangas: Abalo de sua reputação.
Perder miçangas: Será atacado.
Contar miçangas: Terá muita alegria e contentamento profundo.
Achar miçangas: Miséria e lágrimas.
Vender miçangas: Cuidado com amigos falsos.
Colher miçangas: Escassez.

MICROSCÓPIO
Um microscópio: Aumento da família.
Usar um microscópio: Um mistério logo será revelado.
Um químico usando um microscópio: Dignidade e distinção.
Um médico usando um microscópio: Você se restabelecerá de uma doença.
Um joalheiro usando microscópio: Recursos abundantes.

MIGALHAS
Limpar as migalhas da mesa: Grande alegria.
Dar migalhas aos pássaros: Estará diante de uma tentação.
Pássaros comendo migalhas: Receberá presentes valiosos.
Cozinhar com migalhas de pão: Precisa contar com seu próprio bom senso.

MILAGRE
Um milagre: Acontecimentos inesperados irão aturdi-lo por algum tempo.
Acreditar em milagres: Você se restabelecerá de uma doença.
Outra pessoa que diz presenciar um milagre: Obstáculos insuperáveis.

MÍLDIO (doença das videiras)
Míldio se formando: Será apresentado a uma pessoa atraente.
Algo onde dá míldio: Cuidado com seus documentos particulares.
Retirar míldio (o fungo) de plantas: Restabelecimento rápido.

MILHO
Milho crescendo: Terá muito dinheiro.
Comer milho: Êxito em todas as atividades.
Colher milho: Receberá boas notícias.
Campo com grandes espigas de milho: Grandes ganhos financeiros.

Campo sem espigas nos pés de milho: A decepção é certa.
Pessoa rica sonhando que come pão feito de milho: Riqueza.
Pessoa pobre sonhando que come pão feito de milho: Pobreza.

MILIONÁRIO

Um milionário: Dê ouvidos aos conselhos dos amigos.
Receber dinheiro de um milionário: Você se cansará do trabalho pesado.
Receber favor de milionário: Desfrutará a felicidade.
Devolver dinheiro a um milionário: Não deixe que as pessoas o enganem.

MINA

Uma mina: Os negócios aumentarão.
Descer a uma mina: Confie apenas em quem é comprovadamente seu amigo.
Sair de uma mina: Sua esposa é infiel.
Possuir uma mina: Promessa de trabalho no futuro.
Cavar para abrir uma mina: Bons tempos a caminho.
Fechar uma mina: Ocorrerá uma catástrofe.
Ter uma grande mina de carvão: Muito trabalho e pouco lucro.
Ter uma mina de ferro: Infelicidade.
Ter uma mina de ouro: Será culpado por atos impensados.
Ser um mineiro: Perigo nos assuntos sentimentais.

MINA DE OURO

Uma mina de ouro: Terá boa saúde.
Descobrir uma mina de ouro: Terá uma grande fortuna.
Uma mina de ouro exaurida: Infortúnio.
Trabalhar em uma mina de ouro: Ganho financeiro.
Uma mina de ouro que pertence a outra pessoa: Você está sendo enganado por amigos.

MINGAU

Mingau: Boa sorte.
Comer mingau: Não mantenha amizade com pessoas que gostam de bebidas fortes.
Preparar mingau: Receberá uma grande vantagem na vida.
Comprar mingau: Dinheiro chegando.

MINGAU DE AVEIA

Mingau de aveia: Bons tempos virão.
Preparar mingau de aveia: Sorte variável.
Comer mingau de aveia: Desfrutará uma fortuna bem ganha.
Filhos comendo mingau de aveia: Recursos abundantes.

MINHOCA

Minhocas: Inimigos secretos empenham-se em seu fracasso.

Minhocas que saem após uma chuva: Humilhação causada por amigos.

Ter minhocas no corpo: Ficará rico.

Um terreno cheio de minhocas: Contrairá doença contagiosa.

MINHONETE (flor)

Esse tipo de flor: Você está sendo enganado.

Uma minhonete fora da estação: Perda de todas as esperanças.

Uma minhonete na estação: Grande felicidade.

Plantar minhonetes: Um casamento será realizado em breve.

Comprar minhonetes: Não conte com a ajuda de outras pessoas.

Vender minhonetes: Você tem de contar com seus próprios esforços.

MINISTRO (religioso)

Um ministro: Felicidade que não durará muito tempo.

Um ministro em companhia de um juiz: Sofrerá uma grande decepção.

Um ministro pregando: Ocorrerá uma catástrofe.

Um ministro dando conselhos: Advertência de dificuldades.

A roupa negra de um ministro: Risco de morte.

Um ministro fora da igreja: Infortúnio nos assuntos sentimentais.

Um ministro em companhia de uma mulher: Frivolidade.

MINUETO

Um minueto: Felicidade no lar.

Dançar um minueto com a esposa: Infelicidade.

Dançar um minueto com pessoa amiga: Boa sorte.

Dançar um minueto com um homem bonito: Dinheiro chegando.

Dançar um minueto com o namorado: Perigo nos assuntos sentimentais.

MINUTO

Contar os minutos: Bons resultados em uma transação comercial.

Os minutos de um relógio: Terá um futuro feliz.

Os minutos que passam com rapidez: Perda de um parente.

Esperando que os minutos passem: Riqueza.

MIOPIA

Ser míope: Você está sendo observado por alguém mal-intencionado.

Filhos míopes: Bons tempos virão.

Outra pessoa com miopia: Os amigos o enganarão.

Usar óculos para curar a miopia: Fracasso dos inimigos.

MIRAGEM

Uma miragem: Cautela nos empreendimentos comerciais.

Mulher sonhando com uma miragem: Os amigos a estão enganando.

Homem sonhando com uma miragem: Má sorte nos negócios.

Moça sonhando com uma miragem: É aconselhável mudar de namorado.

Diretor-comercial sonhando com uma miragem: Seu pessoal não é honesto.

Amante sonhando com uma miragem: Seu namorado não é fiel.

MIRTA

Essa espécie de arbusto europeu: Satisfação dos desejos.

Flores do arbusto de mirta: Terá os prazeres que desejava.

Colher ramos de mirta: Sorte e prosperidade.

MISCELÂNIA

Coisas em miscelânea: Receberá boas notícias de um lugar distante.

Juntar coisas variadas, em miscelânea: Honraria e lucro.

Receber documentos variados: Empreendimentos malsucedidos.

Objetos domésticos em miscelânea: Receberá uma visita inesperada.

MISSA

Missa: A riqueza virá logo.

Ir à missa: Terá muita satisfação em breve.

Ir sozinho à missa: Você tem um peso na consciência.

Ir à missa com a família: Felicidade na família.

Comparecer à missa: Sinal de bem-estar futuro.

Comparecer à missa todas as semanas: Receberá o que deseja.

Comparecer a uma missa cantada: Grande alegria.

Um sacerdote rezando a missa: Estará livre da escravidão.

Outras pessoas presentes à missa: Dignidade e distinção.

Comparecer diversas vezes à missa: Riqueza abundante.

MISSIONÁRIO

Um missionário: Mudança para um trabalho mais interessante.

Ser um missionário: Terá muitas amizades leais.

Trabalhar com um missionário: Infelicidade causada por abandono.

Ir para longe com um missionário: Bons tempos chegando.

MISTÉRIO

Um mistério: Um acontecimento o deixará intrigado.

Um mistério inexplicável: Evite os rivais.

Tomar conhecimento de um mistério: Você tem amizades leais.
Ter amigos misteriosos: Sofrerá por sua própria insensatez.

MÓ (pedra de afiar)
Uma mó: Aumento da família.
Usar uma mó: Mais cautela com os negócios.
Uma mó antiga: Doença ou infortúnio.
Uma mó nova: Êxito.

MOAGEIRO
Um moageiro: Será enganado por amigos.
Mulher sonhando com um moageiro: Ela se casará com um homem mais pobre do que pensava.
Ser um moageiro: Enfrentará trabalho pesado.

MOBÍLIA
Bela mobília: Recursos abundantes.
Mobília comum: Será um operário.
Uma mulher rica com bela mobília: Ela fará alguma tolice.
Uma pessoa comum sonhando com bela mobília: Muito amor.
Uma comerciária sonhando que tem mobília: Ganhará sua própria vida.

MOÇA
Uma bela moça: Aumento no movimento comercial.
Uma moça inteligente: Grande sorte.
Conversar com uma moça: Felicidade e tranqüilidade.
Homem solteiro sonhando que beija uma moça: Boa sorte.
Pessoa casada sonhando que beija uma moça: Problema doméstico.
Beijar diversas moças: Grande êxito.
Uma moça à janela: Grandes discussões.
Uma moça correndo: Pegará um ladrão.
Uma moça chorando: Ficará em dificuldades por causa de uma pessoa amiga.
Uma moça excepcionalmente bela: Recursos abundantes.
Salvar uma moça do perigo: Será extremamente amado.
Uma moça bondosa: Felicidade nos assuntos amorosos.
Receber notícias surpreendentes a respeito de uma moça: Chegará uma resposta que você aguarda há muito tempo.
Homem sonhando que é uma moça: Desempenhará papel feminino no palco.

MOCHILA
Uma mochila: Um inimigo trama sua ruína.
Soldados carregando mochila: Enfrentará dificuldades por pouco tempo.
Carregar mochila às costas: Enfrentará dificuldades.

MOCOTÓ

Mocotó: Receberá boas notícias.
Comprar mocotó: Perda de riqueza na família por causa de parentes.
Cozinhar mocotó: Felicidade e prosperidade.
Comer mocotó: Obterá bom lucro.

MODAS

Examinar uma revista de moda: Perigo causado por um segredo.
Assistir a um desfile de moda: Terá vida longa.
Modelos em uma vitrine: Brigas de família.
Uma pessoa em um evento de moda: Cuidado com traição.
Levar a família a um evento de moda: O êxito virá mais tarde.

MODELO

Um modelo: Brigas de família.
Fazer um modelo: Pequeno constrangimento.
Comprar um modelo: As preocupações serão superadas
Encomendar um modelo: Você receberá dinheiro.

MOEDA ESTRANGEIRA

Moeda estrangeira: Promoção.
Possuir moeda estrangeira: Dificuldades em família.
Comprar moeda estrangeira: Terá prejuízo nos negócios.
Vender moeda estrangeira: Mudança para melhor.
Efetuar pagamento em moeda estrangeira: Ganhos financeiros.
Receber moeda estrangeira: Você está sendo enganado.

MOEDAS

Moedas: Grandes ganhos financeiros.
Moedas de prata: A família enfrentará dificuldades.
Moça sonhando com moedas de prata: Será abandonada pelo namorado.
Moedas de cobre: Doença.
Moedas de níquel: O bom trabalho será sua sorte.
Ter moedas de ouro nas mãos: Infortúnio.
Juntar todos os tipos de moedas: Receberá boas notícias.
Contar moedas: Obterá lucro considerável.
Roubar moedas: Doença por um longo período.
Gastar moedas: Colocará os planos em risco.
Achar moedas: Boa sorte nas questões domésticas.
Ver todos os tipos de moedas: Promoção.

MOEDAS DE VALOR MÉDIO

Uma moeda de valor médio: Pequena decepção e pesar.
Contar moedas de valor médio: Ficará apaixonado.
Trocar moedas de valor médio por dinheiro maior: Não será preso.

Trocar moedas de prata por notas de dinheiro: Ganhos no jogo.
Trocar moedas de valor médio por dinheiro estrangeiro: Insegurança nos negócios.
Trocar moeda de valor médio por ouro: Perigo ou doença.

MOER

Uma máquina de moer: Grandes ganhos.
Moer café: Dificuldades em casa.
Moer pimenta: Doença e tristeza.
Moer milho: Boa sorte.
Moer cereais: Ficará rico.
Moer pedras coloridas: Perda das esperanças.
Moer materiais para tingir: Discórdia na família.
Moer comida: Contentamento.

MOINHO

Um moinho que mói cereais: Vergonha e tristeza.
Um moinho antigo: Doença e infortúnio.
Um moinho novo: Receberá herança de um parente rico.
Namorados que sonham estar em um moinho: Grande felicidade.

MOINHO DE VENTO

Um moinho de vento: Obterá alguns pequenos ganhos financeiros.
Um moinho de vento muito alto: Estará contente e receberá uma grande fortuna.
Um moinho de vento que muda de direção: Pessoas indignas de confiança o cercam.
Um moinho de vento parado: Receberá herança de um parente rico.
Pôr em funcionamento um moinho de vento: Receberá notícias infelizes.
Um moinho de vento que aciona uma máquina de moer: Terá de cuidar de muitas coisas.
Um moinho de vento que aciona uma serra: O dinheiro virá logo.
Pessoa casada sonhando com moinho de vento: Falta a verdade entre marido e mulher.
Pessoa solteira sonhando com moinho de vento: Em breve se casará.
Namorados sonhando com moinho de vento: Desfrutarão de muita felicidade.

MOLA

Um colchão de molas: Terá vida cheia de prazeres.
Uma mola usada em móveis: Cuidado com pessoas invejosas ao seu redor.
Mola usada em máquina: Infidelidade no amor.

MOLHE (tipo de cais)

Estar em um molhe que se estende pelo porto: Dinheiro chegando.

Alguém que cai de um molhe ao mar: Você está sendo enganado.
Outras pessoas sobre um molhe: Em breve ocorrerá uma mudança na sua vida.
Parentes sobre um molhe: Viajará a outro país.

MOLHO

Preparar molho: Sua saúde ficará debilitada.
Comer molho: Vencerá todos os obstáculos.
Alguém preparando molho: Êxito financeiro.

MOLINETE

Ter um molinete: Perda de emprego.
Ver um molinete: Perda de um membro da família.
Comprar um molinete: Não terá como se sustentar.
Perder um molinete: Terá um problema de pele.
Receber um molinete de presente: Perda da namorada.
Dar molinete de presente: Dignidade.

MOLUSCO

Moluscos: Acontecimentos misteriosos exigirão sua atenção.
Apanhar moluscos: Dinheiro chegando.
Comer moluscos: Não acredite facilmente em tudo que ouve.
Vender moluscos: Recursos abundantes.
Cozinhar moluscos: Será visitado por diversos amigos.

MONARCA

Um monarca: Será enganado nos assuntos sentimentais.
Ir ver um monarca: Boa sorte.
Mandar carta a um monarca: Perigo.
Encontrar-se com um monarca: Rebelião dentro de casa.
Um monarca cercado por sua corte: Será enganado por amigos.
Ser um monarca: Receberá más notícias no que se refere ao amor.
Ser um monarca autoritário: Os parentes virão pedir dinheiro.

MONGE

Um monge: Brigas de família.
Diversos monges: Viagem desagradável.
Encontrar um monge: Você se restabelecerá de uma doença.
Encontrar diversos monges: Sofrerá dor e pesar.
Querer tornar-se monge: Precisa controlar suas paixões.
Ser um monge: Sofrerá perdas.
Conversar com monges: Logo cometerá um pecado.
Um monge em companhia de uma mulher: Frivolidade.

MONÓCULO

Usar um monóculo: Futuro agradável e feliz.

Um homem usando monóculo: Deve reconhecer seus próprios defeitos.

Outra pessoa usando monóculo: Traição e fofocas.

MONSTRO

Um monstro: Bons tempos virão.

Um monstro no mar: Infortúnio.

Um monstro sobre a terra seca: Boa sorte.

Um monstro sendo morto: Morte de um inimigo.

Ser perseguido por monstro: Sua tristeza e infortúnio serão avassaladores.

MONTANHA

Uma montanha: Haverá um parto difícil.

Uma montanha coberta de neve: Receberá um grande favor.

Uma montanha caindo: Falência de pessoa destacada.

Subir ao cimo de uma montanha: Tudo irá bem em sua vida.

Descer uma montanha: Terá êxito de pequena importância.

Uma montanha alta: Terá de esforçar-se em sua vida.

Uma montanha muito alta: Grande felicidade.

Uma montanha pequena: Empreenderá uma viagem curta.

Ver fogo no cume de uma montanha: Haverá uma catástrofe.

MONTOEIRA

Uma montoeira de coisas: Será visitado por um amigo íntimo em breve.

MONUMENTO

Um monumento: Obterá êxito.

Visitar um monumento com outras pessoas: Será recompensado por seus esforços.

O monumento de uma pessoa famosa: Honraria e grande fama.

Um monumento que é feito para você: Morte de um inimigo.

Monumentos em cemitério: Descoberta de objetos valiosos que estavam perdidos.

Outra pessoa vendo um monumento: Perigo nos assuntos sentimentais.

MORADIA

Sua própria moradia: Declarações falsas estão sendo feitas a seu respeito.

Ir a uma moradia estranha: Dará início a novos empreendimentos.

Estar em uma moradia estranha: Desordem em sua vida.

Ser impedido de entrar em uma moradia: Cautela em seus planos.

Não poder entrar em uma moradia que está trancada: Seja meticuloso para evitar riscos desnecessários.

MORADIA, INSTALANDO-SE

Procurar alojamento temporário: Questões importantes serão adiadas.

Descobrir alojamento temporário: Solidão e dificuldades.
Encontrar moradia permanente: Felicidade no lar.
Encontrar um belo alojamento: Bons tempos estão chegando.

MORANGO
Morangos: Êxito inesperado.
Colher morangos: Fará muitas amizades.
Comer morangos: Grande alegria.
Fazer doce de morango: Riqueza.
Fazer uma torta de morangos: Obterá êxito nos negócios.

MORCEGOS
Um morcego cinzento: Terá uma vida tranqüila.
Um morcego negro: Brigas e desastre em seu caminho.
Um morcego branco: Uma pessoa doente se restabelecerá.
Muitos morcegos: Morte na família.

MORDAÇA
Estar com uma mordaça: Logo será beijado por uma bela mulher.
Não conseguir livrar-se de uma mordaça: Enfrentará sérias dificuldades.
Uma moça sonhando com uma mordaça: Conhecerá um homem que a agradará.
Uma senhora sonhando com uma mordaça: Ela se apaixonará.

MORDER
Uma mordida: Está a ponto de sofrer um prejuízo.
Morder outra pessoa: Ficará em dificuldades.
Morder a língua: Deixará de ter a consideração de outras pessoas.
Ser mordido por uma mulher: Uma pessoa ciumenta está por perto.
Ser mordido por um homem: Cuidado com as brigas.
Ser mordido por um animal: Enfrentará dificuldades nos assuntos sentimentais.
Ser mordido diversas vezes: Está sendo caluniado.

MORDISCAR
Mordiscar: Cuidado com o que escreve e assina.
Mordiscar em lugar público: Cuidado com as pessoas a quem faz confidências.
Mordiscar em casa de pessoa amiga: Está cercado por pessoas falsas.
Outra pessoa mordiscando: Cuidado com os inimigos.

MORRER
Morrer: Receberá promessas vazias.
Parentes que morrem: Receberá uma grande herança.
Filhos que morrem· Receberá fortuna do exterior.
Beijar uma pessoa que está morrendo: Perda de ação judicial.

Amigos morrendo: Triunfo sobre os inimigos.
Outras pessoas morrendo: A decepção é certa.

MORROS

Subir morros: Boa sorte.
Chegar ao cume de um morro: Terá de lutar contra a inveja.
Subir morros com facilidade: Seu futuro será muito bom.
Encontrar dificuldades para subir um morro: Tristeza.
Outras pessoas que sobem um morro: Você tem uma amizade leal.
Subir um morro com parentes: Ganhos financeiros.
Diversos morros: Obterá ganhos fáceis.

MORTALHA

Uma coberta de veludo negro: Terá vida curta.
Uma mortalha sobre o caixão: Receberá um legado.
Pôr mortalha sobre um altar: Grande tristeza causada por um falecimento.
Esconder coisas com uma mortalha: Cuidado com a doença.

MORTE

A morte de uma mulher grávida: Receberá fortuna do exterior.
A morte de uma menina ou menino: Aguarde um grande acontecimento na família.
A morte de uma esposa: Separação relacionada a amigos.
A morte de um marido: Morte de um parente.
Querer a morte: Terá boa saúde por muito tempo.
Alguém que volta à vida: Grande honraria.
A morte de diversas pessoas: Grande felicidade.

MORTO

Estar morto: Terá felicidade e riqueza.
Corpos de mortos: Haverá um casamento.
Beijar mortos: Terá uma vida longa.
Falar com um parente morto: Receberá notícias de um parente vivo.
Falar com amigo morto: Mudança para melhor.
Uma pessoa morta que lhe fala: Falecimento de um parente.
Tocar em uma pessoa morta: Receberá notícias muito tristes.
Um inimigo morto: Aviso de um nascimento.
Uma pessoa desconhecida morta: Herança e prosperidade.
Uma pessoa morta segurando você: Morte em breve.
Lutar com uma pessoa morta: Doença.
Falar com uma pessoa morta: Terá uma vida longa.
Estar em companhia de um morto: Perda de amigos.

Uma pessoa morta deitada um em caixão aberto: Terá uma indigestão.
Dar presente a uma pessoa morta: Perda de dinheiro.
Receber presente de uma pessoa morta: Recuperação lenta de dinheiro.
Ajudar a baixar uma pessoa morta ao túmulo: Êxito sobre os inimigos.
Uma pessoa que aparece morta, mas que, na verdade, está viva: Perda em questões legais.
Uma pessoa que falece depois de ter sido dada como morta: Grande pesar na família.
Uma pessoa que está morrendo e não fala: Morte em breve.

MOSAICO

Trabalhos de mosaico: Passará por altos e baixos.
Fazer trabalhos de mosaico: Será avisado da morte de um parente.
Comprar trabalhos de mosaico: Obterá um pequeno lucro.
Ter um chão de mosaico na casa: Felicidade.

MOSCA (inseto)

Mosca: Será importunado por um amigo.
Muitas moscas: Fará uma grande tolice.
Moscas nos filhos: Amará uma pessoa muito sincera.
Moscas em um cão ou gato: Terá vida longa.
Moscas em volta da comida: O êxito virá mais tarde.
Ser picado por uma mutuca: Tristeza em breve.
Ser picado por uma vespa: Será perseguido por amigos invejosos.

MOSCA (do alvo)

Acertar na mosca: Felicidade assegurada.
Errar a mosca: Terá inimigos ou rivais nos assuntos sentimentais.
Outros que acertam na mosca: Cautela ao fazer confidências.
Amigos acertando na mosca: Haverá uma mudança de ambiente.

MOSCATEL

Essas uvas da Europa: Momento adequado para paquerar.
Comprar vinho moscatel: Está sendo controlado por falsos amigos.
Tomar vinho moscatel: Noivado em breve ou receberá altas honrarias.
Ter vinho moscatel: Riquezas e honrarias.
Oferecer vinho moscatel a outras pessoas: Bons tempos chegando.

MOSQUETE

Um mosquete: Receberá uma apaixonada carta de amor.
Muitos soldados carregando mosquetes: Honra e alegria.
Mosquete vazio: Você tem inimigos dentro da família.

Um mosquete carregado: Ganhos financeiros.
Disparar um mosquete: Perda de lucro.
Parentes que disparam um mosquete: Será importunado por parentes.
Outras pessoas disparando um mosquete: Grandes brigas.

MOSQUITO

Mosquito: Prejuízos e dificuldades.
Mosquitos sobre outras pessoas: Perda de dinheiro.
Matar mosquitos com veneno: Uma pessoa amiga procura ajudá-lo em segredo.

MOSTARDA

Mostarda: Não tome decisões apressadamente.
Comer mostarda: Você se arrependerá profundamente de seus atos.
Parentes que comem mostarda: Perigo por falar com liberdade demais.
Amigos que comem mostarda: Evite repetir convivências.
Cozinhar com mostarda: Aviso de dificuldades.
Mostarda em pó: Má sorte em breve.
Mostarda sobre a mesa: Enfrentará discussões e disputas.
Comprar mostarda: Cuidado com os amigos.

MOSTEIRO

Um mosteiro: As questões mundanas prosperarão.
Estar em um mosteiro: Aviso de dificuldades.
Entrar em um mosteiro: Receberá muitas honrarias.
Sair de um mosteiro: Terá de sofrer muita aflição.
Orar em um mosteiro: Terá alegria e felicidade.
Estar sentado em um mosteiro: Ocorrerão mudanças em sua vida.
Conversar em um mosteiro: Logo cometerá um pecado.
Um mosteiro plenamente ornamentado: Passará por provações, por causa de uma herança.

MOSTRAR

Mostrar a si próprio: Você é extremamente vaidoso.
Mostrar os dentes: Travará uma disputa.
Mostrar os pertences pessoais: Terá prazeres pessoais.
Mostrar o corpo: As pessoas acham que você é ignorante.
Demonstrar atos zelosos: Todos os desejos serão realizados.
Demonstrar qualidades infantis: Desfrutará de uma vida longa.

MOTIM

Um motim: Cuidado com falsos amigos.
Assistir a um motim: Tenha cautela nas atividades comerciais.

Participar de um motim: Você não está feliz com a situação atual.
Ser ferido em um motim: Infidelidade.
Dominar um motim: Sua situação vai melhorar.
Outras pessoas participando em um motim: Os amigos deixarão de importuná-lo.

MOTOR
Um motor: Terá de suportar tribulações.
Um motor em movimento: Enfrentará dificuldades em breve.
Controlar um motor: Mudança de ambiente.
Um motor a gasolina: Aguarde acontecimento importante e muito benéfico.
Um motor que não funciona: Cuidado com traição.
Um motor parado: Ganhos financeiros.

MUCO
Muco de seu próprio nariz: Haverá pessoas hostis por perto.
Muco no nariz dos filhos: Boa saúde.
Não conseguir fazer parar o corrimento de muco do nariz: Grandes ganhos.
Muco do nariz de outras pessoas: Bênçãos em sua vida.

MUDANÇA
Mudança na situação da vida: Sua situação atual será prejudicada.
Uma mulher que muda de sexo: Nascerá um filho que trará grande honra à família.
Um homem que muda de sexo: Grande desonra para a família.
Outras pessoas que mudam de sexo: Doença.
Mudar de rumo enquanto está dirigindo: Muitas dificuldades pela frente.
Mudar de roupas: Será muito prejudicado.

MUDANÇA DE RESIDÊNCIA E LUGAR
Mudar-se: Atividades sociais alegres.
Mudar-se de uma casa para outra: Descoberta de objetos valiosos que estavam perdidos.
Mudar-se de um apartamento para outro: Solidão e dificuldades.
Mudar-se de uma loja para outra: Obstáculos nos negócios.
Mudar móveis de uma casa para outra: Mudança para melhor.
Mudar-se de uma cidade para outra: A felicidade está assegurada.
Outras pessoas que se mudam: Você está sendo enganado pelos maiores amigos.

MUDANÇA DE PLUMAGEM OU DE CABELO
Uma mudança de plumagem: Juízo, e elimine os relacionamentos suspeitos.
Cabelo que muda: Um convite trará novas oportunidades.
Penas que mudam: Fará novas amizades.

MUDO

Ser mudo: Ocorrerá briga na família.
Não conseguir falar: Evite as especulações.
Membros da família que são mudos: Uma criança nascerá aleijada.
Outras pessoas mudas: Não fale sobre seus planos de negócios.

MULA

Uma mula: Cuidado com doença.
Levar coice de uma mula: Decepção no amor.
Possuir uma mula: Decepção em seu casamento.
Usar uma mula para puxar carroça: Mudança para melhor.
Uma mula de carga: Os negócios melhorarão.

MULETAS

Usar muletas: Você será autosuficiente financeiramente.
Outras pessoas que usam muletas: Não conseguirá tudo aquilo que esperava do trabalho.
Poder andar sem muletas: Receberá muito dinheiro.

MULHER

Uma mulher: Segurança no amor.
Mulher branca: Estará livre de envolvimentos.
Mulher de pele bronzeada: Contrairá uma doença perigosa.
Mulher de pele escura: Ficará doente por um curto período.
Homem sonhando com uma mulher morta: Logo será amado por uma senhora rica.
Mulher sonhando com um homem morto: Será abandonada.
Mulher dançando: Doença.
Mulher deitada na cama: Segurança.
Uma bela mulher nua: Grande infelicidade ou bons rendimentos.
Mulher que visita sua casa: Boas esperanças.
Mulher desconhecida: Receberá convidado indesejado.
Receber serviço de uma mulher: Terá má reputação.
Ouvir voz de mulher: Mudança permanente de residência.
Ser assustado por uma mulher: Doença.
Diversas mulheres: Será humilhado.
Homem sonhando que fala com uma bela mulher: Muitas fofocas.
Mulher dando confiança a um homem: Ciúme.
Homem sonhando com uma mulher de má reputação: Haverá um sério desastre.
Mulher de má reputação: Sofrerá humilhação.
Mulher sonhando que se divorcia do marido: Ela se casará com um homem muito rico.
Mulher sonhando que é homem: Nascimento de filho que trará honra à família.
Mulher de cabelos brancos: Dignidade e distinção.

Mulher de cabelos louros, longos e belos: Desfrutará de vida feliz.

Morena de cabelos longos: Honraria e proveito.

Homem sonhando com mulher de cabelos tão longos quanto o corpo: Sua mulher o trai.

Diversas mulheres em uma enfermaria de maternidade: Muita felicidade.

Homem sonhando que assiste a um parto: Prosperidade.

Mulher casada sonhando que dá à luz um peixe: Filhos muito espertos.

MULTIDÃO

Uma multidão: A felicidade está assegurada.

Estar em uma multidão: Sua situação vai melhorar.

Amigos em uma multidão: Novos interesses e ambiente.

Inimigos em uma multidão: Cuidado com pessoas invejosas.

MULTIPLICAR

Multiplicar números: Não confie nos conhecidos.

Outras pessoas multiplicando números: Você está sendo enganado.

Diversas coisas que se multiplicam: Vigie atentamente os inimigos.

Plantas que se multiplicam: Alguém está procurando destruí-lo.

MÚMIA

Uma múmia: Logo ocorrerá uma mudança na sua vida.

Múmias bem conservadas: Tenha autoconfiança.

Ver múmias em companhia de seu namorado: Em breve se casará.

Pessoas embalsamando múmias: Perigo nos assuntos sentimentais.

MUNDO

O mundo: Tudo correrá bem.

O mapa do mundo: Contentamento e tranqüilidade.

O mundo virando ao contrário: Tudo se transformará a seu favor.

A situação mundial piorando: Traição de alguém próximo.

Discutir sobre a situação mundial: Será atacado por inimigos.

MÚSCULO

Seus próprios músculos doendo: Aguarde acontecimento importante e muito benéfico.

Não conseguir mover os músculos do braço: Sentirá tristeza.

Não conseguir mover os músculos da perna: Sofrerá por sua própria insensatez.

Ter dor no músculo do pescoço: Infortúnio nos assuntos amorosos.

Filhos com músculos doloridos: Bons tempos estão chegando.

MUSEU

Um museu: Descoberta de objetos valiosos que estavam perdidos.
Visitar sozinho um museu: O êxito virá mais tarde.
Visitar um museu com a pessoa amada: A preocupação se dissipará.
Visitar um museu com a família: Realizará altas ambições.

MUSGO

Uma planta de musgo: Alguém está atraído por você.
Ter musgo: Terá uma vida livre.
Ver flores de musgo: Cuide de sua correspondência.
Receber flores de musgo: Escreva reservadamente, feche o envelope e ponha no correio.

MÚSICA

Ouvir música melodiosa: Grandes prazeres na vida.
Ouvir música agradável em um concerto: Receberá algum dinheiro.
Ouvir boa música em um teatro: Consolo por um infortúnio.
Ouvir música estridente e desagradável: Sofrerá grande decepção.
Ouvir *jazz*: Você se sentirá muito incomodado.
Ouvir música de ópera e cantar: Receberá notícias muito boas.

MÚSICA, CAIXA DE

Uma caixa de música: Evite os rivais.
Ouvir caixa de música tocando, em companhia da pessoa amada: Frivolidade.
Pôr dinheiro em caixa de música: Perigo nos assuntos sentimentais.
Uma caixa de música que toca sua canção favorita: Mudança de residência.

MÚSICA, SALÃO DE

Um salão de música: Todos os interesses vão prosperar.
Ir sozinho a um salão de música: Notícias agradáveis de uma amizade ausente.
Ir a um salão de música com a pessoa amada: Fará amizades.
Ir a um salão de música com a família: Fará algo astuto e não muito correto.

MÚSICO

Músicos: Você se embriagará.
Ser um músico: Transformações repentinas na sua vida.
Não ser um músico: Haverá uma cena final com a pessoa amada.
Ser músico profissional: Você se mudará para outro local.
Ser principiante na música: Em breve ficará noivo.
Pessoa solteira que é música: Ela se apaixonará e ficará noiva.
Uma moça que é música: Receberá proposta de um homem rico.

MUTILAR

Mutilar alguma coisa: Triunfo sobre os inimigos.

Mutilar uma parte do corpo: Bons ganhos financeiros.

Ter a perna mutilada: Evite os rivais.

Ter os braços mutilados: Está sendo enganado por amigos.

Ter a mão mutilada: Recuperação de dinheiro.

Ter o pé mutilado: Você se restabelecerá de uma doença.

N

NABO

Nabo: Decepção e constrangimento.

Plantar nabos: Saúde debilitada.

Comer nabos: Suas perspectivas serão ótimas.

Comprar nabos: Suas esperanças são infundadas.

Cozinhar nabos: Sua saúde vai melhorar.

NADAR

Nadar: Terá amor e prazer.

Nadar de costas: Ocorrerá uma grande briga.

Nadar em mar aberto: Prosperidade.

Nadar em um rio: Logo estará diante de um perigo.

Nadar em água enlameada: Seu caminho está crivado de obstáculos.

Nadar em uma piscina: Êxito.

Nadar até uma costa: Enfrentará trabalho pesado.

Nadar e alcançar seu objetivo: Obterá êxito em tudo.

NÁDEGAS

Suas próprias nádegas: Terá fortuna.

As nádegas de um homem: Logo fará bons negócios.

As nádegas de uma mulher: Felicidade e amor.

As nádegas de uma criancinha: Reunião de família.

As nádegas de animais: Prosperidade.

As nádegas de um cão: Será visitado por ladrões.

NAMORADO

Um namorado: Passará por uma situação difícil.

Ter um agradável e belo namorado: Vigie os rivais.

Ter um namorado bonito: Vigie-o com atenção.

Ter um namorado volúvel: Perda do amor.

NÃO-ME-ESQUEÇAS (flor)

Um não-me-esqueças: Você é amado e lembrado por muitas pessoas.

Ter não-me-esqueças: Terá vida longa.
Receber não-me-esqueças de presente: Grandes ganhos no amor.
Dar não-me-esqueças como recordação: Aguarde acontecimento importante e benéfico.
Receber um buquê de não-me-esqueças: Um amigo fiel o ama.

NARCISO

Essa flor: Terá sorte se ela não for guardada em casa.
Colher narcisos: Dinheiro inesperado.
Guardar narcisos dentro de casa: A felicidade não é certa.
Receber um buquê de narcisos: Você se apaixonará por um homem rico.
Dar narcisos a outras pessoas: Cuidado com as más influências.

NARCISO-DO-PRADO

Narcisos-do-prado: Felicidade nos assuntos sentimentais.
Narciso-do-prado crescendo fora de casa: Terá vida longa e feliz.
Receber narcisos-do-prado de presente: A felicidade está assegurada.

NARCÓTICO

Narcótico: Honrará suas promessas.
Ser viciado em narcótico: Obterá bons ganhos financeiros.
Outras pessoas viciando-se em narcótico: Fará boas especulações comerciais.

NARGUILÉ

Fumar esse cachimbo oriental que usa água: Abundância.
Outras pessoas fumando narguilé: Realização dos amores desejados.
Ver o fumo passar pela água: Muitas mulheres o perseguirão.

NARIZ

O seu próprio nariz: Pobreza.
Ter um belo nariz: Bom caráter e autoconfiança.
Ter um nariz pequeno: Sua vida será um fracasso.
Ter um nariz grande: Cuidado com os investimentos e a especulação.
Ter o nariz cortado: Fofocas de amigos.
Ter o nariz congelado: Adultério.
Não ter nariz: Grandes amizades.
Estar com o nariz entupido: Cuidado com injustiça feita a você.
O nariz sangrando: Sinal certo de desastre.
Machucar o nariz: Cuidado com traição.
Outras pessoas com nariz grande: Evite emprestar dinheiro.
O nariz de uma bela mulher: Aumento da família.
O nariz de uma bela moça: Terá muitas amizades.
Um nariz curvo: Infidelidade de uma mulher.
Um nariz feio: Enriquecerá.
Um nariz comprido: As pessoas o detestarão.

Um nariz imenso: Muito dinheiro.
Nariz dos filhos: Amizades.
Nariz dos amigos: Adultério.
Nariz dos inimigos: Cuidado, perigo causado por inimigos.
Narizes de muitas pessoas: Discórdia na família.

NARIZ, HEMORRAGIA

Ter hemorragia nasal: Sofrerá uma desilusão.
Filhos com hemorragia nasal: Cuide bem de si.
Parentes com hemorragia nasal: Precisará de ajuda financeira.
Amigos com o nariz sangrando: Receberá um presente.
Inimigos com o nariz sangrando: Irá para a cadeia.

NASCENTE

Uma nascente: Receberá uma grande fortuna mais tarde.
Tomar um copo de água de nascente: Pequenas discussões.
Uma nascente seca: Pobreza e doença.
Uma nascente jorrando água: Riqueza e honra.

NASCIMENTO

Uma mulher casada que dá à luz uma criança: Ela terá alegria.
Uma mulher solteira dando à luz uma criança: Será abandonada pelo amante.
Uma mulher divorciada que dá à luz uma criança: Herdará um grande legado.
Viúva que dá à luz uma criança: Será culpada por atos impensados.
Auxiliar no nascimento de uma criança: Alegria e prosperidade.
Auxiliar no nascimento de gêmeos ou trigêmeos: Êxito muito grande.
Auxiliar no nascimento de uma criança morta: Fracasso dos projetos atuais.
Auxiliar numa cesariana: Contrairá uma doença perigosa.
Parto que põe em perigo a vida da mulher: Logo será avisado de um casamento.
Mulher grávida sonhando que tem um menino: Êxito completo nas iniciativas.
Mulher grávida sonhando que tem uma menina: Prazeres sociais seguidos pela dor.
Homem sonhando que a mulher deu à luz gêmeos: Riqueza e fortuna virão logo.
Um pai que recebe a notícia do nascimento de um filho enquanto está distante: Bons votos.
Nascimento de uma águia: Terá futuro muito próspero.
Nascimento de um gato ou de outros animais: Morte de um inimigo.
Um nascimento: Prosperidade e abundância.
Dar à luz uma criança: Boa sorte.
O nascimento de apenas uma criança: Será tratado com força.

O nascimento de gêmeos: Terá boa sorte na vida.

Nascimento de parentes próximos: Recursos abundantes.

Nascimento de um peixe: Logo choverá.

NATAL

Ir à igreja no dia de Natal: Receberá as bênçãos de Deus.

O Natal: Felicidade na família.

Estar em uma festa de Natal: Fará boas amizades.

Entoar canções natalinas: Grandes ganhos financeiros.

NATAL, ÉPOCA DE

A época de Natal: Nova paquera terminará bem.

Ser época de Natal: Mudança para melhor na situação financeira.

Reunião da família na época de Natal: Suas atividades comerciais vão melhorar.

NATUREZA

A natureza: Terá sorte em breve.

Ter boa natureza: Receberá alívio para a dor.

Ter má natureza: Fofocas.

Outras pessoas que têm boa natureza: Acontecimentos importantes em breve.

Parentes que têm má natureza: Fará uma viagem.

Marido ou mulher de boa natureza: Terá vida longa.

Marido ou mulher de má natureza: As pessoas próximas estão procurando destruir sua felicidade.

NAUFRÁGIO

Um naufrágio: Logo haverá uma guinada para pior em suas atividades.

Perder a vida em um naufrágio: Chegada inesperada de um amigo.

Ser salvo após naufrágio: Sentirá tristeza.

Estar em um naufrágio com a pessoa a quem ama: Ocorrerá uma catástrofe.

Outras pessoas em um naufrágio: Cuidado com os rivais.

Naufragar com a família: A felicidade está assegurada.

Naufragar e afundar no mar: Perda por negligência.

NAVALHA

Uma navalha: Estará em perigo.

Usar uma navalha: Aviso de uma briga que ocorrerá em breve.

Usar uma navalha cega: Fará uma viagem.

Cortar-se com uma navalha: Precisa controlar suas emoções.

Comprar uma navalha: Perseguição.

Matar alguém com uma navalha: Acontecimentos desagradáveis.

Matar-se com uma navalha: Alegria e prosperidade.

NAVEGAR

Navegar em uma pequena embarcação: Seu humor é instável.
Navegar em uma embarcação grande: Será evitado pelas mulheres.
Ser um navegador: Recursos abundantes.
Homem sonhando com uma embarcação a vapor: Boas notícias inesperadas.
Mulher sonhando com uma embarcação a vapor: Notícias desfavoráveis.
Estar a bordo de uma embarcação: Alegria e segurança.

NAVIO

Um navio: Prosperidade.
Prisioneiro sonhando com um navio: Será libertado.
Homem sonhando com um navio que atraca: Boas notícias inesperadas.
Mulher sonhando com um navio que atraca: Más notícias inesperadas.
Namorados sonhando com um navio que atraca: O casamento não se realizará.
Um navio afundando: Abundância de dinheiro.
Um navio afundando após colisão: Bons empreendimentos no futuro.
Dois navios que vão em direção oposta: Promoção e honrarias.
Estar na ponte de um navio: Fará uma curta viagem.
Estar a bordo de um navio com toda a segurança: Alegria no amor e segurança.
Estar a bordo de um navio no mar: Recursos abundantes.
Estar a bordo de um navio, em mar agitado: Perda de muito dinheiro.
Estar a bordo de um navio em um rio: Alegria, se a água estiver calma.
Estar a bordo de um navio em um lago: Segurança nos negócios.
Estar a bordo de um navio durante tempestade: Doença.
Estar a bordo de um navio com a pessoa amada quando faz mau tempo: Prosperidade.
Estar a bordo de um navio com a pessoa amada, em mar calmo: Segurança nos negócios.
Estar a bordo de um navio com os filhos: Grande alegria.
Estar a bordo de um navio com toda a família: Recursos abundantes.
Viajar em um navio em companhia de comerciantes: Sorte muito boa.
Um navio pequeno: Precisa contar com suas próprias forças.
Um pequeno navio com velas: Receberá boas notícias inesperadas.
Um pequeno navio com as velas erguidas: Doença.
Um navio amarrado ao cais: Infortúnio nos assuntos sentimentais.

Você próprio amarrando uma embarcação ao cais: A felicidade está assegurada.
Outras pessoas amarrando uma embarcação: Bons tempos estão chegando.
A chaminé de um navio: Honrarias e riqueza.

NEBLINA
Neblina: Dinheiro chegando.
Estar envolto em neblina: Infelicidade no lar.
A neblina se desfazendo: As dificuldades serão passageiras.
Estar na neblina com uma pessoa que você ama: Um inimigo trama sua ruína.

NECESSIDADE
Passar necessidade: Você é uma pessoa visionária.
Parentes passando necessidade: Receberá grandes notícias.

NECESSITAR
Estar necessitado de dinheiro: Pobreza.
Estar necessitando de um médico: Riqueza.
Estar necessitando de um enfermeiro: Bons negócios.
Estar necessitando de uma empregada: Encontrará oposição.
Estar necessitando de amor: Uma empresa comercial será fechada.
Estar necessitando de uma amizade: Felicidade.
Outras pessoas necessitando de você: Bons negócios.

NECTARINA (fruta)
Nectarinas crescendo: Boa saúde.
Comer nectarinas: Uma mulher hipócrita causará uma calamidade que atingirá você.
Colher nectarinas: Terá prosperidade no amor.
Outras pessoas comendo nectarina: Enfrentará trabalho pesado.

NEGATIVO
Algo negativo: Grande dissolução.
Negativos fotográficos: Você tem a capacidade de ver e evitar o perigo.
Revelar negativos: Decepção no casamento.
Fazer cópia positiva de um negativo fotográfico: Está cercado por pessoas que o adoram.
Comprar negativos: Perda de dinheiro.
Queimar negativos: Cuidado para não beber demais.

NEGOCIANTE DE TECIDOS
Uma pessoa que faz cortinados: Precisa controlar a paixão.
Estar em companhia de um negociante de tecidos: Noivado rápido.
Ser negociante de tecidos e trabalhar no ramo: Em breve ocorrerá uma mudança na sua vida.

NEGÓCIOS

Fazer negócios: Fofocas inverídicas.
Dar início a um bom negócio: Precisará lutar para obter bons resultados.
Ganhar dinheiro nos negócios: Receberá dinheiro de um amigo.
Perder dinheiro nos negócios: Perderá a calma.

NEGÓCIOS, DOCUMENTOS DE

Um homem lidando com documentos de comércio: Cuidado com as especulações.
Uma mulher lidando com documentos de comércio: Haverá uma mudança para melhor.
Um notário lidando com documentos comerciais: Ganhos financeiros.
Lidar com documentos de uma sociedade: Breve ocorrerá um grande lucro.
Lidar com documentos pessoais: Receberá um legado.
Lidar com documentos da família: Descoberta de objetos valiosos que estavam perdidos.

NEGRO

Um negro: Dificuldade nos negócios.
Muitos negros: Boas notícias.
Ter um empregado negro: Trabalho difícil.
Lidar com negros: Você tem rivais no amor e nos negócios.
Ter um amigo negro: Brigas com um estrangeiro.
Um negro que lê sua sorte: Vai precisar de toda a sua força.
Crianças negras: Receberá algo inesperado.
Ser um negro: O bem virá a você.

NENÚFAR

Nenúfares: Seus desejos estão todos fora do seu alcance.
Colher nenúfares: Um conhecido causará dificuldades a você.
Pôr nenúfares em uma jarra: Procure conquistar a confiança de outras pessoas.
Receber nenúfares de presente: Você está cercado por inimigos.

NERVOSO

Estar nervoso: Boa sorte.
Outras pessoas nervosas: Você tem uma amizade leal.
Estar com o sistema nervoso abalado: Descobrirá um tesouro.
Parentes com o sistema nervoso abalado: Aviso de dificuldades.

NESPEREIRA

Essa pequena árvore eurasiana: Grandes rendimentos e boa vida.
Saborear as frutas de uma nespereira: O desfrute terminará e as dificuldades começarão.
Comer uma nêspera com outras pessoas: Desfrutará acontecimentos favoráveis.
Comprar uma nêspera: Circunstâncias agradáveis.

NEVE

Neve: Boa colheita.
Neve caindo em um clima quente: Será favorecido pela sorte.
Neve caindo durante o inverno: Abundância.
Neve caindo durante outras estações: Você é um bom trabalhador agrícola.
Agricultor sonhando com neve fora da estação: Colheitas abundantes.
Homem de negócios sonhando com neve fora da estação: Dificuldades comerciais.
Comerciante sonhando com neve fora da estação: Maus negócios.
Militar sonhando com neve fora da estação: Os planos de batalha fracassarão.
Lavar-se com neve: Alívio para a dor.
Comer neve: Você deixou seu lugar de nascimento.
Dirigir automóvel pela neve: Pesar.
Neve muito alta sobre a rua: As pessoas estão falando com falsidade.
Homem de negócios sonhando com a neve que cai: Progressos satisfatórios nos negócios.
Neve nas montanhas: Bons lucros no futuro.
Montes de neve, tocados pelo vento, em uma cidade: Receberá boas notícias.
Dirigir pela neve à noite ou ao amanhecer: Resposta satisfatória a um pedido.
Filhos que brincam na neve: Não precisará de médico por muito tempo.
Esquiar com o namorado: Tudo terminará maravilhosamente.

NEVOEIRO

Um nevoeiro espesso: Mau andamento dos negócios.
Nevoeiro que sobe do chão para o céu: Sofrerá uma grande decepção.
Nevoeiro que se dissipa: Felicidade no amor.
Nevoeiro que se dissipa à luz do sol: Terá um casamento longo e feliz.
Viajar, passando por um nevoeiro: Preocupação financeira.
Sair de um nevoeiro: Fará uma viagem cansativa.

NINFA

Uma ninfa despida: Você se apaixonará em breve.
Uma bela ninfa com véu: Terá uma vida longa.
Uma ninfa nas nuvens: Risco de morte.
Diversas pessoas admirando uma ninfa: Término dos negócios.

NINHADA

Uma ninhada: Você tem uma bela família.
Uma ninhada de cães: As preocupações logo acabarão.

A ninhada de uma porca: Dinheiro chegando.
Ninhadas de outros animais: Bons tempos virão.

NINHO

Um ninho: A fortuna aumentará.
Um ninho cheio: Sorte.
Um ninho vazio: Encerramento dos negócios.
Achar um ninho: Casamento em breve.
Achar um ninho com ovos partidos: Prosperidade.
Achar um ninho com filhotes mortos: Honrarias.
O ninho de uma ave: Felicidade no lar.
Um ninho com apenas um pássaro: Lucro.
O ninho de uma cobra: Desonra.
O ninho de um grilo: Sorte.
O ninho de um pombo: Você tem mau humor.
Apanhar um pombo no ninho: Surpresa agradável.
Um ninho de escorpiões: Grande insatisfação.
Um ninho de crocodilo: Fofocas.

NÓ

Um nó: Aviso de infidelidade.
Dar nós: Terá mente vigorosa.
Nós feitos por outras pessoas: Logo ocorrerá uma mudança na sua vida.
Parentes dando nós: Frivolidade.
Inimigos dando um nó: Terá motivos para aflição.
Marinheiros dando nós na corda de um navio: Recursos abundantes.
Atar um nó: Em breve conhecerá alguém que será um amigo leal.
Desatar um nó: Escapará a algum perigo.

NOBREZA

Pertencer a uma família da nobreza: Obstáculos nos negócios.
Ser um nobre: Doença.
Antepassados entre a nobreza: Sorte e honrarias.
Ser tornado duque ou conde: Pobreza.
Títulos recebidos por membros da família: Boas notícias.
Uma moça sonhando com um lorde apaixonado por ela: Ela se casará com um homem pobre.
Ter título por herança: Possibilidade de perder a fortuna.
Outras pessoas da nobreza: Poucos ganhos financeiros advindos do trabalho.

NÓDOA

Uma nódoa de sujeira: Você é uma boa dona-de-casa.
Limpar uma nódoa: Você está muito bem alimentado.
Ter uma nódoa no corpo: Doença.
Ter uma nódoa nas roupas: O seu tempo é muito bem controlado.
Diversas nódoas em roupas de senhoras: Preguiça.

Nódoas nas roupas dos filhos: Os filhos crescerão com saúde.
Nódoas em uma toalha de mesa: Decepção em suas esperanças.
Nódoas na gravata de um homem: Não deixe de aceitar a promoção que lhe será dada em breve.
Nódoa no peito de uma mulher: Contrairá uma doença.

NOGUEIRA

Nogueiras: Riqueza e satisfação.
Comer nozes: Vencerá os inimigos.
Quebrar nozes: Você é indeciso.
Fazer uma torta com nozes: Satisfação.
Fazer doces com nozes: Descobrirá um tesouro.
Plantar nogueiras: Dificuldades nos negócios.
Comprar nozes: Satisfação nos negócios.
Vender nozes: Terá vida longa.

NOITE

O período da noite: Infortúnio.
Estar na escuridão da noite: Tomará conhecimento do noivado de uma pessoa amiga.
Amigos em uma noite escura: Comparecerá a um funeral.
Filhos em uma noite escura: Grande satisfação na família.
Inimigos em uma noite escura: Dificuldade.
Entrar em um lugar escuro à noite: Ganhará no jogo.
A casa às escuras durante a noite: Terá fortuna.

NOIVA

Uma moça que é noiva: Logo receberá grande legado.
Beijar uma noiva: Terá muitas amizades e grandes alegrias.
Ser beijado por uma noiva: Terá boa saúde.
Uma noiva que está satisfeita com o vestido: Terá muitos filhos.
Uma noiva insatisfeita com o vestido: Decepção no amor.

NOIVADO

Ser noiva ou noivo: Lucro.
Pessoa jovem sonhando que fica noiva: Não será muito simpática.
O próprio noivado desfeito: Poderá ter de suportar decepções.
Um noivado na alta classe social: Enfrentará dificuldades.
Um noivado sendo desfeito: Sentirá tristeza.
Pessoa noiva que é forte ou bela: Desonestidade.
Pessoa noiva que é sossegada ou simples: O futuro será bom.
Ficar noivo(a): Problemas familiares adiante.

NOIVOS

Um noivo com noiva rica: Perda do pai.
Um noivo com noiva bonita: Perda da mãe.

Um noivo com noiva jovem: Doença na família.

Um noivo com noiva idosa: Recursos abundantes.

Seu próprio noivo: Passará por acontecimentos tristes.

O noivo da filha: Um desentendimento logo será superado.

A noiva do filho: Logo haverá conciliação sobre uma discordância.

O noivo de outra pessoa: Terá mente vigorosa.

NOME

Ouvir seu próprio nome ser chamado: Receberá boas notícias.

Outras pessoas chamando-o pelo nome completo: Receberá uma visita.

Ser chamado por nome errado: Não terá sorte nos assuntos sentimentais.

Chamar o nome do noivo: Receberá visita de alguém que se importa com você.

Chamar o nome dos filhos: Eles se tornarão pessoas destacadas.

NORTE

A parte setentrional do mundo: Você fará uma viagem.

Viajar para o Norte: Herança.

Pássaros ou aviões voando para o Norte: Descoberta de um tesouro.

Casa com a fachada para o Norte: Receberá muito dinheiro.

Estar em lugares ao norte: Obterá êxito em seus esforços.

NÓS DOS DEDOS

Bater à porta com os nós dos dedos: Suas afeições não são desejadas.

Outras pessoas batendo à porta com os nós dos dedos: Você será traído.

Ser ferido por nós de dedos: Evite os rivais.

NOTÍCIAS

Ouvir boas notícias: Boa sorte e muita amizade.

Ouvir más notícias: Satisfação.

Dar boas notícias: Grande curiosidade.

Dar más notícias: Tomará conhecimento da perda de um parente.

Receber boas notícias dos filhos: Honrarias na vida.

Receber más notícias dadas pelos filhos: Terá de controlar-se para não sentir raiva.

NOVEMBRO

O mês de novembro, durante esse mês: Terá felicidade.

Novembro, durante os outros meses: Terá dinheiro com facilidade durante a vida.

Nascer em novembro: Obterá ganhos financeiros.

Filhos nascidos em novembro: Alcançarão alta posição na área científica.

NOVO

Ter coisas novas: Alegria.

Ter roupas, chapéus ou sapatos novos: Grande lucro.

Outras pessoas com roupas novas: Haverá mudanças em sua situação.

Receber algo novo: Bons acontecimentos em breve.

Dar coisas novas às pessoas: Ficará com raiva ao receber más notícias.

NOZ-MOSCADA

Diversas latas de noz-moscada diferentes: Mudanças em sua vida.

Comprar noz-moscada: Mudanças nos negócios o levarão a uma viagem internacional.

Usar noz-moscada: Receberá uma visita inesperada.

Outras pessoas usando noz-moscada: Perigo nos assuntos sentimentais.

NU

Mulher sonhando que está nua: Infelicidade.

Homem sonhando que está nu: Vergonha pública.

Uma bela mulher nua: Bons rendimentos ou grande felicidade.

Uma mulher comum despida: Grandes ambições.

Uma mulher feia despida: Os desejos não serão atendidos.

Uma bela moça nua: Arrogância.

A esposa nua: Os parentes estão falando a seu respeito.

Muitas mulheres nuas: As pessoas o têm em alta conta.

Contar pessoas nuas: Receberá boas notícias.

Homens e mulheres juntos e nus: Dignidade.

Pessoas despidas correndo: Perda das ambições.

Dormir com uma pessoa nua: Grande agitação.

Dormir com uma mulher nua, fora de casa: Alguém está cometendo uma injustiça contra você.

Andar nu pelas ruas: Decepção com amigos e parentes.

Pessoas casadas e despidas: Muita riqueza.

NÚMEROS

Os números, de modo geral: Dignidade.

Contar números: Receberá boas notícias.

Contar o número de pessoas: Terá o controle de seus interesses.

Contar o número das pessoas presentes: Satisfação de suas ambições.

Contar sem encontrar o número correto: Será enganado.

Outros que contam o número de pessoas: Grande satisfação no amor.

Lembrar-se do número com que sonhou: Ganhará, se jogar pouco.

Não se lembrar do número com que sonhou: Acontecimentos sociais.

Número 1: Ambição e paixão.
Número 2: Fim de um romance.
Número 3: Ficará fascinado pela religião.
Número 4: Terá grande poder e força.
Número 5: Felicidade no casamento.
Número 6: Perfeição no trabalho.
Número 7: Será eficiente e ativo durante a vida.
Número 8: Conservação da propriedade.
Número 9: Aflição e inquietação.
Número 10: Felicidade em breve.
Número 11: Enfrentará um litígio.
Número 12: Terá o melhor de tudo.
Número 13: Tratará as coisas com desdém.
Número 14: Sofrerá prejuízos por causa de outras pessoas.
Número 15: Tenderá a ser misericordioso.
Número 16: Felicidade e amor.
Número 17: Desonra e vergonha.
Número 18: Ficará acostumado ao cansaço.
Número 19: Infelicidade.
Número 20: Será rigoroso e severo.
Número 21: Tudo terminará como você deseja.
Número 22: Descobrirá o segredo de um mistério científico.
Número 23: Vingança.
Número 24: Aprenderá um ofício.
Número 25: Nascimento de uma criança inteligente.
Número 26: Os negócios lhe serão muito favoráveis.
Número 27: Será firme e terá boa mente.
Número 28: Receberá amor e afeição.
Número 29: Comparecerá a um casamento.
Número 30: Você se tornará uma celebridade.
Número 31: Está preparado para exercer o poder.
Número 32: Puro em intenções e expressão.
Número 33: Se for homem, será honesto; se for mulher, sofrerá um aborto.
Numero 34: Amor pela glória.
Número 35: Harmonia na família e boa saúde.
Número 36: Um gênio nascerá.
Número 37: Afeto entre pessoas que você ama.
Número 38: Terá um desejo excessivo de ganhar.
Número 39: Você sente inveja de outras pessoas.
Número 40: Recepção em um casamento.
Número 41: Reputação abalada.
Número 42: Viagem curta e infeliz.
Número 43: Comparecerá a um serviço religioso.
Número 44: Você se tornará uma pessoa influente.

Número 45: Perda de virgindade.
Número 46: Terá grande capacidade produtivas.
Número 47: Vida longa e feliz.
Número 48: Será julgado em um tribunal.
Número 49: Receberá afeto de pessoa do sexo oposto.
Número 50: Perdão mútuo.
Número 60: Enviuvará, se for mulher.
Número 70: Será apresentado a uma pessoa famosa.
Número 71: Adoração da natureza.
Número 75: Mudança na temperatura do mundo.
Número 77: Receberá favor de uma pessoa amiga.
Número 80: Você se restabelecerá de uma doença.
Número 81: Logo se tornará viciado em drogas.
Número 90: Ficará cego em pouco tempo.
Número 100: Receberá um favor divino.
Número 120: Obterá um cargo governamental.
Número 121: Será louvado pela comunidade.
Número 200: O perigo virá por causa da hesitação.
Número 213: As bênçãos virão em breve.
Número 215: A calamidade está por perto.
Número 250: Aquilo que você desejava acontecerá logo.
Número 300: Você se tornará um filósofo.
Número 360: Mudança de residência.
Número 365: Os astros estão a seu favor.
Número 400: Fará uma longa viagem.
Número 490: Ouvirá o sermão de um sacerdote.
Número 500: Vencerá uma eleição.
Número 600: Fará tudo à perfeição.
Número 666: Os inimigos estão armando uma trama contra você.
Número 700: Terá vigor e poder.
Número 800: Será o chefe de um Estado.
Número 900: Poderá passar fome.
Número 1.000: Receberá clemência.
Número 1.095: Ficará abatido por causa de uma prisão.
Número 1.360: Sofrerá constrangimento.
Número 1.390: Será perseguido em breve.

NÚPCIAS

Um casamento: Aviso de doença.
Estar em um casamento: Obterá grandes vantagens.
As núpcias de um parente: Discussões familiares.
Marido ou mulher comparecendo a núpcias: Proveito.
Comparecer às núpcias de uma irmã: Grande perigo.

Comparecer às núpcias de um irmão: Ganhará dinheiro.
Comparecer às núpcias de uma virgem: Honrarias.
Comparecer às núpcias de um filho: Dinheiro chegando.
Comparecer às núpcias de uma filha: Riqueza.
Comparecer às núpcias de uma viúva: Ganhará muito dinheiro.

NUTRIR

Ser nutrido: Infelicidade.
Nutrir os filhos: Dignidade e ambição.
Nutrir outras pessoas: Pequenas preocupações.
Nutrir animais: Fortuna e riqueza.

NUVENS

Nuvens escuras e de tempestade: Passará por muitas tristezas.
Nuvens que se afastam: Terá boa sorte.
O céu sem nuvens: Concretização de suas esperanças.
O céu cheio de nuvens: Discussões entre sócios em negócios.
Belas nuvens brancas: Você se tornará um avarento.
Nuvens muito escuras: Infelicidade.
Aguaceiro vindo das nuvens: Enfrentará dias difíceis.
Nuvens que se desmancham: Terá uma atitude desagradável.

O

OÁSIS

Um oásis: Você se sairá bem de um perigo atual.
Encontrar um oásis quando andando pelo deserto: Você pode contar com uma pessoa amiga.
Estar com outras pessoas em um oásis: Infortúnio nos assuntos amorosos.

OBEDIENTE

Ser obediente: Terá um bom futuro.
Ser obediente aos outros: Fará uma carreira comum.
Outros que são obedientes: Terá riqueza e exercerá ampla influência.
Filhos obedientes: Felicidade na família.
Seus empregados domésticos sendo obedientes: Obterá grandes ganhos nos negócios.
A mulher sendo obediente: Dias melhores estão reservados a você.
Uma moça sendo obediente: Um admirador está seriamente atraído por você.

OBELISCOS

Esse pilar de quatro lados: Você se mudará para um lugar melhor.
Diversos obeliscos: Riqueza.
Estar em cima de um obelisco: Fará boas compras.
Ver um obelisco em companhia de uma pessoa que você ama: Alegria sem ganho.

OBITUÁRIO

Ler o anúncio da morte de um parente: Dinheiro chegando.
Ler o anúncio da morte de um amigo: Boas notícias vindas de um lugar distante.
Ler o anúncio da morte de alguém que você conhece: Haverá um casamento.
Ler o anúncio da morte de inimigos: Perigo nos assuntos sentimentais.

OBJETO

Um objeto visível: Terá o controle de muitas atividades.
Um objeto tangível: Passará por muitos altos e baixos em breve.

Um objeto que desperte prazer: Mudança para um ambiente melhor.
Objeto que causa piedade: Enfrentará trabalho pesado.

OBJETOS ANTIGOS

Objetos antigos: Terá vida longa.
Comprar objetos antigos: Previsão de herança.
Vender objetos antigos: Grande perda de dinheiro.
Tirar vantagem de um antiquário em algum negócio: Aumento da prosperidade.

OBRIGAÇÃO

Dever uma obrigação: Aviso de dificuldades.
Dever uma obrigação a pessoa amiga: Enfrentará trabalho pesado.
Um amigo que lhe deve uma obrigação: Riqueza.
Outras pessoas que lhe devem uma obrigação: Está sendo enganado.
Parentes que lhe devem uma obrigação: Prejuízos financeiros.
Dever uma obrigação a parentes: Dignidade e distinção.

OBSCURO

Algo que não está claramente expresso: Perigo nos assuntos amorosos.
Alguma coisa obscura: Enfrentará dificuldades.
Algo indefinido: Aviso para não contrair dívidas.

OBSERVAR

Observar: Você precisa usar muita cautela.
Observar por muito tempo: Perda de dinheiro.
Observar alguém com quem você não se importa: A lua indica que haverá chuva.
Observar o cabelo das pessoas flutuando ao vento: Será contratado por um inimigo.
Observar de uma janela alta: As pessoas o estão espionando.
Observar outras pessoas: Receberá boas notícias.
Observar a mão de alguém: Infidelidade.

OBSERVATÓRIO

Um observatório: Cuidado com amizades que não merecem confiança.
Estar em um observatório: Uma vida solitária será o seu destino.
Estar com amigos em um observatório: É aconselhável que se livre desses amigos.

OBSTÁCULOS, CORRIDA DE

Obstáculos em uma corrida: Será injustamente acusado.
Montar os obstáculos para serem transpostos: Precisa livrar-se de suspeitas infundadas.
Outras pessoas que montam os obstáculos a serem transpostos: Terá notícias de um antigo conhecido.

OBSTINAR

Ser obstinado: Será rebaixado.

Outras pessoas que se mostram obstinadas: Terá a consciência tranqüila.

Filhos que se mostram obstinados: Sorte inesperada.

Amigos que se mostram obstinados: Fará um mau negócio.

OCEANO

O oceano: Prosperidade.

Oceano calmo: Casamento tempestuoso.

Oceano agitado: Terá poucas dificuldades.

Ondas do oceano que batem em uma embarcação: Desastre nos negócios.

Estar em uma embarcação em mar aberto e liso: Negócios bem-sucedidos.

Estar em uma embarcação em mar aberto e encapelado: Enfrentará grandes dificuldades.

OCIOSIDADE

Estar ocioso: Terá de trabalhar com afinco.

Outras pessoas na ociosidade: Êxito nos empreendimentos comerciais.

Empregados na ociosidade: Aguarde acontecimento importante e muito benéfico.

OCULISTA

Um oculista: Descobrirá um segredo.

Ser um oculista: Um mistério será revelado.

Ir a um oculista fazer exame: Terá fortuna.

Comprar óculos com um oculista: Dignidade e distinção.

Ir com outras pessoas a um oculista: Desconfie de seus amigos.

Levar os filhos a um oculista: Prosperidade.

Encontrar amigos em um oculista: Você está sendo observado.

ÓCULOS

Óculos: Terá vida longa.

Usar óculos: Você se sairá bem de um perigo atual.

Comprar óculos: Sua situação financeira vai melhorar.

Óculos quebrados: Cuidado para que as paixões não o deixem desarvorado.

Filhos usando óculos: Trabalho agradável.

Outras pessoas usando óculos: Precisa contar com seu próprio bom senso.

OCUPAÇÃO

Ter uma ocupação: Bons tempos virão.

Não ter ocupação: Frivolidade.

Gostar de sua ocupação: Terá vida longa.

Detestar sua ocupação: Boa sorte em tudo.

Obter bons rendimentos com a ocupação: Brigas de família.

Obter pequeno rendimento com a ocupação: Cuidado com amigos invejosos.

ODIAR

Ser odiado sem motivos: Terá muitos amigos leais.
Odiar os outros: Cuidado para não agir injustamente de modo inconsciente.
Odiar inimigos: Vencerá uma ação judicial.
Ser odiado pelos amigos: Terá amizades novas e boas.
Odiar alguns dos parentes: Felicidade no lar.

ODOR

Odores: Contentamento.
Odores desagradáveis: Constrangimento.
Odores agradáveis: Você será o melhor em tudo.
Odores que causam constrangimento: Empregados que não merecem confiança estão trabalhando para você.
Odores muito fortes: Prostituição.
Sentir odor nas mãos: Sofrerá por sua própria insensatez.
Sentir o odor do corpo: Será culpado por atos impensados.
Sentir o odor dos pés: Cuidado para não ir para a prisão.
Sentir odores desagradáveis em uma casa: Enfrentará trabalho pesado.
Sentir odores desagradáveis em um aposento público: É necessário uma mudança para melhor.

OESTE

O Ocidente: Efetuará viagem longa.
Viajar para o Oeste: Riqueza.
Ir para o Oeste sozinho: Perigo nos assuntos amorosos.
Ir para o Oeste com a família: Dinheiro chegando.

OFENSA

Receber uma ofensa: Bons tempos virão.
Cometer uma ofensa publicamente: Um inimigo trama sua ruína.
Alguém ofendendo uma mulher: Brigas de família.
Uma mulher sendo ofendida por um homem: Enfrentará dificuldades.
Um homem sendo ofendido por outro homem: Um mistério será solucionado.
Dar motivo a uma ofensa: Triunfo sobre os inimigos.
Ofender uma pessoa pública: Sofrerá humilhação.
Ser ofendido por parentes: Está diante de obstáculos insuperáveis.

OFERECER

Receber uma oferta: Conte com melhoria em sua posição.

Alguém que lhe faz uma boa oferta: Você será enganado.
Fazer uma oferta de serviço: Você precisa trabalhar bastante.
Fazer uma oferta à Igreja: Conhecerá pessoas famosas.
Fazer uma oferta a uma mulher: Grandes amizades se estabelecerão.
Fazer uma oferta a um homem: Sentirá tristeza.
Fazer uma oferta a uma instituição pública: Dinheiro chegando.

OFICIAL DE JUSTIÇA

Ser um oficial de justiça: Receberá boas notícias.
Estar sob a custódia de um oficial de justiça: Sua situação vai melhorar.
Conversar com um oficial de justiça: Em breve receberá dinheiro inesperado.
Ter dificuldades com um oficial de justiça: Infortúnio.

OFICINA

Uma oficina: Honraria e dignidade.
Estar em uma oficina: Fará uma viagem a outro estado.
Outras pessoas em uma oficina: Precisará enfrentar inimigos.
Comprar uma oficina: Risco de danos.
Possuir uma oficina: Dificuldades.

OFTALMOLOGISTA

Ir a um oftalmologista: Ganhará muito dinheiro.
Comprar óculos com um oftalmologista: Você procura esconder a idade por sentir vergonha.
Usar óculos de um oftalmologista: Você leva uma vida extravagante.
Ser um oftalmologista: Você obtém dinheiro com facilidade.
Vender óculos: Obterá bons rendimentos.
Levar os filhos a um oftalmologista: Segurança da família.

ÓLEO

Usar óleo: Grande alegria.
Usar óleo de semente de linho: Ganhará dinheiro.
Tomar óleo de fígado de bacalhau: Negócios bons e inesperados.
Derramar óleo: Perda de negócios.
Fritar comida em óleo: Grandes vantagens.
Guardar óleo: Acontecimentos agradáveis em breve.
Artistas e pintores usando óleo: Grandes rendimentos.
Empreiteiros usando óleo: Brigas com os sócios.

ÓLEO DE RÍCINO

Um frasco de óleo de rícino: Você se restabelecerá de uma doença.

Tomar óleo de rícino: Felicidade.
Receber do médico a ordem de tomar óleo de rícino: Doença por curto período.
Dar óleo de rícino aos filhos: Logo fará uma viagem.
Parentes que tomam óleo de rícino: Brigas de família.

OLHAR

Olhar para um belo ser humano: Recursos abundantes.
Olhar para outras coisas: Sua vida vai melhorar.
Olhar à frente, desejando algo: Logo ocorrerá uma mudança na sua vida.
Olhar diretamente nos olhos de um homem: Triunfo sobre os inimigos.
Olhar diretamente nos olhos de uma mulher: Bom momento para paquerar.
Olhar uma pessoa de lado: Preocupações de todos os tipos estão a caminho.

OLHAR PARA BAIXO

Olhar para baixo, estando em lugar muito alto: Você é muito ambicioso.
Olhar para baixo, do alto de um morro: Você tem um desejo insaciável de amor.
Olhar para baixo, estando em uma janela: Não vá longe demais em seus planos.
Olhar para baixo, de uma casa: Mudança de ambiente.

OLHAR PARA CIMA

Olhar para cima, vendo uma montanha: Enfrentará trabalho pesado.
Olhar para cima, vendo um monumento: Vencerá os obstáculos.
Olhar para o céu: Com toda a confiança, prossiga em seus planos.
Olhar para cima, em direção a uma janela: Precisa controlar suas paixões.
Olhar para cima, vendo uma casa: Terá boa sorte.

OLHOS

Muitos olhos: Bons resultados nos negócios.
Ter belos olhos: Amor e alegria.
Ter olhos azuis: Alegria tremenda.
Ter olhos negros: Miséria.
Ter olhos castanhos: Felicidade.
Ter olhos verdes: Grande riqueza inesperada.
Ter olhos vermelhos: Doença.
Ter olhos cor de avelã: Fofocas dos amigos.
Ter olhos estrábicos: Faltará dinheiro.
Ter olhos grandes: Receberá uma grande herança.
Ter olhos pequenos: Você está profundamente apaixonado.
Ter um olho verde e outro azul: Grandes ganhos financeiros.
Ter olhos tristes: Bons negócios.
Os olhos de uma pessoa sadia: Êxito nos negócios.

Os olhos de uma pessoa doente: Terá vida longa.
Olhos arregalados: Logo ocorrerá uma mudança na sua vida.
Ter boa visão: Boa saúde.
Perder a visão: Os filhos correm risco de vida.
Olhos dos filhos: Ganhos financeiros.
Admirar os olhos da esposa: Você é infiel a ela.
Admirar os olhos do marido: Pode contar com um filho.
Preocupar-se com os olhos: Cautela com o que faz.
Preocupar-se quanto aos olhos dos filhos: Alguém está tramando em segredo contra você.

OLHOS, CURAR OS

Curar os olhos: Alguém o ama e lhe dedica afeição.
Homem sonhando que cura os olhos: Negócios muito bons.
Mulher sonhando que cura os olhos: Terá muitos namorados.
Moça sonhando que cura os olhos: Ela se casará em menos de um ano.

OLMO

Um olmo: Êxito rápido na concretização de suas esperanças.
Estar sob um olmo: Atividades sociais alegres.
Outras pessoas sob um olmo: A decepção é certa.
Parentes sob um olmo: Você terá dinheiro com facilidade durante a vida.

OMBRO

Seus próprios ombros: Fortuna.
Os ombros dos filhos: Receberá uma carta com boas notícias.
Os ombros de outras pessoas: Precisa contar com suas próprias forças.
Ombros largos e musculosos: Terá saúde excelente pelo resto da vida.
Ombros muito pequenos: Infelicidade.
Ombros ossudos: Doença.
Ombros nus e belos: Evitará o perigo.
Prisioneiro sonhando que tem ombros largos: Continuará preso.

ONÇA (medida de peso)

Contar onças de líquido: Será magoado por assuntos secretos.
Contar onças de remédio: Perigo.
Um químico medindo onças de peso: Segurança e vida longa.
Uma enfermeira medindo onças de peso: Possibilidade de nascimento de uma criança.

ONDA

Ondas: Sua vida corre perigo.
Ondas que fazem virar um barco: Será enganado por amigos.
Ondas que quebram nas rochas: Infelicidade.
Ondas que quebram na proa de um navio: Abundância.
Ondas que chegam a uma praia: Nascimento de um filho.

ÔNIBUS

Um ônibus: Será auxiliado por amigos.
Seguir sozinho em um ônibus: Obterá ganhos fantásticos.
Outras pessoas no mesmo ônibus: Obstáculos em seu caminho para a fortuna.
Seguir em um ônibus com a esposa ou parentes: Doença na família.
Seguir em um ônibus com os filhos: Terá uma família virtuosa.
Inimigos que tomam um ônibus: Ocorrerá um acidente.

OPALA

Essa gema preciosa: Você se sairá bem de um perigo atual.
Ter uma opala: Muita sorte em transações comerciais.
Usar uma opala: Infortúnio nos assuntos amorosos.
Comprar uma opala: Felicidade no amor.
Vender uma opala: Discussões com o namorado.
Outras pessoas usando opala: Descoberta de objetos valiosos que estavam perdidos.

ÓPERA

Ir à ópera: Desarmonia na família.
Assistir a uma ópera: Confusão em seus negócios.
Ver uma ópera cômica: Bons resultados nas atividades comerciais
Deleitar-se com uma ópera-cômica: Nascerá uma criança.
Assistir a uma ópera-bufa: Trabalho insuficiente e excesso de preocupações.
Assistir a uma ópera dramática: Aguarde bons acontecimentos.
Assistir a uma ópera melodramática: Você é supersticioso demais.
Pessoas de teatro presentes à ópera: Felicidade nos assuntos sentimentais.
Ouvir as grandes óperas: Um amigo que está longe há muito tempo retornará.
Assistir a uma temporada completa de óperas: Terá tarefas domésticas a realizar.

OPERAÇÃO

Sonhar que se submeterá a uma operação: Sofrerá muita dor.
Submeter-se a uma operação: Obterá êxito.
Ter sido operado: Cuidado com falsos amigos.
Assistir a uma operação: Terá muita sorte.
Uma operação que não dá bom resultado: Corrupção.
Uma operação que dá bom resultado: Você tem muitas amizades.
Você próprio executando uma operação: Riqueza.
Outro médico que ajuda em uma operação: Você será enganado.
Uma enfermeira que auxilia em uma operação: Êxito na vida.

OPERÁRIO

Um operário: Felicidade pessoal.

Um operário que trabalha com madeira: Você mantém os seus negócios bem organizados.

Um operário que trabalha com aço: Tudo se realizará como desejado.

Um operário que trabalha com metal laminado: Receberá uma visita.

Um operario que cuida do encanamento: Os empreendimentos trarão grandes lucros.

Contratar operários: Fartura.

Ser operário: A curiosidade será satisfeita.

ÓPIO

Ópio: Você é negligente em seus interesses.

Receitar ópio como remédio: Sofrerá humilhação.

Tomar ópio: Fracasso social.

Tomar ópio com outras pessoas: Logo ocorrerão mudanças desfavoráveis na sua vida.

Incentivar amigos a que tomem ópio: Terá preocupações.

OPONENTE

Um oponente: Vencerá os rivais.

Lutar com um oponente: A decepção é certa.

Ter discussões com diversos oponentes: Haverá oposição e brigas.

ORAR

Orar: Honrarias e riquezas.

Orar na igreja: Os desejos serão concretizados.

Orar a Deus: Muita felicidade.

Orar a Jesus Cristo: Riqueza.

Orar à cruz de Jesus Cristo: Infidelidade.

Orar em favor de alguém: Pobreza.

Outras pessoas orando por você: Felicidade.

Orar por alguém que faleceu: Realizará seus desejos.

Orar e ter a oração atendida: Fortuna.

Orar e não ter a oração atendida: Infortúnio.

Orar para possuir uma mulher: Boa reputação.

Orar para que alguém faça algo por você: Más conseqüências.

ORATÓRIA

Elaborar um discurso: Você é uma pessoa muito afável.

Ouvir um discurso: Receberá herança.

Pronunciar um discurso: Perda de uma amizade.

Ser um orador: Cuidado com pequenas dificuldades.

ORDEM DE BUSCA

Uma ordem de busca: Aguarde acontecimento importante e muito benéfico.

Receber uma ordem de busca: Há um amigo falso por perto.

Uma ordem de busca que é dada a outras pessoas: Ganhos financeiros.

ORDENADOS

Receber ordenados: Perigo de pequenos roubos.
Preparar a folha de pagamentos: Mau gênio e decepção.
Pagar ordenados: Perderá o dinheiro recebido de um legado.
Pagar ordenados semanais: Terá um futuro melhor.
Pagar ordenados a trabalhadores: Terá de trabalhar com afinco por toda a vida.
Pagar ordenados a funcionários: Uma bela mulher vai casar-se.
Receber seu próprio ordenado: Prejuízo.
Ter negado o pagamento de seu salário: Haverá uma ação judicial.
Não receber ordenado por trabalho desempenhado: Falência.

ORDENS

Dar ordens: Será grato por serviço que lhe prestarão.
Obedecer ordens: Terá uma família grande.
Tomar ordens: Tristeza.
Usar ordens militares ou medalhas: Suas esperanças sofrerão reveses.
Dar ordens aos filhos: Os assuntos sentimentais vão melhorar.
Pôr as coisas em ordem: Será obediente aos superiores.
Mandar ordens de compra de produtos pelo correio: Você é excessivamente crédulo.

ORELHAS

Sentir suas próprias orelhas enquanto está sonhando: Descobrirá um segredo.
Ter problemas com as orelhas: Dificuldades vindas de fonte inesperada.
Ter belas orelhas: Grande êxito com uma amizade íntima.
Ter um corte nas orelhas: Decepção com um amigo.
Estar com os ouvidos entupidos: Problemas domésticos.
Homem sonhando que está com o ouvido entupido: Enfrentará dificuldades causadas pelo sócio.
Mulher sonhando que está com o ouvido entupido: Muitas fofocas por parte das amigas.
Ter apenas uma orelha: Perderá o emprego.
Ter uma coisa pesada pendurada nas orelhas: Terá de lutar na vida.
Ter orelhas pequenas: Amizade com pessoa rica.
Ter orelhas grandes: Será ajudado por pessoa amiga que se interessa por você.
Ter orelhas compridas: Vergonha pública e tristeza.
Ter as orelhas furadas: Perda no lar.
Limpar as orelhas: Terá amizades leais.

As orelhas de um burro: Será um empregado honesto.
As orelhas de um cão: Sinceridade entre marido e mulher.
As orelhas de um veado: Obterá grande êxito.
As orelhas de qualquer animal selvagem: Será enganado pelos amigos.
Ter os tímpanos estourados: Você se defenderá bem com os punhos.

ÓRFÃO

Um órfão: Obterá lucro por meio de pessoas desconhecidas.
Diversos órfãos em asilo: Mudança de ambiente.
Adotar um órfão: A felicidade está assegurada.
Criança que se torna orfã: Receberá um legado.

ÓRGÃO (instrumento musical)

Um órgão de igreja: Os amigos se esforçam para ajudá-lo.
Vender um órgão: Acontecimentos tristes.
Ouvir música de órgão: Chegada de parentes.
Tocar órgão: Perda de parentes.
Tocar órgão na igreja: Herança.
Tocar órgão em casa: Ansiedade.
Ouvir música de órgão alta e desagradável: Discórdia em família.
Ouvir uma marcha fúnebre tocada em órgão: Bom andamento dos assuntos sentimentais.
Comprar um órgão: Breve estará de luto.

ÓRGÃOS DO CORPO

Órgãos do corpo: Nascimento de uma menina.
Órgãos de pessoas doentes: Desalento.
Sentir o cheiro de órgãos: Prosperidade.
Auscultar órgãos: Honrarias pessoais.
Órgãos de pessoas idosas e doentes: Estão falando mal de você.
Ter órgãos firmes: Terá uma família grande.
Ter órgãos flácidos: Descobrirá alguém que o trai.
Ter órgãos sadios: Riqueza.
Ter órgãos de tamanho incomum: Nascimento de um menino deformado.
Extrair órgãos: Perda de pessoa a quem você ama muito.
Ter órgãos doentios: Morte de pai ou mãe.

ÓRGÃOS SEXUAIS

Órgãos sexuais sadios: Terá abundância de dinheiro.
Homem com doença nos órgãos sexuais: Pobreza.
Mulher com doença nos órgãos sexuais: Aviso de dificuldades.
Um homem com órgãos sexuais deformados: Será punido por ter cometido um crime.
Uma mulher com órgãos sexuais deformados: Terá um filho virtuoso.
Um homem com órgãos sexuais incomuns: Morte de um filho.

Uma mulher com órgãos sexuais incomuns: Os filhos terão boa reputação.
Uma mulher que extraiu os ovários: Morte de um membro da família.
Expor os órgãos sexuais: Perigo.

ORGULHO

Ter orgulho de si próprio: Você ignora as outras pessoas.
Orgulho que lhe é pernicioso: As pessoas estão falando mal de você.
O orgulho que não lhe permite humilhar-se: Receberá notícias tristes.
Outras pessoas com orgulho: Perseguição.
Ser orgulhoso: A decepção é certa.
Ter orgulho da família: Uma amizade falsa está por perto.
Sentir orgulho do trabalho: Você se acha um sabichão.
Sentir orgulho de ter um bom negócio: Fracasso dos inimigos.

ORIENTE

O Oriente: Fará uma longa viagem em breve.
Pessoas orientais: A felicidade no amor não perdurará.
Países orientais: Pequena felicidade.
Viajar para o Oriente: Não acredite muito em promessas.
Estar entre pessoas orientais: Boa oportunidade de se casar.
Regressar do Oriente: Terá uma vida cômoda.
Regressar do Oriente em companhia de outras pessoas: Infelicidade.
Trazer coisas do Oriente: Perda de tempo.
Você próprio sendo oriental: Tem as bênçãos do mundo.

ORQUESTRA

Uma orquestra: Terá uma fortuna em breve.
Ouvir uma orquestra: Obterá grande êxito.
Uma orquestra tocando: Infelicidade.
Ouvir uma orquestra tocando a distância: Perda de parentes.
Comparecer a um concerto orquestral com a família: Pequena fortuna em breve.
Um regente de orquestra: Felicidade na família.
Alguém que você conhece sendo o regente de uma orquestra: Encerramento de negócios.

ORQUÍDEA

Orquídeas: A felicidade está assegurada.
Ter orquídeas: Sorte e prosperidade.
Comprar uma orquídea: Recursos abundantes.
Dar uma orquídea a uma mulher solteira: Noivado curto.
Dar uma orquídea a uma mulher casada: Cuidado com amigos invejosos.

Uma moça solteira recebendo uma orquídea de presente: Noivado em breve.

ORVALHO

Ver o orvalho ao amanhecer: Você tem um amigo leal.
Orvalho que cai e refresca: Recursos abundantes.
Orvalho sobre cadáveres: Grande alegria.

OSSOS

Ossos retirados da carne: Pobreza.
Os ossos do esqueleto de um homem: Receberá uma propriedade por meio de um testamento.
Os ossos do esqueleto de uma mulher: Morte de filhos.
Ossos de animais selvagens: Realizará má transação comercial.
Alguns ossos de pessoas mortas: Encontrará muitas dificuldades.
Ossos de peixe: Possibilidade de doença.
Os ossos de uma baleia: Você tende a ser presunçoso.
Animais roendo ossos: Sua falência será total.

OSTRA

Ostras: Sorte e prosperidade.
Juntar ostras: Ganhará muito dinheiro.
Comer ostras: Enfrentará trabalho pesado.
Comer ostras de amigos: Tem riqueza.
Ostras em um mercado: Promessa de muitos filhos.
Abrir uma lata de ostras: Felicidade nos assuntos sentimentais.
Comprar ostras: Conhecerá uma pessoa que se apaixonará por você.
Dar um presente feito de ostra: Você precisa de coragem para vencer na vida.
Receber um presente feito de ostra: Alegria sem proveito.

OSTRINHA

Pegar uma ostrinha: Cuidado com amigos invejosos.
Comer uma ostrinha: Vencerá os inimigos tendo perseverança.
Uma moça comendo uma ostrinha: Um homem influente lhe fará uma declaração de amor.
Uma mulher comendo uma ostrinha: Um homem rico está atraído por você.
Uma viúva comendo uma ostrinha: Cuidado com homens bonitos.

OTOMANA (sofá largo e sem costas)

Uma otomana vazia: Aviso de dificuldades.
Sentar-se sozinho em uma otomana: Um inimigo trama sua ruína.
Sentar-se em uma otomana com o marido: Triunfo sobre os inimigos.

Sentar-se em uma otomana com a pessoa amada: Perigo nos assuntos sentimentais.
Sentar-se em uma otomana com uma pessoa amiga: Enfrentará trabalho pesado.
Sentar-se em uma otomana com os filhos: Você terá muita força de vontade.
Sentar-se em uma otomana com um cão: Você tem amigos fiéis.

OURIÇO-CACHEIRO

Um ouriço-cacheiro: Fracasso dos inimigos.
Matar um ouriço-cacheiro: Recuperação rápida de prejuízos em seus interesses.

OURO

Achar ouro: Uma herança logo será sua.
Ter ouro: Obterá êxito em todas as iniciativas.
Perder ouro: Problemas financeiros.
Cavar, procurando ouro: Fortuna inesperada virá por seus próprios esforços.
Trabalhar com ouro: Infortúnio.
Roupas bordadas com ouro: As pessoas têm alta consideração por você.
Fazer anéis de ouro: Perda de tempo.
Ouro de imitação: Você será muito rico.
Trocar ouro: Perdera a calma.
Jogar ouro fora: Grande tristeza.
Lidar com ouro em um empreendimento comercial: Você é uma pessoa temperamental.
Derreter ouro: Alguém está cometendo uma injustiça contra você.
Tirar ouro dos outros: Grande fortuna.
Roubar ouro: Você se meterá em problemas.
Contar ouro: Você procura enganar os amigos.
Uma mistura de ouro e prata: Terá um grande prejuízo.
A cor do ouro: Fará negócios com pessoas distantes.
Materiais de qualquer tipo de cor dourada: Recursos abundantes.
Comprar roupas de cor dourada: Dinheiro chegando.
Douração: Receberá altas honrarias.

OUTONO

O outono: Haverá uma mudança de ambiente.
O outono, na primavera: Influências hostis estão por perto.
O outono, no verão: Passará por muitos altos e baixos.
O outono, no inverno: Bons tempos estão chegando.

OUTUBRO

O mês de outubro, durante esse mês: Lucro e êxito.

Outubro, durante os outros meses: Terá infelicidade.
Ter um sonho em outubro: Gozará dos frutos do trabalho esforçado.
Nascer em outubro: Prosperidade e abundância.
Filhos nascidos em outubro: Ocupará posição elevada em uma universidade.

OUVIR

Alguém que ouve você: Não deixe que as pessoas se aproveitem de você.
Ouvir outros: Doença.
Ouvir o conselho de outros: Pobreza.
Ouvir o conselho de pessoas importantes: Siga os conselhos.
Ouvir os filhos: Alegria.
Ouvir o marido ou a mulher: Discussões em família.

OUVIR ESCONDIDO

Ouvir escondido: Terá sorte com o sexo oposto.
Ouvir escondido uma conversa secreta: Boa sorte inesperada.
Amigos que ouvem escondidos sua conversa: Dinheiro chegando.
Outras pessoas que ouvem escondidas uma conversa secreta: Receberá dinheiro.

OVELHA

Ovelhas: Êxito que virá por meio de plano bem concebido.
Um rebanho de ovelhas: Abundância.
Pessoa rica pastoreando ovelhas: Desonra e danos.
Pessoa pobre pastoreando ovelhas: Alegrias e bons rendimentos.
Um pastor que conduz ovelhas: Ganhará muito dinheiro.
Ter um rebanho de ovelhas de alta qualidade: Abundância.
Um pastor que leva as ovelhas para o pasto: Lucro e honrarias.
Um pastor que leva as ovelhas por uma floresta: Descobrirá coisas valiosas.
Perder ovelhas: Será abandonado.
Ordenhar uma ovelha: Recursos abundantes.
Tomar leite de ovelhas: Será atacado.
Esguichar leite de ovelha na própria boca: Noivado.
Comprar ovelhas: Bons ganhos em especulação com ações.
Vender ovelhas: Morte de um inimigo.
Uma ovelha: Terá família grande e tempos de prosperidade.
Muitas ovelhas juntas: Riqueza e abundância.
Ovelhas brigando entre si: Trabalhará muito e passará por sofrimento.
Pessoa rica sonhando com ovelhas: Desonra.
Pessoa pobre sonhando com ovelhas: Alegria e riqueza.
Um aprisco: A paciência lhe trará vantagens.

OVOS

Ovos frescos: Boas notícias.

Muitos ovos quebrados: Brigará e enfrentará ações judiciais.

Comer ovos: Presságio de casamento em breve.

Ter muitos ovos frescos: Receberá dinheiro.

Ter ovos velhos: Notícias desagradáveis.

Cascas de ovos quebradas: Perda de dinheiro.

Ovos brancos: Receberá algumas notícias vantajosas.

Ter ovos vermelhos: Será ameaçado por alguém.

Ovos de cores diferentes: Grande decepção.

Comprar ovos: Infidelidade por parte de uma pessoa que você ama.

Cozinhar ovos: Fofocas de amigos.

Galinhas pondo ovos: Recursos abundantes.

As ovas de um peixe: Tempos difíceis virão.

Fazer uma omelete: Será perseguido.

Bater ovos com um batedor: Morte de um parente.

Cascas de ovos vazias: Está comendo demais.

Ferver ovos: Cuidado com o que diz.

Fazer ovos cozidos: Tudo que você empreender será realizado.

Comer ovos fervidos: Muita felicidade.

P

PÁ

Uma pá: Receberá ajuda financeira dos amigos.

Usar uma pá: Precisa contar com seu próprio bom senso.

Filhos usando uma pá: Grandes prazeres na vida.

Outra pessoa usando pá: Boa saúde.

Trabalhadores usando pá: Morte de um animal.

Possuir uma pá: Você alimenta desejos tolos.

Comprar uma pá: Algo lhe será roubado.

Ter uma pá: Receberá algum dinheiro.

Ter uma pá pendurada a seu lado: Terá sorte no amor.

Matar um inimigo com uma pá: Terá vida longa.

Ferir um inimigo com uma pá: Será culpado por atos impensados.

PACIÊNCIA

Ter paciência: Vida sadia e longa.

Perder a paciência: Êxito no amor.

Outros que perdem a paciência com você: Tomará conhecimento do nascimento de um menino.

Marido ou mulher que perdem a paciência um com o outro: Sofrerá um pequeno prejuízo.

Outras pessoas que se mostram impacientes: Sorte em sua vida.

PACOTE

Um pacote: Dificuldades.

Ter um pacote: Infelicidade causada pelos filhos.

Receber um pacote: Receberá dinheiro.

Enviar um pacote: Prosperidade.

Abrir um pacote: Esse tipo de sonho pode afetar sua sorte.

Carregar um pacote: Haverá uma mudança na sua situação.

PADARIA

Uma padaria: Será rico.

Possuir uma padaria: Prosperidade e êxito.

Estar em uma padaria: Terá um ano próspero.

Um padeiro trabalhando em uma padaria: Receberá boas notícias.
Ser um padeiro em uma padaria: Lucros nos empreendimentos comerciais.

PADRASTO

Ser um padrasto: Riqueza e fortuna.
Discutir com um padrasto: Perseguição.
Ser um bom padrasto: Discussões em família.
Não gostar de um padrasto: Você está abusando da confiança de alguém.

PADRINHO (de casamento)

Um padrinho de casamento: Grande alegria.
Ser padrinho de casamento: Os planos fracassarão, por causa de um falso amigo.
Mulher sonhando com um padrinho de casamento: Confiança e segurança.
Outras pessoas que têm um padrinho de casamento: Será enganado.

PÃEZINHOS

Pãezinhos: Promoção no emprego.
Comer pãezinhos: Bons rendimentos.
Comer pãezinhos dormidos: Fará maus negócios.
Fazer pãezinhos: Bons rendimentos financeiros.
Assar pãezinhos: Mudança para melhor.
Comprar pãezinhos: Evite os rivais.
Servir pãezinhos aos outros: Abundância de dinheiro.

PAGÃOS

Ir para um país de pagãos: Terá contentamento na vida doméstica.
Estar entre pagãos: Vida proveitosa.
Um sacerdote em meio a pagãos: Dignidade e distinção.

PAGAR

Pagar uma conta: Miséria e pobreza.
Pagar uma dívida: Ganhos financeiros.
Outras pessoas que pagam uma dívida a você: Você se restabelecerá de uma doença.
Pagar uma dívida por outra pessoa: Você não está em seu juízo perfeito.
Pagar uma conta que não devia pagar: Será culpado por uma tolice.
Ter de fazer um pagamento: Os superiores não o favorecem

PÁGINA

Páginas de livro: Abusarão de você.
Páginas de cartas: Desfrutará da confiança de outras pessoas.

Muitas páginas de outras coisas: Riqueza.
Juntar páginas: Sorte.

PAI

Seu pai: Felicidade.
O pai de bom humor: Prejuízo nos negócios.
O pai morto: Ocorrerá uma catástrofe.
O pai sendo pobre: Todos os desejos serão realizados.
O seu pai falecendo: Não obterá êxito nos negócios.
Falar com seu pai: Virtude.
O pai de outra pessoa: Há um amigo falso por perto.

PAINÇO

Esse tipo de cereal: Muita felicidade.
Aves que comem painço: Dinheiro chegando.
Plantar painço: Vencerá os inimigos usando perseverança.
Comprar painço: Mudança de ambiente.
Vender painço: Enfrentará trabalho pesado.

PAIOL

Estar em um paiol: Vencerá uma ação judicial.
Estar em um paiol com outras pessoas: Herança.
Um paiol vazio com as portas abertas: Infortúnio.
Um paiol cheio: Você se casará com uma pessoa rica.
Lidar com cereais em um paiol: Terá uma vida feliz.

PAIRAR

Algo que paira: Sofrerá pequenas decepções.
Algo que paira sobre seu corpo: Perda de dinheiro.
Quadros que pairam acima da altura do corpo: Infortúnio nos assuntos sentimentais.
Pairar sobre o mar: Sorte e prosperidade.
Pairar sobre a terra: Terá dinheiro com facilidade durante a vida.
Retratos de santos expostos na parede: Terá uma vida feliz.

PAIS

Seus pais: Terá problemas com a lei.
Visitar os pais: Receberá más notícias.
Acompanhar os pais: Tempos difíceis virão.
Os pais, falecidos: Prosperidade.
Pais de outras pessoas: Morte de um amigo.
Pai ou mãe despido: Grande discórdia na família.
Ser um pai irritadiço: Receberá más notícias.
Abraçar o pai: Traição.

PAÍS ESTRANGEIRO

Um país estrangeiro: Será enganado.

Ir a um país estrangeiro: Sua felicidade está em casa.
Estar sozinho em um país estrangeiro: Ocorrerá uma mudança na sua vida.
Estar em um país estrangeiro com outras pessoas: Fará novos empreendimentos comerciais.
Estar em um país estrangeiro com uma senhora: Será culpado por atos impensados.
Estar em um país estrangeiro com um homem: Precisa controlar suas paixões.
Estar em um país estrangeiro com a pessoa amada: Sorte e prosperidade.

PAISAGEM
Uma bela paisagem de vista aberta: Dignidade e distinção.
Uma paisagem obscurecida por elevações do terreno: Muitas dificuldades e obstáculos.
Uma bela paisagem: Prosperidade e sorte.
Uma paisagem feia: Evite os rivais.

PAIXÃO
Estar apaixonado: Prosperidade.
Uma mulher apaixonada: Ela será absolvida.
Um homem apaixonado: Amor passageiro.
Uma esposa apaixonada: Futuro melhor a aguarda.
Um marido apaixonado: Volúvel no amor.
Outra pessoa apaixonada: Honraria de curta duração.

PAJEAR
Ser pajeado: Infortúnio nos negócios.
Pajear outras pessoas: Sorte nos assuntos amorosos.

PALÁCIO
Um palácio: Prazeres de curta duração.
Muitos palácios: Grandes transações imobiliárias.
Residir em um palácio: Você é profundamente estimado.
Entrar em um palácio: Cuidado com inimigos que lhe desejam o mal.

PALANQUE
Um palanque de desfile: Ocorrerá uma morte.
Pessoas em um palanque de desfile: Um amigo doente recuperará a saúde.
Estar em um palanque de desfile: Alegria de curta duração.
Muitos funcionários em um palanque de desfile: Você tem mau gênio.
Oficiais em um palanque de desfile: Traição.
Políticos em um palanque de desfile: Felicidade na vida.

PALCO
Um palco: Acontecimentos notáveis.
O assoalho de um palco: Você ama demais os prazeres.
Estar em um palco: Decepção nos projetos que iniciou.
Construir um palco: Lamentará a perda de parentes.
Sentar-se em um camarim próximo ao palco: Passará por dores terríveis.
Ser atirado para fora pela porta de palco: Sentirá dores no coração.

PALHA
Palha: Dificuldades e pobreza.
Ter palha: Alegria.
Cortar palha: Passará por muita dor.
Palha em feixe: Segurança em seus negócios.
Diversos feixes de palha: Alegria e honrarias.
Palha em um estábulo: Felicidade no lar.
Queimar palha: Comparecerá a uma grande festa.
Vender palha: Prosperidade.
Comprar palha: Terá de trabalhar muito para vencer as dificuldades.
Uma cama feita de palha: Miséria.

PALHAÇO
Estar vestido de palhaço: Receberá a notícia de uma morte.
Um palhaço apresentando seu número: Outras pessoas pensam que você é mau.
Estar em companhia de um palhaço: Enfrentará dificuldades.
Um palhaço que se machuca: Um presente inesperado.
Um palhaço amando uma mulher: Você tem muitos amigos hipócritas.

PALHIÇO (palha miúda)
O palhiço de cereais: Não obterá êxito em seus planos.
Separar o palhiço da semente: Terá muita sorte.
Guardar o palhiço de cereais: Terá mente vigorosa.

PALIÇADA (tapume de estacas)
Uma paliçada: Felicidade.
Estar dentro de uma paliçada: Receberá a notícia de um noivado.
Outras pessoas dentro de uma paliçada: Um noivado será desfeito.

PÁLIDO
Estar pálido: Fofocas sem fundamento.
Ficar pálido de susto: Riqueza.
Filhos pálidos: Honrarias.
A pessoa amada pálida: Brigas de família.
Um amigo pálido: Felicidade.
Parentes pálidos: Brigas de família.
Outras pessoas que estão pálidas: Perigo, talvez morte.

PALITO

Palitos: Atos descuidados causarão prejuízos.
Palitar os dentes: Sofrerá prejuízos financeiros.
Comprar palitos: Um inimigo vigia seus atos.
Jogar palitos fora: Levará uma vida saudável.
Outras pessoas usando palitos: Haverá pessoas indecentes perto de você.

PALMA

A palma da mão: Herança de um parente distante.
Mão com uma bela palma: Felicidade e alegria.
Sentir perfume em palma de mão: Prosperidade e abundância.
Segurar a palma da mão de uma mulher casada: Ela terá filhos.
Segurar a palma da mão de uma mulher solteira: Ela logo se casará.
Beijar a palma da mão de uma mulher: Amizade e boa sorte.
Pôr aliança de noivado na palma da mão de uma mulher: Dignidade e honraria.
Mandar ler a palma da mão: Abundância e êxito.
A palma da mão de um filho: Paz no lar.

PALMEIRA

Uma palmeira: Grande êxito.
Cortar folhas de uma palmeira: Grandes honrarias.
Diversas palmeiras: Receberá cargo elevado e honrado.
Amigos sob uma palmeira: Vencerá as dificuldades.
Mocinhas sonhando com palmeira: Logo se casarão.
Mulher sonhando com palmeira: Terá filhos.
Homem sonhando com palmeiras: Alcançará fama e êxito.
Homem de negócios sonhando com palmeiras: Especulação bem-sucedida.
Profissionais sonhando com palmeiras: Progredirão na profissão.

PÁLPEBRAS

Belas pálpebras: Felicidade na vida.
Pálpebras extremamente expressivas: Êxito no amor.
Pálpebras pequenas: Fortuna considerável.
Pálpebras grandes: Terá vida longa.

PALPITAR

O coração palpitando: Logo ocorrerá uma morte.
Sofrer com palpitações do coração: Amizades verdadeiras e constantes.
Sentir o coração palpitante dos filhos: Êxito nos empreendimentos.
Sentir as palpitações de uma pessoa doente: Grandes brigas.

PANDEIRO

Um pandeiro: Terá vida longa.
Tocar um pandeiro: Deveria controlar seus gastos.
Marido tocando pandeiro: Incoerência.
Esposa tocando pandeiro: Está muito apaixonada pelo marido.
Namorado tocando pandeiro: Rival tomará seu lugar.
Uma moça tocando pandeiro: Será pedida em casamento por um homem idoso.
Músico tocando pandeiro: Será enganado por amigos.

PANELA

Uma panela: Infelicidade passageira.
Diversas panelas: Perda de dinheiro.
Cozinhar usando panela: Desfrutará a dedicação de outras pessoas e terá virtude.
Comprar panelas: Receberá muito dinheiro.
Outras pessoas que têm panelas: O recebimento de dinheiro será adiado.

PANO DE PRATO

Um pano de prato comum: Travará discussão pequena e sem importância.
Pano de prato feito de tecido bruto: Uma pessoa desconhecida lhe dará bons conselhos.
Enxugar com pano de prato: Receberá notícias importantes e boas.
Lavar pano de prato: Tenha cautela nos empreendimentos comerciais.
Jogar um pano de prato fora: Cuidado com o coração.

PANQUECA

Fazer panquecas: Obterá êxito.
Comer panquecas: Persevere no empreendimento atual.
Outra pessoa fazendo panquecas: Descobrirá um meio de sair da dificuldade.
Outras pessoas comendo panquecas: O parceiro nos negócios causará problemas.
Cozinhar panquecas: Receberá convidados inesperados.
Queimar panquecas: Fracasso nos empreendimentos comerciais.

PANTALONAS

Mulheres usando pantalonas: Terá sorte nos assuntos amorosos.
Uma mulher sonhando com outra pessoa que usa pantalonas: Segurança no amor.
Moças usando pantalonas: Confiança no futuro.
Mulher sonhando que usa pantalonas e uma máscara: Você é muito crédula.

PÂNTANO

Caminhar por um pântano: Decepção no amor.
Afundar em um pântano: Travará grandes discussões.
Pântano cheio de peixes mortos: Logo sentirá fome.
Um pântano: Amizade constante.
Ter propriedade que inclui um pântano: Estará diante de tentações no amor.
Ficar atolado em um pântano: Grande alegria.
Sair de um pântano para o chão firme: Recursos abundantes.

PANTERA

Uma pantera: Vitória sobre os inimigos.
Muitas panteras: Irá ao exterior, a negócios.
Ser atacado por uma pantera: Êxito.
Matar uma pantera: Muitas transformações, mas, afinal, virá a vitória.
Uma pantera enjaulada: Os inimigos fracassarão nas tentativas de prejudicá-lo.
Ouvir o rugido de uma pantera: Sofrerá pesar.
Panteras lutando: Doença.
Panteras engalfinhadas: Passará por sofrimento cruel.
Panteras correndo: Doença grave.
Panteras morrendo: Morte de pessoa destacada.
Panteras presas por corrente: Um inimigo lhe fará uma surpresa.
Surpreender uma pantera: Cuidado com os falsos amigos.
Triunfar sobre uma pantera: Evite os rivais.
O esqueleto de uma pantera: Logo terá dinheiro.
Sentir medo de uma pantera: Será perseguido por inimigos.
Filhotes de pantera: Alegria e felicidade.

PÃO

Migalhas de pão: Receberá um presente.
Assar pão: Alcançará êxito.
Comer pão: Será auxiliado por amigos.
Um pão quente: Terá riqueza e honrarias.
Pão dormido: Dificuldades no lar.
Um pão muito duro: Bem-estar físico e conforto.
Ter diversos pães: Honraria.
Comprar pão: Grande êxito.
Comer pão branco: Terá um grande lucro.
Comer pão escuro: Contentamento.
Comer pão preto: Prejuízo nos negócios.
Carregar diversos pães: Sofrerá prejuízos finance ros.

PAPA

O Papa: Você conta demais com favores.
Visitar o Papa: Precisa contar com suas próprias forças.

A morte de um Papa: O êxito será adiado.
Conversar com o Papa: Terá boa sorte e bom humor.
Receber as bênçãos papais: Será auxiliado por alguém com quem você se importa.

PAPAGAIO (pássaro)
Um papagaio: Riqueza.
Gostar da fala de um papagaio: Bajulação de uma pessoa falsa.
Filhos que falam com um papagaio: Você pode confiar nos amigos.
Um papagaio que fala demais: Será bajulado por alguém.
Um papagaio que fala pouquíssimo: Enfrentará trabalho difícil.
Um papagaio que põe ovo: Aumento da família.
Jovem noiva sonhando com papagaio: Indague acerca da família do noivo.

PAPAGAIO (pipa)
Fazer um papagaio: Você arriscará tudo com especulações.
Um papagaio voando com facilidade na brisa: Conte com o êxito.
Um papagaio voando baixo: Bons tempos virão.
Um papagaio voando muito alto: Grande alegria.

PAPEL
Papel branco: Inocência.
Papel colorido: As pessoas o vigiam em segredo.
Papel pintado: Alegria de curta duração.
Papel impresso: Boa-fé.
Papel de má qualidade: Receberá notícias de um amigo.
Papel em que escreveram: Você gosta de discutir.
Papel utilizado para imprimir jornais: Perda da paciência.
Papel quando está sendo fabricado: Conseguirá bom trabalho em sua área de atividade.
Manusear papel: Os prejuízos o ameaçam.
Pessoas solteiras segurando papel: Briga de amor.
Pessoas casadas segurando papel: Discórdia na vida conjugal.
Filhos segurando papel: Terão futuro brilhante.
Inimigos segurando papéis: Receberá documentos legais.
Papel sujo: Seus atos serão julgados.
Papel limpo: Escapará apenas com leves prejuízos financeiros.
Papel dobrado: Pequena decepção.

PAPEL DE PAREDE
Pôr papel na parede de peças da casa: Doença de um amigo.
Ser colador de papel de parede: Você é falso.
Outras pessoas pondo papel em paredes de aposentos: Perigo iminente.
Ver papel de parede: Encontrará dificuldades.

PAPO-ROXO (pássaro)

Um papo-roxo: Terá muita sorte.
Diversos papos-roxos voando: Receberá algo que desejava.
Papos-roxos em uma árvore: Ocupará cargo importante.
Papos-roxos sobre o gramado: Fofocas estão sendo espalhadas a seu respeito.
Um ninho de papos-roxos: Infelicidade no lar.
Capturar um papo-roxo: Riqueza.
Matar um papo-roxo: Infelicidade.
Papos-roxos descansando: Receberá notícias falsas.
Alimentar papos-roxos: Grande êxito na vida.

PAPOULA

Papoulas: Terá filhos inteligentes.
Colher papoulas: Discutirá com o namorado.
Ter papoulas em casa: Mudança para melhor em seus interesses.
Dar papoulas: Viagem e passeio bem-sucedidos.
Papoulas vermelhas: Você é supersticioso.
Papoulas de diversas outras cores: Adquirirá riquezas em breve.

PAQUERAR

Ser paquerado: Decepção certa.
Paquerar alguém: Os assuntos amorosos não vão bem.
Ser paquerado por uma pessoa casada: Boa sorte.
Ser paquerado por uma pessoa solteira: Terá felicidade.

PAR

Ter um par de qualquer coisa: Você está indeciso a respeito dos planos de casamento.
Um par de gêmeos: Aguarde acontecimento notável.
Um par de brincos: Pobreza.
Marido e mulher como par: Terá de realizar um trabalho que não lhe agrada.
Um par de sapatos: Discordâncias nas atividades comerciais.

PARADA

Parada de soldados em marcha: Amor fiel de uma mulher.
Parada de soldados em adestramento: Logo ocorrerá uma mudança na sua vida.
Uma parada de moças: Aumento da família.
Uma parada de rapazes: Felicidade.
Uma parada de escoteiros: Você perdoará os inimigos.
Uma parada religiosa: Traição.
Uma parada nacional: Trabalho sem felicidade.
Uma parada sindical: A situação familiar vai melhorar.
Uma parada de protesto: Você terá uma grande satisfação.
Uma parada de pessoas satisfeitas: Receberá um presente.

PARAÍSO

Ir para o Paraíso: Felicidade no Casamento.
Estar no Paraíso: Perdoe aqueles que foram injustos com você.
Agricultor sonhando com o Paraíso: Colheita abundante.
Moças sonhando com o Paraíso: Sofrerão tristeza.
Não ser desejado no Paraíso: Sofrerá um acidente.
Homens expulsos do Paraíso: Dissolução da família.
Mulheres expulsas do Paraíso: Miséria.
Inimigos no Paraíso: Recursos abundantes.

PÁRA-LAMA

Estar em pé sobre um pára-lama: Logo viajará a outro país.
Outras pessoas diante de um pára-lama: Harmonia entre amigos.
Amassar um pára-lama: Alguém está tentando destruí-lo.
Outras pessoas amassando seu pára-lama: Bons tempos virão.

PARALISIA

Ter paralisia: Desonra.
Tornar-se paralítico: Discussões na família.
Outras pessoas paralíticas: Infortúnio nos assuntos sentimentais.
Parentes paralíticos: Morte de um inimigo.
Filhos paralíticos: Em breve ocorrerá uma transformação na sua vida.
Marido ou mulher paralítico: Perderão a afeição um pelo outro.
Inimigos paralíticos: Prejuízos financeiros.

PARAPEITO

Ajoelhar-se em um parapeito: Perigo e preocupações.
Cair sobre um parapeito: Vencerá as dificuldades por meio de seus esforços.
Outras pessoas em um parapeito: Contentamento.
Outras pessoas caindo de um parapeito: Infortúnio nos assuntos sentimentais.

PÁRA-QUEDAS

Um pára-quedas que flutua, descendo: Cuidado para não chegar a extremos.
Você próprio descendo de pára-quedas: Tristeza na família.
Muitas pessoas descendo de pára-quedas: Aumento da família.
Pessoas que morrem ao saltar de pára-quedas: Desonra para os inimigos.

PARDAL

Um pardal: Enfrentará trabalho pesado.
Muitos pardais: Morte de um inimigo.
Capturar um pardal: Grande êxito nos negócios.
Alimentar pardais: Perigo nos assuntos amorosos.
Matar um pardal: Inimizade secreta de alguém por você.

PAREDE
Uma parede: Felicidade.
Escalar uma parede ou muro: Vencerá os obstáculos.
Saltar uma parede ou muro: Realizará suas ambições.
Mulher sonhando que caminha sobre parede ou muro: Terá felicidade no casamento.
Parede ou muro sendo construído: Obterá ganho industrial.
Cair de parede ou muro: Enfrentará trabalho duro.
Uma parede ou muro que desaba: Prejuízos pessoais e comerciais.
Muitas paredes ou muros: Prosperidade.
Muitas paredes ou muros sendo derrubados: Encerramento completo dos negócios.
Paredes ou muros que alguém constrói, pondo-os mais altos: Sorte sem ganho.
Subir em parede ou muro com escada: Alegria.
Parede ou muro diante da casa: Dificuldades.
Um fosso cercando parede ou muro: Desgraça.
Construir parede ou muro: Você tende a ser sovina.

PARELHA
Cavalos emparelhados um à frente do outro: Cuidado com os rivais.
Um homem conduzindo cavalos emparelhados: Dificuldades em sua vida.
Mulher conduzindo cavalos emparelhados: Dificuldade causada por ciúme ou inveja.
Conduzir carruagem em parelha, em companhia do namorado: Frivolidade.
Conduzir dois cachorros em parelha: Vencerá os inimigos.
Crianças em bicicletas duplas, de dois assentos emparelhados: Terá novos interesses e ambiente.
Dois namorados andando de bicicleta desse tipo: Brigará por ciúmes.
Uma parelha de cavalos: Vitória sobre os inimigos.
Homem de negócios sonhando que conduz uma parelha de cavalos: Ele obterá êxito em seus negócios.
Agricultor sonhando que conduz uma parelha de cavalos: Boa colheita.

PARENTE
Parentes: Receberá más notícias.
Debater assuntos com os parentes: Terá má sorte.
Abraçar um parente: Traição.
Parentes sem roupa: Estará envolvido em uma grande briga.
Falar com parentes: Grande decepção nos assuntos familiares.
Receber convite de um parente: Cuidado com o motivo pelo qual o convida.
Receber parentes: Perigo pela frente.
Comer em companhia de parentes: Morte na família.

PARIS

Ir a Paris: Você está sendo vigiado por alguém.

Visitar Paris: Você gosta demais de se divertir.

Estar sozinho em Paris: Contentamento.

Estar em Paris com uma mulher: Bons resultados em seus negócios.

Outras pessoas que vão a Paris: Aborrecimento causará discussões.

PARLAMENTO

Um Parlamento em sessão: Será enganado.

Visitar um Parlamento: Brigas.

Ser membro do Parlamento: Sua situação atual vai melhorar.

Estar em companhia de funcionários do Parlamento: Morte de um amigo.

PARÓQUIA

Uma paróquia: Não há nuvens em seu futuro.

Estar dentro de uma paróquia: Prosperidade.

Ser membro de determinada paróquia: Você trilha caminhos perigosos.

Ser o pastor de uma paróquia: Grande confusão em suas atividades atuais.

PARRICIDA

Uma pessoa que mata os pais: Levará uma vida tranqüila.

Ser parricida: As questões comerciais piorarão.

Outras pessoas que são parricidas: Traição de amigos.

Membro da família que é parricida: Idéias e atos criarão inimigos.

PARTEIRA

Uma parteira: Descoberta de um segredo.

Ser parteira: Um inimigo trama sua ruína.

Auxiliar uma parteira: Bons tempos virão.

Médico que usa uma parteira: Receberá notícias de um lugar distante.

PARTIR, AFASTAR-SE

Partir, ir embora: Dificilmente evitará um acontecimento infeliz.

Partir para lugar de prazeres: Perigo de perder a propriedade.

Pessoas amadas que partem: Fracasso dos projetos.

Partir em companhia de outras pessoas: Morte de um inimigo.

Outras pessoas que partem sem o desejar: Infelicidade ou morte.

Afastar-se de um amigo: Levará uma vida de constrangimento.

Afastar-se dos inimigos: Êxito em todas as iniciativas.

Afastar-se dos parentes: Maus negócios financeiros.

Afastar-se da esposa: Riqueza.

Afastar-se do marido: Perigos.

Afastar-se dos filhos: Morte na família.

PÁSCOA

Ter uma Páscoa feliz: Felicidade a caminho.
Passar a Páscoa em companhia de outras pessoas: Maus dias virão.
Outras pessoas celebrando a Páscoa sem você: Bons tempos virão.

PASSA

Passa: Prosperidade geral.
Comer passas: Esbanjará dinheiro mais depressa do que o ganhará.
Colher passas: Receberá um convite inesperado.
Cozinhar passas: Receberá diversos presentes pequenos.
Comprar passas: Tenha cautela nos empreendimentos comerciais.
Vender passas: Deveria corrigir seu modo de viver.
Ter passas secas: Perda de dinheiro.

PASSAGEIRO

Ser um passageiro: Cuidado com sua família.
Homem sonhando que é passageiro de uma embarcação: Grande infelicidade.
Mulher sonhando que é passageira em uma embarcação: Dias tranqüilos.
Homem sonhando que é passageiro em um avião: Traição.
Mulher sonhando que é passageira em um avião: Ela é muito alegre.
Passageiros que chegam: Circunstâncias melhores.
Passageiros que partem: Terá oportunidade de adquirir uma propriedade.
Filhos que são passageiros: Discórdia na família.
Amigos que são passageiros: Realização de suas ambições.

PASSAGEM

Comprar passagem de embarcação: Evitará infelicidade.
Comprar passagem de avião: Encontrará obstáculos no caminho.

PASSAGEM, ESPAÇO

Uma passagem estreita: Terá trabalho.
Estar com outras pessoas em uma passagem: Felicidade na família.
Descobrir alguma coisa em uma passagem comprida: Vencerá grandes dificuldades.

PASSAGEM, TRECHO

Ler uma passagem da Bíblia: Será cativado por uma excelente pessoa.
Ler a passagem de um livro: Terá amizade constante.
Ler uma passagem de dicionário: Honra.

PASSAR FOME

Passar fome: Adquirirá riquezas graças à coragem.
Comer enquanto pensa passar fome: Você será muito rico.
Sofrer de fome: Você será muito rico.
Passar fome por diversos dias: Êxito nas atividades comerciais e cotidianas.
Outras pessoas passando fome: Recursos abundantes.

PÁSSAROS

Pássaros: Evite os rivais
Pássaros dormindo: Receberá notícias falsas.
Pássaros no ninho: Felicidade em família.
Pássaros voando: Prosperidade.
Pássaros brigando: Ocorrerá uma mudança em seu emprego.
Muitos pássaros: Grande reunião de família e ganho de ação judicial.
Pássaros noturnos: Alegria duradoura.
Pássaros selvagens: Será oprimido pelas pessoas.
Pássaros marítimos: Decepções nos negócios.
Pássaros que podem ser comidos: Abrirá uma sociedade comercial.
Pôr pássaros em uma gaiola: Má colheita.
Ouvir pássaros cantando: Grande alegria lhe está reservada.
Ver pássaros cantando: Receberá um presente valioso.
Capturar pássaros: Casamento imediato para quem é solteiro.
Mulher sonhando com pássaros de plumagem brilhante: Terá um marido sincero.
Mulher solteira sonhando com pássaros: Ela se casará com um homem rico.
Moça solteira sonhando com belos pássaros: Logo ficará noiva.
Pessoa rica sonhando com pássaros: Revés da sorte nos negócios.
Pessoa pobre sonhando com pássaros: Sua situação vai melhorar.

PÁSSAROS, NINHOS DE

Diversos ninhos de pássaros: Felicidade na família.
Encontrar diversos pássaros em um ninho: Grandes lucros.
Um ninho vazio: Encerramento das atividades.
Destruir ninhos de passarinhos: Enfrentará pobreza.

PÁSSAROS, OVOS DE

Ovos de pássaros em um ninho: Receberá dinheiro.
Filhotes de pássaros saindo dos ovos: Receberá boas notícias.
Pessoas destruindo ovos de pássaros: Prejuízos nos negócios.
Animais comendo ovos de pássaros: Logo ocorrerá uma mudança de ambiente.

PÁSSAROS NOTURNOS

Pássaros noturnos: Prosperidade.
Ouvir pássaros noturnos cantando: Boa relação amorosa.

Assustar-se com um pássaro noturno: Receberá dinheiro.
Matar um pássaro noturno: Alegria.
Muitos pássaros noturnos: Desgraça.

PASSATEMPO
Passar tempo em um entretenimento favorito: Alegria sem ganho.
Outras pessoas que se dedicam a um passatempo: Ocorrerá uma mudança na sua vida.
Filhos ocupados com um passatempo: Ganhos financeiros.

PASSEAR
Passear: Receberá boas notícias.
Passear em companhia de pessoa imoral: Terá de se submeter a uma cirurgia.
Passear com a pessoa amada: Receberá boas notícias.
Passear com os filhos: Fofocas dos vizinhos.

PASSEIO
Fazer um passeio: Doença.
Fazer um passeio de carruagem: Você está cercado por pessoas invejosas.
Passear de automóvel: Risco de vida.
Passear acompanhado: Os planos darão resultado satisfatório.
Passear de automóvel em alta velocidade: Poderá ter prosperidade.
Passear a cavalo: Os negócios escaparão a seu controle.
Passear a cavalo e ser jogado ao chão: Negócios satisfatórios.
Filhos passeando a cavalo: Prosperidade.
Filhos que caem de um cavalo: Terá uma vida feliz.

PASSEIO NOTURNO
Passear à noite andando a pé: Problemas.
Parentes que passeiam a pé durante a noite: Perda de dinheiro.
Filhos que passeiam a pé durante a noite: Infortúnio.
Marido ou mulher passeando a pé durante a noite: Desconfiança entre eles.
Amigos que passeiam a pé durante a noite: Receberá notícias de muito longe.
Inimigos que passeiam a pé durante a noite: Haverá um desastre.

PASSIFLORA
Uma passiflora: Precisa controlar suas paixões.
Colher uma passiflora: Riqueza herdada.
Um buquê de passifloras: Muitas amizades leais.
Sentir o perfume de uma passiflora: Sacrifício e tristeza.

PASTA DE DOCUMETOS
Ter uma pasta de documentos: Terá riqueza por pouco tempo.

Uma pasta cheia de documentos: Negligenciará parte de seus negócios.
Uma pasta sem qualquer documentos: Bons resultados nos empreendimentos.
Perder uma pasta de documentos: Fará bons negócios.
Achar uma pasta de documentos: Fracasso em todas as atividades.

PASTÉIS

Pastéis de geléia: Alegria e grande prazer.
Comprar um pastelzinho: Fortuna à frente.
Fazer um pastel: Dinheiro chegando.
Servir pastéis aos amigos: Perigo nos assuntos amorosos.
Comer pastéis: Sinal de domínio sobre muitas questões.
Servir pastéis à família: Bons tempos virão.

PASTELARIA E FRITURAS

Uma casa que vende pastelaria e frituras: Você gosta das coisas boas.
Uma casa de doces e pastelaria: Alegria e lucro.
Pessoas que fazem pastelaria: Cuidado para não gastar o dinheiro à toa.
Você próprio fazendo pastelaria: Riqueza.
Comer pastelaria: Amará um homem de negócios.
Homem sonhando que come pastelaria: Ele se apaixonará por uma adolescente.
Fazer pastelaria elaborada: Estará diante de uma contradição.
Fazer doces fritos: Descobrirá um segredo.
Filhos comendo pastelaria: Bons resultados nos empreendimentos.
Comer pastelaria com almôndegas: Será absolvido por seus atos.
Usar muita manteiga na pastelaria: Grande satisfação.
Comprar pastelaria: Descobrirá algo surpreendente.
Vender pastelaria: Terá alívio de dores.

PASTO

Um pasto: Êxito.
Gado pastando em um campo verde: Vida longa.
Ter um pasto grande: Muita felicidade.
Pasto pertencente a outras pessoas: Você está sendo enganado.
Estar em um pasto: Felicidade e riqueza.
Possuir um pasto: Dificuldade em suas atividades.
Estar em um pasto com bosque: Proveito.
Correr em um pasto: Decepção no casamento.
Estar com outras pessoas em um pasto: Bons rendimentos.

PASTOR DE IGREJA

Um pastor: Precisa dar mais atenção à propriedade.

Falar com um pastor: Precisa cuidar melhor de suas questões pessoais.

Receber conselhos de um pastor: Terá mais dinheiro.

Ser um pastor: Lucro.

PASTOR DE ANIMAIS

Um pastor: Grandes ganhos.

Fazendeiro sonhando com um pastor: Colheita extremamente abundante.

Pastores vigiando os rebanhos: Terá bons rendimentos.

Um pastor distante do rebanho: Vida boa, longa e sadia.

Um pastor cujo rebanho está espalhado: Grande satisfação.

Diversos pastores reunindo os rebanhos: Honraria de curta duração.

Um pastor que vive na floresta: Lucro.

Um pastor muito jovem: Prosperidade e boa reputação.

Um pastor que perde algumas ovelhas: Obterá êxito na concretização de seus desejos.

PATA

Pata: Será ofendido por uma pessoa mal-educada.

As patas de um cão ou gato: Amigos distantes pensam em você.

Patas de animais selvagens: Terá alegria de curta duração.

PATENTE

Pedir registro de uma patente: Será importunado por pessoas.

Obter uma patente: Conseguirá bons rendimentos.

Não conseguir o registro de uma patente: Falará com o demônio.

Ganhar dinheiro com uma patente: Felicidade no amor.

PATENTE (hierarquia)

Uma patente: Superará a infelicidade.

Sua própria patente: Sua atividade trará felicidade e dinheiro.

Patente de outras pessoas: Receberá uma notícia de casamento.

Ter alta patente: Terá preocupações.

Ter a patente rebaixada: Breve ganhará mais dinheiro.

PATIFE

Um patife: Boa sorte.

Homem de negócios sonhando com um patife: Aumento dos negócios e bom rendimento.

Mulher sonhando com um patife: Vida longa e felicidade no casamento.

Moça sonhando com um patife: Será pedida em casamento.

Ser um patife: Estima pública.

Muitos patifes: Você é reconhecido como um perfeito cavalheiro.

PATINAR

Patinar: Enfrentará oposição.

Quebra do gelo e queda durante patinação: Amigos falsos darão maus conselhos.

Filhos patinando: Sorte e prosperidade.

Parentes patinando: Haverá perigo.

Outras pessoas patinando: Você pode ser ligado a um escândalo.

PATOS

Patos: Fracasso dos inimigos.

Ser atacado por patos selvagens: Dificuldades nas atividades comerciais.

Patos voando: Casamento e felicidade na vida conjugal.

Caçar patos: Grande êxito.

Matar um pato: Sofrerá desastre em uma viagem.

Comer pato: Honraria e sorte.

Capturar um pato: Fofocas e maledicência dos amigos.

Um pato selvagem morto: Não se esqueça dos amigos.

Patos nadando: Cuidado com um grande perigo.

Outras pessoas comendo patos: Grande alegria.

PATRIARCA

Um patriarca: Terá uma vida de contentamento.

Falar com um patriarca: Receberá muita publicidade.

A nomeação de um patriarca: Terá vida longa.

Ser um patriarca: Terá alegria e prosperidade.

PATRIOTA

Ser patriota: Abundância.

Não ser patriota: Enfrentará perigo.

Outros que são patriotas: Terá de suportar muito sofrimento.

Parentes que são patriotas: Desperdício da riqueza da família.

PATRULHA

Uma patrulha: Sofrerá um pequeno prejuízo.

Observar uma patrulha: Receberá pagamento de dinheiro que emprestou.

Ser levado à prisão por uma patrulha: Bom nome na sociedade e publicidade.

PAVÃO

Um pavão: Sofrerá uma decepção.

Capturar um pavão: Você é ambicioso demais.

Um pavão morto: Seus planos fracassarão.

Ouvir o pupilar de um pavão: Um grande temporal causará danos.

As belas penas de um pavão: Alegria sem ganho.

Um agricultor sonhando com um pavão: Fará boa colheita.

Mulher sonhando com um pavão com as plumas abertas em leque: Riqueza.

Homem sonhando com um pavão com as plumas abertas em leque: Enfrentará problemas.
Bela mulher sonhando com um pavão: Alcançará alta posição.

PAZ

Ter paz: Travará uma briga.
Fazer a paz: Terá uma luta.
Continuar em paz: Perda de dinheiro.
Marido e mulher que fazem as pazes: Aumento da afeição aos filhos.
Namorados que fazem as pazes: Bons resultados em seus interesses.
Fazer as pazes com os amigos: Aguarde acontecimento importante e muito benéfico.

PÉ

Seu próprio pé: Inveja ou ciúme.
Estar com o pé quebrado: Perda de um parente.
Pé doendo: É provável que passe por dificuldades humilhantes.
Estar com o pé sujo: Correrá perigo.
Cortar o pé: Terá de se submeter a uma cirurgia.
O pé descalço: Infortúnio inesperado.
Estar com o pé deslocado: Doença na família.
Ter pé grande: Terá vida longa.
Ter pé pequeno: A preocupação se dissipará.
O pé dos filhos: Grande decepção.
O pé de outras pessoas: Fará uma viagem.

PEÇA TEATRAL

Uma peça teatral: Cuidado com amigos invejosos.
Assistir a uma peça teatral: Realização do seu maior desejo.
Outras pessoas presentes a uma peça teatral: Terá vida longa.
Amigos presentes a uma peça teatral: Você se restabelecerá de uma doença.
Desempenhar papel em uma peça teatral: Vencerá os inimigos.
Alguém que você conhece atuando em uma peça teatral: Você está sendo enganado.

PECADO

Cometer um pecado: Cuidado com perigos ameaçadores ao seu redor.
Arrepender-se de um pecado: Vida longa e boa saúde.
Membros da família que cometem pecado: Realizará uma longa viagem.
Filhos que cometem pecado: Terá dias melancólicos.
Amigos que cometem pecado: Seus muitos desejos poderão causar-lhe mal.

PECUARISTA

Um pecuarista: Será bem-aceito na sociedade.

Ser pecuarista: Alcançará as metas devagar, mas com segurança.
Um pecuarista trabalhando: Bom andamento das atividades comerciais.
Fazer negócios com um pecuarista: Será atacado.

PEDESTRE

Um pedestre: Vencerá os inimigos com perseverança.
Muitos pedestres: Obterá êxito nos empreendimentos comerciais.
Esbarrar em um pedestre: Está diante de obstáculos insuperáveis.
Ser um pedestre: Honraria e fama.
Um pedestre que vem em sua direção: Comparecerá a um funeral.
Um pedestre que cai: Um dos sócios casados está enganando os demais.
Um pedestre que se machuca: Sorte nos negócios.

PEDIDO

Receber um pedido: Será interrogado.
Receber um pedido de dinheiro: Inveja ou ciúme.
Receber pedido de diversas mulheres: Sofrerá humilhação.
Pedir coisas aos outros: Você conta demais com favores alheios.
Marido e mulher que pedem coisas um ao outro: Felicidade e alegria.

PEDRAS

Pedras: Discussões raivosas e novos ambientes.
Caminhar sobre pedras: Terá de sofrer por algum tempo.

PEDRAS PRECIOSAS

Pedras preciosas: Bons negócios.
Comprar pedras preciosas: Bons rendimentos.
Admirar pedras preciosas: Doença.
Usar pedras preciosas: Abundância.
Perder pedras preciosas: Infortúnio.
Vender pedras preciosas: Perda de dinheiro.
Pôr pedras preciosas em volta do pescoço: Ganhos financeiros.
Outras pessoas usando pedras preciosas: Descoberta de objetos valiosos que estavam perdidos.
Receber presente de pedras preciosas: Perigo causado por um segredo.
Parentes com pedras preciosas: Doença na família.

PEDREIRA

Cair em uma pedreira: Você tem amigos indignos de confiança.
Cair em uma pedreira e sair: Descoberta de um segredo.
Cair em uma pedreira e não poder sair: Enfrentará dificuldades sérias.
Outras pessoas caindo em uma pedreira: Sorte e felicidade.

Uma pedreira: Dias difíceis virão.
Cavar em uma pedreira: Infelicidade no amor.
Vender pedras em uma pedreira: Sofrerá preconceito.
Inimigos que possuem uma pedreira: Obterá êxito nos negócios.

PEDREIRO

Um pedreiro: Distinção no trabalho.
Ser pedreiro: Aviso de dificuldades.
Um pedreiro trabalhando: Será culpado por atos impensados.
Empregar diversos pedreiros: Prejuízos causados por doença.
Diversos pedreiros que constroem uma casa: Dignidade na família.

PEDRINHA

Pedrinhas: Ciúme ou inveja.
Achar pedrinhas: Competição causará dificuldades.
Manusear pedrinhas: Doença.
Fazer uma caminhada com pedrinhas: Infelicidade.
Diversas pedrinhas coloridas: Você é orgulhoso demais.
Quebrar pedrinhas: Alegria e prazer.
Selecionar pedrinhas: Evitará dificuldades.
Sentar-se sobre pedrinhas: Será libertado de uma situação difícil.
Catar pedrinhas: Melancolia.

PEGA

Esse pássaro: Alguém procura roubar algo de você.
Uma pega em gaiola: Terá vida longa.
Uma pega de manhã: Êxito nos negócios.
Uma pega ao anoitecer: Será completamente enganado.

PEGADA

Pegadas de uma mulher: Êxito rápido na concretização de suas esperanças.
Pegadas de homem: Tenha cautela nos empreendimentos comerciais.
Suas próprias pegadas: Sorte e prosperidade.
Pegadas dos filhos: Vencerá as dificuldades.
Pegadas de outras pessoas: Uma pessoa amiga procura ajudá-lo em segredo.

PEITO

Ter belo peito: Terá uma grande alegria.
Descansar no peito de alguém: Amizade verdadeira e fiel.
O peito de uma mulher: Os desejos serão satisfeitos.
O peito de um homem: Logo se casará.
Um peito coberto de pêlos: Êxito no amor.
Mulher com pêlos no peito: O marido morrerá em breve.

Uma criancinha mamando no peito: Sua felicidade será duradoura.
Pessoa jovem com o peito ferido: Terá um futuro esplêndido.
Pessoa idosa com o peito ferido: Infortúnio.
Peito ferido por espada durante duelo: Más notícias.
Peito ferido a punhal em luta: Boa amizade.
Peito ferido por arma de fogo: Ganhará muito dinheiro.

PEIXE

Peixe nadando livremente: Boa sorte.
Pegar peixe: Você será profundamente amado.
Peixe sendo vendido: Enfrentará dificuldades.
Peixe em água rasa: Abalo de sua a reputação.
Mercado de peixe: Obterá cargo alto e honrado.
Mulher sonhando com peixe de muitas cores: Doença.
Homem sonhando com peixe de muitas cores: Brigará e sofrerá.
Ter peixes: Desfrutará de prazeres que custarão dinheiro.
Cozinhar peixe: Casamento.
Comer peixe cozido: Alegria.
Comer peixe frito: Preocupações.
Peixe morto em um córrego: Perda da esperança.
Peixes desovando: Terá dificuldades em dar a luz uma criança.
Pegar peixe grande: Alegria e lucro.
Pegar peixe pequeno: Ruína proporcional ao tamanho do peixe.
Peixe de cor vermelha: Grande contentamento.
Peixe salgado: Deve lutar para evitar a miséria.
Salmão: Insatisfação.
Outras pessoas pescando: Terá filhos com pouca saúde.
Filhos pescando: Alegria e saúde.
Parentes pescando: Empreendimentos comerciais difíceis.
Comer bacalhau: Receberá boas notícias.
Comprar bacalhau: Receberá visita inesperada.

PEIXE DE ARREBENTAÇÃO

Peixe de arrebentação: Aguarde acontecimentos importantes e muito benéficos.
Pegar peixes de arrebentação: Ganhos financeiros.
Comprar peixes de arrebentação: Precisa contar com seu próprio bom senso.
Comer peixes de arrebentação: Você tem uma amizade leal.

PEIXE DOURADO

Moça sonhando com peixe dourado: Casará por dinheiro.
Mulher casada sonhando com peixe dourado: Logo se divorciará.
Um peixe dourado morto: Sofrerá decepções.

Ter peixes dourados em um aquário em casa: Obterá ganhos financeiros.
Filhos brincando com peixes dourados: Muito contentamento.
Comprar peixes dourados: Casamento na família.

PEIXE-VOADOR

Um peixe-voador: Será enganado por amigos.
Peixes-voadores no ar: Será enganado.
Diversos peixes-voadores, voando um após o outro: Terá muita felicidade.

PELE

Pele: Boa sorte.
Sua própria pele: Terá boa saúde.
Pele queimada pelo sol: Será enganado por amigos.
A própria pele descascando: Grande sorte.
A pele desfigurada: Bondade por parte daqueles de quem menos esperava.
Pele de um mulato: Discussão com os sócios em negócios.
Pele de um negro: Terá benfeitores.
Pele de mulher: Felicidade.
Pele de homem: Boa sorte.
Lavar a própria pele: Morte de alguém que você conhece.
Comprar peles de animais: Fará uma viagem.
Tingir peles de animais: Infelicidade.
Esfolar um animal: Desgraça.
A pele de um gato: Recuperará a sorte perdida.
A pele de um leão ou tigre: Descobrirá quem são os inimigos.
Mandar fazer um casaco de peles: Estará rico em breve.
Possuir coisas confeccionadas com pele de ave: Terá boa alimentação.
Usar peles para tambores ou pandeiros: Receberá boas notícias.

PELE (de animal)

Possuir peles de animais: Receberá uma herança.
Belas peles de animais: Riqueza e honraria.
Pele de arminho: Grande riqueza.
Pele de *vison*: As pessoas estão sendo falsas com você.
Estar coberto com peles de animais: Boa saúde.
Possuir casaco de pele de *vison*: Seu namorado lhe é fiel.
Possuir casaco de pele de raposa: Traição por parte de amigos.
Possuir casaco de outras peles de animais: Segurança nos negócios.

PELEJAR

Tentar evitar uma peleja: Sua saúde vai melhorar.
Pelejar para salvar-se: Abusarão de você.
Pelejar com alguém mais forte: Terá grande força.
Pelejar com um animal selvagem: Boa sorte.

Pelejar com um menino e ganhar: Fofocas e vergonha.

Pelejar com uma mulher: Sofrerá por cometer atos impensados.

Pelejar com pessoa morta: Doença.

PÊLOS

Pêlos: Êxito social.

Ter pêlos: Segurança em seus negócios.

Outras pessoas que têm pêlos: Está diante de obstáculos insuperáveis.

PENA

Penas brancas: Terá muita sorte.

Penas negras: Terá muita falta de sorte.

Penas vermelhas: Bons empreendimentos comerciais.

Penas marrons: Êxito.

Penas cinzentas: Riqueza.

Penas azul-claras: Realização das ambições.

Penas cor de bronze: Possibilidade de uma viagem.

Pessoas que usam penas no chapéu: Êxito rápido na concretização de suas esperanças.

Juntar penas: Terá alegria a vida toda.

Usar um feixe de penas: Grandes honrarias lhe serão prestadas.

PENA (de escrever)

Afinar a ponta de uma pena de escrever: Um inimigo trama o seu fracasso.

Consertar uma pena de escrever: Mudança de ambiente.

Comprar uma pena nova para escrever: A situação dos seus filhos vai melhorar.

PENDÃO

Um pendão: Sua situação pessoal não é boa.

Um pendão vermelho: Receberá ajuda de amigos no exterior.

Um pendão de navio: Fará uma viagem por mar.

Um pendão sobre a casa: Fracasso dos seus inimigos.

Receber um pendão: Um presente prometido não será dado.

PÊNDULO

Um pêndulo: Receberá uma mensagem inesperada.

Um pêndulo que parou: Vida longa e sadia.

Fazer com que um pêndulo comece a se movimentar: Fará uma longa jornada.

Um pêndulo sobre areia: Cuidado com amigos traiçoeiros.

PENDURAR

Pendurar alguma coisa: Doença.

Pendurar as roupas: Precisa controlar suas paixões.

Pendurar as roupas dos filhos: Evite os rivais.

Pendurar roupas de visitas: Mudança no ambiente.

PENEIRA

Uma peneira: Você é extravagante demais.
Usar peneira: Está levando uma vida má.
Outra pessoa usando peneira: Doença para quem a usa.
Peneirar farinha: Você está negligenciando as questões comerciais.
Peneirar um molho cozido: Conhecerá uma personalidade do mundo teatral.

PENHASCOS

Penhascos: Ocorrerá um grande incêndio que arruinará tudo.
Subir em um penhasco: Encerramento das questões.
Estar em cima de um penhasco: Não corra riscos comerciais.
Descer de um penhasco: Não confie nos amigos.
Estar acompanhado em um penhasco: Felicidade nos assuntos sentimentais.
Empurrar alguém de um penhasco: Haverá uma grande desordem pública.

PENHOR, CASA DE

Ir a uma casa de penhores: Receberá auxílio inesperado.
Receber dinheiro de uma casa de penhores: Dificuldades futuras serão superadas.
Levar objetos para serem penhorados: Você não planeja bem.
Resgatar objetos penhorados: Terá boa sorte.

PENHOR, DONO DA CASA

Ir a um dono de casa de penhores: As coisas darão uma guinada para melhor.
Ser dono de uma casa de penhores: Dificuldades em casa.
Dono de uma casa de penhor que não lhe devolve objetos penhorados: Namorado infiel.
Renovar os penhores: A indiscrição do marido ou da mulher causa dificuldades.

PENÍNSULA

Uma península: Sofrerá prejuízos.
Estar em uma península: Será torturado por amigos.
Viver em uma península: Desfrutará de boa alimentação.
Outras pessoas que vão para uma península: Grande infelicidade.

PENITÊNCIA

Cumprir penitência: Terá vida longa e sadia.
Pesar por não ter cumprido penitência: Fofocas dos vizinhos.
Parentes que cumprem penitência: Discórdia em família.
Receber ordem de cumprir pe nitência: Infidelidade.
Oferecer penitência: Seja reservado com pessoas desconhecidas.
Pedir uma penitência: Viverá até a idade avançada.

Outras pessoas que pedem penitência: Uma influência perigosa fica por perto quando você viaja.
Dar penitência a alguém: Terá saúde excelente.

PENITENCIÁRIO

Ser um penitenciário: Felicidade em família.
Um penitenciário: Harmonia entre amigos.
Um penitenciário que é libertado: Pequena sorte.
Um penitenciário há muito tempo na prisão: Receberá grande fortuna.
Um penitenciário que escapa da prisão: Recursos abundantes.
Penitenciários trabalhando na prisão: Bons acontecimentos.
Um penitenciário que se mata na prisão: Amizade duradoura.
Um penitenciário que mata outro na prisão: Grandes discussões.
Um penitenciário sendo executado: Cuidado com doença.

PENSÃO

Receber uma pensão: Será chamado para tomar uma decisão.
Pensão que lhe é recusada: Você tem um amigo leal.
Outras pessoas que recebem uma pensão: Cuidado com suas decisões
Parentes que recebem pensão: Investirá em ações.

PENSÃO ALIMENTAR

Pagar pensão alimentar: Enfrentará sérias dificuldades.
Receber pensão alimentar: Terá um bom futuro.
Recusar pagamento de pensão alimentar: É tido em alta consideração pelas outras pessoas.
Cobrar pensão alimentar: Terá vida longa.

PENSIONATO

Ser um pensionista: Morte de inimigo.
Ter um pensionista: Traição.
Outras pessoas que são pensionistas: Dificuldades em breve.
Ser pensionista em casa de amigo: Infortúnio nos assuntos sentimentais.

PENTE

Comprar um pente: Infortúnio.
Usar um pente: Há confusão em sua vida.
Perder um pente: Seu amor por alguém já não é tão grande quanto antes.
Apanhar um pente emprestado: Perda de dinheiro.
Seu pente emprestado a outra pessoa: Dificuldades nos negócios.

PENTEAR

Pentear os cabelos: Perda de uma pessoa que você ama.
Pentear os cabelos de uma menina: Perda de uma amizade.

Pentear os cabelos de um menino: Perda de dinheiro.
Seu cabelo penteado por outras pessoas: Prejuízo causado por alguém em quem você confia.
Outras pessoas penteando os cabelos: Morte de um parente.
Cabelo sendo penteado por um cabeleireiro: Honraria.
Cabeleireiro penteando os cabelos de uma mulher rica: Terá grande sorte.

PEÔNIA (flor)
Uma peônia: Perda da calma.
Ter peônias: Ansiedade.
Receber peônias: Aborrecimento.
Dar peônias: Companhias falsas.

PEPINO
Pepinos: Amor violento.
Comprar pepinos: Você se restabelecerá de uma doença.
Plantar pepinos: Boa saúde.
Comer pepinos: Recursos abundantes.
Pepinos em salada: Evite gastar dinheiro em coisas tolas.
Adoecer e sonhar com pepino: Restabelecimento.

PEPITA
Uma pepita de metal precioso: Riquezas e honrarias.
Ter diversas pepitas de metais diferentes: Receberá dinheiro sem demora.
Ter pepitas de ouro: Recursos abundantes e boa sorte.

PEQUENO
Ser pequeno: Você receberá muita afeição.
Ser pequeno e leve: Cuide da saúde.
Ter filhos pequenos: Grande alegria.
Outras pessoas que são pequenas: Você subirá muito na vida.

PERAS
Peras: Passará momentos maravilhosos.
Colher peras: Divertimento.
Comer peras: Dignidade.
Comer peras verdes: Danos.
Comer peras maduras: Grande alegria.
Outras pessoas comendo peras: Dificuldades momentâneas.
Filhos comendo peras: O marido sempre será fiel.
Amigos comendo peras: Você tem uma sólida situação financeira.
Parentes comendo peras: Marido e mulher sempre serão fiéis.
Muitas pereiras carregadas de frutas: As perspectivas são boas.
Sacudir a pereira para que caiam frutas: O êxito está assegurado.

PERCEVEJO
Percevejos: Êxito nos negócios e nas questões mundanas.
Muitos percevejos: Você receberá ouro e prata.
Matar percevejos: Terá dinheiro.

Outras pessoas que matam percevejos: Irá para a prisão.
Percevejos em sua casa: Terá muito dinheiro.
Percevejos fora da sua casa: Não ponha a culpa em amigos.
Percevejos na sua cama: Prosperidade que superará as esperanças mais otimistas.

PERDER

Perder um objeto: Enfrentará dificuldades.
Perder um namorado: Vergonha e tristeza.
Perder uma namorada: Sofrerá por sua própria insensatez.
Perder a esposa: Evite os rivais.
Perder o marido: Você estará diante de uma tentação.
Perder um filho: Dificuldades no lar.
Mulher que perde a aliança de casamento: Bons tempos virão.
Perder os sapatos: Pobreza.
Perder roupas: Você está em poder de pessoas falsas.
Perder outros objetos caseiros: Dificuldades causadas por seus próprios esforços.
Perder o cão: Dignidade e distinção.
Perder o automóvel: Dinheiro chegando.
Perder dinheiro: Êxito.
Perder uma embarcação: Felicidade.
Perder um trem: Desonra.
Perder outros meios de transporte: A propriedade corre perigo.
Perder objetos valiosos: Um casamento feliz se realizará.

PERDIDO

Estar perdido na rua: Alegria sem ganho.
Perder a amizade dos amigos: Mudanças nos assuntos sentimentais.
Perder o próprio lar: Tenha mais cautela nas questões financeiras.
Perder o próprio negócio: Você será humilhado.
Perder no jogo: Fim de suas preocupações.
Ter perdido sangue: Precisará de ajuda financeira.
Ter perdido o olfato: Aviso de dificuldades.
Ter perdido a audição: Cuidado com amigos invejosos ou ciumentos.

PERDIZ

Uma perdiz: Uma série de pequenas dificuldades.
Uma perdiz que voa e se afasta: Obterá êxito nos negócios.
Uma perdiz pousando: Alcançará grande êxito.
Muitas perdizes: Atingirá as metas por meio de seu trabalho esforçado.
Matar uma perdiz: Recursos abundantes.

PERDOAR

Perdoar outra pessoa: Você tem um segredo que muito o magoa.

Ser perdoado por outras pessoas: Desconforto.

Perdoar filhos: Você ficará desanimado depois de conceder o perdão.

Marido e mulher perdoando-se mutuamente: Humilhação e desgraça.

Pedir perdão por uma ofensa: Aviso de dificuldades.

Criminoso pedindo perdão: Não será concedido.

Filhos pedindo seu perdão: Infelicidade.

Amante pedindo perdão: Remorso.

Pedir perdão a Deus: Grande alegria.

Ser perdoado por um sacerdote: Terá mente vigorosa.

PEREGRINO

Um peregrino: Bom acolhimento a todos que passam à sua porta.

Uma peregrina: As coisas vão mudar para melhor.

Estar com uma peregrina: Felicidade.

Ser você próprio um peregrino: Você é independente demais.

Reunião de peregrinos: Os desejos serão realizados.

Peregrinos migrando: Pobreza.

Dar dinheiro a peregrinos: Realização do seu maior desejo.

PERFUME

Sentir um perfume: Felicidade.

Derramar ou entornar perfume: Perda de alguma coisa que lhe traz prazer.

Comprar perfume: Encontrará um novo amor.

Comprar perfume barato: Corrupção.

Comprar perfumes caros: Inveja dos amigos.

Não ter perfume: Os amigos abusarão de sua confiança.

Comprar um frasco de perfume: Desastre em relação às suas maiores esperanças.

Perder um frasco de perfume: Perda da pessoa amada.

Homem que prefere determinado perfume: Um amigo seduzirá a esposa dele.

Mulher que prefere determinado perfume: Tapeação nos assuntos sentimentais.

Receber frascos de perfume como presente: Será abraçado por uma pessoa desconhecida.

Roubar um frasco de perfume: Rival ficará com seu namorado.

Usar perfume de outra pessoa: Ligação forte com essa pessoa.

Dar de presente um frasco de perfume: Grande lucro.

Sentir perfume de homem: Cuidado com as pessoas que procuram amor.

Sentir o perfume de filhos: Eles estão fazendo alguma coisa errada.

Sentir um perfume em uma igreja: As bênçãos de Deus para você.
Sentir um perfume em uma casa: Frivolidade.
Fabricar perfume: Receberá boas notícias de pessoas amigas.
Fabricar perfume e dá-lo a pessoas amigas: Boas notícias em relação a dinheiro.
Misturar perfumes: Notícias agradáveis.
Ter grande quantidade de perfumes: Frivolidade.
Uma mulher passando perfume em um homem: Você é orgulhoso demais.
Um homem passando perfume em uma mulher: Adultério.

PERGAMINHO

Documentos em forma de pergaminho: Sorte e riqueza.
Receber documentos em forma de pergaminho: Dificuldades em questões legais.
Mandar documentos escritos em pergaminho: Nomeação para novo cargo.

PERGUNTA

Responder corretamente a perguntas: Tudo correrá bem na sua vida.
Responder incorretamente a perguntas: Deveria corrigir seu modo de viver.
Recusar-se a responder a uma pergunta: Mudança de ambiente.
Recusar-se a aceitar resposta a uma pergunta: Aviso de dificuldades.
Alguém que lhe faz perguntas: Infelicidade nos assuntos sentimentais.
Fazer perguntas aos filhos: Receberá boas notícias.
Fazer perguntas a parentes: Grande alegria.
Fazer perguntas à esposa: Trabalho agradável e boas notícias.
Fazer perguntas ao marido: Evite os rivais.
Fazer perguntas aos amigos: Tristeza em breve.

PERIGO

Correr perigo: Êxito e honrarias.
Enfrentar o perigo: Pode contar com o êxito.
Evitar o perigo: Enfrentará dificuldades.
A pessoa amada correndo perigo: Fracasso.
Pessoa casada correndo perigo: Haverá um desastre.

PERÍODO

Um período de descanso no trabalho: Êxito em todos os seus planos.
Trabalhar com outras pessoas em regime de turnos: Evite os rivais.
Um período frio: Fracasso dos inimigos.
Um período quente: Triunfo sobre os inimigos.

PERITO

Um perito: Será amado por alguém que ainda não conhece.

Conversar com um perito: Fofocas estúpidas estão sendo feitas a seu respeito.

Receber orientação de um perito: Será humilhado.

Ser você próprio um perito: Terá boa colheita.

PERJÚRIO

Cometer perjúrio: Infortúnio em sua vida.

Ter cometido perjúrio: Demora nas atividades comerciais.

Outras pessoas que cometem perjúrio: Perda de amizade.

Outras pessoas que cometem perjúrio contra você: Os negócios melhorarão.

Marido ou mulher cometendo perjúrio um contra o outro: Divórcio.

PERMISSÃO

Pedir permissão: Em breve obterá alívio para suas dores.

Uma permissão que lhe é recusada: Demora em relação a seus interesses.

Obter uma permissão: Prosperidade.

Receber uma permissão de casamento: Terá muitos filhos.

Receber permissão para construir: Fará negócios com uma mulher ingrata.

PERNA

Perna bem-feita: Vencerá algum concurso.

Pernas magras: Será ridicularizado.

Uma perna de pau: Cairá no conceito dos amigos.

Uma perna machucada: Dificuldades financeiras.

Pernas inchadas: Perda de dinheiro.

Ter belas pernas: Alegria e felicidade

Amputar uma perna: Perda de um amigo.

Marcha de mulheres que têm belas pernas: Mudança em sua situação.

Perder uma perna: Perda de um parente.

Mulher casada sonhando que tem belas pernas: Fará uma longa viagem.

Machucar a perna: Dificuldades financeiras.

Um animal de quatro pernas: Terá muito dinheiro.

PERNAS DE PAU

Estar caminhando com pernas de pau: Você está cheio de orgulho e vaidade.

Ver pernas de pau: Notícias agradáveis com relação a seus filhos.

Comprar pernas de pau: Não ofenda as pessoas com sua presunção.

Outras pessoas sobre pernas de pau: Terá bom futuro.

PERNEIRA

Perneira: Será muito feliz nos assuntos amorosos.
Usar perneiras: Tem pela frente uma viagem cansativa.
Outras pessoas usando perneiras: Grande alegria.
Usar sapatos comuns com perneiras: Dignidade e distinção.

PÉROLAS

Pérolas: Miséria.
Muitas pérolas: Infelicidade e lágrimas.
Pôr pérolas em um fio: Solidão.
Juntar pérolas do mar: Você está sem um centavo.
Achar pérolas: Conseguirá êxito por meio de seu trabalho esforçado.
Comprar pérolas: Alcançará sua meta.
Receber presente de pérolas: Casamento muito feliz.
Uma fieira de pérolas que se parte: Pesar e tristeza.
Voltar a fazer uma fieira de pérolas que se partiu: Êxito.
Perder um jogo de pérolas: Fará novas amizades.
Dar um presente de pérolas: Está procurando ganhar favores.

PERSA

Um persa: Preguiça.
Ser persa: Cuidado com suas transações comerciais.
Muitos persas: Os planos não se concretizarão.
Estar em companhia de persas: Um casamento será realizado em breve.

PERSEGUIR

Ser perseguido: Você tem a consciência limpa.
Ser falsamente perseguido: Perda de um amigo.
Ser perseguido pela família: Infelicidade na família.
Ser perseguido pela lei: Cuidado com a traição de amigos.
Perseguir outras pessoas: Contentamento.
Ser perseguido por mulheres: Contentamento.
Ser perseguida por homens: As pessoas estão falando muito mal de você.
Outra pessoa que é perseguida: Receberá altas honrarias.

PERSUASÃO

Persuadir: Um pedido perigoso lhe será feito.
Ser persuadido: Casamento imediato.
Outra pessoa persuadindo: Sentirá tristeza.

PERTURBAR

Estar perturbado: Receberá notícias de longe.
Outra pessoa que está perturbada: A felicidade está assegurada.
Ser perturbado por alguém: Perseguição por parte de um inimigo.

PERU

Um peru: Colheita abundante para um agricultor.
Matar um peru: Infidelidade.
Comprar perus: Pode contar com um bom acontecimento.
Comer peru: Grande alegria.
Depenar um peru: Terá um esgotamento nervoso.
Assar um peru: Dificuldades com os amigos.
Trinchar um peru: Brigas com sócios nos negócios.
Fazer sanduíches de peru: Será visitado por gente faminta.

PERUCA

Um homem usando peruca de cor clara: Será rejeitado por diversas mulheres.
Um homem usando peruca de cor escura: Será mais amado pelas mulheres.
Uma mulher usando peruca lou ra: Terá muitos admiradores.
Uma mulher usando peruca branca: Ela se casará com um homem rico.
Uma mulher usando peruca escura: Deveria corrigir o seu modo de viver.
Uma mulher usando peruca castanho-escura: Ela se casará com um homem pobre.

PÉS

Seus próprios pés: Ciúme ou inveja.
Os pés doendo: É provável que passe por dificuldades humilhantes.
Os pés de outra pessoa ao lado dos seus: Logo fará uma viagem.
Queimar os próprios pés: Fracasso em suas atividades.
Ter um pé quebrado: Perda de um parente.
Beijar os pés de outra pessoa: Mudará sua conduta.
Os pés dos filhos: Grande decepção.
Lavar os próprios pés: Terá dificuldades e será atacado.
Banhar os pés no mar: Vergonha e tristeza.
Banhar os pés em um rio: Doença.
Banhar os pés em uma bacia: Você é ganancioso demais.
Estar com os pés sujos: Correrá perigo.
Ter os pés cortados: Terá de se submeter a uma operação.
Os próprios pés descalços: Infortúnio inesperado.
Estar com o pé deslocado: Doença na família.
Os pés sendo cortados por outras pessoas: Não dê atenção aos inimigos.
Coceira nos pés: Alegria sem ganho.
Ter pés grandes: Terá vida longa.
Ter pés pequenos: A preocupação se dissipará.
Os pés de qualquer animal: Você tem amigos fiéis.
Medir distâncias com o pé: Felicidade e bom humor.

Uma régua marcada em pés e polegadas: Você sabe como se insinuar para as mulheres.

PÉS, PONTA DOS

Andar nas pontas dos pés: Contentamento e felicidade.
Os filhos nas pontas dos pés: Acontecimentos inesperados para amantes que estão separados.
Outra pessoa nas pontas dos pés: Resolva os seus desentendimentos antes do anoitecer.
Muitas pessoas nas pontas dos pés: Conhecerá pessoas que não têm grande moral.

PESADELO

Ter um pesadelo: Traição por parte da pessoa em quem você confia.
Ter um pesadelo com outra pessoa: Recursos abundantes.
Ter um pesadelo em que os filhos aparecem: Riqueza.

PESADO

Objetos pesados: Riqueza.
Carregar algo pesado: Ocorrerá um nascimento na família.
Outra pessoa que carrega algo pesado: Receberá dinheiro inesperado.
Trabalhadores carregando coisas pesadas: Será paquerado.
Amigos carregando coisas pesadas: Tenha cautela nos empreendimentos comerciais.
Filhos carregando pesados montes de livros: Grandes honrarias na família.

PESAR (medir o peso)

Pesar: Vencerá as dificuldades.
Pesar alimentos: Fará bons negócios financeiros.
Pesar pacotes e embrulhos: Você tende a ser muito preconceituoso.
Pesar coisas grandes: Escapará de um grande perigo.
Pesar animais: Contentamento.

PESAR (sentimento)

Sofrer pesar: Logo será feliz.
Filhos que sofrem pesar: Tempos alegres virão.
Parentes com pesar: Algo bom acontecerá a uma pessoa que você ama.
Inimigos com pesar: Infelicidade.

PESCA COM CANIÇO

Pescar com caniço: Você está desperdiçando suas capacidades.
Pescar com caniço e pegar peixes: Receberá boas notícias.
Pescar com caniço e não pegar peixes: O mal o atingirá.
Pescar com caniço em mar fundo: Ficará sozinho e aborrecido.
Pescar com caniço em um rio: Perda de uma amizade.
Pescar com caniço e rede: Fará negócios com uma mulher esperta.

Contar a outros as suas pescarias com caniço: Eles espalharão fofocas a seu respeito.
Outra pessoa que pesca com caniço: As preocupações se dissiparão.

PESCADOR

Um pescador: Conte com ótimas notícias.
Ser um pescador: A felicidade está assegurada.
Muitos pescadores: Obterá grande prosperidade.
Estar em companhia de um pescador: Fortuna inesperada.

PESCAR

Pescar: Perda de um amigo.
Pescar em companhia da pessoa amada: Desfrutará de prazeres caros.
Pescar em companhia de parentes: Esteja alerta contra fofocas causadas pelo despeito.
Inimigos pescando: Um mistério será solucionado.
Pescar no mar: Esteja alerta contra a traição.
Pescar em um rio: Infelicidade nos assuntos sentimentais.
Pescar em um canal: Realizará altas ambições.
Pescar em uma lagoa: Precisa contar com seu próprio bom senso.
Pescar em pé sobre uma rocha: Aguarde acontecimentos importantes e muito benéficos.

PESCOÇO

Seu próprio pescoço: Está cercado por amigos falsos.
O pescoço de outras pessoas: Você está profundamente apaixonado.
O pescoço dos filhos: Você se orgulhará da inteligência deles.
Pescoço extremamente grande: Honraria.
Pescoço extremamente comprido: Riqueza.
Pescoço pequeno: Encontrará oposição.
Um pescoço gordo: Receberá muito dinheiro.
Um pescoço muito flácido: Estará em um acidente.
Um pescoço com papada: Boa posição na sociedade.
Ver três cabeças sobre um pescoço: Muito dinheiro.
Ser amarrado pelo pescoço: Será escravo de uma mulher.
Tumor no pescoço: Doença.
Pescoço com ataduras: Fará novas amizades.
Infecção no pescoço: Receberá a notícia da morte de uma pessoa amiga.
Pescoço que dói: Em breve receberá dinheiro.
Machucar o pescoço: Bons acontecimentos no amor.

PESO

Pesos: Vencerá as dificuldades.
Usar pequenos pesos: Infelicidade no amor.

Fazer pesos: Fará um grande negócio.
Vender pesos: Dignidade e distinção.
Você próprio suspendendo pesos: Obterá bons rendimentos.
Marido ou mulher erguendo pesos: Ganhos financeiros.
Os filhos erguendo pesos: Reunião de família.
Outra pessoa erguendo pesos: Infelicidade em seus assuntos pessoais.
Seu próprio peso: Você se preocupa demais.
Aumento do seu peso: Terá dinheiro com facilidade durante a vida.
Perder peso: Perda de dinheiro.
O peso do marido ou da mulher: Preocupações financeiras.
O peso dos filhos: Êxito imediato na concretização de suas esperanças.
O peso de parentes: Realização de suas ambições.

PÊSSEGO

Pêssegos na árvore: Realização de suas maiores esperanças.
Colher pêssegos de um pessegueiro: Doença no lar.
Muitos pessegueiros carregados: Os rendimentos serão bons.
Comer pêssegos na estação dessa fruta: Contentamento.
Comer pêssegos fora da estação: Receberá um favor.
Comer pêssegos em companhia de outras pessoas: Preocupações no amor.
Filhos comendo pêssegos: O futuro deles está assegurado.
Amigos comendo pêssegos: Segurança em sua vida financeira.
Parentes comendo pêssegos: Bons tempos estão chegando.
Outra pessoa comendo pêssego: Sentirá tristeza.

PESSOA DESCONHECIDA

Uma pessoa desconhecida: Receberá auxílio de um amigo.
Muitas pessoas desconhecidas: Amizades bondosas.
Ser uma pessoa desconhecida: Boa sorte.
Receber uma pessoa desconhecida: Chegada de um amigo.

PESTE (insetos)

Insetos que são uma peste: Honraria e dignidade.
Insetos empesteando a sua casa: Terá muito dinheiro.
Insetos empesteando o seu jardim: Pequena prosperidade.
Insetos empesteando a sua cama: Prosperidade que superará as esperanças mais otimistas.
Insetos empesteando casas alheias: Perda de uma amizade.

PESTE (mal contagioso)

Peste: Cuidado para não revelar informações pessoais.

Causar peste: Empreenderá um negócio muito cansativo.
Amigos que causam peste: Esbanjarão a fortuna.
Outra pessoa que causa peste: Precisa contar com seu próprio bom senso.

PESTE BUBÔNICA

Estar com a peste: Casamento requintado.
Outra pessoa com a peste: Des coberta de dinheiro.
Pessoas morrendo com a peste: Alegria e prazer.
Amigos morrendo com a peste: Libertação do sofrimento e dor.
Pessoas que se restabelecem da peste: Bons ganhos nos negócios.
Alguém que sabe curar a peste: Realização dos desejos.
Ratos que causaram peste sendo mortos: Será uma pessoa influente.

PETRÓLEO

Petróleo: Aviso de dificuldades.
Possuir petróleo: Risco de discussão com sócios nos negócios.
Usar petróleo: Tenha cautela contra a traição de inimigos.
Comprar petróleo: Risco de discussões em família.
Fazer negócios com petróleo: Fortuna.
Perfurar um poço petrolífero: Proveito.
Refinar petróleo: Controle seus negócios.
Vender petróleo: Morte de um inimigo.

PIADA

Contar uma piada: Terá bom humor.
Ouvir boas piadas: Miséria extrema.
Contar piadas pesadas: Obterá grande lucro.
Contar piadas muito engraçadas: Suportará a aflição.
Ouvir filhos contando piadas: A infelicidade será suportada.

PIADISTA

Um piadista: As pessoas tirarão vantagem de você.
Ser um piadista: Uma pessoa superficial que anda em sua companhia não trará proveito algum.

PIANO

Um piano: Todas as suas atividades prosperarão.
Ter um piano: Sucesso nos empreendimentos comerciais.
Tocar piano: Discussões.
Filhos tocando piano: Discussões com parentes.
Parentes tocando piano: Discórdia nos assuntos familiares.
Outra pessoa tocando piano: Fofocas entre os amigos.
Ouvir um piano sendo tocado: As atividades vão melhorar.

Ouvir o namorado tocar piano: Casamento certo e feliz.

Possuir um piano: Cuidado com amigos invejosos.

Vender um piano: Solidão e decepção.

PICADINHO

Comer picadinho: Pequenos constrangimentos e tristeza.

Fazer picadinho: Será visitado por diversos amigos da família.

Outra pessoa fazendo picadinho: Evite os rivais.

PICHE

Piche usado no vedamento de rachaduras: Ganhará dinheiro.

Piche usado no fundo de navios: Honraria e dignidade.

PICLES

Picles: Um mistério será solucionado.

Fazer picles: Estará diante de uma tentação no amor.

Comprar picles: Ganhos financeiros.

Comer picles: Sua vida será marcada pela falta de ambição.

Dar picles a outros: Aguarde acontecimento importante e muito benéfico.

Receber picles de outros: Amigos falsos estão por perto.

Jogar picles fora: Suas dificuldades terminaram.

PIEDADE

Terem piedade de você: Humilhação.

Ter piedade de outra pessoa: Pequeno constrangimento.

Ter piedade de um parente: Sofrerá decepções.

Amigos que têm piedade de você: Receberá um presente.

Ter piedade de amigos: Saúde e alegria.

Ter piedade de pessoas pobres: Confusão em seus interesses.

Ter piedade de uma pessoa doente: Sorte e prosperidade.

PÍFARO

Ter um pífaro: Sua situação vai melhorar.

Ouvir um pífaro sendo tocado: Fará viagem para ver um parente que está no Exército.

Outra pessoa tocando pífaro: Sorte e prosperidade.

PILHAS DE MATERIAL E MERCADORIA

Uma pilha de materiais e mercadorias: Você está caminhando para uma ação judicial.

Mover coisas em uma pilha de materiais: Estará envolvido em uma desordem pública.

Comprar uma pilha de mercadorias: Cuidado com os inimigos.

Vender uma pilha de mercadorias: Receberá um legado.

PILOTO

Ser um piloto: Você é mestre nos assuntos sentimentais.

Piloto que comanda um navio: Êxito nos negócios.

Piloto que controla um aeroplano: Realizará seus desejos.

Piloto que causa danos a um navio: Tempos alegres estão chegando.

Piloto que cai com avião, sem que pessoa alguma se machuque: Será derrotado pelos rivais.

Piloto que cai com avião e morte de todos: As dificuldades virão de longe.

PÍLULA

Muitas pílulas: Fará viagem ao exterior.

Você próprio tomando pílula: Responsabilidades importantes lhe serão confiadas.

Dar pílulas aos outros: Você será duramente criticado.

Dar pílulas a filhos: Felicidade na família.

Dar pílulas aos parentes: Doce satisfação.

Tomar muitas pílulas todos os dias: Terá muita saúde.

Comprar pílulas: Tenha cautela nos empreendimentos comerciais.

PIMENTA

Pimenta: Você está satisfeito, tem comida suficiente.

Comprar pimenta: Receberá boas notícias.

Moer pimenta: Receberá más notícias.

Comer pimenta: As pessoas estão falando mal de você.

Queimar a língua com pimenta: As fofocas causarão prejuízos.

Salpicar pimenta na comida: Afeição duradoura no amor.

Cheirar pimenta e espirrar: Talentos na família.

PIMENTÃO-DOCE

Pimentão-doce: Ficará muito irritado.

Comprar pimentão-doce: Lucros.

Usar pimentão-doce na comida: Terá muitos prazeres na vida.

Entornar pimentão-doce no chão: Infortúnio nos assuntos amorosos.

PINÇA

Pinças: Travará uma grande briga.

Usar pinças: Um inimigo trama sua ruína.

Comprar pinças: Infortúnio nos assuntos amorosos.

Inimigos usando pinças: Aviso de dificuldades.

PINHEIRO

Um pinheiro: Felicidade tremenda.

Muitos pinheiros: Reunião de família.

Cortar galhos de um pinheiro: Desfrutará de boa vida.

Derrubar um pinheiro: Trabalho agradável e notícias boas.

PINHO

Coisas feitas de pinho: Perigo em relação aos rendimentos.
Usar madeira de pinho: Felicidade.
Comprar móveis de pinho: Felicidade nos assuntos sentimentais.
Trabalhar com madeira de pinho: Dedicação a seus interesses.

PINTAR

Pintar seu próprio retrato: Terá vida longa.
Pintar o retrato de alguém: Os amigos serão falsos com você.
Pintar o retrato de antepassados: Ficará satisfeito.
Pintar o retrato de filhos: As dificuldades serão superadas.
Pintar uma paisagem: Fará boas compras.
Pintar o rosto: Alegria sem ganho.
Cobrir as faces com cosméticos: Você é falsa.
Pintar o rosto de uma mulher: Ela o engana.
Uma senhora com excesso de pintura: Não confie nela.
Um trabalho de pintura em sua casa sendo concluído: Aflição na vida em família.

PINTOR

Um pintor trabalhando: Vida agradável.
Ser um pintor: Felicidade no emprego.
Ter um estúdio de pintura: Recursos abundantes.
Pintor que sobe por uma escada: Aguarde acontecimentos importantes e muito benéficos.
Pintor que desce por uma escada: Infelicidade nos assuntos amorosos.
Muitos pintores trabalhando: A preocupação se dissipará.
Pintor usando esmalte: Casamento duradouro.
Outra pessoa que é pintora: O dinheiro está acabando.

PINTURA

Uma pintura: Dinheiro chegando.
Uma pintura de mulheres nuas: Será feliz no amor.
Uma pintura pendurada na parede: Alegria.
Homem casado sonhando com uma pintura: Você gosta demais de se divertir.
Mulher casada sonhando com uma pintura: Ela é frívola.
Viúva sonhando com uma pintura: Faça os planos com segurança antes de casar-se.
Moça sonhando com uma pintura: Ela se casará com um homem rico.

PIOLHOS

Piolhos: Boa sorte.
Muitos piolhos: Recursos abundantes.
Matar muitos piolhos: Desonra.

Descobrir piolhos na roupa: Dinheiro chegando.
Descobrir piolhos nos cabelos: Será muito rico.
Descobrir piolhos em alguém: Infortúnio nos assuntos amorosos.
Ter piolhos no corpo: Em breve terá muito dinheiro.
Matar piolhos no corpo: Terá muitos amigos ao seu lado.

PIQUENIQUE

Um piquenique: Perigo causado por um segredo.
Um alegre piquenique: Falsos amigos estão fazendo fofoca a seu respeito.
Inimigos fazendo um piquenique: Fracasso dos inimigos.
Participa de um piquenique: Você desfruta de atrações e êxito.
Fazer um piquenique com filhos: Sorte e prosperidade.
Fazer um piquenique com parentes: Realizará altas ambições.
Fazer um piquenique com amigos: Resultados incertos nos assuntos amorosos.

PIRÂMIDE

Pirâmides: Êxito no futuro.
Ver as pirâmides em companhia de parentes: Abundância e prosperidade.
Pessoa casada sonhando com pirâmides: Alcançará posição elevada.
Moça sonhando com pirâmides: Ela foi infeliz na escolha do marido.
Viúva sonhando com pirâmides: Outro casamento está assegurado.

PIRATA

Um pirata: Cuidado com os amigos.
Muitos piratas: Um caso amoroso foi muito malsucedido.
Ver piratas: Viagem e ganhos financeiros.
Ser vítima de piratas: Sócio traiçoeiro causará dor.
Ser prejudicado por piratas: Tempos animados estão chegando.

PIRUETAS

Fazer uma pirueta: Muita gratidão.
Outra pessoa que faz pirueta: Receberá dinheiro.
Moças fazendo uma pirueta: Saúde e prosperidade.
Muitos bailarinos fazendo piruetas: Um empregado o está embromando.
Filha fazendo pirueta: Ela se casará com um maestro.

PISAR

Pisar em terreno macio: Terá mente vigorosa.
Deixar de pisar em terreno macio: Terá vida longa.

PISTOLA

Uma pistola: Recuperação da saúde.

O disparo de uma pistola: Infortúnio.

Disparar uma pistola: Trabalho pesado com poucos resultados.

Portar uma pistola: As pessoas não gostarão de você.

Outra pessoa disparando uma pistola: Tomará conhecimento de planos que visam ao seu fracasso.

Possuir uma pistola: Lucro.

Ser um oficial e portar pistola: Traição.

Amigos que portam pistola: Será aborrecido.

Inimigos portando pistola: Perda da casa.

PLAINA

Uma plaina: Indiferença.

Ter plaina de carpinteiro: Não viverá muito.

Outra pessoa usando plaina: Êxito nos empreendimentos.

Carpinteiro usando plaina: Esbanjamento de dinheiro.

Possuir uma plaina: Satisfação.

Afiar a lâmina de uma plaina: Reconhecimento de direitos.

PLANALTO

Um planalto: Será visitado por pessoas de fala macia.

Trabalhar em um planalto: Infelicidade.

PLANETA

Um planeta: Evite ser tão supersticioso.

Um planeta caindo: Você está trabalhando em vão para alcançar um desejo.

O planeta referente ao seu signo: Vida longa e fortuna na idade avançada.

O planeta referente ao signo dos seus filhos: Perda do marido ou da mulher.

PLANÍCIE

Uma planície: Êxito.

Uma planície coberta de grama: Casamento.

Estar em uma bela planície: Alegria e prosperidade.

Filhos em uma planície: Fará uma viagem de lazer.

Parentes em uma planície: Ganhos materiais.

Uma planície árida: Infelicidade e aflição.

Uma planície fértil: Terá uma vida de felicidade e prazer.

PLANTA

Uma planta: Obstáculos nos negócios.

Muitas plantas: Alegria sem ganho.

Pequenas plantas: Os filhos crescerão e serão muito inteligentes.

Regar plantas: Boa saúde.

Plantar plantas: Satisfação nos negócios.

Plantas em um jardim: Bons rendimentos.
Plantas em casa: Dignidade e distinção.
Plantas usadas para fazer remédios: A infelicidade chegará ao fim.

PLANTAR SEMENTES
Plantar sementes: Grande alegria.
Ter sementes para plantio: Você se sairá bem de um perigo atual.
Comprar sementes para plantio: Ganhos financeiros.
Outra pessoa lidando com sementes para plantio: Será enganado por amigos.

PLATAFORMA
Uma plataforma: Você se casará com quem menos esperava.
Estar em uma plataforma: Cuidado com julgamentos apressados.
Fazer um discurso político em uma plataforma: Dinheiro chegando.
Observar uma parada, em cima de uma plataforma: Triunfo nos assuntos sentimentais.

PLATÉIA
Uma platéia: Receberá alta distinção.
Uma platéia em que há alguém famoso: Obterá bons rendimentos.
Uma platéia em que há um político: Bons tempos chegando.
Uma platéia em que há um sacerdote: Logo estará em dificuldades.
Uma platéia em que há alguém da sociedade: Terá prazer e distinção.

PLEURISIA (inflamacão na pleura)
Pleurisia: Logo estará doente.
Ter pleurisia: Você precisa contar com suas próprias forças.
Parente com pleurisia: Cuide mais da saúde.
Amigos com pleurisia: Fará bons negócios.

PLUMA
Usar uma pluma no chapéu: Honra.
Outra pessoa usando pluma: Infelicidade.
Filhas com pluma no chapéu: Honraria inesperada, especialmente se a pluma for branca.
Parentes usando pluma: Ganhos inesperados.
Amigos usando pluma: Você será torturado.
Pluma branca: Riqueza.
Pluma negra: Demora nas atividades comerciais.
Estar coberto de plumas: Satisfação.

PNEUMONIA
Pneumonia: Ficará doente por um longo tempo.
Ter pneumonia: Perda de sua propriedade imobiliária.
Filhos com pneumonia: Fim de suas esperanças.

Parentes com pneumonia: Brigas em casa.
Outras pessoas com pneumonia: A saúde corre perigo.
Morrer de pneumonia: Sofrerá grandes prejuízos.

PÓ

Pó: Alegria paterna.
Usar pó-de-arroz: Amor duradouro.
Usar talco: Terá muitas namoradas.
Usar pó perfumado: Há uma coisa que o perturba.
Usar pó branco: Alegria.
Usar pó cor-de-carne: Amor.
Usar pó escuro: Felicidade.
Borrifar pó no corpo do namorado: Ele adoecerá.
Comprar pó: Oposição em seu casamento.
Receber algum tipo de pó de presente: Amizades traiçoeiras.
Dar algum tipo de pó de presente: Inveja e ciúme de amigos.

POBREZA

Estar na pobreza: Logo sofrerá um prejuízo.
Outra pessoa na pobreza: Prestará serviço doméstico.
Muitas pessoas na pobreza: Questões familiares desagradáveis.
Pessoas aleijadas na pobreza: Discussão no amor.
Cair na pobreza: Terá muitos filhos.
Estar na pobreza e muito doente: Haverá muitas dívidas a serem pagas.
A família na pobreza: Riqueza no futuro.
Amigos na pobreza: Saúde e alegria.

POÇA

Uma poça: A fortuna está à sua frente.
Uma poça cheia d'água: Realizará bons negócios.
Uma poça com pouca água: Abstenha-se de especulação no mercado de valores.
Uma poça suja: Negócios prósperos.
Uma poça seca: Perdoará os inimigos.

POÇO

Um poço: Abundância em tudo.
Um poço cheio de água límpida: Sorte e prosperidade.
Tirar água de um poço: Êxito e lucro.
Um poço transbordando: Morte de filhos e prejuízos nos negócios.
Cavar um poço: Pobreza.
Ter um poço no quintal: Sorte.
Cair em um poço: Enfrentará dificuldades.
Um poço seco: Será prejudicado em alguns de seus interesses.
Um poço grande no campo, se você for casado: Nascimento de um filho virtuoso.

Pessoa solteira sonhando com um poço grande e cheio de água: Ela se casará em pouco tempo.
Um poço muito profundo: Riqueza.
Água suja em um poço: Perda de propriedade imobiliária.
Limpar um poço: Sofrerá humilhação.
Dar água de poço para outras pessoas beberem: Grande sorte.
Dar água de poço para animais beberem: Perda de um filho ou da esposa.
Jogar alguém em um poço: Morte para quem sonha.

POÇO DE DESEJOS

Um poço de desejos: Dois admiradores querem a sua companhia.
Jogar moedas em um poço de desejos: Escolha as amizades com cautela.
Fazer um pedido em poço de desejos: Fortuna para os lavradores.
Roubar dinheiro de um poço de desejos: Morte em breve.

PODER

Ser poderoso: Sofrerá um grande prejuízo.
Ter poder em seu cargo: Bom futuro.
Tirar vantagem de seu poder: Receberá boas notícias.
Usar o poder para prejudicar alguém: Cairá em desgraça.
O poder que lhe sobe à cabeça: Você ficará louco

PODRE

Alguma coisa apodrecida: Encontrará obstáculos nos assuntos sentimentais.
Jogar fora coisas que apodreceram: Receberá dinheiro.
Outra pessoa que joga fora coisas apodrecidas: Ganho financeiro.
Jogar fora comida apodrecida: Receberá muito dinheiro.

POEIRA

Tirar poeira da roupa: Bons empreendimentos comerciais.
Tirar poeira dos móveis da casa: Morte de um bom amigo.
Espanar a poeira de livros e enfeites: Dias felizes virão.
Usar espanador para tirar a sujeira: Tentativa de esconder transgressões.

POESIA

Poesia: Tranqüilidade.
Ler poesia: Felicidade nos assuntos amorosos.
Ler poesia em voz alta: Morte de um parente.
Escrever poesia: Mudanças nos assuntos amorosos.
Ser um poeta: Terá uma vida difícil.

POLAINAS

Polainas de homem: Você se restabelecerá de uma doença.
Usar polainas: Terá o controle dos assuntos amorosos.

Outra pessoa usando polainas: Alguém, com más intenções, vigia você.

POLEGAR

Seu próprio polegar: Bons tempos estão chegando.
Machucar o polegar: Sofrerá prejuízos nos negócios.
Queimar o polegar: Amigos invejosos o cercam.
Cortar o polegar: Impeça tanto gasto de dinheiro.

POLEIRO

Um poleiro: Alto cargo está reservado a você.
Subir a um poleiro: Obterá êxito nos empreendimentos comerciais.
Subir a um poleiro, em cima de uma árvore: Não mude de amizades.
Outra pessoa subindo a um poleiro: Desastre em suas maiores esperanças.
Inimigos subindo a um poleiro: Perigo nas questões de amor.

POLÍCIA

Uma delegacia de polícia: Você está muito cansado.
Ser preso injustamente pela polícia: Vencerá todos os rivais.
Ser preso pela polícia, com motivo: Infortúnio.
A polícia algemando uma pessoa: Terá vida longa.
Estar em uma delegacia de polícia para interrogatório: Felicidade.
Estar com amigos em uma delegacia de polícia: Perda de dinheiro.

POLICIAL

Estar com um policial: As ambições se concretizarão.
Outra pessoa com um policial: Boas notícias a caminho.
Ser um policial: Dificuldades causadas por sua intromissão em assuntos alheios.
Um policial: Os amigos não estão sendo sinceros com você.
Ser preso por um policial: Segurança, com bom trabalho.
Matar um policial: Terá um prazer, que terminará em infelicidade.
Um policial prendendo outra pessoa: O infortúnio está por perto.
Um policial que prende seus amigos: Sua alegria virá mais tarde.

POLTRONA

Uma poltrona: Receberá notícias boas e urgentes.
Muitas poltronas: Honraria e dignidade.
Sentar-se em uma poltrona: Alta consideração por parte dos outros.
Outra pessoa sentada em uma poltrona: Convidado indesejado lhe fará uma visita.

PÓLVORA

Possuir pólvora: Você deveria corrigir seu modo de viver.
Um homem sonhando com pólvora: Mudança imediata de residência.
Mulher sonhando com pólvora: Ela se divorciará do marido.
Moça sonhando com pólvora: Ela se casará com um soldado.
Lidar com pólvora: Morte de seus inimigos.
Encher cartuchos com pólvora: Miséria.

POMAR

Estar em um pomar: Você tem bons amigos.
Estar em um pomar com os filhos: Felicidade em família.
Andar em um pomar: Todos os desejos serão realizados.
Colher frutas em um pomar: Jamais realizará seus desejos.
Um pomar sem frutas: Perderá oportunidades de melhoria.
Abundância de frutas em um pomar: Boa sorte.
Poucas frutas em um pomar: Sua sorte melhorará, com paciência.
Frutas maduras em um pomar: Conte com grande êxito.
Frutas verdes em um pomar: Você tem maus amigos.

POMBA

Pombas brancas: Colheitas abundantes e amigos fiéis.
Ouvir uma pomba arrulhando: Morte provável do pai.
Uma mulher sonhando com pombas: Assuntos felizes em casa.
Uma pomba como representação do Espírito Santo: Felicidade.

POMBO

Pombo: Grande êxito.
Pombos brancos: Consolo.
Pombos cinzentos: Dedicação.
Pombos marrons e brancos: Bons empreendimentos comerciais.
Muitos pombos: Você está empenhado em obras de caridade.
Um pombal: Casamento iminente.
Pombos voando: Em breve receberá boas notícias.
Pombos andando no chão: Notícias importantes, vindas de um lugar distante.
Pombos pousando em beirais de janela: Bom andamento dos assuntos sentimentais.
Dois pombos voando: Mudanças em sua vida.

PÔNEI

Um pônei: Você se casará com uma bela moça.
Um belo pônei: Adquirirá bonita casa.
Um pônei feio: Você se casará com uma mulher feia.
Um pônei recém-nascido: Uma mulher que o ama muito será sua.
Um pônei correndo: Enfrentará trabalho pesado.

Diversos pôneis: Os investimentos trarão lucros.
Comprar um pônei: Dificuldade.
Vender um pônei: Notícias desagradáveis.
Dar de comer a um pônei, na mão: Será beijado por uma mulher.
Filhos brincando com um pônei: Será seduzido por uma mulher.
Filhos montados em um pônei: Você se verá livre de graves acusações.

PONTAPÉ

Levar um pontapé: Você terá muitos adversários poderosos.
Dar um pontapé em outra pessoa: Dignidade e distinção.
Dar um pontapé em um inimigo: Ganhos financeiros.
Dar um pontapé em um amigo: Um amigo procura ajudá-lo.

PONTE

Atravessar uma ponte: Ocorrerá uma mudança nos negócios.
Um homem que cruza uma ponte: Mudança de residência.
Mulher cruzando uma ponte: Atividade social alegre.
Pessoa solteira cruzando uma ponte: Logo se casará.
Ponte que se abre no centro: Perdoará aos inimigos.
Uma ponte vermelha: Perigo pela frente.
Uma ponte incendiada: Perderá alguns amigos.
Uma ponte que cai quando você a atravessa: Prejuízos financeiros.
Cair de uma ponte: Os negócios irão mal.
Uma ponte sendo construída: Bons negócios.
Atravessar uma ponte em conserto: Encontrará muitas dificuldades.
Atravessar uma ponte danificada: Cautela ao fazer novos planos.
Passar de carro por uma ponte: Abandone os planos atuais.
Outra pessoa atravessando uma ponte: Haverá demora em seus negócios.

PONTE LEVADIÇA

Uma ponte levadiça fechada: Realizará altas ambições.
Uma ponte levadiça aberta: Perdoará os inimigos.
Ponte levadiça que se ergue: Fará uma viagem inesperada.
Ponte levadiça que é baixada: Prejuízos financeiros.

PONTEIROS

Os ponteiros de um relógio: Grande infelicidade.

POPA

A popa de um navio: Terá vida longa.
O posto de popa de um navio: Tenha cautela nos empreendimentos comerciais.

A popa ou as costas de alguém: Será traído pela pessoa amada.
A parte traseira de animais: Prosperidade.

PÔQUER
Jogar pôquer: Você tem bom gosto.
Jogar pôquer com amigos: Prejuízo total em seus negócios.
Jogar pôquer com pessoas desconhecidas: A decepção é certa.
Jogar pôquer com pessoas que estão roubando: Ganhos financeiros.
Homem sonhando que joga pôquer: Concretizará quase todos os seus desejos.
Mulher casada sonhando que joga pôquer: Ela está enganando o marido.
Mulher solteira sonhando que joga pôquer: Deve zelar cuidadosamente por sua virtude.

PORÃO
Um porão vazio: Prosperidade.
Dormir em um porão: Pobreza.
Ir ao porão: Será muito bem-sucedido.
Carvão em um porão: Receberá boas notícias de um lugar distante.
Muitas coisas guardadas em um porão: Bons negócios.
Mulher sonhando com uma adega de vinhos: Um jogador a pedirá em casamento.

PORCELANA
Sua própria porcelana: Ganhos financeiros provenientes de um lugar muito distante.
Boa porcelana: Boa sorte no jogo.
Comprar porcelana: Felicidade no casamento.

PORCO
Porcos: Obterá bons ganhos.
Porcos bem alimentados: Prosperidade.
Porcos magros: Os filhos causarão pequenos vexames.
Muitos porcos: Receberá dinheiro após a morte de um parente.
Comprar porcos: Terá alegria.
Vender porcos: Será odiado por amigos.
Porcos selvagens: Um amigo procura prejudicá-lo.
Curral de porcos: Você tem fraqueza de caráter.

PORCO-ESPINHO
Um porco-espinho: Você é uma pessoa sovina.
Diversos porcos-espinhos: Inimigos procuram prejudicá-lo.
Comer carne de porco-espinho: Surgirá uma questão comercial delicada.
Mulher grávida sonhando com porco-espinho: Terá filhos feios.

PORTA
Uma porta: Receberá dinheiro em breve.

O umbral de uma porta: A fortuna está bem próxima.
Sua própria porta: Será aborrecido.
Entrar pela porta da casa: Será enganado por amigos.
Porta fechada: Evite a especulação.
Porta aberta e você entrando: Você tem um amigo leal.
Uma casa com muitas portas: Vai perder dinheiro.
Uma porta em chamas: Morte de uma pessoa que reside na casa.
Derrubar uma porta: Logo será preso.
Uma porta quebrada: Receberá boas notícias de alguém que está distante.
Não conseguir escapar por uma porta: Felicidade e vida longa.
A porta de outras pessoas: Sorte e prosperidade.
A porta de uma cidade: Felicidade no casamento.

PORTA DOS FUNDOS

Utilizar a porta dos fundos: Em breve ocorrerão boas mudanças em sua vida.
Deixar sair pela porta dos fundos uma pessoa amada: Logo se casará.
Parentes que entram pela porta dos fundos: Discussões em família.
Amigos que entram pela porta dos fundos: Tenha cautela nos empreendimentos comerciais.
Ladrões que arrombam a porta dos fundos: Dinheiro chegando.

PORTA FALSA

Uma porta falsa: Receberá uma carta surpreendente e agradável.
Uma porta falsa fechada: Reconciliação no amor.
Passar por uma porta falsa: Cuidado com inimigos.
Outra pessoa que passa por uma porta falsa: Alegria e bons resultados nos negócios.

PORTALÓ

Subir pelo portaló de um navio: Um mistério será solucionado.
Descer por um portaló: Evite os rivais.
Atravessar um portaló: Será hostilizado por um rival.
Outra pessoa que sobe por um portaló: Perda de dinheiro.
Outra pessoa que desce por um portaló: Perda da confiança dos amigos.
Marinheiros e oficiais no portaló: Sorte e prosperidade.

PORTA-NÍQUEL

Um porta-níquel: Notícias importantes e inesperadas.
Um porta-níquel vazio: Sorte.
Uma porta-níquel cheio: Descoberta de um segredo.
Descobrir um porta-níquel de mulher: Receberá pequena quantia em dinheiro.

PORTÃO

Um portão: Você está muito apaixonado.

Passar por um portão: Terá um choque ao tomar conhecimento de más notícias.
Um portão quebrado: Infortúnio.
Um portão fechado: Será oprimido por dificuldades insuperáveis.
Trancar um portão: Êxito nos negócios.
Outras pessoas diante de um portão: Os amigos não estão sendo sinceros com você.
O portão de outras pessoas: Será enganado por amigos.

PORTEIRO

Um porteiro: Doença.
Ser um porteiro: Será obediente e apaixonado.
Dar ordens a um porteiro: Será perseguido.
Um porteiro a quem matam: Receberá um cargo destacado.

PORTO

Um porto sem navios: Miséria.
Um porto com navios: Por toda a vida cuidarão de você.
Estar sozinho em um porto, a bordo de um navio: Ganhos financeiros.
Estar com a pessoa amada em um porto, a bordo de navio: Falsidades serão reveladas.
Estar no porto de um lago: Fará uma viagem.
Estar em um porto marítimo: Descobrirá um segredo.
Um porto distante: Boas notícias.
Um porto: Aborrecimento.
Desembarcar em um porto: Felicidade.
Estar com outras pessoas em um porto: Receberá notícias de um lugar distante.
Uma embarcação que chega de longe: Morte de alguém que você hospeda.
Marinheiros que desembarcam em um porto: Dificuldades no casamento.
Chegar a um porto estrangeiro: Felicidade no amor.
Um belo porto: Será vítima de uma fraude.

PORTUGAL

Ir a Portugal: Demora em sua vida.
Estar em Portugal: Ouvirá boa música.
Portugueses: Receberá boas notícias de um lugar distante.
Estar com portugueses: Terá uma surpresa.

POSSUIR

Possuir riqueza: Você é muito arrogante e teimoso.
Possuir algo muito belo: Prazer, alegria e riqueza.
Possuir uma boa propriedade: A esposa será tão bela quanto a boa propriedade.
Possuir algo muito bem situado: Terá uma bela esposa.

POSTE

Um poste: Cuidado com o infortúnio.

Diversos postes em pé: Alegria e contentamento.

Pessoas instalando postes: Vitória.

Um letreiro no poste da rua: Grandes honrarias.

Um poste derrubado: Doença em breve.

Brincar em volta de um poste: Desastre que atingirá a família.

POTE DE VIDRO

Um pote de vidro, vazio: Receberá uma carta do exterior.

Um pote de vidro, cheio: Possuirá fortuna em idade bem avançada.

Pote de vidro com doce: A preocupação se dissipará.

Partir um pote de vidro: Êxito rápido na concretização de suas esperanças.

POTÊNCIA SEXUAL

Ter potência sexual: Ganhos financeiros.

Ter controle sobre a potência: Descoberta de seus próprios erros na vida.

POTRO

Um potro: Receberá a notícia de um nascimento.

Muitos potros: O êxito virá mais tarde.

Um potro correndo atrás da égua: Dias bons estão chegando.

Um potro mamando: Triunfo sobre os inimigos.

POUPANÇA

Poupanças financeiras: Fará boas amizades.

Pôr dinheiro em caderneta de poupança: Você come boa comida.

Ter muito dinheiro em caderneta de poupança: Surpreenderá os inimigos.

Outra pessoa que faz poupança: Pobreza.

Filhos fazendo poupança: Um segredo de família será revelado.

POUPAR

Poupar dinheiro: O seu humor é muito instável.

PRADO

Prados: Alcançará êxito em seus empreendimentos.

Grama que cresce no prado: Fará um bom casamento.

Feno que cresce no prado: Amizades agradáveis.

Estar em um prado: Felicidade.

Comprar um prado: Será recebido com muita hospitalidade.

PRANCHA

Uma prancha: Felicidade.

Muitas pranchas: Será perturbado durante um caso amoroso.

Cortar pranchas: Decepção.
Pranchas que caem: Prazer em aproveitar a vida.
Pranchas empilhadas: Vergonha pública.
Outra pessoa lidando com pranchas: Negócios malsucedidos.
Comprar pranchas: Estará inquieto.
Vender pranchas: Fará uma viagem satisfatória.

PRATA

A cor da prata: Terá sorte em todos os negócios.
Comprar roupas prateadas: A felicidade está assegurada.
Diversos materiais prateados: Terá muitos amigos.
Dinheiro em prata: Boa sorte nos negócios e amor.
Achar moedas de prata: Prosperidade.
Juntar prata: Prejuízos nos negócios.
Trocar dinheiro em moedas de prata: Será visitado por um amigo.
Manusear prata: Sofrerá prejuízos nas atividades comerciais.
Receber presentes de prata: Bons tempos estão chegando.
Dar presente de objetos de prata: Novos interesses e ambiente.
Ter grande quantidade de prata valiosa: Escapará ao perigo, se tiver cuidado.

PRATARIA

Prataria: Não concretizará suas ambições.
Herdar prataria: Terá amigos para o jantar.
Comprar prataria: Obterá pequenos ganhos.
Vender prataria: As atividades comerciais vão melhorar.
Galvanoplastia em prata: Precisa ter mais coragem.

PRATELEIRA

Uma prateleira: Você tem muita experiência no que se refere ao amor.
Diversas prateleiras: Encontrará oposição a seus desejos.
Coisas em uma prateleira: Conduzirá bem os negócios.
Livros em uma prateleira: Sofrerá um acidente em breve.
Guardar alimentos em uma prateleira: Discussões em família.
Pôr roupa de cama em uma prateleira: Você está com a consciência pesada.
Pôr panelas em uma prateleira: Perda inevitável de dinheiro.
Pôr sapatos em uma prateleira: Morte de um membro da família.
Pôr chapéus em uma prateleira: Os negócios estão confusos.
Pôr outras coisas em uma prateleira: Alcançará sua meta trabalhando duro.
Pôr travesseiros e cobertores em uma prateleira: Será enganado pela pessoa a quem ama.

PRATO

Quebrar pratos: Dificuldades no lar.

Outras pessoas que quebram pratos: Precisa controlar suas paixões.

Rachar um prato de ágata: Receberá muito dinheiro.

Deixar cair um prato de balança: Terá grande sorte.

PRAZER

Sentir prazer: Outra pessoa está desfrutando daquilo que você queria para si.

Outras pessoas sentindo prazer: Um mistério será solucionado.

Filhos sentindo prazer: Trabalho agradável e boas notícias.

Amigos que sentem prazer: Será enganado por amigos.

Namorado sentindo prazer: Frivolidade.

PRECIPÍCIO

Um precipício: As pessoas zombam de você.

Cair de um precipício e morrer: Sofrerá desonra.

Cair de um precipício e sair vivo: Será honrado pelos outros.

Afastar-se de um precipício: Vencerá todas as dificuldades.

Outros que caem de um precipício: Evite a viagem e mude de planos.

Mulher sonhando que cai de um precipício: Dará à luz uma criança.

PREÇO

Perguntar o preço de um artigo: Tranqüilidade total.

Pagar o preço pedido por um artigo: Cuidado com as aparências.

Discutir o preço de um artigo: Boas notícias.

Recusar-se a pagar o preço pedido: Sua saúde ficará debilitada.

Quando o preço é baixo demais: Morte de uma pessoa que você conhece.

Ser enganado quanto ao preço: Precisa moderar suas paixões.

PREGADOR

Um pregador: Resultado satisfatório em seus planos.

Um pregador que faz sermão em um púlpito: Muitas preocupações no presente.

Ser um pregador: Passará por muitos altos e baixos.

Ouvir um pregador que veio de fora: Sofrerá um infortúnio.

Um pregador importante: Herança de um parente distante.

PREGOS

Pregos de carpinteiro: Grandes prejuízos.

Pregos de aço: Doença.

Pregos de cobre: Tristeza.

Cravos de ferradura: Terá preocupações causadas por más notícias.

Bater pregos: Divórcio.

Vender pregos: Ganhará dinheiro.

Comprar pregos: Sua reputação está sendo questionada.

PREGUIÇA

Ser preguiçoso: Dificuldades para pessoas próximas a você.
Um casal preguiçoso: A questão legal terminará em casamento.
Marido preguiçoso: Uma pessoa desconhecida tenta prejudicá-lo.
Esposa preguiçosa: Dignidade e distinção.
Filhos preguiçosos: Eles se casarão com pessoas ricas.
Empregados preguiçosos: As preocupações se dissiparão.
Outras pessoas preguiçosas: Aviso de dificuldades.

PRELEÇÃO

Fazer uma preleção: Você se decepcionará se não controlar a língua.
Fazer uma preleção em público: Você se verá enredado em um litígio.
Ouvir uma preleção em praça pública: Terá uma decepção com os amigos.
Fazer uma preleção política: Evite os rivais.
Ouvir preleção de um superior: Enfrentará dificuldades.
Fazer preleção para os filhos: Grande alegria.

PREMATURO

Fazer planos prematuros: Você tende a ser muito impaciente.
Fazer planos prematuros para uma viagem: Será perseguido.
Fazer planos prematuros para um casamento: Brigas.
Negócios que têm um início prematuro: Pobreza.
Nascimento prematuro de uma criança: Mudança nos planos.

PRÊMIO

Receber um prêmio: Você tem medo de um inimigo.
Dar um prêmio: Boa amizade.
Outra pessoa recebendo prêmio: Doença.
Amigos recebendo um prêmio: Doença na família.
Inimigo recebendo um prêmio: Cuidado com os mexericos.

PRENDER (encarcerar)

Ser preso: Sofrimento seguido por alegria.
Ser preso e depois liberto: Êxito inesperado.
Outra pessoa sendo presa: Receberá um presente inesperado.

PRENDER (ligar)

Prender coisas pesadas: Enfrentará dificuldades com o Ministério de Justiça.
Prender madeira: Receberá notícias tristes.
Parte do corpo presa com fita adesiva: Infelicidade.

PRENSA

Uma prensa: Cuidado com amigos falsos.

Trabalhar com prensa: Herança.
Possuir uma prensa: Brigas por causa de herança.
Imprimir com prensa: Desordem pública.
Uma prensa para reprodução de dinheiro: Comerá um pão amargo.
Uma prensa para fabricação de cera: Receberá convite para um casamento.
Uma prensa para fabricação de azeite: Não conte com os amigos.
Uma prensa para fabricação de vinho: Riqueza e sorte.

PREOCUPAÇÕES

Ter preocupações ou dúvidas: Pobreza e falta de ânimo.
Sobre o que vai acontecer: Você está desperdiçando esforços.
Pensar no que os outros estão fazendo: Você tem bons amigos que o defendem.
Quanto à saúde da família: Êxito.
Quanto à fidelidade do marido ou da mulher: Receberá herança de uma pessoa desconhecida.

PRESAS

Presas: Você está sendo observado por uma pessoa mal-intencionada.
Ser arranhado por presas: Um inimigo o vencerá.
Ser arranhado pelas presas de um animal que foge em seguida: Vitória sobre os inimigos.
Ser arranhado pelas presas de uma ave que depois voa, indo embora: Os inimigos sofrerão prejuízos.
Outra pessoa arranhada por presas: Um amigo o ajuda em segredo.

PRESENTE

Receber um presente: Terá um encontro agradável com um amigo.
Receber um presente da pessoa amada: Êxito e boa sorte.
Receber um presente de outra pessoa: Má sorte.
Receber diversos presentes: Cuidado com a pessoa de quem os recebeu.
Dar presente a um parente: Boas esperanças.
Receber presente de pessoa importante: Receberá muitas honrarias.
Receber presente de parente: O êxito virá mais tarde.
Receber um presente de Natal dos parentes: Terá muitos admiradores.
Receber um presente de Natal de amigos: Traição.

PRESIDENTE

Ser presidente: Honrarias.
Ser eleito presidente: Receberá bênçãos de Deus.
Ser reeleito presidente: Você está cometendo adultério.

Sofrer *impeachment* na presidência: Traição de amigos.
Perder o cargo de presidente: Boas notícias.

PRESSA
Estar com pressa: Risco de acidente.
Filho com pressa: Aguarde acontecimento importante e muito benéfico.
Amigo com pressa: Terá vida longa.
Inimigo com pressa: A decepção é certa.

PRESUNÇÃO
Ser presunçoso: Terá infelicidade.
Outra pessoa que é presunçosa: Contará com muitos recursos.
Filho presunçoso: Infelicidade.
Marido ou mulher presunçoso: Terá um amor duradouro.
Amigo presunçoso: Viajará em uma embarcação.

PRESUNTO
Comprar um presunto: Contrairá dívidas.
Ter um presunto: Não confie nos amigos.
Ferver um presunto: Grandes lucros.
Cortar presunto em fatias: Ganhos financeiros.
Assar presunto na brasa: Aguarde acontecimento importante e muito benéfico.
Comer presunto: Alegria e lucro.
Servir presunto a alguém: Brigas de família.

PRETO (cor)
A cor preta: Passará por momentos muito infelizes.
Um vestido preto: Tristeza.
Cor preta em um funeral: Boas notícias chegarão em breve.
Comprar roupas pretas: Você está sendo enganado.

PRIMAVERA
A primavera: Receberá ótimas notícias.
A primavera, durante o inverno: Logo haverá um casamento.
Um belo dia de primavera: Será insultado por uma pessoa tola.

PRIMAVERA (flor)
Essa flor silvestre: Boas notícias inesperadas.
Ter primaveras nas mãos: Viverá um romance.
Colher primaveras: Receberá uma carta que espera há muito tempo.

PRIMEIRO-MINISTRO
Um primeiro-ministro: Felicidade passageira.
Falar com um primeiro-ministro: As pessoas tentam enganá-lo.
Pedir uma audiência com o primeiro-ministro: Muito trabalho e pouco proveito.

Outras pessoas que visitam um primeiro-ministro: Você atribui muita importância às coisas.
Ser um primeiro-ministro: Você tem dinheiro suficiente para comprar, sem preocupações.

PRIMO

Um primo: Parentes lhe pedirão ajuda.
Diversos de seus primos: Infortúnio nos assuntos sentimentais.
Estar em companhia de um primo: Notícias más e inesperadas.
Estar em companhia de todos os primos: Perigo no amor.

PRÍNCIPE

Um príncipe: Um presente será dado a você.
Conhecer um príncipe: Terá honrarias e riqueza.
Ir com um príncipe: Possuirá uma grande fortuna.
Pedir permissão para ter uma audiência com um príncipe: Êxito nos negócios.
Matar um príncipe: Receberá a notícia da morte de uma pessoa que você ama.
Falar com uma princesa: Ficará cheio de presunção.
Ver uma princesa: Você se mostrará arrogante com as pessoas amigas.
Residir com uma princesa: Risco de morte.

PRISÃO

Uma prisão: Felicidade na família.
Ser posto na prisão: Boa sorte.
Seu preso por causa dos erros de pessoas amigas: Tristeza.
Estar na prisão: Alegria.
Estar numa prisão escura: Você tem um amigo oculto.
Permanecer na prisão: Receberá um grande favor.
Sair da prisão: Sorte passageira.
Pessoas amigas na prisão: Felicidade na família.
Inimigos na prisão: Sorte que durará pouco.
Uma mulher sonhando que está na prisão: Sofrimento.

PROBABILIDADES

Fazer planos sobre o que provavelmente comprará: Curiosidade.
Homem sonhando com a provável esposa: Infelicidade com a esposa.
Mulher sonhando com o provável marido: Receberá notícias muito alegres.
Um cargo ou emprego provável: Os desejos serão realizados.

PROBLEMAS

Problemas: Mudança de residência.
Estar com problemas: Êxito e honrarias.
Uma pessoa casada que tem problema: Prepare-se para enfrentar um desastre.

Uma pessoa solteira que tem problema: Vergonha e tristeza.
Uma moça com problema: Terá muitos namorados.
Uma pessoa que você ama com problema: Fracasso no amor.
Uma viúva com problema: Ela vai engravidar.
Enfrentar problemas: Obterá êxito.
Evitar problemas: Os problemas virão a você.

PROCESSO JUDICIAL

Dar início a um processo judicial: Terá uma amizade duradoura.
Pessoas saudáveis perdendo um processo judicial: Doença.
Pessoas doentes perdendo um processo judicial: Restabelecimento da sua saúde.
Vencer um processo judicial: Obterá satisfação.

PROCISSÃO

Uma procissão: Honraria e alegria.
Assistir a uma procissão: Sua situação vai melhorar.
Uma procissão religiosa: Traição de um amigo.
Procissão de sacerdotes: Cuidado com amigos que não merecem confiança.
Procissão de pessoas felizes: Receberá um presente.
Pessoa casada sonhando com uma procissão: Casamento duradouro.
Namorados assistindo a uma procissão: Felicidade.
Pessoa solteira participando de uma procissão: Boa sorte por muitos anos.

PROCURAÇÃO

Preparar uma procuração: Alegria na família.
Dar procuração a alguém: Não confie no auxílio de pessoas desconhecidas.
Receber procuração: Depositará confiança em alguém que está em uma posição inferior à sua.
Dar procuração a um advogado: Ficará doente, mas logo se restabelecerá.
Cancelar uma procuração: Dificuldades financeiras em breve.

PROCURADOR

Um procurador: Ficará muito cansado.
Contratar um procurador: Pessoas conhecidas vão tirar vantagem de você.
Consultar um procurador: Terá motivos para preocupações.
Ser um procurador: Boas notícias inesperadas.
Estar em um tribunal com um procurador: Evite especular no mercado de capitais.
Lidar com um procurador oponente: Haverá uma catástrofe.
Conferenciar com diversos procuradores: Enfrentará dificuldades.

PRODUTOR

Ser produtor de artigos agrícolas: Lucro.
Ser um produtor musical: Fortuna passageira.
Ser um produtor teatral: Honrarias e alegria.

PRODUZIR

Produzir cartas de jogar: Escapará a um perigo.
Produzir panelas e caçarolas: Morte de alguém.
Produzir pentes: Infelicidade no casamento.
Produzir amido de engomar: Pobreza e miséria.

PROFANAÇÃO (ato)

Violar coisas sagradas: Sofrerá dores terríveis.
Parentes que violam coisas sagradas: Miséria.
Amigos cometendo uma profanação: Receberá um legado.
Outra pessoa cometendo uma profanação: Contrairá grandes dívidas.

PROFANAÇÃO (proferir)

Proferir o nome de Deus em vão: Sofrerá prejuízos financeiros.
Outra pessoa que profere uma profanação: Terá uma briga e perderá uma amizade.
Ensinar os filhos a não proferir profanações: Terá uma família feliz.

PROFESSOR

Dar aulas: Precisa controlar suas paixões.
Ser professor de crianças pequenas: Você tem uma amizade leal.
Ser um professor que leciona à noite: Logo ocorrerá uma mudança na sua vida.
Ter um professor: Raiva que o deixará constrangido por um motivo insignificante.

PROFESSOR UNIVERSITÁRIO

Um professor: Será convidado para uma cerimônia solene.
Um professor lecionando: Precisa controlar suas paixões.
Uma professora lecionando: Aguarde acontecimentos importantes e muito benéficos.
Ser um professor: Sentirá tristeza.
Um professor que leciona apenas para mulheres: Os amigos o enganarão.
Um professor que leciona apenas para homens: Perigo causado por um segredo.
Uma mulher que é professora de universidade: Doença.
Um homem que é professor de universidade: Infelicidade nos assuntos amorosos.

PROFETA

Um profeta: Não confie em promessas falsas.
Ser um profeta: Sofrerá prejuízo financeiro.

Fazer profecias: Estará envolvido em coisas perigosas e misteriosas.
Alguém fazendo profecias para você: Conte com seu próprio bom senso.

PROGREDIR

Progredir nos assuntos sentimentais: Êxito nos planos comerciais.
Progredir e tornar-se patrão de si próprio: O êxito é certo.
Progredir na situação atual: Cuidado com amigos invejosos.
Progredir em uma ação judicial: Perderá o caso.

PROJETO

Um projeto: Receberá um presente.
Fazer projetos comerciais: Você está desperdiçando tempo.
Fazer projetos para momentos de prazer: Você se diverte em lugares pouco recomendáveis.
Fazer projetos financeiros: Os desejos serão realizados.

PROMESSA

Fazer uma promessa: Sofrerá perseguição.
Não honrar uma promessa: Dificuldade sem fim.
Aceitar uma promessa: Receberá boas notícias.
Uma promessa que lhe é feita: Sorte.
Uma promessa de casamento que lhe é feita: Realizará seus desejos.
Recusar uma promessa de casamento: Boa sorte.

PROMONTÓRIO

Um promontório: Fatos incomuns estão prestes a ocorrer.
Ver um promontório a distância: Sofrerá uma desilusão.
Estar sobre um promontório: Ganhos financeiros.
Outras pessoas sobre um promontório: Mudança no ambiente.
Inimigos em um promontório: Você está sob o poder de pessoas falsas.

PROMOTOR

Um promotor: Você está sendo enganado.
Ser um promotor: Você tem muitos amigos.
Discutir com um promotor: A inocência será provada.
Um promotor que vai contra seus inimigos: Honraria e distinção.
Outras pessoas acusadas por um promotor: Declínio dos negócios.

PROMOTOR PÚBLICO

Um promotor público: Preocupações inesperadas.
Estar na presença de um promotor público: Terá amor-próprio.
Ser acusado por um promotor público: Será amoroso, terá felicidade e grande prazer.

Ser levado ao promotor público por um policial: Satisfação e contentamento moral.

PROPOSITURA (proposição de ação judicial)

Receber uma propositura: Receberá boas notícias.
Fazer uma propositura: Dignidade e distinção.
Aceitar uma propositura: Mudança de ambiente.
Outras pessoas que recusam uma propositura: Aviso de dificuldades.
Parentes que aceitam uma propositura: Promessa de casamento.
Filhos que aceitam uma propositura: Dinheiro chegando.

PROPOSTA

Fazer uma proposta: Será convidado para um jantar.
Receber uma proposta: Boa sorte e alegria.
Rejeitar uma proposta: Curiosidade insatisfeita.
Aceitar uma proposta: Será atormentado pelas dúvidas.
Outras pessoas que fazem proposta: Brigas de família.
Parentes que fazem proposta: Terá uma vida longa e tranqüila.

PROPRIEDADE

Propriedade: Casamento com uma pessoa rica.
Examinar a propriedade: Riqueza.
Receber uma propriedade de presente: Terá uma situação agradável.
Dar uma propriedade de presente: Formará uma grande família.
Comprar uma propriedade: Será muito rico.
Vender uma propriedade: Você se casará com uma pessoa jovem.
Um possível comprador de propriedade: Você é um sonhador.
Ter um negócio em sua propriedade: Receberá notícias maravilhosas.
Vender propriedade no interior: Desgraça.
Possuir propriedade no interior: Fortuna.
Herdar propriedades: Estará de luto.

PROPRIEDADE IMOBILIÁRIA

Ter uma propriedade imobiliária: Terá vida longa.
Ter uma grande propriedade imobiliária: Infelicidade.
Vender uma propriedade imobiliária: Em breve ocorrerá uma mudança na sua vida.
A propriedade imobiliária de outra pessoa: Você se casará com uma pessoa dedicada.

PRÓSTATA

Ter dores na próstata: Perda de amigos.
Submeter-se a uma cirurgia na próstata: Prejuízos nos negócios.

Parentes que se submetem a uma operação na próstata: Descobrirá um segredo.
Outras pessoas que sofrem de problemas na próstata: Discórdia entre sócios.

PROSTITUTA

Uma prostituta: Bons tempos estão chegando.
Ser uma prostituta: Um inimigo trama sua ruína.
Visitar uma prostituta: Dificuldades no lar.
Muitas prostitutas: Honrarias e bênçãos.
Prostituta branca: Você se verá livre das dificuldades.
Prostituta mulata: Você se restabelecerá depois de passar um longo período doente.
Prostituta negra: Mudança na sorte.
Prostituta nua e de corpo bem-feito: Boas esperanças.
Prostituta grávida: Agradáveis notícias na família.
Prostituta morta: Uma pessoa importante se apaixonará por você.
Prostitutas desconhecidas: Glórias, honra e êxito.
Abraçar uma prostituta: Fará uma longa viagem.
Receber uma prostituta em sua casa: Bons empreendimentos comerciais.
Uma prostituta dançando: Voltará para o seu namorado.
Uma prostituta muito bondosa: Receberá um mau relatório de negócios.
Ouvir uma prostituta falar: Mudará de residência.
Viver com uma prostituta: Segurança.
Uma prostituta que julga ser homem: Dará à luz um menino.
Uma mulher de pouca moralidade: Há um amigo falso por perto.
Ser uma mulher de pouca moralidade: Terá vida longa.

PROTEÇÃO

Precisar de proteção: Realizará altas ambições.
Pedir proteção: Você conta demais com favores dos amigos.
Proteger o marido ou mulher: As preocupações se dissiparão.
Proteger os filhos: A curiosidade será satisfeita.

PROTESTAR

Fazer um protesto legal: Receberá um convite para jantar.
Protestar sua inocência: Está procurando uma fortuna, mas não a consegue encontrar.
Outras pessoas que protestam ao seu lado: Terá uma família grande.
Atos de protesto dos inimigos: Desfrutará de saúde duradoura.

PROTETORA

Uma protetora: Perigo de guerra.
Ser uma protetora: Levará uma vida alegre.
Discutir com uma protetora: Muita agitação sem resultado.
Ser insultado por uma protetora: As pessoas estão falando mal de você.

PROTOCOLO

Protocolo: Um bom futuro está assegurado.
Fazer as coisas de acordo com o protocolo: Alegria em família.
Fazer coisas contra as regras do protocolo: As pessoas fazem fofocas a seu respeito.
Manusear documentos de protocolo: Faça planos para dias difíceis.
Manusear um livro de protocolo: Alguém lhe fará uma promessa de casamento.

PROVER

Ser o provedor da família: Será recompensado, com salário, por trabalho executado.
Ser o provedor do marido ou da mulher: Cuidado para não ser enganado.
Ser o provedor dos filhos: Receberá riqueza em outro momento.
Prover meios para obras de caridade: Bons rendimentos e lucro.
Prover o que é necessário para os negócios: Sofrerá uma desilusão.

PROVISÕES

Provisões: Riqueza.
Comprar provisões: Fará uma viagem e não retornará.
Outras pessoas comprando provisões: Muitos anos de felicidade.
Dar provisões aos outros: Momentos animados pela frente.
Muitas provisões guardadas em um porão: Decepção em suas esperanças.
Ter fome e não poder comprar provisões: Dificuldades nos negócios.
Ter fome e contar com muitas provisões: Perda de dinheiro.

PROVOCAR

Ser provocado pelos outros: Sorte e prosperidade.
Provocar um amigo: Será atormentado pelas dúvidas.
Provocar a pessoa amada: A sua curiosidade não será satisfeita.
Provocar empregados: Um mistério será solucionado.

PÚBLICO

O público: A curiosidade será satisfeita.
Estar em meio do público: Faça planos para sua velhice.
Parentes entre o público: Aviso de dificuldades.
Amigos entre o público: Falta de amigos.
Uma desordem ou rebelião pública: Felicidade na família.

PUDIM

Um pudim: Traição.
Comer um pudim: Ganhará dinheiro.
Preparar um pudim: Terá dores no coração.
Comprar um pudim: Fofocas terríveis estão sendo feitas a seu respeito.
Receber um pudim de presente: Doença.
Dar um pudim de presente: Descobrirá um segredo.
Comer pudim em um banquete: Enfrentará grandes dificuldades.
Filhos comendo pudim: A situação financeira da família vai melhorar.

PUGILISMO

Assistir a uma luta de boxe: Receberá um aviso alarmante.
Participar de uma luta de boxe: Perda de amigos.
Ganhar uma aposta em luta de boxe: Harmonia entre amigos.
Perder uma aposta em luta de boxe: Você tem um amigo leal.

PULAR

Dar um pulo: Você é muito incoerente nos assuntos sentimentais.
Dar um pulo alto: Escapará a um perigo atual.
Deixar de dar um pulo: A vida será quase intolerável.
Pular sobre uma vala: Um inimigo trama sua ruína.
Outras pessoas pulando: Vencerá os inimigos sendo perseverante.
Pular sobre um obstáculo: Receberá notícias alegres.
Um canguru pulando: Atividades sociais agradáveis.
Matar um canguru enquanto ele está pulando: Herança.
Pular à água: Será perseguido.
Pular no ar: Perda do cargo atual.
Pular na presença de outras pessoas: Perderá uma ação judicial.

PULGAS

Pulgas: Infelicidade.
Pegar uma pulga: Terá preocupações.
Matar uma pulga: Encontrará obstáculos.
Ser picado por pulga: Enriquecerá.
Muitas pulgas: Os inimigos desejam vingança.
Pulgas nos filhos: Receberá um convidado indesejado.
Mulher sonhando com pulgas: Ela tem um amante volúvel.

PULMÃO

Pulmões: Contrairá uma doença grave.
Ter doença dos pulmões: Perda da saúde e de propriedade.
Estar ferido nos pulmões: Prejuízo no lar.
Ter um dos pulmões retirado: Decepção em seus desejos.
Cuspir muco dos pulmões: Sofrerá grandes prejuízos.

PÚLPITO

Um púlpito: Alcançará uma boa posição.

Estar em um púlpito: Honraria e bênçãos.

Fazer sermão de um púlpito: Enfrentará trabalho pesado.

Amigos que fazem sermão de um púlpito: Serão muitas as lágrimas.

Um sacerdote que faz sermão de um belo púlpito: Os negócios andarão em marcha lenta.

PULSO

Os pulsos quebrados: Felicidade.

Moça com os pulsos quebrados: Ela se casará com o namorado atual.

Estar com a pulsação acelerada: Felicidade.

Agarrar alguém pelo pulso: Doença.

O pulso deslocado: Muitas e boas amizades.

Mulher com um belo pulso: Realizará todos os seus desejos na vida.

Mulher usando braceletes nos pulsos: Alegria iminente.

Ter um pulso muito grande: Terá úlceras e doença epidérmica grave.

PUNHO

Usar os punhos: Receberá boas notícias.

Bater em alguém com o punho: Desfrutará de uma amizade por muito tempo.

Filhos que batem com os punhos: Será insultado.

Outras pessoas lutando com os punhos: Haverá demora nos negócios.

PUNIR

Ser punido: Prazer inesperado em breve.

Punir outra pessoa: Receberá notícias de pessoas ausentes.

Punir os filhos: Amizade duradoura.

Ser punido por um tribunal: Viagens inesperadas.

Aplicar punição a transgressores: Ciúme ou inveja injustificados.

PUPILA DOS OLHOS

As pupilas dos olhos: Traição no amor.

As pupilas dos olhos da pessoa amada: Grande decepção.

PURGATÓRIO

Purgatório: Doença.

Ser mandado ao purgatório: Viajará uma grande distância.

Outras pessoas no purgatório: Recursos abundantes.

Antepassados no purgatório: Dinheiro chegando.

Parentes no purgatório: Boa sorte para alguém com quem você se importa.

PURIFICAR

Purificar alguma coisa: Você se dedica a passatempos incomuns.
Purificar coisas comestíveis: Enfrentará adiamento nos negócios.
Purificar a alma: Remorsos lhe causarão tristeza.
Médicos esterilizando instrumentos cirúrgicos: Será golpeado por alguém.

PÚRPURA

A cor púrpura: Fará uma viagem alegre.
Ver um vestido púrpura: Casamento feliz.
Ver casaco e chapéu de cor púrpura: Honraria.
Ver flores de cor púrpura: Perda de sua propriedade imobiliária.
Ver materiais de cor púrpura: Perda de amigos.

Q

QUADRADOS

Quadrados em diversos materiais: Esbanjamento de dinheiro.

Diversos quadrados coloridos em materiais: Contrairá dívidas.

Mulher sonhando com quadrados no assoalho: Êxito.

Mulher sonhando que usa uma saia quadriculada: Felicidade no amor.

Os quadrados de um tabuleiro de damas: Será feliz em todos os empreendimentos.

O quadrado de uma praça pública: Um romance em sua vida.

QUADRILHA (dança)

Uma quadrilha: Grande alegria.

Dançar uma quadrilha: Infortúnio nos assuntos sentimentais.

Dançar uma quadrilha com o namorado: Você é uma pessoa carinhosa.

Dançar uma quadrilha com a esposa: Honraria e alegria.

QUADRIS

Seus quadris: Trabalho agradável e boas notícias.

Os quadris dos filhos: Terá vida longa.

Quadris de outras pessoas: Você está sendo enganado.

Quadris dos inimigos: Triunfo sobre os inimigos.

Quadris da esposa: Enriquecerá.

Quadris do marido: O marido a engana.

Ter quadris muito grandes: Terá dinheiro.

Estar com os quadris fortes: Boa saúde.

Ter quadris quebrados: Perda de dinheiro.

Quebrar os quadris: Doença e perda dos filhos.

Submeter-se a uma operação nos quadris: O marido ou a mulher não merece confiança.

Quadril machucado e sangrando: Grande prejuízo para a família.

Levar um golpe nos quadris: O marido ou a mulher causará embaraço à família.

QUADROS

Quadros: Será feliz nos assuntos amorosos.

Quadros em uma parede: Honraria.

Pintar um quadro: Grande alegria.

Pintar diversos quadros: Satisfação na vida familiar.

Comprar quadros: Sofrerá prejuízo por causa de especulação.

Vender quadros: Trabalho sem proveito.

Receber um quadro de presente: Êxito imediato na concretização de suas esperanças.

Ter o quadro de um parente pendurado na parede: Vaidade.

Quadros de mulheres nuas: Vergonha pública.

Quadros de homens nus: Felicidade nos assuntos amorosos.

Quadros agradáveis: Traição da pessoa em quem você confia.

Tirar quadros da parede: É invejado pelos inimigos.

Outras pessoas que têm quadros: Os inimigos procuram destruí-lo.

Ter uma coleção de quadros: Sofrerá por ingratidão.

Uma coleção de quadros antigos: Perigo nos assuntos sentimentais.

Uma coleção de quadros modernos: Tenha cautela nos negócios.

QUADRUPEDES

Animais com quatro patas: Boas amizades.

Pequenos quadrúpedes: Receberá notícias agradáveis.

Quadrúpedes do tamanho de um cão: Felicidade.

Quadrúpedes do tamanho de um cavalo: Contrariedades no amor.

Quadrúpedes que são mortos: Sofrerá miséria.

QUAKER

Um *quaker*: Está diante de obstáculos insuperáveis.

Tratar com um *quaker*: Vergonha pública.

Um médico *quaker*: Um descuido causará prejuízo sério.

Ser médico *quaker*: Riqueza e bons negócios.

Uma comunidade *quaker*: Está cercado de gente invejosa.

QUANTIDADE

Objeto em quantidade: Sofrerá miséria.

Comprar em quantidade: Você terá boas amizades.

Vender em quantidade: Evite esbanjar dinheiro.

Guardar coisas em quantidade: Felicidade e satisfação.

Enviar ou dar coisas em quantidade: Será perseguido.

QUARENTENA

Ser posto em quarentena: Evitará um perigo.
Uma casa posta em quarentena: Perdoará os amigos.
Um navio em quarentena: Obterá bons rendimentos.

QUARTEL

Um quartel: Enfrentará trabalho pesado.
Ser um soldado que mora em um quartel: As dificuldades terminarão em breve.
Não morar em um quartel: Estará em dificuldades.
Muitos soldados que vivem em um quartel: Aviso de dificuldades.

QUARTO

Seu próprio quarto: Mudanças em sua vida.
O quarto luxuoso de alguém: Demora nas atividades atuais.
Um quarto em um apartamento: Segredo de família.
Dormir em um quarto de hotel: Fofocas estúpidas serão feitas a seu respeito.
Dormir no quarto de uma pessoa amiga: Você se embriagará.
Um quarto: Descobrirá segredos de família.
Um quarto de sua casa: Pobreza.
Quarto ou sala em uma capela mortuária: Risco de morte iminente.
Um quarto de hotel: Morte de pessoa amiga.
Um quarto de pensão: Empreendimentos comerciais malsucedidos.
Um quarto em casa de amigo: A decepção é certa.
Um quarto de prisão: Terá vida longa.
O quarto de alguém a quem você ama: Será enganado por amigos.
Um quarto recém-pintado: Será enganado.
Entrar em um quarto: Certeza de bons rendimentos.
Um quarto escuro: Perda de dinheiro.
Um banheiro: Doença.
O quarto dos filhos: Fará uma longa viagem.

QUEBRA-MAR

Estar sozinho em um quebra-mar: Terá de suportar o pesar.
Estar em um quebra-mar com marinheiros: Alguma pessoa alimenta inimizade secreta por você.

QUEBRA-NOZES

Quebra-nozes: Discussões em família.
Usar um quebra-nozes: Dias infelizes virão.
Ter um quebra-nozes na mão: Reflita antes de agir.
Machucar as mãos com o quebra-nozes: Felicidade nos assuntos amorosos.

QUEBRAR

Quebrar o vidro de uma janela: Dificuldades adiante.

Quebrar móveis: Brigas em casa.

Quebrar um copo de bebida: Quebrará uma perna.

Quebrar os óculos: Riqueza inesperada.

Quebrar pratos: Dificuldades domésticas.

Quebrar garrafas: Estará com a saúde debilitada.

Quebrar objetos de madeira: Receberá a notícia da morte de um parente.

Quebrar um osso do corpo: Receberá um legado.

Quebrar ossos de boi: Sofrerá todos os tipos de prejuízos.

Quebrar mastros de madeira: Muito trabalho pela frente.

QUEDA

Cair de um lugar alto: Sofrerá um infortúnio.

Cair de uma altura média: Perda da honra.

Machucar-se em uma queda: Enfrentará reviravoltas e perderá amizades.

Cair e assustar-se: Passará por algumas dificuldades.

Cair sem se machucar: Alcançará a vitória com seus esforços.

Cair no chão: Você corre perigo.

Cair de uma ponte: Os negócios vão mal.

Cair e levantar-se: Honra.

Cair em um buraco de sepultura: Prepare-se para uma catástrofe.

Cair na água: Risco de morte para quem sonha.

Cair no oceano: Cuidado com amigos invejosos.

Cair no oceano e depois acordar sobressaltado: Honra e riqueza.

Ser atirado ao oceano por inimigos: Será perseguido.

Outras pessoas que caem: Será promovido.

Parentes que caem: Triunfo sobre os inimigos.

Filhos que caem: Alegria sem ganho.

Inimigos que caem: Não confidencie seu segredo.

Amigos que caem: Você está sendo enganado.

QUEIJO

Queijo: Preocupação causada por atos apressados.

Comprar queijo: Está sendo enganado pelas pessoas mais próximas.

Ter queijo: Oposição nos assuntos amorosos.

Comer queijo: Saúde e muitos prazeres.

Queijo estrangeiro: Você tende a gostar apenas das melhores coisas.

Queijo nacional: Mudança para melhor.

Queijo feito em casa: Boa sorte para alguém com quem você se importa.

QUEIMA

Uma casa queimando: A sorte melhorará.
Uma edificação queimando: Prejuízos e preocupação.
Sua casa queimando: Será feliz no amor.
Seu prédio queimando: Felicidade.
Casa de pessoa amiga queimando: Triunfo sobre os inimigos.
Casa queimando em um grande incêndio: Herança.
Casa queimando em um incêndio pequeno: Brigas entre parentes.
Um grande armazém queimando: Perda de dinheiro.
Ser queimado dentro de uma casa em chamas: As ambições são grandes demais.
Uma cama queimando: Prosperidade.
Sua própria cama queimando sem que você seja atingido: Morte da esposa.

QUEIMADURAS

Ter queimaduras no corpo: Terá amizades valiosas por toda a vida.
Outras pessoas com queimaduras: Prosperidade nos negócios.
Queimar-se por causa de alguém: Dificuldades em breve.
Queimar-se enquanto cozinha: Será abandonado pela pessoa amada.

QUEIXAR-SE

Queixar-se: Você se enraivece muito facilmente por coisas sem importância.
Receber queixas: Infelicidade.
Queixar-se a outras pessoas: Não existe fundamento para suas esperanças.
Apresentar queixa em juízo: Aguarde acontecimento importante e muito benéfico.

QUEIXO

Seu queixo: Bons negócios no futuro.
Ter um queixo grande: Receberá dinheiro.
Ter um belo queixo: Pobreza.
Outras pessoas com dois queixos, um de papada de gordura: Será convocado a fazer o bem.
Outras pessoas que machucam o queixo: Êxito.

QUENTÃO

Tomar quentão: Receberá notícias desagradáveis.
Fazer quentão: Perda de dinheiro.
Oferecer um copo de quentão a alguém: Má reputação.

QUENTE

Tempo quente: Será repreendido.
Desfrutar de tempo quente: Contrairá uma doença de pouca gravidade.
Viver em clima quente: Ciúme ou inveja.

Não gostar de clima quente: Os desejos causarão danos.

Aquecer água: Terá maus pensamentos.

Aquecer comida: Sua timidez causará mágoa.

Manter-se aquecido: Infelicidade.

Manter os filhos aquecidos: Chegada de uma pessoa amiga.

QUEPE

Pôr um quepe na cabeça: Dificuldades nos assuntos sentimentais.

Comprar um quepe: Receberá uma herança.

Vender um quepe: Você não está conduzindo bem os seus negócios.

Um quepe que lhe dão de presente: Será feliz em seu casamento.

Um quepe velho e sujo: Prejuízos nos negócios.

QUERER

Querer alguma coisa: Conhecerá uma pessoa que se tornará sua amiga.

Filhos querendo diversas coisas: Felicidade na família.

Marido ou mulher querendo alguma coisa: Discussões.

O namorado querendo alguma coisa: Receberá uma carta importante trazendo dinheiro.

QUILHA

A quilha de um navio: Notícias de uma pessoa que você ama e que está no mar.

A quilha de um navio sendo raspada: Aviso de dificuldades.

A quilha de um navio que vai ser construído: A felicidade está assegurada.

A quilha de um navio sofrendo danos: Obterá bons rendimentos.

QUÍMICO

Ser um químico: As questões comerciais não andam bem.

O laboratório de um químico: Tenha cautela nas transações comerciais.

Estar no laboratório de um químico: Breve se casará.

QUININO (remédio contra febres e malária)

Quinino: Terá uma vida saudável.

Tomar quinino: Uma grande felicidade tornará a sua vida melhor.

Comprar quinino: Grande alegria sem ganho.

Dar quinino aos filhos: Riquezas por toda a vida deles.

Dar quinino a parentes: Tenha cautela em todos os seus negócios.

QUINTAL

Um quintal: Logo receberá a notícia do noivado de pessoas amigas.
Estar em um quintal: Amigo indesejado irá visitá-lo.
Trabalhar em um quintal: Um admirador se casará em breve.
Estar com o quintal desarrumado: Tristeza que causará lágrimas.
Ter o quintal bem cuidado: Discussão em família.
O quintal do vizinho: Precisa contar com seus próprios esforços.
O quintal de um amigo: Perfeição.
Plantar coisas em um quintal: Alegria.
Colher flores em um quintal: Morte.

QUINZENA

Receber pagamento quinzenal: Terá muita felicidade.
Pagar uma conta quinzenal: Começará a jogar.

R

RABANETE
Rabanetes: Você tem um grande número de inimigos.
Plantar rabanetes para vender: Prosperidade.
Plantar rabanetes para seu próprio uso: Muitos prazeres.
Comer rabanetes: Enfrentará dificuldades passageiras.
Outras pessoas comendo rabanetes: Mudança de ambiente.
Comprar rabanetes: Descoberta de segredos no lar.

RABECA
Uma rabeca: Grande prosperidade.
Tocar rabeca: Logo ocorrerá uma mudança na sua vida.
Outras pessoas tocando rabeca: Sentirá tristeza.
Possuir uma rabeca: Evite os rivais.

RABINO
Um rabino: Sorte.
Ser um rabino: Ficará na miséria.
Conversar com um rabino: Alegria.
Discutir com um rabino: Fará as pazes com os inimigos.

RACHAR
Rachar madeira: Será proprietário de uma casa de penhores.

RAINHA
Uma rainha: Engano nos assuntos sentimentais.
Mandar carta a uma rainha: Perigo.
Ir falar com uma rainha: Terá boa sorte.
Ter entrevista com uma rainha: Rebelião dentro de casa.
Uma rainha cercada pela corte: Será enganado pelas amigas.

RAIO
Um raio de luz: Doença.
Raios de sol brilhando em sua cama: Correrá risco de vida por causa de uma doença.
Um raio que cai do céu: Vitória sobre os inimigos.

Um raio que atinge árvores: Discórdia entre sócios.
Ser atingido por um raio: Morte de um parente.
Outras pessoas atingidas por um raio: Conhecerá uma mulher ávida por prazeres.
Um raio que atinge a água: O êxito é certo.
Um raio que mata animais no campo: Sua vida corre perigo.
Um raio que cai à noite: Dificuldades e brigas.

RAIOS X

Uma máquina de raios X: A preocupação se dissipará.
Fazer uma chapa de raios X: A decepção é certa.
Receber um exame radiológico favorável: Aguarde acontecimento importante e muito benéfico.
Exames radiológicos de outras pessoas: Brigas de família.
Acionar uma máquina de raios X: Obterá bons rendimentos.

RAIVA

Estar com raiva: Evite os rivais.
Ficar com muita raiva: Ficará tão perturbado que não poderá manter o fôlego.
Enraivecer-se com a pessoa amada: Acontecimentos importantes.
Enraivecer-se com um parente: Você se beneficiará por meio dessa pessoa.
Enraivecer-se com pessoas desconhecidas: Receberá notícias inesperadas.
Enraivecer-se e brigar: Desfrutará de boas amizades.
Enraivecer-se com os filhos: Receberá convite de uma pessoa destacada.

RAIZ

Raízes: Terá tarefa difícil a cumprir.
Raízes de árvores: Infortúnio.
Raízes de plantas: Em breve estará doente.
Tirar as raízes de uma planta do chão: Outras pessoas se beneficiam de suas idéias.
As raízes de seus dentes: Não dê dinheiro algum a crédito.
As raízes dos dentes dos filhos: Não se enfraqueça diante dos desejos de amigos.

RAJADA

Uma rajada de flechas: Oposição vinda de diversas fontes.
Uma rajada de muitas coisas: Felicidade.

RALHAR

Ralhar com alguém: Receberá notícias agradáveis.
Outras pessoas que ralham com você: As circunstâncias melhorarão.
Parentes que ralham com você: Solidão e dificuldades.

Filhos que ralham com você: Sua situação vai melhorar.

RAMALHETE

Um ramalhete: A felicidade está assegurada.

Colher flores para um ramalhete: As esperanças terão vida tão curta quanto as flores.

Receber um ramalhete de presente: Contrairá dívidas.

RANCOR

Rancor: Alimentará ódio por outras pessoas.

Ter rancor secreto por alguém: Terá boas amizades.

Rancor entre marido e mulher: Logo ocorrerá uma separação.

Outras pessoas que têm rancor de você: Obterá bons rendimentos nos negócios.

Rancor entre parentes: Terá paz e contentamento.

RANÇOSO

Comida rançosa: Desprezará uma proposta de amor.

Jogar fora comida rançosa: Sofrerá infortúnio por um breve período.

Animais que comem comida rançosa: Resistirá a tormentas.

Comprar comida rançosa sem saber: Um inimigo desconhecido o prejudicará muito.

Comer comida rançosa: Terá boa saúde.

RAPÉ

Rapé: Perda de dinheiro.

Pôr rapé na boca: Esbanjamento de dinheiro.

Pôr rapé no nariz: Perderá a calma.

Oferecer rapé a outras pessoas: Conhecerá pessoas interessantes.

Mulher sonhando que põe rapé no nariz: Ambiente agradável.

Oferecer uma pitada de rapé a uma amiga: Bons negócios.

Entornar rapé nas roupas: Enfrentará dificuldades.

RAPIDEZ

Agir com rapidez: Infelicidade.

Filhos agindo com rapidez: Concretização das esperanças.

Parentes agindo com rapidez: Discussões em família.

Cometer algum erro por agir rapidamente, sem pensar: Dificuldades causarão danos.

RAPOSA

Uma raposa: Um inimigo ou rival está entre seus conhecidos.

Uma raposa que foi morta: Vencerá uma ameaça de dificuldades.

Uma raposa de belo pêlo: Cuidado com amigos falsos.

Matar uma raposa: Êxito em todos os empreendimentos.

Surpreender uma raposa: Cuidado com os ladrões.

Pegar uma raposa em armadilha: Brigará com pessoas amigas.

Uma raposa domesticada: Seu amor está mal focalizado.

Filhos brincando com filhotes de raposa: As pessoas abusam de sua bondade.

Muitas raposas: Você tem muitos inimigos.

Comprar uma raposa: Será enganado por amigos.

RAQUETE DE TÊNIS

Uma raquete de tênis: Boa sorte para uma pessoa com quem você se importa.

Sua própria raquete de tênis: Receberá notícias do exterior.

Jogar com uma raquete de tênis: Terá muitas atividades sob controle.

Outras pessoas com raquete de tênis: Cuidado com as amizades invejosas.

RARO

Objetos raros: Você tem uma natureza altamente artística.

Jóias raras: Sofrerá aflição e inquietação.

Comprar objetos raros: Terá grandes discussões com amigos.

RASGAR

Rasgar: Agirá com má-fé.

Rasgar tecidos: Bons resultados nos negócios.

Rasgar papéis: Infortúnio no amor.

Rasgar dinheiro: Alcançará as metas devagar, porém com segurança.

Rasgar cartas de amor: Você se apaixonará por alguém que ainda não conhece.

Rasgar documentos valiosos: Mudará de idéia.

RASPADEIRA

Uma raspadeira: Felicidade.

Usar raspadeira em um cavalo: Receberá bons conselhos de amigos.

Outras pessoas usando raspadeira em um cavalo: Receberá ajuda de uma pessoa desconhecida.

Limpar uma raspadeira: Receberá dinheiro inesperado.

RASPAR

Raspar: Um casamento será realizado em breve.

Trabalhar com afinco, raspando: Infelicidade.

Membros da família raspando: Infortúnio.

Amigos raspando: Pobreza.

RASPAR PÊLOS

Uma mulher sonhando que raspa as axilas: É apreciada pelos homens por causa da paixão que demonstra.

Uma mulher sonhando que raspa a nuca: Recusará uma proposta.

Uma mulher sonhando que raspa as pernas: Recusará um pedido de casamento.

A cabeça raspada de uma freira: Ambições inúteis.

RASTEJAR

Rastejar: Relação amorosa não irá adiante.
Outras pessoas rastejando: A decepção é certa.
Rastejar sobre lugares acidentados: Boas oportunidades foram desprezadas.

RATOS

Ratos: Mágoa causada por falsidade.
Muitos ratos: Sérias dificuldades surgirão.
Matar um rato: Obterá êxito em todos os empreendimentos.
Pegar ratos com uma ratoeira: As outras pessoas não gostam de você.
Um gato que pega ratos na casa: Negócio ainda não concluído alcançará êxito.
Ratos brancos: Vencerá as dificuldades.
Namorados sonhando com ratos: Um rival bem-sucedido.

RATOS, CAÇADORES DE

Um caçador de ratos: Você terá um bom namorado.
Um caçador de ratos pegando-os em um canto: Você está cometendo uma traição.
Um caçador de ratos pegando ratos brancos: Fracasso de inimigos muito maus.
Um caçador de ratos pegando muitos desses roedores: Acerto de contas com pessoas que agiram mau.

RAVINA (barranco)

Uma ravina: Terá muito dinheiro.
Uma ravina pequena: Paz e prosperidade.
Cair em uma ravina: Você se sairá bem das dificuldades.
Uma ravina quase seca: Uma pessoa amiga lhe prestará serviço.
Muita água correndo por uma ravina: As pessoas têm fé em você.

REBELIÃO

Uma rebelião: Alguém em uma posição inferior à sua está lhe causando muitas dificuldades.
Estar em uma rebelião: As pessoas deixarão de aborrecê-lo.
Ser um rebelde: Não está feliz com a situação atual.
Observar uma rebelião: Tenha cautela nos negócios.
Participar de uma rebelião: Grande satisfação.
Ser ferido em uma rebelião: Infidelidade.
Pessoas que são mortas em uma rebelião: Ganhará no jogo.
Amigos em uma rebelião: Você tem inimigos secretos.
Uma rebelião estrangeira: Suas ambições são excessivas.
Dar fim a uma rebelião: Sua situação vai melhorar.

REBITE

Rebites: Receberá boas notícias.

Lidar com rebites de todos os tamanhos: Viajará por estrada ou ferrovia.

Parentes com rebites: Viajará pelo ar.

Comprar rebites: Cuidado com especulações no mercado de valores.

Vender rebites: Boas notícias a caminho.

Outras pessoas lidando com rebites: Sorte nos negócios.

Você próprio ligando peças metálicas com rebites: Sua situação vai melhorar.

REBOCADOR

Um rebocador: Prosperidade nos negócios.

Seguir em um rebocador: Um mistério será explicado.

Um rebocador que puxa uma barcaça: Dignidade na sociedade.

Um rebocador que puxa um navio: Receberá dinheiro inesperado.

Um rebocador que ajuda um navio com problemas: Prosperidade.

A tripulação de um rebocador: Satisfação.

Ouvir o apito de um rebocador: Você está fazendo algo errado.

REBOCO

Reboco: Infelicidade.

Manusear reboco: Passará por muitos altos e baixos em breve.

Reboco caindo da parede da casa: Dificuldades em família.

Reboco no chão da casa: Sofrerá humilhação.

Reboco caindo sobre você: Acusações falsas estão sendo feitas contra você.

REBOLO (cilindro com mó)

Um rebolo: Morte de um parente.

Usar rebolo: A sorte premiará seus esforços.

Outras pessoas usando rebolo: Perda da amizade de diversas pessoas.

Filhos usando rebolo: Vida de grande atividade, com êxito financeiro.

RECADO

Dar um recado: Harmonia no lar.

Um recado que ficou incompleto: A perda de uma pessoa que você ama está em seu destino.

Um recado mal entendido: Aguarde acontecimento importante e muito benéfico.

RECEBER

Receber uma carta de amor: Infelicidade e perseguição.

Receber um presente em sua casa: Terá boas esperanças.

Receber um anel em segredo como presente: Alguém lhe fará uma promessa de casamento.
Receber personalidades importantes em sua casa: Riqueza.
Ser recebido por outras pessoas: Você leva uma vida muito descuidada.

RECEITA (rendimento)
Ter uma bela receita: Você deveria corrigir seu modo de viver.
Não ter receita suficiente: Aviso de dificuldades com os parentes.
Ter uma receita muito pequena: Aguarde acontecimentos importantes e muito benéficos.
Parentes que têm uma grande receita: Tenha cautela nos empreendimentos comerciais.
Amigos que têm uma grande receita: Há um amigo falso por perto.

RECEITA MÉDICA
Ter uma receita médica: Sua saúde, que no momento está debilitada, se restabelecerá.
Pedir receita a um médico: Desfrutará de muita felicidade.
Receitar novamente: Você se recuperará totalmente da doença.
Escrever uma receita para a família: Comprará roupas novas.
Um médico escrevendo uma receita: Boas esperanças.

RECEPÇÃO
Uma recepção: Brigas de família.
Comparecer a uma recepção: Você receberá recompensa pelo trabalho executado.
Comparecer sozinho ao jantar de uma recepção pública: O êxito virá mais tarde.
Oferecer uma recepção: É tido em alta conta pela sociedade.
Dar uma recepção no casamento dos filhos: Realizará altas ambições.

RECIBO
Dar um recibo: Terá emprego modesto.
Aceitar um recibo: Boas chances de prosperidade.
Assinar um recibo: Momentos emocionantes pela frente.
Escrever um recibo: Esteja alerta em relação aos amigos em quem mais confia.
Reconhecer o recebimento de dinheiro: Cuidado para não ser insultado.
Reconhecer o recebimento de uma carta: Será perdoado pelos amigos.
Comprovante de recebimento de um documento: Não deposite confiança demais em seu futuro.
O comprovante de recebimento de uma carta de família: Correrá perigo.

RECOMPENSA

Receber uma recompensa: Fracasso de planos causado pela confiança excessiva.

Dar uma recompensa: Desfrutará de coisas que o dinheiro não pode comprar.

Aceitar uma recompensa: Sofrerá um grave acidente.

Recusar uma recompensa injustificável: Presunção.

Outras pessoas que recebem recompensa: Cuidado com risco de incêndio em sua casa.

Inimigos que recebem uma recompensa: Dinheiro chegando.

RECONCILIAR-SE

Reconciliar-se com o marido: Desgraça.

Reconciliar-se com um amigo: Brigas.

Reconciliar-se com um inimigo: Escândalo.

Reconciliar-se com uma pessoa que você ama: Felicidade.

Reconciliar-se com a própria família: Engano.

RECONFORTO

Reconfortar os filhos: Dinheiro chegando.

Reconfortar outras pessoas: Será bem-sucedido no amor.

Ser reconfortado pelos outros: Felicidade no amor.

RECONHECER

Reconhecer pessoas: Levará uma vida tranqüila.

Reconhecer uma velha amizade: Ficará extremamente agitado.

Reconhecer uma pessoa morta: Terá um problema cardíaco.

Ser reconhecido por outras pessoas após muitos anos: Você se apaixonará.

Reconhecer um documento legal que está sujo: Boas esperanças para o futuro.

RECONQUISTAR

Reconquistar dinheiro perdido: Prosperidade.

Reconquistar a esposa: Desgraça pública.

Reconquistar um negócio perdido: Será protegido por pessoas que têm dinheiro.

Reconquistar um amor: Infidelidade.

RECUPERAÇÃO

Recuperação: Terá vida longa.

Não se recuperar: Cuidado com pessoas traiçoeiras.

Filhos que se recuperam: Será protegido por Deus.

Membro da família que se recupera de uma doença grave: Um mistério será solucionado.

Recuperar móveis: Você tende a ser imprudente.

Recuperar-se de uma doença: Você gosta demais de se divertir.

Recuperar-se de um prejuízo comercial: Terá felicidade em breve.

Marido ou esposa que se recupera: Receberá um presente.

Filhos que se recuperam de uma doença: Infelicidade dentro de 48 horas.

RECURSOS

Não ter recursos suficientes: Cuidado com pessoas que o prejudicarão.

Ter recursos suficientes: Pobreza.

Outras pessoas sem recursos: Infelicidade.

Amigos com recursos: O êxito virá mais tarde.

Um homem que tem mais recursos do que o necessário: Perda de propriedade pessoal.

Uma mulher com mais recursos do que o necessário: Desastre na família.

RECUSAR

Receber uma recusa: Estava certo demais de que seria aceito.

Ser recusado: Prosperidade.

Outras pessoas que recusam: Miséria e desespero.

Ser rejeitado pelos parentes: Perspectivas de tempos melhores.

Ser rejeitado pelos amigos: Inveja e discórdia.

Filhos que recebem uma recusa: Felicidade em breve.

Recusar um presente: Receberá outro presente.

Outras pessoas que recusam seu presente: Será abraçado pelo namorado.

Recusar-se a aceitar uma carta: Dores secretas.

Outras pessoas que se recusam a aceitar sua carta: Os negócios vão melhorar.

REDE

Uma rede: A relação amorosa naufragará.

Alguém que usa uma rede: Logo estará apaixonado.

Usar uma rede: Êxito nos negócios.

Uma mulher que costuma usar rede de linha nos cabelos: O casamento durará para sempre.

Pegar algo em uma rede: Terá uma surpresa.

Pegar uma mulher em uma rede: Muito dinheiro.

Pegar peixes com uma rede: Mudança de temperatura e muita chuva.

Pegar aves com uma rede: Grandes preocupações pela frente.

REDE DE APANHAR INSETOS

Usar uma rede de apanhar insetos: Felicidade.

Apanhar borboletas e outros insetos com uma rede: Você tem desejos que não são certos.

Comprar uma rede de apanhar insetos: Perseguição.

Rasgar uma rede de apanhar insetos: As coisas correrão bem para você.

REDE DE DORMIR

Estar em uma rede de dormir: A felicidade com a pessoa amada está assegurada.

Outras pessoas em uma rede de dormir: Haverá um sério desastre.

Parentes em uma rede de dormir: Sentirá tristeza.

Filhos em uma rede de dormir: Infortúnio nos assuntos amorosos.

RÉDEAS

As rédeas de um cavalo: Alcançará elevada posição social.

Pôr bridão e rédeas em um cavalo: A situação melhorará logo.

Segurar as rédeas de um cavalo: Estará em uma festa com amigos.

Puxar as rédeas para fazer parar um cavalo: Enriquecerá.

REDUZIR

Reduzir as despesas: Sofrerá uma dor desconhecida.

Reduzir o número de empregados: Miséria.

Reduzir a bebida que ingere: Os negócios darão uma guinada para melhor.

REFEITÓRIO

Um refeitório de hotel: Alegria.

Um refeitório militar: Terá uma vida longa e tranqüila.

Um refeitório de prisioneiros: Você deveria corrigir seu modo de viver.

Um refeitório de hospital: Aguarde acontecimento importante e muito benéfico.

Estar com outras pessoas em um refeitório: Infelicidade nos assuntos amorosos.

Refeitório de marinheiros: Terá muita sorte nas transações comerciais.

REFINADO

Ter gosto refinado: Deplorará os atos atuais.

Uma mulher de refinada beleza: Contrairá muitas dívidas.

Conhecer um homem refinado: Alegria sem ganho.

Flertar com mulher refinada: Terá um triste futuro.

REFINAR

Refinar: Você tem muitos inimigos.

Purificar enquanto refina: Você perde tempo demais com prazeres.

Pessoas que trabalham em uma refinaria: Grande alegria.

REFLEXO

Seu próprio reflexo na água: Vida solitária.

O reflexo da família: Receberá a visita de uma pessoa estranha.

O reflexo da pessoa amada na água: Conhecerá uma pessoa importante e se casará com ela.

Reflexo dos filhos: Alcançará êxito.

O reflexo de um rosto estranho: Separação das pessoas que você ama.

REFRESCO

Refrescos: Terá felicidade em seu casamento.

Servir refrescos: Passará por um pequeno vexame.

Refresco que lhe é oferecido: Alegria inesperada.

Dar refrescos à família: Os negócios correrão bem.

Dar refrescos aos filhos: Eles alcançarão destaque na coletividade.

Dar refrescos a amigos: Receberá presente de um homem rico.

Comprar refrescos: Alegria para a mulher da família.

REFÚGIO

Um refúgio: Você conta demais com favores.

Estar em um refúgio: Receberá ajuda dos amigos.

Ir com a família para um refúgio: Terá boa saúde.

Outras pessoas que vão para um refúgio: Será infeliz na situação atual.

Refugiar-se de um furacão: Cuidado com maus julgamentos.

Refugiar-se de uma tempestade: Ganhos financeiros.

Refugiar-se de inimigos: Será muito rico em breve.

REGALO (agasalho para as mãos)

Possuir um belo regalo: Não terá dinheiro.

Usar um regalo: Promessa de vida livre das constantes mudanças.

Comprar um regalo: Infidelidade por parte de alguém em quem você confia.

Outras pessoas usando regalo: Esteja atento a fofocas causadas por despeito.

REGATA

Uma regata: Boas esperanças.

Assistir a uma regata: Receberá notícias favoráveis.

Participar de uma regata: Receberá uma condecoração em breve.

Vencer uma regata: Herdará dinheiro de uma mulher idosa.

Perder uma regata: Descobrirá um novo amor.

Ser o líder de uma regata: Será paquerado por muitas mulheres.

Assistir a uma regata a vela: Alegria e festividade.

Observar uma regata a remo: Fará uma longa viagem ao exterior com o namorado.

REGIMENTO

Um regimento: Segurança.

Estar em um regimento: Confiança.

Um regimento marchando: Mudanças em sua situação.

Um regimento marchando numa parada: Terá uma grande família.

Um regimento que vence a batalha: Ganhará muito dinheiro.
Um regimento que perde a batalha: Você está cercado por credores.
Um regimento que é aniquilado: Será cercado por belas mulheres.

REGISTRO

Registros: Você não está à altura de preencher seu lugar na família.
Registrar questões legais: Desfrutará de muita segurança.
Estar encarregado dos registros em um tribunal: Prosperidade.

REGOZIJO

Regozijar-se: Ocorrerá uma catástrofe.
Estar em um lugar de regozijo: Sua situação vai melhorar.
Regozijar-se com o marido ou com a mulher: Bons tempos estão chegando.
Regozijar-se com a pessoa amada: Perigo nos assuntos amorosos.

REGRESSAR

Regressar: Alegria inesperada.
Regressar de uma viagem: Grande prosperidade.
Outras pessoas que regressam após muito tempo: Os prejuízos serão compensados em breve.
Parentes que regressam de uma viagem: Inveja e ciúme na família.
Amigos que regressam a seus lares: Traição.
Namorado que volta para casa: Não lhe foi fiel.

RÉGUA

Uma régua: Um mistério será solucionado em breve.
Medir com uma régua: Ficará sem recursos financeiros.
Profissional que usa uma régua: Vencerá a infelicidade.

REI

Um rei: Será enganado nos assuntos sentimentais.
Ir ver um rei: Boa sorte.
Mandar carta a um rei: Perigo.
Ter encontro com um rei: Rebelião em sua própria casa.
Um rei cercado pela corte: Será enganado pelos amigos.
O rei de uma Igreja: Você será perdoado pelos pecados.
Ser um rei: Receberá notícias infelizes no que se refere ao amor.
Reinar com mão forte: Os parentes virão pedir dinheiro.

RELAÇÃO SEXUAL

A relação sexual: A felicidade está assegurada.
Outras pessoas mantendo relações sexuais: Recursos abundantes.
Você próprio em uma relação sexual: Ganhos financeiros.

RELÂMPAGO

Um relâmpago: Altas honrarias.

Um relâmpago sobre uma casa: Morte de um amigo.

RELIGIÃO

Sua própria religião: Tranqüilidade e contentamento.

Acreditar em sua religião: Grande discussão em família.

Seguir sua própria religião: Alguém o golpeará.

Pertencer a uma instituição religiosa: Perda de inimigos.

Outras pessoas religiosas: Morte na família.

Filhos que são religiosos: Venderá sua casa.

Parentes que são religiosos: Infelicidade muito grande.

Amigos que são religiosos: Contentamento no lar.

Ser uma pessoa muito religiosa: Grande felicidade.

Ir à igreja todos os dias: Esbanjamento de dinheiro.

RELINCHAR

Ouvir um cavalo relinchando: Sorte para alguém por quem você se interessa.

Ouvir diversos cavalos relinchando ao mesmo tempo: Grande alegria.

Ouvir um burro relinchar: Desgraça para você.

RELÓGIO

Um relógio de pulso: Boa saúde.

Usar um relógio de pulso: Prejuízo nos negócios.

Mulher sonhando que usa um relógio de pulso: Ela se tornará preguiçosa.

Mulher sonhando que ganha um relógio de pulso de presente: Felicidade.

Moça sonhando que recebe um relógio de pulso de presente: Será pedida em casamento.

Comprar um relógio de pulso: Alegria e tranqüilidade.

Vender um relógio de pulso: Pobreza.

Ter um relógio de algibeira: Ganhará bom dinheiro.

Comprar um relógio de algibeira: Fará uma viagem por terra.

Ser um relojoeiro: Terá de executar algum trabalho difícil.

Consertar relógios: Evite os rivais.

Ouvir as badaladas de um relógio de parede marcando as horas: Logo se casará.

Um relógio de igreja ou relógio público: Desfrutará de uma vida cômoda.

Ter um relógio de parede: Terá felicidade.

Comprar um relógio de parede: Receberá importantes notícias comerciais.

Um relógio que pára: Não contrairá uma doença.

REMAR

Pessoas remando: Sofrerá um infortúnio.

Você próprio remando: Mudança de ambiente.

Pessoas remando em uma competição: Sua situação vai melhorar.

Outras pessoas remando: Não confidencie segredos aos amigos.

Um clube de remo: Terá um forte rival.

REMÉDIO

Tomar um remédio: Você se restabelecerá de uma doença em breve.

Aconselhar outros com relação a um remédio: Cobrará dinheiro.

Dar remédio aos filhos: Será tido em alta conta pelas pessoas.

Achar remédio para as questões comerciais: Economizará e poupará dinheiro.

Um armário de remédios: Grande alegria sem ganho.

Tomar um remédio que tem gosto bom: As dificuldades terminarão com um bom resultado.

Tomar um remédio amargo: Procurará ferir alguém que confia em você.

Dar remédio a amigos: Harmonia entre amigos.

Dar remédio aos filhos: Enfrentará trabalho pesado.

Dar remédio a parentes: Tenha cautela em todas as transações.

REMENDAR

Remendar: Estará em uma situação inferior e de sofrimento.

Outras pessoas remendando: Tenha cautela nas aventuras amorosas.

Remendar roupas dos filhos: Ganhos financeiros.

Outras pessoas remendando suas roupas: Brigas de família.

Uma moça remendando roupas: Ela será de grande ajuda para o marido.

Fazer remendos para outras pessoas: Conseguirá manter o afeto da pessoa amada por você.

REMENDO

Um remendo na roupa: Riqueza herdada.

Pôr remendo na roupa dos filhos: Evitará a doença.

Pôr remendo na roupa de parentes: Receberá a notícia de um casamento.

Pôr remendo nas roupas de baixo: Alegria e lucro.

REMEXER

Remexer comida: Entrará em uma discussão.

Remexer lixo: Receberá dinheiro.

Remexer sopa: Sua situação financeira vai melhorar.

Remexer um cozido: Tenha cautela para não sofrer violência de alguém.

Remexer diversas outras coisas: Receberá má notícia.

REMO

Um remo: Frivolidade.
Segurar remos: Decepção no amor.
Perder um remo: Fracasso dos planos.
Um remo quebrado: Prazer interrompido.
Remar em um barco pequeno: Boas transações comerciais.
Remar em um barco grande: Ganhos financeiros.
Remar sozinho: Terá mente vigorosa.
Remar com outras pessoas: Enfrentará dificuldades.
Filhos remando: Êxito na vida.
Outras pessoas remando: Inimigo trama sua ruína.
Marinheiros remando: Perigo nos assuntos sentimentais.
Inimigos remando: Aviso de dificuldades.

RENDA

Renda: Todos os seus desejos serão realizados e você terá muitos amores.
Moça sonhando que faz rendas: Terá um marido bonito e rico.
Fazer rendas: Ganhos financeiros.
Comprar rendas: Perigo causado por um segredo.
Comprar um vestido de renda: Terá mente vigorosa.
Dar um presente de rendas: Infortúnio nos assuntos amorosos.
Comprar uma estola de renda: Frivolidade.
Receber rendas do namorado: Terá vida longa.

RENDER

Render-se a uma pessoa que você ama: Você se tornará ainda mais sovina no futuro.
Render-se à polícia: Receberá boas notícias.
Render-se à vontade do marido ou mulher: Obterá grandes rendimentos.
Um exército que se rende: Infelicidade.

RENUNCIAR

Renunciar: Precisa evitar as contradições.
Renunciar a um bom cargo: Seus atos são tolos.
Marido e mulher que renunciam um ao outro: Deveria corrigir seu modo de viver.
Renunciar a uma carreira política: Seus interesses darão uma guinada para melhor.
Outras pessoas que renunciam a cargos: Terá muitos inimigos.

REPELIR

Repelir outras pessoas: Será perseguido.
Repelir alguém que o ama: Terá um mau destino.
Repelir um pedido: Perdoará um amigo.
Ser repelido por uma mulher: Encontrará melhor parceira.

REPREENDER

Ser repreendido: Ganhará dinheiro nos negócios.
Repreender outras pessoas: Receberá notícias desagradáveis.
Repreender os filhos: Consolo.
Sócios se repreendendo mutuamente: Tranqüilidade e sorte.
Repreender empregados domésticos: Discussões no lar.
Repreender empregados: Será sinceramente amado.
Repreender parentes: Receberá oferta importante de um superior.
Repreender os amigos: Surpresa deliciosa à sua frente.
Ser repreendido por um oficial: Descobrirá inimigos secretos.
Ser repreendido por um superior: Sorte.

REPRESENTAR

Representar: Não obterá êxito em seus planos.
Outras pessoas representando: Fará uma curta viagem.
Assistir a atores representando: Os amigos o enganarão.
Assistir a uma atriz representando: Receberá carta com boas notícias.
Assistir aos filhos representando: Terá trabalho agradável e boas notícias.
Representar com outras pessoas: Felicidade.
Inimigos representando: Futuro incerto.

REPRIMIR

Ser reprimido: A vaidade o prejudicará.
Reprimir outra pessoa: Terá um amor passageiro.
Reprimir um animal: Você tem vizinhos com os quais não se importa.
Outras pessoas que o reprimem: Não está à altura de sua posição na vida.

RÉPTIL

Répteis: Você tem inimigos ocultos.
Matar répteis: Está lidando com pessoas traiçoeiras.
Capturar um réptil vivo: Estão falando mal de você.
Muitos répteis na mata: Você é egoísta demais.
Ter um réptil em uma gaiola: Ganhará no jogo.
Outras pessoas com répteis em uma gaiola: Tenha cautela nas atividades comerciais.
Ser mordido por um réptil: Ótimo andamento dos negócios.
Morrer em decorrência da mordida de um réptil: Você está cercado de inimigos.
Parentes mordidos por répteis: As pessoas o caluniam.

RESERVATÓRIO

Um reservatório cheio de água límpida: Muito dinheiro no futuro.

Um reservatório pela metade: Negócios em declínio.
Um reservatório vazio: Fracasso dos negócios.
Um reservatório se enchendo de água: Novos negócios.

RESFRIADO
Estar com forte resfriado: Terá segurança em breve.
Marido ou mulher com resfriado: Recursos abundantes.
Os filhos com resfriado: Bons tempos estão chegando.

RESGATAR
Resgatar objetos que foram penhorados: Grande alegria.
Resgatar jóias em casa de penhores: Ingratidão pela bondade.
Pedir a outros que resgatem coisas para você: Perda de dinheiro e de amizade.
Resgatar ações pela garantia ou caução: Terá o amor de uma pessoa desconhecida.

RESIDÊNCIA
Sua própria residência: Cuidado para não ser seduzido.
Deixar a residência· Será perseguido.
A residência em uma prisão: Terá um mau futuro.
Estar confinado à residência: Preguiça.
A residência de outras pessoas: Um segredo lhe será confidenciado.
Ficar na residência de outra pessoa: Cuidado com prejuízos.

RESISTIR
Resistir ao amor de alguém: Será perseguido.
Não resistir a investidas de alguém: Descoberta de objetos valiosos que estavam perdidos.
Outras pessoas resistindo ao amor: Adquirirá confiança em si próprio.
Resistir para não cometer transgressões: Sorte e prosperidade.

RESPEITAR
Respeito: Receberá uma fortuna inesperada.
Ser respeitado: Receberá dinheiro e ficará rico.
Ser altamente respeitado pelos filhos: Aumento da fortuna.
Demonstrar respeito pelos outros: Tremenda catástrofe pela frente.

RESPEITÁVEL
Pessoas respeitáveis: Desfrutará de todos os prazeres e desejos da vida.
Ser uma pessoa respeitável: Levará uma vida fácil.
Ser considerado uma pessoa respeitável: Grande chuva e mudança de temperatura.
Ter negócios com uma pessoa respeitável: O trabalho será recompensado.

RESPIRAR

Respiração: Um amigo deseja vê-lo.

Não estar respirando: Dificuldades em breve.

RESPONDER

Esperar por uma resposta: Cuidado com a traição.

Receber boa resposta: Receberá um presente inesperado.

Receber resposta desfavorável: Melhora imediata no que se refere a seus interesses.

Mandar resposta a uma carta de mulher: Um mistério será solucionado.

Mandar resposta a uma carta de homem: A situação piorará.

Receber resposta desfavorável de uma mulher: Descobrirá outra pessoa a quem amar.

Receber resposta favorável de um homem: Desfrutará de vida social agradável.

Responder por um negócio: As preocupações terminarão.

RESPONSÁVEL

Ser responsável por transgressões: Cuidado para não fugir dos credores.

Ser responsável por bons atos: Cuidado com uma traição.

Lidar com pessoas responsáveis: Terá felicidade.

Ter cargo de responsabilidade: As preocupações se dissiparão.

Ter filhos responsáveis: Os parentes lhe pedirão ajuda.

RESSURREIÇÃO

A Ressurreição: Em breve fará uma longa viagem a lugares religiosos.

Estar no local da Ressurreição: O interesse religioso trará felicidade.

Comparecer aos serviços religiosos na Páscoa com a família: Vida longa e feliz.

RESTAURANTE

Um restaurante: Saúde debilitada.

Entrar em um restaurante: Amizade.

Comer em um restaurante: Sua saúde não está muito boa.

Comer com os filhos em um restaurante: Riqueza.

Outras pessoas comendo em um restaurante: Receberá dinheiro em breve.

Comer com parentes em um restaurante: Com paciência, vencerá os inimigos.

Comer com o namorado em um restaurante: Má situação financeira.

Inimigos comendo em um restaurante: Você ficará rico economizando.

Marido e mulher comendo sozinhos em um restaurante: Casamento feliz e duradouro.

RESTRINGIR

Atos que são restringidos: Terá riqueza e tranqüilidade.

Restringir atos de pessoas da área comercial: Bons tempos estão chegando.

Sofrer restrições por parte de outras pessoas: Doença.

Impor restrições aos filhos para que não cometam transgressões: Discussões em família.

Restringir as imposições de membros da família: A família pedirá dinheiro.

Sofrer restrições por parte do governo e obedecer: Você deveria comer um pouco menos.

RETIRAR

Retirar as roupas de um lugar e levá-las para outro: Receberá um presente.

Retirar-se para outro lugar: Pobreza.

Retirar-se para casa: Gostará de trabalhar com afinco.

Retirar a dentadura: Conte com visita em sua casa.

Outras pessoas que retiram coisas: Está precisando de ajuda financeira.

RETRATO

Um retrato: Será feliz nos assuntos amorosos.

Seu próprio retrato: Terá vida longa.

Receber um retrato de presente: Êxito imediato na concretização de suas esperanças.

Ter retratos de parentes: Vaidade.

O retrato de seu namorado: Amor duradouro.

Ter um retrato dos filhos: Os filhos alcançarão posição elevada.

O retrato de uma pessoa amiga: Você está sendo enganado.

RETRIBUIR

Retribuir um favor: Você se reconciliará com os inimigos.

Retribuir um convite recebido: Contrairá uma doença em breve.

Retribuir o amor de uma pessoa amiga: Entrará em grandes discussões.

Retribuição recebida por ter feito um favor: Alguém lhe fará uma declaração de amor.

REUMATISMO

Reumatismo: Indiscrição de amigos.

Ter reumatismo: Terá um novo prazo de vida e felicidade.

Sofrer com reumatismo: Vencerá os inimigos.

Parente com reumatismo: Os inimigos vão vencê-lo.

Amigos com reumatismo: A realização dos seus planos será adiada.

Inimigos com reumatismo: Decepção.

REUNIÃO DE HOMENS

Uma festa com reunião de homens, sem mulheres: Você está desiludido.

Comparecer a uma reunião de homens: Perigo pela frente.

Desempenhar papel destacado em festa de homens: Separação relacionada a amigos.

REVALIDAR

Revalidar um bilhete: Terá muitas propriedades.

Revalidar um documento: Não confie demais na sorte.

Revalidar um cheque: Cairá em mãos de agiotas.

Ter uma fortuna revalidada: Ouvirá fofocas estúpidas.

REVISTA

Uma revista: Receberá notícias de um lugar distante.

Comprar uma revista: Ficará livre de preocupações.

Vender uma revista: Solidão.

Dar uma revista: Amizade.

Perder uma revista: Pobreza.

Escrever artigos para uma revista: Tome cuidado para evitar prejuízo.

REVÓLVER

Empunhar um revólver: Perigo na água.

Usar um revólver: Lucro.

Disparar um revólver: Será enganado.

Filhos empunhando revólver: Os pais não merecem consideração.

Matar com revólver: Terá vida longa.

Inimigos usando revólver: Voltará a ter saúde.

Oficiais com revólver: Boa colheita.

Policiais usando revólver: Receberá boas notícias do exterior.

RIACHO

Um riacho: Alegria sem sentido.

Caminhar sozinho por um riacho: Cuidado com os inimigos.

Caminhar por um riacho com outras pessoas: Cairá em desgraça.

Ir a um riacho: Sofrerá com ingratidão.

RIBOMBAR

Ribombos estranhos: Morte de um inimigo.

Ouvir ribombos que vêm do fundo da terra: Você se restabelecerá de doença.

Ouvir ribombos acompanhados por terremoto: Dificuldades causarão privação.

Ouvir o ruído de ribombos: Evite os rivais.

RICO

Ser rico: Altas honrarias e êxito.

Enriquecer: Receberá uma grande recompensa.

Não enriquecer: Obterá emprego modesto e estará sob as ordens de uma pessoa rica.
Outras pessoas que são ricas: Agitação nos negócios.
Outras pessoas que enriquecem: Os negócios estão prosperando.
Conversar com pessoas ricas: Terá compensação.
Parentes que são ricos: Eles terão problemas na vida.
Filhos que enriquecem: Mudança de ambiente.

RIFA

Uma rifa: Você não merece o êxito.
Interessar-se por uma rifa: Inimigos desconhecidos o rodeiam.
Participar de uma rifa: Pequenos riscos pela frente.
Ter um bilhete de rifa: Boa sorte.
Namorados com bilhete de rifa: Ligação infeliz.
Perder uma rifa: O noivado será cancelado.

RIGOROSO

Ser rigoroso: Morte iminente de um parente.
Ser rigoroso com os filhos: Contrairá muitas dívidas.
Ser rigoroso com empregados: Receberá um legado.
Outras pessoas que são rigorosas com você: Estão falando por trás de você.
Oficiais que são rigorosos nos regulamentos: Preocupações e vexame.

RIM

Rins: Estará de luto e terá preocupações.
Ter dores nos rins: Você confia demais em si.
Submeter-se a uma cirurgia nos rins: Perda de dinheiro.
Comprar rins: Infelicidade.
Comer rins: Será visitado por uma pessoa a quem não convidou.
Outras pessoas recusando-se a comer rim: Receberá boas notícias.

RIMA

Escrever rimas: Preocupação relativa às contas nos negócios.
Outras pessoas que fazem rimas para você: Está sendo enganado.
Fazer rimas com ajuda de dicionário especializado: Perda de dinheiro.
Ler rimas escritas por outras pessoas: Perigo nos assuntos amorosos.

RINOCERONTE

Um rinoceronte: Êxito nos empreendimentos comerciais.
Rinoceronte em um jardim zoológico: Decepção para aqueles que estão apaixonados.
Rinocerontes lutando: Alguém procura vingar-se de você.
Matar um rinoceronte: Negócios malsucedidos.

RIO

Um rio: Felicidade nas questões familiares.

Nadar em um rio: Perigo iminente.

Um rio que passa pela casa: Grandes rendimentos.

Um rio enorme: Risco de doença.

Não conseguir escapar da enchente de um rio: Decepção.

Escapar de um rio que transborda: Ações judiciais se prolongarão.

Um rio de água límpida: Bons negócios.

Um rio de água suja: Desgraça para pessoas em uma discussão.

Um rio pequeno: Esbanjamento de dinheiro.

Atravessar um rio: Segurança.

Um rio agitado por tempestade: Tenha cautela nos negócios.

Cair em um rio: Brigas em casa.

Jogar alguém em um rio: Alguém vai tornar-se seu amigo.

Filhos que caem em um rio: Negligência nos negócios.

Inimigos que se suicidam em um rio: Receberá muito dinheiro.

Namorado que cai em um rio: Ganhos financeiros.

Pescar em um rio: Mudança de ambiente.

Percorrer um rio em uma embarcação: Perigo iminente.

RIQUEZA

Riqueza: Grande êxito nos planos.

Ter muito dinheiro: Perda de negócios e dinheiro.

Ter muitas propriedades: Perda de propriedade imobiliária.

Outras pessoas que têm muitas propriedades: Evite os rivais.

Pessoa solteira sonhando com riqueza: Você se casará com alguém pobre.

Pessoa rica sonhando com riqueza: Doença.

Pessoa pobre sonhando com riqueza: Infelicidade nos assuntos sentimentais.

Receber uma riqueza de herança: Brigas de família.

Ter parentes ricos: Aguarde acontecimentos importantes e muito benéficos.

Ser casado com alguém rico: Sorte e prosperidade.

Ter amigos ricos: Amigos procurarão destruir você.

RIR

Alguém rindo: Cuidado nos assuntos sentimentais.

Diversas pessoas rindo: Tome medidas contra os fofoqueiros.

Uma mulher que ri de você: Ela o enganará.

Filhos rindo: Dinheiro chegando.

Inimigos rindo: Um rival está minando o seu trabalho.

Ouvir alguém que ri: Indicação de prejuízos.

RISCO

Estar em risco: Solidão e dificuldades.

Filhos correndo riscos: Ganhos financeiros.
Amigos correndo riscos: Ocorrerá um desastre.
Inimigos correndo riscos: Prepare-se para uma catástrofe.
Namorado correndo risco: Êxito imediato nos assuntos sentimentais.

RIVAL

Um rival: Realizará um empreendimento desfavorável.
Derrotar um rival: Obterá êxito nos negócios.
Ser derrotado por um rival: Vergonha e tristeza.
Namorado sonhando que tem rival: Estará em falta nos assuntos sentimentais.
Moça sonhando que tem uma rival: Aceitará seu namorado atual.
Pessoa casada sonhando que tem rival: Grande felicidade.

ROBUSTO

Ser robusto: Grandes preocupações pela frente.
Toda a família robusta: Serão muitas as decepções.
Ter filhos robustos: Ganhos financeiros.
Ter amigos robustos: Doença.
Lutar com pessoa robusta: A tristeza está para chegar.

ROCHAS

Rochas: Dificuldades e trabalho pesado.
Manusear rochas: Será contestado.
Outras pessoas manuseando rochas: Terá muitos inimigos.
Descer rochedos: Perda de parentes.
Encontrar dificuldades ao descer rochedos: Morte de amigos.
Descer rochedos com facilidade: Não faça confidências a amigos.
Escalar rochas com dificuldades: A realização dos seus desejos será lenta.
Escalar um rochedo com o namorado: Logo estará casado.
Beijar o namorado em cima de uma rocha: O casamento durará para sempre.
Filhos escalando rochas: Terá muito dinheiro.
Filhos descendo de rochas: Eles receberão boa educação.
Uma rocha grande no mar: Vencerá os inimigos usando perseverança.

RODA

Uma roda: Enfrentará trabalho pesado.
Diversas rodas: Enfrentará dificuldades.
Uma roda quebrada: Novo interesse e ambiente.
Muitas rodas girando: Tristeza seguida por alegria.
Ter diversas rodas: Recuperação de dinheiro.
A roda de um moinho: Você está diante de um grande perigo.

A roda de um carro: Infelicidade no casamento.
Uma roda de jogo: Sofrerá muitos embaraços.
Uma roda de moer: Haverá discordância e briga.

ROLETA

Uma mesa de roleta: Haverá discussões com uma pessoa amiga.
Pessoas jogando em mesa de roleta: Lutará com um inimigo.
Ganhar na roleta: Provará sua inocência.
Perder na roleta: Receberá dinheiro de uma pessoa idosa.

ROLHA

Retirar a rolha de uma garrafa: Receberá boas notícias de uma pessoa amiga.
Enfiar rolha em uma garrafa: Receberá uma visita inesperada.
Ter diversas rolhas: Logo receberá um presente.

ROMÃ

Uma romã: Será herdeiro de riquezas.
Uma romãzeira: Receberá boas notícias.
Uma romãzeira em flor: Prosperidade.
Uma romãzeira com frutos: Alegria e prazer.
Partir uma romã em dois pedaços: Será perseguido por agentes fiscais.
Comer romã: Felicidade e boa saúde.
Tomar o suco de uma romã: Enfrentará trabalho pesado.
Ter uma cesta cheia de romãs: Será culpado por atos impensados.
Romãs estragadas: Dificuldades pela frente.

ROMANCE (livro)

Ler um romance: Tomará conhecimento do casamento de um parente.
Escrever um romance: Infelicidade.
Publicar um romance: Tenha cautela nas atividades comerciais.
Comprar um romance: Abstenha-se de especulações no mercado de títulos.

ROSA

Rosas: Felicidade.
Ter uma rosa na mão durante a estação dessa flor: Alegria.
Sentir o cheiro de rosas durante a estação: Notícias felizes.
Pessoa doente segurando uma rosa ou sentindo seu perfume, na estação: Perigo de morte.
Segurar rosas fora da estação: Infortúnio.
Rosas que murcham e caem: Você está sendo enganado.
Rosas levemente descoradas: O êxito virá após alguma dificuldade.

Rosas brancas: Inocência.
Rosas vermelhas: Ficará solteirão.
Dar rosas de presente: Modéstia.
Receber rosas de presente: Recordações agradáveis de velhas amizades.
Colher rosas: Você é um bom amante ou namorado.
Rosas muito vermelhas: Momentos alegres e divertidos.
Botões de rosas: Riqueza.
Colher botões de rosas: Aumento da família.

ROSÁRIO

Um rosário: Sofrerá por pecados.
Rezar o seu rosário: Reconciliação com um amigo.
Parentes que rezam o rosário: Virá a tristeza.
Outras pessoas que rezam o rosário: Bons tempos virão.
Alguém que usa um rosário: Sofrerá aflição.

ROSBIFE

Rosbife: Receberá cumprimentos afetuosos.
Comprar rosbife: Grande alegria.
Cozinhar rosbife: Vida confortável.
Comer rosbife: Grandes rendimentos.
Cortar rosbife: Ganhará no jogo.
Pôr rosbife no forno: Perigo iminente.
Servir rosbife: Aguarde acontecimentos felizes.

ROSTO

Ver o próprio rosto no espelho: Não obterá êxito nos planos.
Um belo rosto: Brigas de namorados.
Um rosto alegre e satisfeito: Terá boa sorte.
Um rosto feio: Infelicidade nos assuntos amorosos.
Um rosto sorridente: Ganhos financeiros.
Um rosto repulsivo: Fracasso dos inimigos.
Os rostos dos filhos: O êxito virá mais tarde.
O rosto de uma pessoa que você não conhece: Mudança de residência.
Lavar o rosto: Arrependimento pelos pecados.

RÓTULO

Rótulos: Receberá notícias importantes.
Pôr rótulo em embrulho ou pacote: Terá uma surpresa.
Pôr rótulo em mala: Logo fará uma longa viagem.

ROTUNDA

A rotunda de uma bela casa: Grandes rendimentos.
A rotunda de uma capital: Fará negócios muito firmes.
Encontrar-se com pessoas em uma rotunda: Desfrutará de divertimentos e prazeres.

Admirar uma rotunda em companhia da pessoa amada: Grande sorte.

ROUBAR

Roubar: Receberá uma jóia de presente.
Ter algo seu roubado: Decepção.
Roubar coisas valiosas: Grande miséria.
Roubar roupas: Obterá mau resultado nos negócios.
Roubar peles caras: Êxito em todos os empreendimentos.
Outras pessoas roubando: Grandes prazeres.
Devolver objetos roubados: Terá insônia por algum tempo.

ROUCO

Estar rouco por causa de um resfriado: Aviso de dificuldades.
Outras pessoas roucas por causa de um resfriado: Perigo nos assuntos amorosos.
Falar com voz rouca: Um sério desastre ocorrerá.

ROUPA CURTA

Ter roupa ou calças curtas: Aviso de dificuldades.

ROUPA DE CAMA

Muitas roupas de cama: Receberá uma grande herança.
Comprar roupa de cama: Perigo em breve.
Pessoa rica com muitas roupas de cama: Perda de dinheiro.
Pessoa rica sonhando com roupa de cama: Sua vida vai melhorar.
Pessoa pobre sonhando com roupa de cama: Terá uma boa situação financeira.

ROUPAS

Ter muitas roupas: Enfrentará dificuldades.
Vestir roupa: Uma pessoa desconhecida lhe dará boas notícias.
Estar sem roupa: Receberá muito dinheiro.
Estar parcialmente vestido: Terá prosperidade.
Usar roupas esfarrapadas: Herança.
Comprar muitas roupas: Êxito no amor.
Roupas novas: Dificuldades no lar.
Usar roupas tiradas de uma vitrine: Morte inesperada de um parente.
Passar roupas de baixo: Infelicidade.
Passar roupas de criança: Riqueza.

ROUXINOL

Um rouxinol: Será abandonado pela pessoa amada.
Ouvir rouxinóis cantando à noite: Bons tempos virão.
Muitos rouxinóis cantando juntos: Uma pessoa inválida terá a saúde restaurada.

ROXO-CLARO

A cor roxo-clara: Êxito glorioso.

Material roxo-claro de qualquer tipo: Terá felicidade na vida familiar.

Comprar roupas na cor roxo-clara: Recuperação de dinheiro perdido.

RUA

Uma rua: Você será bem recebido por todos.

Uma rua larga e aberta: Os negócios irão bem.

Uma rua comprida, com belas casas: Terá uma surpresa agradável.

Uma rua reta, cheia de gente: Prosperidade.

Uma rua com muitas curvas: Infelicidade.

Uma rua com muitos transeuntes: Aflições.

Uma rua deserta: Grande alegria.

Uma rua em mau estado: Êxito de suas esperanças no futuro.

Diversas ruas enlameadas e sujas: Será atacado.

Estar em uma rua em que nunca andou antes: Fará muitas viagens.

RUBI

Rubis: Felicidade.

Usar jóias com rubis: Vencerá os inimigos.

Usar um anel de rubis: Terá um amor muito fiel.

Comprar jóias com rubis: Consolo.

Vender jóias com rubis: Perda de dinheiro.

RUGIDO

Ouvir o som da água como um rugido: Um viajante voltará.

Ouvir o rugido de animais: Um inimigo o vigia.

Ouvir o rugido de animais a distância: Enfrentará trabalho pesado.

Ouvir animais rugindo em um paiol: Sua situação vai melhorar.

RUIBARBO (erva medicinal)

Ruibarbo: Amizade nova e forte.

Comer ruibarbo: Você está insatisfeito em sua atividade.

Cozinhar ruibarbo: Perderá uma amizade por causa de brigas.

Comprar ruibarbo: Aviso de dificuldades.

Plantar ruibarbo: Mudança para melhor em sua vida.

Fazer torta de ruibarbo: Receberá uma visita inesperada.

RUÍDO

Ouvir ruído: As pessoas estão falando de você.

Ouvir ruído alto: Briga entre amigos.

Ouvir um ruído alto na rua: Fracasso em seus planos.

Ouvir ruído feito pelos filhos: Receberá uma carta com boas notícias.

Visitas que fazem ruído: Êxito em seus interesses.

RUÍNA

Alguma coisa arruinada: Sorte e êxito.

A casa arruinada: Sucesso nos negócios.

O casamento arruinado: Você é bem conhecido por sua sovinice.

Uma cidade arruinada: Receberá fortuna inesperada.

Uma família financeiramente arruinada: Receberá dinheiro de modo inesperado.

Arruinar-se por transgressões: Sofrerá graves dificuldades.

Causar a ruína de outras pessoas: Terá sorte e prosperidade.

Outras pessoas arruinadas: Terá vida longa.

RUM

Garrafas de rum: Andará bebendo muito.

Beber rum: Terá espírito muito instável e indeciso.

Comprar rum: Fará muitas amizades.

Oferecer rum a amigos: Infidelidade.

RÚSTICO

Uma carta rústica: Engravidará em breve.

Comprar uma casa rústica: Brigas de família.

Uma fazenda rústica: Você é crédulo.

Diversas construções rústicas: Falência dentro de pouco tempo.

S

SÁBADO

Sábado: Desfrutará de calma e tranqüilidade.

Trabalhar no sábado: Inquietação.

Não trabalhar no sábado: Dificuldade nos assuntos sentimentais.

Divertir-se muito no sábado: Um favor lhe será concedido.

SABÃO

Sabão: Maus negócios.

Comprar sabão: Os negócios estão em grande confusão.

Vender sabão: Perda de negócios.

Lavar o corpo com sabão: Pedirá a ajuda de amigos.

Lavar as roupas com sabão: Receberá dinheiro de parentes ricos.

Usar sabão para tirar uma mancha: Desonra.

Mulher sonhando que faz sabão: Nunca passará por privação.

Moça sonhando que lava com sabão: Tempos felizes virão.

Homem sonhando que se lava com sabão: Transações inesperadas e boas.

Sabão em pó se desmanchando: Resolverá questões que o deixam perplexo.

SÁBIO

Uma pessoa de eminente sabedoria: A felicidade está assegurada.

Consultar uma pessoa sábia: Terá mente vigorosa.

Ser sábio: Confusão nos negócios.

Uma pessoa sábia dando conselhos: Você está sendo enganado.

Seguir o conselho de uma pessoa sábia: Evite os rivais.

SABUGUEIRO

Os sabugueiros: Atividades sociais agradáveis.

Colher sabugueiros: Ganhos financeiros.

Comer sabugueiros: Recursos abundantes.

Comprar doce de sabugueiro: Terá mente vigorosa.

SACADA

Estar em uma sacada: Perderá a posição atual.
Sentar-se em uma sacada: Não conseguirá manter o que tem agora.
Estar sozinho em uma sacada: Ganhos financeiros.
Estar em uma sacada com pessoa do sexo oposto: Grande amor.
Namorados despedindo-se em uma sacada: Haverá uma longa separação.
Deixar uma sacada com a pessoa amada: Grandes decepções.

SACA-ROLHAS

Usar saca-rolhas: Doença.
Outras pessoas que usam saca-rolhas: Um mistério será solucionado.
Abrir uma garrafa com saca-rolhas: Perigo causado por um segredo.

SACERDOTE

Um sacerdote: Receberá uma herança.
Falar com um sacerdote: Ocupará posição de importância.
Confessar os pecados a um sacerdote: Você está lidando com pessoas perigosas.
Mulher sonhando que se confessa a um sacerdote: Não se casará com aquele a quem ama.
Moça sonhando que se confessa a um sacerdote: Romperá o noivado.
Um sacerdote na rua: Perda de dinheiro em transação comercial.
Um sacerdote a bordo de um navio: Mau tempo e naufrágio.
Família que vai ver um sacerdote: Brigas de família.

SACO

Um saco: Descoberta de objetos valiosos que estavam perdidos.
Sacos que estão cheios: Sorte e prosperidade.
Sacos que estão vazios: Solidão e dificuldades.
Encher um saco: Ganhos financeiros.
Esvaziar um saco: Uma fase de tristeza está para começar.

SACOLA

Uma sacola: Negócios prósperos.
Possuir uma sacola: Você conseguirá as coisas devagar.
Encher uma sacola: Cuidado com os estrangeiros.
Ter uma sacola vazia: Pobreza.
Perder uma sacola: Perda de negócios.

SACRIFÍCIO

Fazer um sacrifício: Mudanças no ambiente.
Pessoas que fazem sacrifício por você: Grande alegria.
Amigos que fazem sacrifício por você: Dinheiro chegando.

Parentes que fazem sacrifício por você: Recuperação de dinheiro.

SACRILÉGIO

Cometer sacrilégio: Sofrerá grande miséria.
Outras pessoas que cometem sacrilégio: Infortúnio.
Parentes que cometem sacrilégio: Prosperidade.
Inimigos que cometem sacrilégio: Alegria no lar.

SAFIRA

Safiras: Será muito feliz.
Mulher sonhando que usa anéis de safira: Ela será atacada.
Mulher sonhando com safiras azul-escuras: O marido trará grande felicidade.
Outras pessoas que usam anéis de safira: Discussões com os melhores amigos.
Usar jóias com safiras: Será violentado.
Usar bracelete com safiras: Você tem muitos inimigos secretos.
Amigos que usam anéis de safiras: Receberá notícias muito agradáveis.

SAFRA (óxido de cabalto)

Esse óxido que é usado na fabricação do vidro azul: Ingratidão.
Manusear safra: Será atacado.
Comprar safra: Terá grandes lucros.
Trabalhar com safra: Acontecimentos infelizes serão divulgados.

SAFRA DE VINHO

Ter uma safra de vinho muito boa: Riqueza.
Ajudar a colher uvas para fazer vinho: Prazer e alegria.
Pessoa doente sonhando com safra de vinho: O perigo pode ser evitado.
Colher uvas: A afeição será recompensada.
Transportar as uvas após a colheita: Riqueza considerável.
Vender uvas de uma safra: Andamento bem-sucedido dos negócios.

SAGUÃO

Um saguão: Alegria.
Estar em um saguão: Cuidado com amigos traiçoeiros.
O saguão de sua casa: Ficará onde está.
Conhecer pessoas em um saguão: Desonra.
Amigos em um saguão: Você não tem amigos leais.

SAIA

Saias: Será preguiçoso.
Uma saia branca: Tem gosto sofisticado.
Uma saia negra: Adversidade.
Saias de outras cores: Adversidade no amor.
Comprar uma saia: Prosperidade.

SAIBRO

Caminhar em trilha de saibro bruto: Enfrentará grandes obstáculos.

Consertar alguma coisa usando saibro: Fará uma viagem.

Outros que trabalham com saibro: Fará pequenos negócios.

SAIOTE ESCOCÊS

Usar saiote escocês: Trabalho agradável e boas notícias.

Uma mulher usando saiote escocês: Felicidade no casamento.

Um homem usando saiote escocês: Você está lidando com pessoas trapaceiras.

Um escocês em sua roupa típica: Receberá notícias do exterior.

SAL

Sal: Abundância.

Comprar sal: Bons rendimentos durante muito tempo.

Usar sal na comida: Travará discussões religiosas.

Cozinhar com sal: Bons dias virão.

Pôr muito sal na comida: Esbanjará dinheiro.

Entornar sal: O dinheiro está a caminho, basta que você jogue sal sobre o ombro.

Outras pessoas que entornam sal: Brigas e insatisfação.

Usar saleiro: Estudará ciências.

Ser comerciante de sal: Ganhará muito dinheiro.

SALADA

Salada: Sua vida vai melhorar graças às suas qualidades.

Comer salada: Boa sorte.

Preparar salada mista: Dinheiro chegando.

Outras pessoas preparando salada: Você está sendo enganado.

Comer salada em companhia de outras pessoas: Será culpado por atos impensados.

SALAME

Muitos tipos de salame: Seu amor é muito inconstante.

Cortar salame em fatias: Cuidado com uma armadilha que está sendo preparada para você.

Comer salame: Discussões em família.

Fazer sanduíche de salame: Receberá boas notícias de amigos íntimos.

SALÃO

Estar em um salão: Uma companhia falsa vai prejudicar sua reputação.

Estar em um salão com outras pessoas: Receberá más notícias.

Estar em um salão com amigos: Relações novas e boas.

Estar em um salão com inimigos: Sua situação vai melhorar.

SALÁRIO

Receber salário: Terá uma grande alegria.

Pagar salário: Enfrentará trabalho pesado.

Outras pessoas recebendo salário: Triunfo sobre os inimigos.

Outras pessoas pagando salário: Cuidado com amigos invejosos.

Pagar salário a seus empregados: Ganhos financeiros.

SALGUEIRO

Salgueiros: Rival ficará com a afeição de seu namorado.

Fazer cestas com galhos de salgueiro: Dinheiro chegando.

Usar máquina para cortar um salgueiro: Você está sendo enganado.

Outras pessoas trabalhando com madeira de salgueiro: Aviso de dificuldades.

SALIVA

Sua própria saliva: A felicidade está assegurada.

A saliva dos filhos: Aguarde acontecimento importante e muito benéfico.

A saliva de uma pessoa doente: Evite os rivais.

Pessoas cuspindo: Alguém procura destruir você.

A saliva de um animal: Vencerá os inimigos.

A saliva que sai da boca de um cão: Você tem muitos amigos leais.

A saliva que sai da boca de um cavalo: Recursos abundantes.

SALMÃO

Salmão: Dificuldades em família.

Pegar um salmão: Harmonia entre amigos.

Comer salmão fresco: Você tem um amigo leal.

Comer salmão cozido: Sua situação vai melhorar.

Comer salmão enlatado: Dinheiro chegando.

Comer uma salada de salmão: Virá a tristeza.

Comer um sanduíche de salmão: Enfrentará trabalho pesado.

Outras pessoas comendo salmão: Cuidado com um rival.

SALÕES

Um salão: As pessoas falam a seu respeito.

Ir a um salão: Cuidado com amizades falsas.

Estar em um salão para fazer o cabelo: Humilhação.

Ir a um salão com membro da família: Cuidado com os gastos.

Amigos em um salão: Obstáculos insuperáveis pela frente.

SALSA

Salsa: Você será abordado por um homem rico.

Comer salsa: Aflição.

Cozinhar salsa: As pessoas falam de você.

Mulher sonhando que come salsa: Será enganada.

Homem sonhando que come salsa: Abandonará o lar.

Plantar salsa: O êxito será obtido por meio de trabalho esforçado.
Família que come salsa: Boa saúde e família grande.
Comprar salsa: Segurança.

SALSICHA
Salsichas: Dificuldades em casa.
Fazer salsichas: Você é uma pessoa muito apaixonada.
Comprar salsichas: Contentamento na vida.
Cozinhar salsichas: Contentamento no lar.
Comer salsichas de carne de porco: Ganhará no jogo.
Comer salsichas de fígado: Pobreza.
Pessoas jovens comendo salsichas: Elas se apaixonarão.
Pessoas maduras comendo salsichas: Terão boa saúde.

SALTAR
Saltar: Você é muito volúvel no amor.
Saltar no ar: Perda da posição atual.
Saltar na água: Será perseguido.
Saltar na presença de outras pessoas: Perderá uma ação judicial.
Dar um salto alto: Você se sairá bem de um perigo atual.
Cair ao dar um salto: A vida será quase intolerável.
Saltar sobre uma vala: Um inimigo trama sua ruína.
Outras pessoas saltando: Vencerá os inimigos sendo perseverante.

SALTEADOR
Um salteador: Terá uma grande fortuna.
Ser atacado por salteador: Em breve ocorrerá uma mudança na sua vida.
Não ser atacado por um salteador: Mudança para melhor.
Curar-se de ferimentos infligidos por um salteador: Bons tempos estão a caminho.
Pegar um salteador: Triunfo sobre os inimigos.
Matar um salteador: Terá vida longa.
Um salteador que é preso: Êxito nos negócios.
Um salteador que foge correndo: Decepção nos assuntos sentimentais.

SALVA
Ouvir uma salva de armas: Você se restabelecerá de uma doença.
Saudação com salva de tiros feita por um exército: Contentamento.
Saudação com salva de tiros feita pela marinha: Progresso nos empreendimentos comerciais.
Receber saudação com salva de tiros: Dias infelizes pela frente.
Ordenar saudação com salva de tiros: Um inimigo trama sua ruína.

SALVAÇÃO

Salvação: Felicidade.

Uma instituição de salvação: Dificuldade na vida familiar.

Ser membro de uma instituição de salvação: Dignidade e contentamento.

Ser auxiliado por uma instituição de salvação: Bons dias estão chegando.

SALVADOR

O Salvador: Terá boa saúde.

Falar com o Salvador: Receberá grandes bênçãos.

O Salvador concedendo a realização de desejos: Grande alegria e contentamento.

Rezar ao Salvador: Os desejos serão satisfeitos no futuro.

SALVAR

Ser salvo sem ferimentos: Pequena perda comercial.

Salvar outras pessoas: Terá boa reputação.

Ser salvo de afogamento: Evite viajar pelo mar.

Salvar crianças: Grande herança vinda de pessoa desconhecida.

Salvar parentes: Brigas de família.

Salvar um homem que está no mar: Humilhação e vergonha.

Salvar inimigos, impedindo que se matem: Não há mais perigos.

Salvar algum objeto: Terá uma grande felicidade.

Salvar algo de um incêndio: Grande êxito nos negócios.

Salvar algo, impedindo que seja destruído: Você é muito humanitário.

Salvar a vida da família: Sua situação financeira vai melhorar.

Salvar a vida dos filhos: Acontecimentos agradáveis.

Salvar alguém que se afogava: Fará negócios com pessoas honestas.

Salvar alguém que ia cometer suicídio: Vergonha pública.

Salvar alguém, impedindo que cometa transgressões: Reconciliação com os inimigos.

SANATÓRIO

Um sanatório: Terá boa saúde.

Ser levado a um sanatório: Traição de parentes.

Sair de um sanatório: Grande fortuna ganha no jogo.

Parentes que vão para o sanatório: Pobreza.

Parentes que têm alta de um sanatório: O êxito virá mais tarde.

Amigos em um sanatório: Perseguição.

Amigos que recebem alta de um sanatório: Perda da situação atual.

Inimigos em um sanatório: Melhorias financeiras.

SANÇÃO

Receber uma sanção: Infidelidade.

Outras pessoas que recebem uma sanção: Vergonha pública.

Membros da família que recebem uma sanção: Cuidado com os inimigos.
Inimigos recebendo uma sanção: Alegria e prosperidade.

SANDÁLIA
Sandálias: Terá boa saúde.
Usar sandálias: Terá pés sadios.
Descalçar sandálias: Receberá pequena herança inesperada de uma pessoa desconhecida.
Trocar de sandálias: Terá dor de cabeça.
Jogar fora as sandálias: Receberá um presente inesperado.

SANDUÍCHE
Sanduíches: Honraria.
Comprar sanduíches: Grande fortuna.
Fazer sanduíches para outras pessoas: Receberá um presente.
Comer sanduíches de pão branco: Lucro enorme.
Comer sanduíches de pão preto: Grande herança.
Comer sanduíches de diversas carnes: Pequeno lucro.
Comer sanduíches feitos de peixe: Vida longa e sadia.

SANGRAR
Seu nariz sangrando: Será desdenhado.
O nariz de outra pessoa sangrando: Encontrará oposição.
Sangrar um pouco no corpo: Realização dos desejos.
Sangrar muito no corpo: Cairá em uma armadilha.
Seu sangue correndo pelo chão: Êxito.
Sangue correndo de um ferimento: Doença e preocupações em breve.

SANGUE
Ter sangue sobre o corpo: Infelicidade nos assuntos sentimentais.
Ter sangue nas mãos: Terá grande má sorte.
Sangue em almofadas de algodão: Cuidado na escolha das amizades.
Roupas manchadas de sangue: O sucesso na carreira é impedido pelos inimigos.
Sangue em outras pessoas: Grande decepção.
(Ver também **Transfusão.**)

SANGUESSUGA
Esse verme que chupa sangue: A decepção é certa.
Matar uma sanguessuga: Há um amigo falso por perto.
Muitas sanguessugas: Perda de dinheiro.

SANITÁRIO (trabalho)
Fazer trabalhos sanitários: Terá vida longa.
A família que ajuda em trabalhos sanitários: Acontecimentos importantes e muito benéficos.

Condenar algo por não estar em boas condições sanitárias: A decepção é certa.

Trabalhar em um departamento sanitário: Melhoria na carreira.

SANTO

Um santo: Vencerá os inimigos sendo perseverante.

Orar a um santo: Vencerá as dificuldades.

Santos muito próximos de você: Desfrutará de paz e bem-estar.

Pessoa pecaminosa sonhando com um santo: Deve arrepender-se.

Pessoa doente sonhando com um santo: Prenúncio de morte.

SAPATEAR

Um sapateado: Logo ocorrerá uma mudança na sua vida.

Sapatear muito de leve: Precisa controlar suas paixões.

SAPATEIRO

Um sapateiro: Sofrerá um infortúnio.

Ser sapateiro: Enfrentará dificuldades.

Ir a um sapateiro: Possibilidade de infortúnio.

Consertar os sapatos em um sapateiro: Vencerá os inimigos.

SAPATOS

Sapatos: Não encontrará obstáculos para alcançar a meta.

Cadarços ou fivelas de sapato que se abrem: Brigas entre parentes.

Sapatos de madeira: Os ganhos serão muito grandes.

Dançar com sapatos de madeira: Dificuldade na família.

Sapatos de mulher: Grande sorte no amor.

Sapatos de homem: O êxito nos negócios virá mais tarde.

Sapatos de criança: Mudança de residência.

Entrar na lama com sapatos gastos: Pobreza.

Ter sapatos com furos nas solas: Perda de dinheiro.

Perder sapatos: Pobreza.

Ter sapatos negros: Maus tempos estão chegando.

Ter sapatos brancos: O futuro está completamente assegurado.

Ter sapatos azuis: Doença.

Ter sapatos de camurça: Virão dias tranqüilos e felizes.

Ter botas de cano alto: Felicidade.

Comprar sapatos novos: Obterá grandes lucros.

Ter algum tipo de sapato de couro: Falirá.

Pessoa rica com algum tipo de sapato de couro: Vida confortável.

Pessoa pobre com algum tipo de sapato de couro: Felicidade.

Sapatos remendados: Enfrentará grandes dificuldades financeiras.

Não ter sapatos: Conte com êxito nos negócios.
Comprar sapatos novos para os filhos: Resultados bons e inesperados nos negócios.

SAPATO, FÔRMA DE
Uma fôrma de sapato: Enfrentará trabalho pesado.
Pôr sapatos em uma fôrma: Notícias desfavoráveis.
Pôr botas em uma fôrma: Você ficará esgotado pelo excesso de trabalho.
Comprar fôrma de sapatos: Será perseguido.

SAPO
Sapos: Prejuízos e dificuldades.
Capturar sapos: Terá um ferimento feito por você mesmo.
Matar sapos: Há um amigo falso por perto.
Sapos que se afastam pulando: O trabalho pesado poderá resolver sua situação.
Pisar em um sapo: Os amigos o abandonarão quando mais precisar deles.
Ouvir o coaxar de sapos: Terá prazer.
Sapos que lhe são dados: Receberá um presente inesperado.
Comprar sapos em uma loja: Conhecerá pessoas que o admiram.
Observar sapos: Êxito nos negócios.
Mulher que vê um sapo macho: Casamento com viúvo rico que tem filhos.
Sapos na água: Receberá dinheiro.
Comer sapos: Receberá riqueza.

SAQUEADOR
Um saqueador: Morte de amigos muito queridos.
Um saqueador que vasculha objetos da casa: Ganhará no jogo.
Outros que foram saqueados: Será admirado pelos amigos.
Amigos que são saqueadores: Fim de suas esperanças.

SAQUEAR
Saquear: Infelicidade e demora em relação a seus interesses.
Outras pessoas saqueando: Dificuldades nos assuntos amorosos.
Parentes saqueando: Terá sofrimento e preocupação.
Você próprio saqueando: Maus resultados em relação a seus interesses.
Ser saqueado: Infortúnio.

SARAMPO
Ter sarampo: A preocupação atrapalhará seus negócios.
Outras pessoas com sarampo. Ocorrerão dificuldades nos assuntos sentimentais.
Filhos com sarampo: Felicidade em breve.

Parentes com sarampo: Dinheiro chegando.

SARÇA

Ser espetado por sarça: Será ferido por inimigos secretos.
Um espinho de sarça que causa sangramento: Sofrerá grandes prejuízos.
Passar por sarças sem se espetar: Triunfo sobre os inimigos.
Filhos espetados por sarça: Terá vida longa.

SARDAS

O rosto coberto de sardas: Descoberta desagradável acerca de pessoas amigas.
Ter sardas por todo o corpo: Será profundamente amado.
Examinar as sardas ao espelho: Perda de uma pessoa que você ama.
Filhos com sarda: Descoberta de um inimigo.

SARDINHA

Sardinhas: Você já cometeu um ato desonroso.
Comer sardinhas: Sorte constante.
Fritar sardinhas: Brigará com os amigos.
Comer sardinhas enlatadas: Descontentamento em casa.
Pegar sardinhas com rede: Grande herança.
Fazer torta com sardinhas: Discórdia entre parentes.
Comprar sardinhas em lata: Enfrentará problemas.
Sardinhas ao escabeche: Grande lucro.

SARJETA

Estar na sarjeta: Tempos difíceis virão.
Amigos na sarjeta: Fará uma viagem em breve.
Inimigos na sarjeta: Triunfo sobre os inimigos.
Descobrir algo de valor na sarjeta: Receberá recompensa financeira.

SATANÁS

Ver Satanás enquanto ora: Resistirá às tentações.
Uma pessoa doente sonhando com Satanás: Acontecimentos infelizes.
Satanás: Viagem e prosperidade.
Falar com Satanás: Será tapeado por amigos.
Estar possuído por Satanás: Terá vida longa e feliz.
Lutar com Satanás: Perigo.

SÁTIRO

Ser uma pessoa devassa: Receberá crítica da coletividade.
Cometer atos indecentes, próprios de um sátiro: Terá prazeres imorais.
Outros que são sátiros: Contrairão doença incurável.
Ter amigos sátiros: As esperanças não se concretizarão.

SATISFAÇÃO

Estar satisfeito: Receberá uma fortuna, mas logo ficará sem ela.
Receber satisfação: Estará envolvido em uma ação judicial.
Dar satisfação: Perda da situação atual.
Dar satisfação aos amigos: Será perseguido.

SATURAR (física)

Algo que está saturado: Abundância proporcional ao grau de saturação.
Outras pessoas saturando objetos: Você está procurando um novo negócio.
Parentes que saturam alguma coisa: Incapacidade de encontrar emprego.
Receber algo saturado: Receberá notícias tristes.

SAUDAÇÃO

Enviar saudação a amigos: Pobreza.
Enviar saudação a homens de negócios: Você se sairá bem de um perigo atual.
Receber saudações de amigos: Ganhará no jogo.
Receber saudações de pessoas no exterior: Perda da posição atual.

SAUDADE

Saudade: Reconciliação com inimigo.
Outras pessoas com saudade: Será culpado por atos impensados.
Parentes com saudade: Discussões em família.
Amigos com saudade: Mudança de ambiente.

SAUDAR

Alguém que saúda: Cuidado com a doença.
Saudar outra pessoa: Reconciliação.
Estar doente quando saúda alguém: Bênçãos nos negócios.
Ser saudado por amigos: Terá grande coragem nos negócios.

SAÚDE

Estar com a saúde debilitada: Você se salvará de um grande perigo.
Recuperar a saúde após uma doença: Tem de contar com sua própria inteligência para os negócios.
Os filhos com saúde: Honraria.
A família com saúde: Alcançará a fama.
Parentes com a saúde debilitada: Perseguição.
Filhos com a saúde debilitada: Sorte.
Marido ou mulher com a saúde debilitada: Acontecimentos agradáveis.
Amigos com a saúde debilitada: Morte de um amigo.

Ter saúde delicada: Mudança para melhor.

Outras pessoas com saúde delicada: Terá muita energia para as atividades sociais.

Crianças com saúde delicada: Evite os rivais.

Parentes com saúde delicada: Aviso de dificuldades.

SEBE (cerca viva)

Uma cerca viva que circunda toda a casa: Não enfrentará obstáculos.

Uma cerca viva verde: Felicidade.

Sebes sem enfeites: Tristeza e aflição.

SEBO

Sebo: Infelicidade.

Fazer sebo: Comprará móveis novos.

Comprar sebo: Esbanjamento de dinheiro.

Usar sebo: Levará uma vida tranqüila.

SECA (estiagem)

Uma seca: Cuidado com prejuízos nos negócios.

Campos estorricados: Outra pessoa desfruta daquilo que você queria conquistar.

Um longo período de seca: Passará por altos e baixos.

A chuva que cai após um longo período de seca: Sorte e prosperidade.

SECO

Secar: Alguém cuidará de você.

Secar-se: Alegria.

Secar outras pessoas: Prosperidade.

Secar crianças: Riqueza e lucro.

Secar pratos: Trabalho pesado trará bons rendimentos em dinheiro.

Secar panelas e caçarolas: Receberá notícias de um lugar distante.

Secar roupas: Será visitado por uma pessoa indesejada.

SECRETÁRIO

Ter um secretário: Desfrutará de riquezas.

Ser uma secretária: Terá uma vida confortável.

Uma secretária trabalhando: Terá boa sorte.

Contratar uma secretária: Ocupará uma boa posição pelo resto da vida.

Contratar um secretário: Discussões comerciais.

Despedir uma secretária: Discórdia em família.

Despedir um secretário: Ele se apaixonará por um membro da família.

SEDA

Seda: Lucro e honra.

Seda branca: Tudo correrá bem.

Seda azul: Sofrerá prejuízos em seus interesses.

Seda vermelha: Será ferido a bala.
Seda negra: Receberá a notícia de uma morte.
Outras coisas de seda: Estará com a consciência tranqüila.
Comprar seda: Você está apaixonado.
Vender seda: Você está contraindo dívidas demais.
Comprar roupas de seda: Você tem uma criada que o engana.
Comprar vestidos de seda: Infelicidade.
Usar apenas um *négligée* de seda: Receberá uma proposta.
Roupas de seda para crianças: Negócios prósperos.
Comprar um vestido comum de seda: Honraria.
Fazer um vestido de seda: Riqueza.
Rasgar um vestido de seda: Falsa alegria.
Moça usando um vestido de seda: Obterá êxito em seus esforços.
Comprar um vestido de seda para um casamento: Recursos abundantes.
Usar um vestido de seda: Não dê crédito a tudo que ouve.
Aprontar-se com um vestido de seda: Alguém está minando a sua felicidade.
Jogar fora um vestido de seda: Contrairá doença contagiosa.
Ganhar um vestido de seda de presente: Modéstia.
Sujar um vestido de seda: Você está sendo enganado.
Limpar um vestido de seda: Seus desejos serão realizados.

SEDE

Estar com sede: Infelicidade.
Estar com muita sede: Haverá uma catástrofe.
Beber até saciar a sede: Riqueza e contentamento.
Saciar a sede: Vencerá as dificuldades.
Não conseguir saciar a sede: Não realizará seus desejos.
Filhos com sede: As elevadas ambições dos filhos serão realizadas.
Beber água turva para saciar a sede: Sofrerá aflição.
Beber água quente para saciar a sede: Será corrompido.

SEDUZIR

Ser seduzido: Terá muito dinheiro durante a vida.
Seduzir uma moça muito jovem: Os negócios correrão como deseja.
Violentar uma mulher: Aguarde bons acontecimentos.
Ser seduzido mas fugir: Irá patinar.
Casar-se com o homem que a seduziu: Você está lidando com pessoas frívolas.
Sua própria filha seduzida: Ganhos financeiros.
Pessoa casada sonhando que é seduzida: Terá uma vida confortável.

Uma viúva sonhando que é seduzida: Algo lhe será roubado.
Homem preso por seduzir uma mulher: Muitos fatos o deixarão perplexo.
Um adolescente seduzindo uma jovem da mesma idade: Morte na família dentro de pouco tempo.

SEGADEIRA (máquina de ceifar)

Uma segadeira: Riqueza.
Amolar uma segadeira: Vergonha por transgressões.
Uma pequena segadeira: Fraqueza de caráter.
Cortar grama com uma segadeira: Terá vida longa.
Cortar grama muito alta com uma segadeira: Receberá grande atenção.
Cortar grama seca com uma segadeira: Doença.
Usar uma segadeira: Terá muito dinheiro.

SEGREDO

Ter um segredo: Terá uma grande fortuna.
Tomar conhecimento de um segredo: Precisa controlar suas paixões.
Contar um segredo: Infortúnio nos assuntos sentimentais.
Trair alguém revelando um segredo: Castigo divino.
Um segredo cochichado ao ouvido: Dignidade pública que lhe será conferida.
Marido e mulher que guardam segredos um do outro: Atividade e trabalho pesado.
Filhos que guardam segredo aos pais: Noivado rápido.
Parentes que guardam segredos entre si: Obstáculos insuperáveis.
Amigos que lhe contam um segredo: Dinheiro chegando.
Guardar um segredo: Guarde-o bem dos inimigos.

SEGUIR

Seguir atrás de alguém: Você tende a ser muito arrogante.
Ser seguido: Você está com a consciência pesada.
Ser seguido pelo marido ou pela mulher: Chegada de um amigo.
Ser seguido por um namorado: Êxito no amor.
Ser seguido por um investigador: Sua boa-fé está sendo questionada.

SEGURANÇA

Segurança: Cumprirá seu dever como bom cidadão.
Ter segurança financeira: Investirá dinheiro em títulos.
Ter segurança para a velhice: Desfrutará de um futuro feliz.
Marido e mulher que se sentem seguros um com o outro: Felicidade na família.
Guardar dinheiro em banco como segurança para os filhos: Alegria e contentamento.

Receber segurança de outros: Boa especulação financeira.

SEGURAR

Segurar algo com firmeza nas mãos: Será notado por sua bravura.
Deixar de segurar alguma coisa: Fofocas.
Segurar investimentos: Intriga.
Segurar nos braços alguém a quem ama: Você é egoísta demais.
Segurar os filhos nos braços: Felicidade.

SEIO

Seio se tornando maior: Contrairá uma doença.
Seio inflamado: Terá um dente extraído.
Dor no seio: Você está grávida.
Ter seios belos e sadios: Alegria pela frente.
Mulher com pêlos nos seios: O marido dela falecerá.

SELA

Uma sela: Você está diante de obstáculos insuperáveis.
Montar um cavalo com sela nova: Alegria sem ganho.
Montar um cavalo sem sela: Saúde debilitada.
Outras pessoas montadas em cavalos sem sela: Haverá uma catástrofe.
A família montada em cavalos com sela: Pequena prosperidade.
Filhos montados em cavalos sem sela: Reveja seus planos.
Ser um seleiro: Desfrutará de grandes lucros.

SELO

Selos: Falência.
Comprar selos: Miséria.
Vender selos: Passará a ganhar um bom dinheiro.
Colecionar selos: Grande alegria.
Receber selos: Você tem uma amizade leal.
Dar selos: Reconciliação com um inimigo.
Pôr selos em uma carta: Será criticado na imprensa.
Pôr selos em um álbum: Fará uma associação com um funcionário graduado.

SELVA

Uma selva: As questões financeiras causarão ansiedade.
Estar em uma selva: Economize enquanto há tempo.
Outras pessoas na selva: Descoberta de objetos valiosos que estavam perdidos.
Matar um animal selvagem na selva: Você tem amigos leais.

SELVAGEM

Uma pessoa selvagem: Contentamento no amor.
Lidar com uma pessoa selvagem: Receberá boas notícias.

Ser ferido por uma pessoa selvagem: Está levando uma vida desregrada.

Você próprio sendo alguém selvagem: Terá a proteção de amigos.

Muitos selvagens: Salvamento realizado por pessoa amiga.

Lutar com uma pessoa selvagem: Pequenas preocupações devido à desonestidade alheia.

SEMÁFORO

Uma estação com semáforo: Êxito imediato na concretização de suas esperanças.

Bandeiras com letras em um semáforo: Receberá notícias importantes e boas.

Um sinal de semáforo: Aviso de dificuldades.

Diversas bandeiras de semáforo: Aguarde acontecimento importante e muito benéfico.

O oficial que orienta o tráfego em um sinal luminoso: Um mistério será solucionado.

SEMANA

A primeira semana do mês: Prazer.

A segunda semana do mês: Alegria.

A terceira semana do mês: Infelicidade.

A quarta semana do mês: Felicidade.

SEMENTES

Sementes: Um casamento está sendo planejado.

Plantar sementes de cereais: Riqueza.

Plantar sementes de legumes: Desconforto no trabalho.

Plantar sementes de flores: Sofrerá muita dor.

Comprar sementes de cereais: Prosperidade.

Comprar sementes de legumes: Miséria.

Preparar suas próprias sementes: Terá muito dinheiro.

Sementes para alimentação de pássaros: Desonra.

Uma loja de sementes: Uma pessoa desconhecida fala a seu respeito.

Escolher boas sementes: Miséria.

SEMINÁRIO

Um seminário: Traição.

Visitar um seminário: Terá um filho que será sacerdote.

Ser estudante em seminário: Um amigo falso procura prejudicá-lo.

Ser decano de um seminário: Ficará na miséria.

Não ser aceito em um seminário: Vida nova trará proveitos.

SEMPRE-VERDE

Ver um arbusto de sempre-verde: Você tem um amigo leal.

Uma árvore de sempre-verde: Terá vida longa.

Diversas árvores de sempre-verde: Enfrentará trabalho pesado.

SENADO

O Senado: Haverá discussões por motivos ridículos.
Visitar o Senado: Será desencaminhado por amigos.
Ser membro do Senado: Evite mentir.
Ouvir os debates de senadores: Terá capacidade para enganar as pessoas.

SENHOR

Ter um senhor: Bons tempos estão chegando.
Ser o senhor de seus filhos: Disporá de muitos recursos.

SENHORIA

Ser uma senhoria: Êxito rápido na concretização de suas esperanças.
Debater negócios com a senhoria: Acontecimentos importantes e muito benéficos.
Gritar com a senhoria: Terá vida longa.
Pagar aluguel à senhoria: Realizará altas ambições.

SENHORIO

Um senhorio: Dificuldades no lar.
Ter um senhorio: Você tem amigos leais.
Manter transações com o senhorio: Perigo causado por um segredo.
Ser insultado pelo senhorio: Mudança para melhor.
Falar com o senhorio: Sorte inesperada.

SENHORITA

Ser uma bela senhorita: Você se empenhará em especulações arriscadas.
Ser uma jovem senhorita: Honrarias e fortuna.
Ser uma senhorita em idade avançada: Falará com um homem bonito.

SENTAR

Sentar-se: Levará uma vida confortável.
Convidar pessoas a sentarem-se: Honrarias serão conferidas a você.
Sentar-se em uma cadeira: Obterá bons ganhos.
Sentar-se em um divã: Riqueza.
Ser convidado a sentar-se em uma cadeira: Honrarias.
Sentar-se em uma cadeira em sala de espera: Boas relações com outras pessoas.
Sentar-se no banco de um jardim público: Será bem tratado pela pessoa amada.
Sentar-se em um banco à noite e ser seduzido: Relações com pessoas inseguras.
Sentar-se em companhia de alguém a quem ama: Sua boa sorte está assegurada.
Sentar-se em companhia de amigos: Infelicidade.

SENTENÇA

Ser sentenciado à morte: Prepare-se para acontecimentos muito ruins.

Ser sentenciado injustamente em uma ação judicial: As pessoas estão dizendo mentiras a seu respeito.

SENTENCIAR

Ser sentenciado em um tribunal: Terá prosperidade.

Ser sentenciado: Boas atividades financeiras.

Outras pessoas sentenciadas: Os negócios serão satisfatórios.

SENTINELA

Uma sentinela: Tenha cautela na condução de seus interesses.

Muitas sentinelas: Cuidado com aqueles em quem depositou confiança.

Ser uma sentinela: Mudança de ambiente.

Uma sentinela solitária: Novos negócios o levarão a uma viagem ao sul.

Ser advertido por uma sentinela: A morte o ronda.

Sentinela que dispara para dar alarme: Acontecimentos agradáveis.

Ser morto por uma sentinela: Os desejos e esperanças serão concretizados.

SEPARAÇÃO

Uma separação: Frivolidade.

Marido e mulher que se separam: Fofocas dos amigos.

Separação de namorados: Comentários inúteis por parte das pessoas ao seu redor.

Planejar separar-se de alguém: Sofrerá um infortúnio.

Separar-se de forma definitiva: Será culpado por atos impensados.

Outras pessoas que desejam sua separação: Cuidado com pessoas que agem na sombra.

Separação no casamento de filhos: Herança.

Amigos que se separam: Doença das crianças.

Namorado que quer separar-se: Tenha cautela nas transações comerciais.

Separar-se do sócio nos negócios: Êxito nos negócios.

Separar-se daqueles a quem ama: Fracasso de algum plano que lhe é caro.

Sócios que se separam: Ficará livre de um inimigo.

SEPULCRO

Um sepulcro: Falirá.

Entrar em um sepulcro: Miséria.

Construir um sepulcro: Casamento.

Construir um sepulcro para a família: Nascimento de um menino.

Visitar um sepulcro sozinho: Notícias tristes.
Visitar um sepulcro com outras pessoas: Notícias familiares desagradáveis.
Estar em um sepulcro com o sócio: Boas notícias acerca de um nascimento.
Estar em um sepulcro com o namorado: Uma carta trará felicidade.

SEPULTAMENTO
Ser sepultado vivo: Em breve terá riqueza e poder.
Outras pessoas que são sepultadas vivas: Será rico e influente.
Inimigos que são sepultados vivos: Vencerá os inimigos.
Um traidor que é sepultado vivo: Será enganado por amigos.

SEQÜESTRAR
Ser seqüestrado: Os planos serão concluídos com êxito.
Ser seqüestrado à força: Bom futuro.
Uma mulher que é seqüestrada: Aguarde acontecimento importante e muito benéfico.
Um filho que é seqüestrado: Um mistério será solucionado.
Uma menina sendo seqüestrada: Infortúnio nos assuntos sentimentais.
Um menino sendo seqüestrado: Haverá uma catástrofe.
Seqüestradores sendo presos: Dinheiro chegando.

SEREIA
Uma sereia: Infortúnio nos assuntos sentimentais.
Uma sereia na proa de um navio: Fim de romances.
Uma sereia na proa de um navio a vela: É enganado por uma pessoa que você ama.

SERENATA
Ouvir uma serenata: Tenha cautela na condução de seus interesses.
Cantar em uma serenata: Sofrerá dificuldades financeiras.
Gostar de serenata: Terá um amor duradouro.
Namorados ouvindo uma serenata: Haverá discussão e rompimento.

SERMÃO
Um sermão: Em breve contrairá uma doença passageira.
Ouvir um sermão: Boa sorte.
Fazer um sermão: Terá muitas amizades amáveis.
Ser um pregador e fazer um sermão: Riqueza.
Seguir a orientação de um sermão: Você é muito supersticioso.

SERPENTE
Uma serpente: Está cercado por pessoas ingratas.
Muitas serpentes: Está planejando seduzir alguém.
Uma serpente de diversas cabeças: Seduzirá uma bela moça.

Capturar uma serpente de diversas cabeças: Irá pescar.

Matar uma serpente de diversas cabeças: Vitória sobre os inimigos.

Uma serpente enrodilhada: Você é detestado pelas pessoas.

Uma serpente que se desenrodilha: Doença.

Uma serpente que se afasta: Precisão.

Matar uma serpente: Correrá perigo.

Uma serpente marinha: Você se restabelecerá de uma doença.

Serpentes em uma jaula de jardim zoológico: Você é violento demais.

Ser picado por uma serpente: Os inimigos o acusam.

Ver uma serpente ao anoitecer: Boa sorte.

Ver uma serpente de manhã: Algo ruim acontecerá.

SERRA

Uma serra: Progresso nos negócios.

Serrar madeira: Êxito.

Outras pessoas serrando madeira: Satisfação nos negócios.

Inimigos serrando madeira: Terá felicidade duradoura.

Usar uma serra: Sua riqueza aumentará.

Uma serra enferrujada e com dentes quebrados: Fracasso.

SERRARIA

Uma serraria: Receberá más notícias.

SERTÃO

O sertão: Haverá um acontecimento festivo em sua casa.

Um sertão sem qualquer cultivo: Você conta demais com favores.

Um sertão desabitado: Preserve as antigas amizades.

Um sertão habitado apenas por animais selvagens: Enfrentará trabalho pesado.

SERVIÇO

Comparecer ao serviço religioso de uma igreja: Contentamento em seu coração.

Um serviço de prataria: Um empregado comete roubos contra você.

Um serviço de porcelana: Fofocas de vizinhos.

Pedir serviço a outras pessoas: Desgraça na família.

Prestar serviços aos outros: Contrairá dívidas.

Prestar serviços a pessoas amigas: Receberá notícias de um lugar distante.

Prestar serviço a parentes: Será acusado por inimigos.

SERVIR

Servir: Cuidado com ladrões.

Ser servido: Infidelidade.

Servir uma refeição: Fofocas de amigos.

Ser servido em uma refeição: Os negócios não andarão bem.
Servir aos filhos: Tranqüilidade de consciência.
Servir a outras pessoas em casa: Sua situação vai melhorar.

SETEMBRO

Setembro, durante esse mês: Boa sorte.
Setembro, durante outros meses: Mudança para melhor.
Nascer em setembro: Recursos abundantes.
Filhos que nascem em setembro: Têm futuro assegurado.

SEXO

Uma pessoa do sexo masculino: Será enganado pelos amigos.
Uma criança do sexo masculino: Sorte e prosperidade.
Uma pessoa do sexo feminino: Terá vida longa.
Filha: Descoberta de objetos valiosos que estavam perdidos.
Um homem com desejo sexual: Desgraça pública.
Uma mulher com desejo sexual: Êxito imediato na concretização de suas esperanças.

SEXTA-FEIRA

Sexta-feita: Dignidade e honrarias.
Coisas que acontecerão na sexta-feira seguinte: Será vítima de uma acusação falsa.
Sexta-feira Santa: Prosperidade na família.
Ir à igreja na Sexta-feira Santa: Precisa pôr as questões domésticas em ordem.

SIAMÊS

O Sião: Prosperidade.
Ir ao Sião: Descoberta de um segredo.
Voltar do Sião: Realizará altas ambições.
Cidadãos siameses: Cuidado com a traição.
Ter um gato siamês: Conseguirá um emprego modesto.
Ver um gato siamês: Morte de alguém que vive por perto.

SIBA (peixe)

Esse peixe: Fracasso dos inimigos.
Muitos sibas: Uma decisão importante terá de ser tomada sem demora.
Comprar sibas: Mudança no ambiente.
Comer sibas: Bons tempos estão chegando.

SIDRA

Ter sidra: Terá fortuna, se cuidar dos negócios.
Pessoas bebendo sidra: Haverá brigas e ódio.
Comprar sidra: Fofocas sobre sua vida particular.
Vender sidra: Aja com muita cautela.

SIFÃO

Um sifão: Perda do emprego.

Usar um sifão: Fofocas em seu próprio lar.

Outras pessoas usando sifão: Algo bom acontecerá.

Quebrar um sifão: A prosperidade corre risco.

Homem sonhando com um sifão: Será convidado a uma festa de solteiros.

Mulher sonhando com um sifão: Será cumprimentada pela escolha do noivo.

SILÊNCIO

Haver silêncio: Logo receberá a notícia de que irá para a guerra.

Alguém que pede silêncio a você: Bons resultados em uma transação comercial.

Mandar os filhos fazer silêncio: Sorte pela frente.

Fazer silenciar um grupo numeroso de pessoas: Receberá boas notícias inesperadas.

Estar em silêncio: Infelicidade.

Pedir silêncio às pessoas: Terá um acesso de mau humor.

Silenciar pessoas que brigam: Fará as pazes com os amigos.

Silenciar os vizinhos: Terá um futuro feliz.

SILHUETA

Uma silhueta: Felicidade.

A sua silhueta: Contentamento na vida.

A silhueta de outras pessoas: Cuidado com rivais fortes.

Homem que admira a silhueta de uma mulher: Flerte com a mulher amada.

Admirar a silhueta da pessoa amada: Amor duradouro.

SINAL

Fazer sinais com as mãos: Cuidado para não ser seduzido.

Fazer sinais com os dedos: Vaidade.

Um sinal: Será informado de acontecimentos desagradáveis.

Um sinal da rua: Acontecimentos felizes.

Deixar de ver um sinal: Perigo pela frente.

Ver um sinal, mas não dar atenção: Sorte.

Um sinal de perigo: Melhoria em relação a seus interesses.

Ouvir um sinal de incêndio: Receberá notícias interessantes.

Ouvir um sinal da polícia: Será enganado por uma mulher.

Mulher sonhando que ouve a sirene de um carro de polícia: Ela se casará com um homem rico.

Um sinal de tráfego na cor vermelha: Você está pondo a sua vida em mãos perigosas.

Um semáforo: Aviso de dificuldades.

SÍNCOPE

Uma síncope: Riqueza.

Ter uma síncope: Progredirá nos interesses pessoais.

Ficar paralisado por uma síncope: Terá mente fraca.

Não ser afetado por uma síncope: Cuidado com amizades falsas.

Outras pessoas que sofrem uma síncope: Alguém procura roubar-lhe a pessoa amada.

Parentes que sofrem uma síncope: Receberá muito dinheiro no futuro.

Marido ou mulher que sofre uma síncope: Precisa contar com seu próprio bom senso.

SINETE (lacre)

O sinete do governo: Receberá bons conselhos.

Pôr seu sinete em documentos legais: Felicidade.

Pôr seu sinete em uma carta: Escapará a um perigo.

Pôr um sinete em uma carta: Segurança.

Cortar o sinete de uma carta: Perda da posição atual.

Abrir uma carta fechada com sinete: Aviso de dificuldades.

Um anel de sinete: Receberá algo que deseja.

Usar anel de sinete para fechar uma carta: Haverá questões legais em seu benefício.

SINO

Ouvir o soar de um sino: Discórdia na família.

Ouvir o soar de muitos sinos: Receberá boas notícias.

Ouvir o soar de sinos de igreja: Esteja atento aos inimigos.

Um sino de igreja sem o badalo: Você é impotente.

Ouvir um sino pequeno, de porta, que toca: Brigas e sedução.

SITUAÇÃO

Encontrar-se em uma situação de gravidade: Terá tristeza.

Encontrar-se em uma situação complexa: Enfrentará trabalho pesado.

Objetos mal posicionados: Tenha cautela nas questões comerciais.

Má situação no emprego: Boas mudanças virão.

Amigos em má situação: Evite os rivais.

Melhoria de sua situação na vida: Bons tempos virão.

Sua situação atual: Haverá gracejos de crianças pequenas.

Ter uma situação honrada: Alegria.

Estar em uma situação embaraçosa: Logo receberá boas notícias.

Perder sua situação: Receberá notícias tristes em breve.

Uma situação perigosa: Viverá em desgraça.

Estar em uma situação perigosa: Muitos obstáculos pela frente.

Sair de uma situação perigosa: As coisas terminarão bem.
Filhos em uma situação perigosa: Infelicidade.
Pessoas amigas em uma situação perigosa: Você vai ficar sem um centavo.
Inimigos em um situação perigosa: Falência.

SKIFF (barco leve a remo)

Um *skiff*: Tenha cuidado nos negócios.
Um *skiff* que desce por um rio de águas calmas: Será auxiliado por uma pessoa destacada.
Remar em um *skiff*: Realizações e ganhos.
Um *skiff* emborcado: Fracasso nos negócios.

SOBERBO

Ser soberbo: Decepção em suas ambições.
Lidar com um homem soberbo: Aflições.
Lidar com uma mulher soberba: Terá um prazo.
Ter amigos soberbos: Prosperidade e êxito nos negócios.

SOBRANCELHAS

Suas sobrancelhas: Ganhos financeiros.
Sobrancelhas castanhas: Grande sorte.
Sobrancelhas negras: Grande alegria.
Sobrancelhas grossas: Ganhos financeiros.
Sobrancelhas estreitas: Grande tristeza.
Sobrancelhas compridas: Felicidade no amor.
Sobrancelhas que caem: Infidelidade da pessoa amada.
Sobrancelhas de um parente: Estima pública.
Sobrancelhas do marido: Êxito no amor.
Sobrancelhas da esposa: Fortuna considerável.
Sobrancelhas dos filhos: Ganhos financeiros.
Sobrancelhas de inimigos: Você está sendo enganado.

SOBRAS DE COMIDA

Precisar comer sobras de comida: Prosperidade nas questões comerciais.
Outros comendo sobras de comida: Modificação para melhor.
Fazer um pudim de sobras de comida: Fartura de recursos.

SOBRECARGA

Transportar uma sobrecarga: Dependerá de outras pessoas.
Outras pessoas com sobrecarga: Conte com grande herança.
Filhos com sobrecarga: Sua situação vai melhorar.
Amigos com sobrecarga: Ganhos financeiros.

SOBREMESA

Comer sozinho a sobremesa: Evite os rivais.

Comer a sobremesa acompanhado: Harmonia entre amigos.

Outras pessoas comendo a sobremesa sem você: Morte de um inimigo.

Não gostar de uma sobremesa: Sofrerá prejuízos nos negócios.

SOBRENOME

Ter um sobrenome: Correrá perigo.

Receber um sobrenome: Terá sorte no futuro.

Dar sobrenome a outras pessoas: Ficará pobre.

Dar sobrenome aos filhos: Fidelidade.

SOBREPELIZ (veste branca usada por clérigos sobre a batina)

Uma sobrepeliz de linho branco: Alguém com más intenções está vigiando você.

Usar uma sobrepeliz: Terá vida longa.

Pessoa casada sonhando com uma sobrepeliz: Contentamento.

Pessoa solteira sonhando com uma sobrepeliz: Logo se casará.

SOBRETUDO

Um sobretudo: Dignidade.

Usar um sobretudo: Breve ocupará um alto cargo.

Despir-se de um sobretudo: Desgraça.

Outras pessoas vestidas com um sobretudo: Sua ajuda será solicitada.

Outras pessoas que se despem de um sobretudo: Elas cairão em desgraça.

Sobretudo de mulher: Alegria sem ganho.

Sobretudo de crianças: Recursos substanciais.

Jogar fora um sobretudo: Será importunado.

Limpar um sobretudo: Perderá o dinheiro que tem para viver.

Comprar um sobretudo: Será uma pessoa honrada.

Vender sobretudos: Receberá algum dinheiro.

SOBREVIVÊNCIA

Sobrevivência: Doença dos filhos.

A sobrevivência da pessoa amada: As pessoas sabem de suas transgressões.

A sobrevivência de uma atividade comercial: Será pego em uma armadilha.

A sobrevivência de alguém que estava perdido: Receberá boas notícias.

SOBRINHA

Uma sobrinha: Terá vida longa.

Diversas sobrinhas: Boa saúde.

Ter bela sobrinha: Terá dificuldades e preocupações.

Um homem flertando com a sobrinha: Risco de morte.

Encontrar-se com uma sobrinha: Você está perdendo tempo.
Casar-se com uma sobrinha: Alegria.
Uma sobrinha que é morta: Infelicidade.
Uma sobrinha que se casa: Você está sendo falso no amor.

SOBRINHO

Seu próprio sobrinho: Vida longa.
Muitos sobrinhos: Terá boa saúde.
Ter discussões com os sobrinhos: Os negócios se encerrarão.
Gostar dos sobrinhos: Lucros.
Não gostar de um sobrinho: Bons resultados em seus interesses.
Um sobrinho que é morto: Dificuldades nos negócios.
Um sobrinho despido: Terá boa sorte no amor.

SÓCIO

Achar um sócio: Não tenha medo.
Ter um sócio: Você tende a se envolver em discussões.
Perder um sócio: Seu êxito está garantido.
Ter um sócio destacado: Bons negócios.

SOCO

Desferir um soco em alguém: Será importunado.
Receber um soco de alguém: Bons tempos virão.
Socar um amigo: Infortúnio nos assuntos sentimentais.
Socar um inimigo: Novos interesses e ambiente.

SOÇOBRAR

Soçobrar em dívidas: Terá uma vida feliz.
Soçobrar no mar: Grande tristeza.
Um navio soçobrando: Receberá grande quantia de dinheiro, de modo inesperado.
Um marinheiro que soçobra: Bom futuro.
Diversos objetos que soçobram: Desfrutará de felicidade na família.

SODA

Soda: Contentamento na vida.
Tomar soda gasificada: Você está cercado de amizades indesejáveis.
Comprar soda gasificada: Você tem alguns desejos impossíveis.
Tomar soda com álcool: Receberá muitos presentes.
Fazer soda: Enfrentará trabalho pesado.

SODA CÁUSTICA

Usar soda cáustica: Será infeliz no amor.
Comprar soda cáustica: Cuidado com os inimigos.

SOFÁ

Um sofá vazio: Dificuldades pela frente.
Sentar-se sozinho em um sofá: Um amigo trama sua ruína.
Sentar-se em um sofá com o marido: Triunfo sobre os inimigos.
Sentar-se em um sofá com a pessoa amada: Perigo nos assuntos amorosos.
Sentar-se em um sofá com pessoa amiga: Enfrentará trabalho pesado.
Sentar-se em um sofá com os filhos: Você tem grande força de vontade.
Sentar-se em um sofá com um cão: Você tem amizades leais.

SOFRIMENTO

Estar sofrendo: Bom sinal para as questões comerciais.
Marido e mulher sofrendo. Terá muito dinheiro.
Parentes sofrendo: Terá vida longa.
Filhos sofrendo: Ganhos financeiros.
Outras pessoas em sofrimento: Você se restabelecerá de uma doença.

SOGRO

Seu próprio sogro: Aguarda acontecimento importante e muito benéfico.
O sogro aparecendo morto: Será ameaçado por diversas pessoas.
O sogro aparecendo vivo: Má sorte.
O sogro de alguém: Será difícil escapar às dificuldades que virão.

SOL

O Sol: Êxito nos assuntos sentimentais.
O Sol vermelho: Doença nos filhos.
Estar no sol: Boas notícias e alegria.
Um belo amanhecer: Êxito nas questões financeiras.
Um belo ocaso: Receberá notícias falsas.
Mulher sonhando com um belo ocaso: Terá um filho.
Um sol escuro: Diminuição da sua sorte.
Pessoa cega sonhando com um sol escuro: Voltará a ter visão.
Prisioneiro sonhando com um sol escuro: Sairá da prisão.
O sol brilhando sobre uma casa: Perigo de incêndio.
O sol brilhando onde você está: Logo estará doente.
O sol brilhando em sua cama: Apreensão.
Uma pessoa honesta sonhando que o sol brilha sobre sua cabeça: Glória e honrarias.
Uma pessoa desonesta sonhando que o sol brilha sobre sua cabeça: Seus pecados foram perdoados.
Pessoa que tem inimigos sonhando com o sol: Terá boa sorte.

O sol brilhando em meio às nuvens: As dificuldades logo desaparecerão.

O sol brilhando bastante em um ambiente da casa: Grandes ganhos e prosperidade.

Entrar em uma casa e ver a luz do sol: Comprará propriedade imobiliária.

Mulher casada sonhando com a luz do sol em um ambiente da casa: Terá um filho virtuoso.

O Sol indo em direção à Lua: Haverá briga.

SOL, BANHO DE

Tomar banho de sol: Infelicidade pela frente.

Tomar banho de sol com os membros da família: Receberá propostas inesperadas.

Tomar banho de sol com o namorado: Receberá muita afeição.

Ser criticado por tomar banho de sol: Vencerá uma discussão.

SOL, LÂMPADA DE

Uma lâmpada de sol: Alegria.

Usar uma lâmpada de sol: Prepare-se para infelicidade no amor.

Usar lâmpada de sol para tratamentos: Alguém lhe dará um susto.

Outras pessoas fazendo tratamento com lâmpada de sol: Desfrutará de uma vida ativa.

SOL, LUZ DO

A luz do sol: Terá vida longa e feliz.

A luz do sol muito quente: Terá altos e baixos na vida.

A luz do sol obscurecida por nuvens: Você se apaixonará.

A luz do sol como a primeira coisa que se vê de manhã: Receberá boas notícias de um lugar distante.

SOL, RELÓGIO DE (meridiana)

Um relógio de sol: Grandes acontecimentos adiante.

Observar um relógio de sol: Morte adiante.

Verificar um relógio de sol: Casamento de pessoas muito próximas a você.

Examinar um relógio de sol: Felicidade no amor.

SOLAS

Solas de couro: Não dê ouvidos à bajulação.

As solas dos sapatos de uma mulher: Cuidado com quem você flerta.

Moça sonhando com solas de sapatos: Infortúnio e vexame.

Homem sonhando com solas de sapatos: Discussões nos negócios.

Mudar as solas dos sapatos dos filhos: Alguém o ajudará.

SOLDADO

Soldados: Você está sendo explorado.
Soldados em uma manobra de adestramento: Concretização das esperanças e desejos.
Soldados feridos: Perda de sono.
Soldados que você conhece: Perda de emprego.
Soldados que se voltam contra você: Irritação.
Muitos soldados marchando: Transformação completa na sua vida.
Soldados que participam de esportes: Terá filhos muito inteligentes.
Moça sonhando com soldados: Passará por muitas transformações antes de se estabelecer.
Soldados brigando: Quem sonha será vitorioso.
Soldados que se bandeiam para o lado inimigo: Traição dos amigos.
Seu filho sendo soldado: Muito dinheiro vem por aí.
Soldados de infantaria: Receberá boas notícias.
Soldados de artilharia: Boas notícias inesperadas.
Contar soldados: Você tende a ser sovina.
Ouvir soldados cantando: Acontecimentos felizes na família.
Ser soldado raso no exército: Terá felicidade em breve.
Soldado da cavalaria européia: O seu destino será dar afeto sem ser retribuído.
Estar com um soldado de cavalaria: Terá um amante civil.
Diversos soldados de cavalaria: Alegria sem ganho.

SOLDAR

Soldar: A preocupação se dissipará.
Ser soldador: Tenha cautela em seus negócios.
Ter alguma coisa soldada: A decepção é certa.
Outras pessoas fazendo solda: Evite os inimigos.

SOLETRAR

Soletrar: Logo estará doente.
Soletrar erradamente as palavras: Cuidado com amizades falsas.

SOLIDÃO

Solidão: A felicidade está assegurada.
Estar solitário: Preocupações e infortúnio.
Estar solitário e não procurar companhia: Dinheiro chegando.
Outras pessoas que estão solitárias: Há alguém que alimenta inimizade secreta por você.

SOLO

O solo durante o inverno: Receberá más notícias.
O solo durante o verão: Receberá boas notícias.
Cavar o solo: Aumento da sorte.

Plantar sementes no solo: Grande amor na família.

Vender solo: Precisa contar com suas próprias forças.

Beijar o solo de sua propriedade: Felicidade na família.

SOLTEIRO

Ser solteiro: Perda de dinheiro.

Pessoa solteira sonhando que ama alguém: Receberá boas notícias.

Pessoa solteira sonhando que se casa: Indecisão na escolha do marido.

Homem solteiro sonhando que se casa: Será humilhado.

Homem solteiro sonhando que tira vantagem de uma moça: Luta contra a natureza.

Uma mulher solteira aceitando a paquera de um homem: Triunfo na vida.

Homem ou mulher sonhando que voltou a ser solteiro: Fofocas causarão preocupação.

Pessoa casada sonhando que é solteira: Inveja ou ciúme.

Homem solteiro sonhando que continua sem se casar: Fará um bom empreendimento comercial.

Uma pessoa solteira desejando casar-se: Receberá boas notícias.

Uma moça que deseja casar-se: Ela é sincera e digna de confiança.

Um solteirão querendo casar-se: Ele se casará com uma mulher rica.

Uma solteirona querendo casar-se: Ela se casará com um homem jovem.

Uma solteirona: Você tende a ser genioso.

Muitas solteironas juntas: Desfrutará de acontecimentos felizes.

Ser uma solteirona: Grande tristeza.

Continuar solteirona: Será ofendida por uma proposta.

SOLUÇO

Ter um ataque de soluços: Logo viajará.

Parentes com soluços: Tristeza e solidão.

Outras pessoas com soluços: Você vai se separar dos amigos.

SOM

Ouvir um som: Felicidade e divertimentos.

Ouvir um som de trombeta: Doença.

Som alto feito por gente: Morte.

Ouvir um som agradável de música: Travará uma grande discussão.

Ouvir diversos outros sons: Será visitado por alguém.

SOMA

Calcular uma soma: Você é muito sovina.

Cometer enganos em cálculos de somas: Uma relação rompida.

Não somar corretamente: Terá um amigo perigoso.

Corrigir somas: Passará por altos e baixos.

SOMBRA

Uma sombra: Será ameaçado por um grande inimigo.

Muitas sombras: Morte de alguém.

Ter medo de sombra: Nascimento de uma criança.

Sua própria sombra: Ganhos financeiros através de questões legais.

A sombra de maus espíritos: Morte.

A sombra de uma árvore: Você tem um amigo leal.

Estar à sombra de uma árvore: Receberá uma declaração de amor.

A sombra de amigos: Cuidado para não ser enganado.

A sombra de inimigos: Morte em breve.

SOMBRINHA

Carregar uma sombrinha sobre a cabeça: Alguém virá em seu auxílio.

Estar com a sombrinha aberta: Terá prosperidade.

Estar com a sombrinha aberta para proteger-se do sol: Riqueza.

Abrir sombrinha dentro de casa: Os assuntos amorosos foram por água abaixo.

Outras pessoas com sombrinhas abertas: Nascimento de uma criança.

Outras pessoas com sombrinhas fechadas: Doença.

Apanhar uma sombrinha emprestada: Desentendimentos com pessoa amiga.

Emprestar uma sombrinha: Mágoa causada por falsos amigos.

Uma sombrinha colorida: Insatisfação com a pessoa amada.

SONÂMBULO

Ser sonâmbulo: Tome cuidado em sua vida.

Homem sonhando que é sonâmbulo: Tomando cuidado, se restabelecerá de uma doença.

Mulher sonhando que é sonâmbula: Discussões em casa.

Falar com um sonâmbulo: Desfrutará de um bom descanso.

Um homem que anda enquanto dorme: Receberá notícias que o deixarão perplexo.

SONHO

Consultar alguém acerca de seus sonhos: Receberá notícias vindas de um lugar distante.

Sonhar coisas boas: Você tem desejos impossíveis.

Sonhar que é rico: Terá decepção.

Sonhar que é pobre: Mudança em sua situação.

Outras pessoas sonhando: Sentirá tristeza.

SONO

Sono: Falsa segurança.

Estar dormindo: Seja cauteloso em seus atos.

Ir dormir: Boas notícias.

Uma filha dormindo com a mãe: Adoção de um órfão.

Um homem dormindo com uma mulher: Satisfação na vida.

Dormir com um homem muito feio: Grande infelicidade.

Dormir com uma criancinha: Retorno do amor e alegria no lar.

Dormir com uma pessoa do sexo oposto: As coisas correrão bem.

Dormir com uma pessoa de seu próprio sexo: Acontecimentos que o deixarão perplexo.

Dormir com um belo rapaz: Prazer seguido por desagrado.

Dormir com uma bela moça: Irritação e preocupações.

Dormir com o namorado: Prazeres pela frente.

Dormir com a namorada: Grande satisfação.

Namorados dormindo juntos: Aguarde acontecimentos maravilhosos.

Uma mulher dormindo com um homem durante a ausência do marido: Morte iminente.

Dormir junto com a mãe e a filha: Precisa aceitar as coisas como elas são.

Dormir com uma prostituta: Terá uma dor no dia seguinte.

Dormir sozinho: Cuidado com a tentação.

Dormir com a esposa: Alegria e lucro.

Homem que dorme com alguém a quem não ama: Morte da esposa ou mãe.

Uma mulher dormindo com alguém a quem não ama: Doença.

Um homem dormindo nu com uma bela mulher: Felicidade.

Uma mulher dormindo nua com um belo homem: Traição.

Dormir com um negro: Contrairá uma doença muito grave.

SOPA

Sopa em lata: As especulações darão bom resultado.

Tomar muita sopa: Terá uma grande fortuna.

Pessoa pobre tomando sopa de legumes: Aumento dos rendimentos.

Pessoa rica tomando sopa de legumes: Sofrerá grande pesar.

Tomar sopa de feijão: Pobreza.

Tomar sopa de arroz: Prosperidade.

Tomar sopa de cevada: Boa saúde.

Tomar sopa de cebolas: Será enganado por amigos.

Tomar canja de galinha: Sentirá tristeza.

Tomar sopa de peixe: A felicidade está assegurada.

Tomar sopa de mariscos: Infortúnio.

Tomar sopa de vinho com pão: Alegria sem ganho.

SOPRAR

O vento soprando: Enfrentará um litígio.
Soprar um fogo e apagá-lo: Fofocas estão sendo espalhadas a seu respeito.
Soprar no rosto de alguém: Será enganado por uma mulher a quem você está tapeando.
Soprar nas mãos para aquecê-las: Receberá diversos presentes.
Soprar poeira ou outras coisas: Receberá uma carta com boas notícias.

SORO DE QUEIJO

Fazer soro de queijo: Grande alegria.
Entornar soro de queijo: Sofrerá por sua própria insensatez.
Comprar soro de queijo: Escapará a um perigo iminente.
Filhos tomando soro de queijo: Prosperidade.
Pessoa solteira sonhando que toma soro de queijo: Decepção no amor.
Pessoa casada sonhando que toma soro de queijo: Dificuldades, tristeza e prejuízos.

SORRIR

Sorrir: Receberá alívio para suas dores.
A família sorrindo: Enfrentará oposição durante um período de 48 a 70 dias.
Amigos sorrindo: Cuidado, talvez não sejam amigos verdadeiros.
Filhos sorrindo: Riqueza.
Marido sorrindo: Ele ganhou dinheiro.
Esposa sorrindo para o marido: Vai dizer-lhe que engravidou.
Moças sorridentes: Descobriram o homem com quem querem casar-se.
Sorrir em segredo para si próprio: Outras pessoas causarão preocupação pelo que falam.
Uma mulher sorrindo para você na rua: Ela é de pouca moral.
Andar com um sorriso no rosto: Terá uma vida feliz.

SORTE

Ter sorte nos negócios: Está diante de obstáculos insuperáveis.
Ter sorte nas questões amorosas: Tenha cuidado com a sua saúde mental.
Marido ou mulher sonhando que têm sorte no amor: Não confie nos afetos.
Namorados sonhando que têm sorte no amor: Um inimigo trama sua ruína.
Mandar ler sua sorte: Grande luta.

SORVETE

Tomar sorvete: Êxito em todos os empreendimentos.
Comprar sorvete: Perigo causado por um segredo.
Fazer sorvete: Ganhos financeiros.
Filhos tomando sorvete: Terão vida longa.

Inimigos tomando sorvete: Eles terão de passar fome.

SÓTÃO

Um sótão: Você se sairá bem de um perigo atual.

Pessoa casada sonhando com um sótão: Deve evitar os flertes.

Pessoa solteira sonhando com um sótão: Noivado rápido.

O sótão de uma casa alheia: Está diante de obstáculos insuperáveis.

SOTAQUE

Ter sotaque: Fará uma longa viagem.

Falar com sotaque estrangeiro: Cuidado com a saúde.

Outras pessoas falando com sotaque estrangeiro: Receberá boas notícias.

Falar propositalmente com sotaque: Mudança de ambiente.

SOUVENIR

Um *souvenir*: Sorte e prosperidade.

Pessoa amiga que pede um *souvenir* sem lhe dar outro: Grandes preocupações.

Ganhar um *souvenir*: Em breve ocorrerá uma mudança na sua vida.

Ganhar *souvenirs* de um parente: Boa sorte.

SOVINA

Uma pessoa sovina: Rendimentos inesperados.

Ser sovina com outros: Fará os outros de mártires.

Ser sovina com a família: Logo receberá uma herança.

Ser sovina com a pessoa a quem ama: Receberá uma considerável fortuna.

Ser sovina com os filhos: Pobreza.

Ser um sovina: Cuidado com inimigos que estão por perto.

Outras pessoas que são sovinas com você: Bênção na família.

STRIP-TEASE

Uma moça fazendo *strip-tease*: Miséria.

Ser uma moça que faz *strip-tease*: Terá dificuldades financeiras por toda a vida.

Ser uma atriz de *strip-tease*: Surpresa desagradável.

Muitas dançarinas de *strip-tease* em um palco: Prosperidade e êxito nos negócios.

A namorada sendo dançarina de *strip-tease*: Não será aceita na sociedade.

SUAR

Suar: Grandes esforços serão necessários para que obtenha êxito.

Suar após tomar remédio: A saúde melhorará.

Cheiro de suor: Você tem amigos falsos.

Enxugar a transpiração da testa: Terá uma pequena fortuna.

Enxugar a transpiração do corpo: Pedido de casamento.

Filhos suando: Obterá êxito nos empreendimentos por toda a sua vida.

Inimigos suando: Perda de dinheiro.

Parentes suando: Será recompensado por seus bons esforços.

Homens suando: Será muito maltratado pelos credores

SUBORNO

Subornar: Será culpado por sua insensatez.

Aceitar suborno em dinheiro: Conduta reta e honrada.

Recusar suborno em dinheiro: De modo inesperado, receberá dinheiro.

Subornar um funcionário público: Grande tristeza.

SUBTERRÂNEO

Alguém que está sob o chão: Você deseja o que outras pessoas têm.

Uma passagem subterrânea: Você abusará da confiança alheia.

Passar por um local subterrâneo: Preocupações no futuro.

Sofrer acidente em um local subterrâneo: Estará livre dos inimigos.

SUCATA

Uma sucata: Glória e fortuna.

SUFOCAR

Sufocar-se: Terá vida longa.

Outras pessoas sufocando-se: Será abandonado pela pessoa amada.

Filhos sufocando-se: Você se restabelecerá de uma doença.

SUICÍDIO

Um suicida: Você sobrecarregou sua mente.

Planejar suicidar-se: As dificuldades foram causadas por você mesmo.

Ter-se suicidado: Infelicidade.

Pensar em suicidar-se: Precisa conformar-se com a vida real.

Mulher que se suicida: Oposição no amor e desespero.

Outras pessoas que se suicidam. Terá vida longa.

Marido ou mulher que se suicida: Modificação permanente no ambiente.

SUJEIRA

Sujeira jogada em você: Abusarão de você.

Jogar sujeira em outras pessoas: Haverá um sério desastre.

Roupas sujas: Escapará a alguma doença contagiosa.

Pisar em sujeira: Deixará sua residência.

Cair na sujeira: Logo haverá prosperidade no que se refere a seus interesses.

Você próprio estando sujo: Doença.

Outras pessoas que são sujas: Doença na família.

Sujeira criada por gente: Descoberta de objetos valiosos que estavam perdidos.

Sujeira em uma igreja: Será punido por Deus.

SUL

O Sul: Infelicidade.

Fazer viagem ao Sul: Êxito no amor.

Ir para o Sul com a família: Bons tempos estão chegando.

Mudar-se para o Sul: Sua situação vai melhorar.

Estar em lugares do Sul: Boa sorte nos assuntos sentimentais.

Fazer negócios em cidades do Sul: Perda de dinheiro.

SUMIR

Sumir: Consolo e alegria.

Seus pertences sumindo: Terá uma vida difícil.

Marido ou mulher sumindo: Infelicidade.

Membros da família sumindo: Fará bons negócios.

Amigos sumindo: Terá vida longa.

SUPERAR

Superar: Trabalhará com afinco em um novo empreendimento que terminará bem.

Superar os outros em negócios: Decepções nos assuntos amorosos.

Filhos superando uns aos outros: Há um amigo falso por perto.

Ser superado pelos outros: Você inveja o que outras pessoas possuem.

SUPERFICIAL

Ser superficial: Dê aos outros o que é deles por direito.

Agir de modo superficial: Vergonha e tristeza.

Lidar com pessoas superficiais: Desejará aquilo que outras pessoas possuem.

Membros da família que se mostram superficiais: Terá preocupações insignificantes.

SUPERIOR

Sentir-se superior aos outros: Aguarde acontecimento importante e muito benéfico.

Ser a figura superior em uma escola: Receberá má orientação.

Ser madre superiora: Precisará de ajuda financeira.

Filhos que são superiores aos outros: Discórdia na família.

Um cônjuge superior ao outro: Cuidado com os rivais.

Ter superioridade nas questões comerciais: Amigos o ajudarão.
Ter superioridade política: Será prejudicado por falar demais.

SUPERVISOR

Um supervisor: Aceite o destino com resignação.
Ser um supervisor: Discutirá e abusarão de você.
Ser nomeado supervisor: Terá vida longa.
Perder o cargo de supervisor: Morte de um parente.
Ser o supervisor de uma fábrica: Terá uma grande alegria.

SUPLANTAR

Suplantar: Boas atividades comerciais.
Suplantar pela força: Aguarde acontecimento importante e muito benéfico.
Suplantar outras pessoas: Será enganado por amigos.
Ser suplantado: Você não está à altura de sua posição na vida.
Raízes que se sobrepõem: Dificuldades pela frente.

SUPLEMENTO

Um suplemento: Uma pessoa amiga procura ajudá-lo em segredo.
Receber suplementos a circulares: Prejuízos financeiros.
Receber suplementos de um livro: Brigas comerciais.
Mandar um suplemento a outras pessoas: A decepção é certa.

SUPLICAR

Suplicar clemência: Outra pessoa desfruta daquilo que você queria.
Filhos que suplicam a você: Haverá inquietação.
Outras pessoas que suplicam a você: Cuidado com quem tira vantagem de sua boa-fé.
Suplicar clemência a um governador: Logo será atacado.

SUPREMACIA

Supremacia: Passará dias infelizes.
Ter supremacia sobre outras pessoas: Ganhará no jogo.
Outras pessoas com supremacia: Receberá notícias tristes.
Ter supremacia em seus próprios interesses: Descobrirá que outros mentem.
Ter supremacia sobre o marido ou sobre a mulher: Divórcio.
Haver supremacia entre parentes: Discussão em família.

SUPREMO TRIBUNAL

O Supremo Tribunal: Alcançará suas metas lentamente.
Seu caso perante o Supremo Tribunal: Receberá notícias infelizes.
Perder uma questão no Supremo Tribunal: Infidelidade.
Ser um membro do Supremo Tribunal: Voltará a se casar.

SUPRIMENTOS

Suprimento: Infidelidade.

Ter suprimentos: Chegada de um amigo.

Receber suprimentos: Cuidado para não ser enganado.

Comprar suprimentos: Discussões em família.

Armazenar suprimentos: Ficará livre de um inimigo.

Vender suprimentos: Terá sorte no casamento.

SURDO

Ser surdo: Você terá uma grande sorte.

Outras pessoas que são surdas: Mudança para melhor.

Ensurdecer de modo súbito: Sua situação vai melhorar.

SURPRESA

Uma surpresa: Receberá carta com notícias inesperadas.

Ter uma surpresa: Você está cercado por pessoas desleais.

Surpreender outras pessoas: Você tem sorte no amor.

Surpreender o marido ou a mulher em transgressões: Receberá a ajuda de uma pessoa amiga.

Surpreender os filhos em transgressões: Um casamento está sendo planejado.

Tomar conhecimento de uma surpresa: Haverá grande discussão em família.

SURRADO

Ser surrado: Infelicidade nas relações familiares.

Outras pessoas que são surradas: Perda de dinheiro.

Um cão que é surrado: Fidelidade.

Um gato que é surrado: Traição.

Um cavalo que é surrado: Felicidade.

Uma cabra que é surrada: Triunfo.

Surrar: Terá muitos inimigos.

Surrar outra pessoa: Um mistério será solucionado.

Ser surrado por amigos: As coisas desandarão nos assuntos sentimentais.

SUSPEITAR

Suspeitarem de você: Está acostumado a agir mal com outras pessoas.

Marido ou mulher suspeitando do outro: Cuidado com uma amizade terna.

Ser suspeito com motivo: As necessidades serão satisfeitas.

Suspeitar de um parente: Uma mulher o decepcionará.

SUSPENDER

Ser suspenso no emprego: Êxito em novos empreendimentos.

Suspender outras pessoas de seus empregos: Contrairá muitas dívidas.

Ser suspenso no ar: Desfrutará de honrarias e consideração.

Outras pessoas suspensas no ar: Doença.

SUSPENSÓRIOS

Suspensórios: Precisa ter fé em si próprio.
Comprar suspensórios: Suas palavras descuidadas causarão aflição.
Ter suspensórios velhos: Cuidado com fofocas às suas costas.
Suspensórios partidos: Terá de pedir desculpas.

SUSPIRO

Suspirar: Grande alegria.
Suspirar profundamente: Bons tempos estão chegando.
Ouvir os filhos suspirando: Boa sorte.
Ouvir outras pessoas suspirando: Inimizade secreta de alguém.

SUSTENTAR

Sustentar a família: Você caminha para negócios comerciais importantes.
Sustentar uma organização pública: Perigo em relação a seus interesses.

SUTIÃ

Seu próprio sutiã: Outra pessoa desfruta daquilo que você desejava.
O sutiã da esposa: Evite os rivais.
O sutiã da namorada: Estará diante de uma tentação.
O sutiã de outras mulheres: Será abandonado pela pessoa amada.
Comprar um sutiã: Terá mente vigorosa.
Perder um sutiã: Ficará conhecendo alguém com quem se importará.

T

TABELIÃO

Um tabelião: Casamento de pessoa amiga.

Ir ao tabelião para tratar de documentos: Você tem amigos gulosos.

Levar outras pessoas com você a um tabelião: Mudança em sua vida.

Ser um tabelião: Bons rendimentos.

Receber a orientação de um tabelião: Dificuldades em seus negócios.

Filho que se torna tabelião: Alegria da família.

TÁBUAS

Serrar tábuas: Morte na família.

Aplainar tábuas: Terá de demover a opinião de uma pessoa teimosa.

Comprar tábuas: Boas notícias.

Vender tábuas: Cometerá erros.

Arrumar diversas tábuas: Boas amizades.

TAÇA

Quebrar uma taça: Perda de negócios.

Beber em uma taça: Tempos felizes.

Beber em uma taça colorida: Perda de amigos.

Outras pessoas bebendo em uma taça: Infelicidade na vida.

TACHAS

Tachas: Cuidado com sua reputação.

Pregar tachas: Infelicidade.

Um carpinteiro pregando tachas: Brigas comerciais.

Um marido pregando tachas: Sua fala rápida e presença de espírito o fazem temido.

Uma esposa pregando tachas: Ela vencerá as rivais.

Comprar tachas: Terá um futuro solitário.

TAFETÁ

Tafetá: Lucros e rendimentos.

Tafetá azul: Receberá mercadorias danificadas em seus negócios.

Tafetá branco: Recursos abundantes.
Tafetá vermelho: Você se machucará em um acidente.
Uma mulher casada comprando tafetá: Logo estará grávida.

TAFETÁ INGLÊS
Manusear tafetá inglês: Você se restabelecerá de uma doença.
Fechar um corte com tafetá inglês: Fará melhorias em sua propriedade imobiliária.
Ter tafetá inglês: Receberá uma visita inesperada.
Comprar tafetá inglês: Você conta demais com favores.

TAGARELICE
Tagarelice: Haverá uma fuga romântica que causará muitas fofocas.
Outras pessoas tagarelando: Elas fazem fofocas sobre você.
Muitas pessoas tagarelando: Será enganado por amigos.

TALHA (aparelho para erguer objetos pesados)
Uma talha: Sua sorte está assegurada.
Uma talha suspendendo carga pesada: Será protegido por pessoas da área comercial.
Uma talha suspendendo uma máquina por uma janela: Pessoas invejosas o odeiam.
Uma talha carregando um navio: Ganhará muito dinheiro.
A talha de um navio quebrada: O êxito virá mais tarde.
Um agricultor usando uma talha: Você está sob o poder de uma pessoa falsa.
Você próprio usando uma talha: Mudança de ambiente.

TALHARIM
Talharim: Será visitado por pessoas importantes.
Fazer talharim: Infelicidade.
Comprar talharim: Desfrutará de prazeres.
Comer talharim: Prejudicará os inimigos.
Cozinhar talharim: Receberá notícias inesperadas.

TALISMÃ
Um talismã: Um mistério será solucionado.
Mulher sonhando com um talismã: Cuidado com o perigo.
Homem sonhando com um talismã: Será enganado pelos amigos.
Viúva sonhando com um talismã: Voltará a se casar.
Uma mulher usando talismã: Cuidado com risco de vida.
Moça sonhando com um talismã: Ande com cuidado quando atravessar as ruas.

TÂMARAS
Comer tâmaras: Você passará por privação.

Comprar tâmaras: Será admirado por uma pessoa do sexo oposto.
Receber um presente de tâmaras: Dificuldades causadas por companhias falsas.
Dar um presente de tâmaras: Terá de realizar uma viagem desagradável.

TAMBORES

Ouvir tambores tocando: Alcançará grande êxito.
Tocar tambor: Grande alegria.
Outras pessoas tocando tambor: Sentirá tristeza.
Marchar em uma parada e tocar tambor: Sorte e prosperidade.
Comprar um tambor: Sofrerá um pequeno prejuízo.
Filhos tocando um tambor: Não terá dinheiro suficiente.

TAMBORETE

Um tamborete: Honrarias e realizações.
Sentar-se em tamborete: Terá muitos méritos.
Ter seu próprio tamborete em casa: Alcançará posição honrada.
Pessoas sentadas em tamboretes: Brigas de família.
Tamboretes vazios: Encontrará alguns amigos.

TAMPÃO

Tampões: Terá uma grande discussão em breve.
Tampar um buraco com cimento: Conhecerá uma senhora.
Tampar o buraco de um vaso: Terá muitos casos amorosos.
Tampar um cano: Você se casará com uma mulher rica duas vezes.

TANGERINA

Uma tangerina: Ganhos financeiros.
Chupar tangerinas: Escapará a um ferimento.
Comprar tangerinas: Decepção no amor.
Plantar tangerinas: Infortúnio nos assuntos amorosos.
Vender tangerinas: Terá um amor verdadeiro.
Colher tangerinas: Será pedido em casamento.
Descascar tangerinas: Ocorrerá uma morte na família.

TANQUE

Um tanque cheio de vinho: Bons lucros.
Um tanque cheio de óleo: Seus pecados serão perdoados.

TAPEAR

Tapear: Tome cuidado.
Ter sido tapeado: Não confie em amigos falsos.
Tapear no jogo: Está diante de obstáculos insuperáveis.
Ter sido tapeado no jogo: Tenha cautela nos negócios.

Outras pessoas que tapeiam no jogo: Um inimigo trama a sua ruína.

TAPEÇARIA

Uma tapeçaria: Grande alegria.
Fazer quadros de tapeçaria: Alegria sem ganho.
Pintar um material de tapeçaria: Será enganado pelos amigos.
Admirar tapeçaria: Abuso de confiança.
Comprar tapeçaria: Bons tempos virão.
Ornamentar com tapeçaria: Grandes satisfações na vida.
Queimar tapeçaria: Morte do chefe da família.
Ser um decorador de tapeçaria: Receberá uma visita.

TAPETE

Diversos tapetes: Perigo para quem possui os tapetes.
Fazer tapete: Grande felicidade.
Comprar um tapete: Um mistério será solucionado.
Um tapete queimando: Esteja atento a fofocas causadas pelo despeito.
Estar em um aposento atapetado: Conte com boas-novas.
Trocar um tapete por outro novo: Insatisfação no amor.
Estender um tapete: Haverá uma catástrofe.

TAPIOCA

Tapioca: Boa sorte.
Comprar tapioca: A felicidade está assegurada.
Cozinhar tapioca: Boa sorte em algumas especulações.
Os filhos comendo tapioca: Distinção em família.

TARDE

Uma bela tarde: Bons tempos estão a caminho.
Uma tarde nublada: Lucros pequeníssimos pela frente.
Uma tarde sem brilho: Tenha fé em si próprio.
Uma tarde chuvosa: Obterá bons lucros nos negócios.

TARTARUGA

Tartaruga: Você terá a oportunidade de progredir.
Comprar tartarugas: Alegria sem ganho.
Cozinhar tartarugas: Riqueza e influência.
Observar uma tartaruga do mar: Um mistério será solucionado.
Comer tartaruga do mar: Você tem inimigos secretos.
Tomar caldo feito de tartaruga do mar: Vida longa e êxito.

TATEAR

Tatear: As coisas estão melhorando, não desanime.
Tatear para seguir seu caminho: Uma apresentação em breve o animará.

Tatear procurando alguma coisa no escuro: Tenha cautela em seus negócios.

TATO, DOTADO DE

Ser dotado de tato: Precisa moderar suas paixões.
Usar tato com as crianças: Receberá uma herança.
Outras pessoas que usam tato: Sofrerá grandes prejuízos.
Outras pessoas que usam tato com você: Alegria e felicidade.

TATUAGEM

Ter os braços tatuados: Sofrerá por inveja ou ciúme.
Ter tatuagens no corpo: Um inimigo trama sua ruína.
Observar alguém que faz uma tatuagem: Será enganado por amigos.

TÁXI

Seguir sozinho em um táxi: Está envolvido com um passatempo adequado.
Seguir em um táxi com pessoa amiga: Descoberta de um segredo
Um homem em um táxi com uma mulher: O nome dele será ligado a um escândalo.
Uma mulher seguindo sozinha em um táxi: Obterá um êxito médio.
Seguir em um táxi à noite: Está escondendo segredos dos amigos.
Seguir em um táxi sob chuva: Correspondência com amigos que vivem no exterior.
Seguir de táxi para encontrar o namorado: As fraquezas serão conhecidas.
Seguir em um táxi com a esposa: Terá vida longa.
Seguir em um táxi com os filhos: Felicidade na família.
Seguir em um táxi com parentes: Será motivo de fofocas no futuro.
Um táxi: Receberá notícias urgentes.
Ter um táxi: Cuidado com amigos invejosos.
Chamar um táxi: Novos interesses e ambiente.
Estar em um táxi com outras pessoas: Cuidado com notícias falsas.
Fugir da frente de um táxi que se aproxima: Evite os rivais.

TEAR

Transformar fios em tecidos usando um tear: Bons tempos estão chegando.
Um tear: Você se restabelecerá de uma doença.

TEATRO

Um teatro: Bons resultados relativos aos interesses pessoais.
Ir sozinho ao teatro: Terá novas e agradáveis amizades.
Assistir a um espetáculo teatral com a família: Traição por parte das pessoas em quem confia.

Levar os filhos ao teatro: Tenha cautela ao debater seus planos.
Ir ao teatro com o namorado: Prosperidade em tudo.
Ir ao teatro com um grupo numeroso: Perderá dinheiro.
Gostar de um espetáculo teatral: Cuidado com a vigarice de pessoa desconhecida.
Um interessante espetáculo dramático: Pequenas modificações em sua vida.
Assistir a uma boa peça em companhia da pessoa amada: Casamento.

TECER

Tecer: Ficará muito embaraçado.
Tecer um vestido de casamento: Logo comprará um vestido de noiva.
Encomendar algo a quem tece: Boas notícias virão por carta.
Tecer um terno: Aguarde acontecimentos importantes e muito benéficos.
Tecer um vestido: Terá dinheiro com facilidade durante a vida.

TECIDO

Tecido: Lucro certo e garantido.
Tecido de linho: Obterá grandes rendimentos.
Tecido de lã: Obterá lucros com seus próprios produtos.
Tecido de veludo: Terá uma conversa amorosa.
Tecido de seda: Grande alegria.
Quadro para tecido: Os esforços estão sendo desperdiçados.

TECIDO XADREZ

Tecido xadrez: Boa saúde.
Muitos tecidos de xadrez: Companhias bondosas.
Usar roupas de tecido xadrez: Terá sorte.
Filhos usando roupas de tecido xadrez: Recursos abundantes.
Parentes que usam roupas de tecido xadrez: Brigas de família.
Inimigos usando roupas de tecido xadrez: Acontecimentos felizes.
Outras pessoas usando roupa de tecido xadrez: Boas esperanças.

TEIA DE ARANHA

Ver uma teia de aranha e retirá-la: Triunfo sobre um inimigo.
Destruir uma teia de aranha: Possibilidade de infortúnio.
Outras pessoas destruindo uma teia de aranha: Perigo em seu amor.

TEIMOSIA

Pessoas teimosas: Correrá perigo.
Ser teimoso: Você tem segundas intenções.
Outras pessoas que são teimosas: Terá por perto muitas pessoas que o amarão.
Filhos que se mostram teimosos: As esperanças não se concretizarão.
Ser um cônjuge teimoso: Levará uma vida agradável na velhice.
Ter parentes teimosos: Um novo amor cresce em seu coração.

Ter amigos teimosos: Infelicidade no amor.
Lidar com animais teimosos: Infidelidade.

TEIXO (árvore)
Um teixo: Morte de parente idoso.
Cortar galhos de um teixo: Receberá um grande legado.
Sentar-se sob um teixo: Terá vida curta.
Admirar um teixo: Terá vida muito longa.

TELA
Uma tela: Você está procurando ocultar erros.
Bela tela: Traição de amigos.
Telas que dividem os ambientes de uma casa: Assistirá a uma comédia.
Despir-se por trás de uma tela: Desfrutará de belas coisas.
Comprar uma tela: Aumento da família.

TELEFONE
Um telefone: Sua curiosidade será satisfeita.
Dar um telefonema: Vantagens nos negócios.
Receber um telefonema: Adiamento de um encontro.
Falar ao telefone em uma ligação interurbana: Felicidade.
Estar sem telefone: Os desejos serão realizados.

TELÉGRAFO SEM FIO
O telégrafo sem fio: Receberá notícias inesperadas, referentes a dinheiro.
Uma máquina de telégrafo sem fio: Terá muitas amizades.
Operar uma máquina de telégrafo sem fio: Noivado rápido.
Enviar mensagens pelo telégrafo sem fio: Aflições em família.
Receber mensagens pelo telégrafo sem fio: Você é muito cruel.
Uma máquina de telégrafo sem fio, fora de funcionamento: Você tem muitos inimigos.
Estar em uma estação de telégrafo sem fio: Terá dinheiro com facilidade durante a vida.
Uma máquina de telégrafo sem fio a bordo de um navio: Cuidado com o perigo.

TELEGRAMA
Enviar um telegrama: Receberá a notícia da perda de um amigo.
Receber um telegrama: Receberá notícias desagradáveis.
Um amigo que lhe manda um telegrama: Perda de uma amizade.
Mandar um telegrama comercial: Declínio dos negócios.
Receber um telegrama comercial: Recuperará dinheiro que lhe é devido.

TELESCÓPIO
Um telescópio: Você exagera suas dificuldades.

Olhar por um telescópio: Lerão sua sorte.
Outras pessoas olhando por um telescópio: Ficará embaraçado.
Manusear um telescópio: Contornará as dificuldades usando cautela.

TELHA

Telhas: Você tem amigos falsos.
Comprar telhas: Você terá muito dinheiro.
Comprar muitas telhas: Cairá em desgraça.
Pôr telhas em uma casa: Alcançará seu objetivo graças ao trabalho esforçado.
Vender telhas: Cometerá erros inevitáveis.
Prender telhas: Perda de uma amizade.
Pintar telhas: Pagará a dívida.
Destruir telhas: Será enganado por amigos.

TELHADO

O telhado de sua casa: Prosperidade.
O telhado de outras casas: Receberá muitas roupas de presente.
Pôr telhado em uma edificação: Um inimigo está vigilante.
Outras pessoas pondo telhado em uma edificação: Terá mente vigorosa.
Pintar um telhado: Terá vida longa.
Outras pessoas pintando um telhado: Será enganado por amigos.
Um telhado com goteira: Perda de dinheiro.
Consertar uma goteira no telhado: Em breve viajará a lugar distante.
Pôr novo telhado em uma casa: Bons tempos estão a caminho.

TELHEIRO

Um telheiro: Riqueza.
Um telheiro na floresta: Enfrentará trabalho pesado.
Um telheiro feito de madeira: Economize e faça planos para a velhice.
Um telheiro na praia: Dignidade.
Diversos telheiros enfileirados: Infelicidade.
Entrar em um telheiro: Tenha paciência com a dor e ela desaparecerá.
Outras pessoas que vão para um telheiro: Traição.

TEMPERO

Um tempero pronto: Você gosta de boa comida.
Tempero branco: Você come demais.
Tempero marrom: Terá amigos para o jantar.
Tempero verde: Sofrerá indigestão.
Preparar um tempero de cogumelos: Receberá favores de pessoas importantes.
Pôr tempero na comida: Alegria e pequeno ganho.

TEMPESTADE

Uma tempestade: Empreendimentos comerciais infelizes causarão aflição.
Observar uma tempestade: Infelicidade no amor.
Estar em uma tempestade: Separação de pessoas que se amam.
Outras pessoas em uma tempestade: Mudança para melhor.
Uma tempestade que atinge sua casa: Descoberta de um segredo.
Uma tempestade que derruba sua casa: Pessoas com más intenções estão por perto.
Uma tempestade que danifica sua casa: Terá boa moral.
Uma tempestade que derruba outras casas: Grandes perigos pela frente.

TEMPLO

Um templo em sua própria terra: Morte de um amigo muito íntimo.
Um templo em terra estrangeira: Em breve estará envolvido em um acontecimento incomum.
Entrar em um templo: A discrição trará recompensa.
Ídolos em um templo: Fará algo injustificável.

TEMPO (meteorologia)

Tempo bom: Segurança em tudo.
Tempo horrível: Receberá notícias desagradáveis.
Ventania: Ganhos financeiros.
Tempestade: Empreendimentos comerciais causarão aflição.
Tempo chuvoso: Recursos abundantes.

TENDA

Uma tenda: Terá prazer em ajudar outras pessoas em assuntos amorosos.
Viver em uma tenda com a família: Passará por grandes mudanças na vida.
Viver em uma tenda com o namorado: Discussões por motivos sentimentais.
Estar com amigos em uma tenda em viagem de acampamento: Visita vinda de longe.
Filhos brincando em uma tenda: Você tem amigos muito bons e jovens.
Tendas de um acampamento militar: Fará uma viagem bastante cansativa.

TENDÃO

Tendões: Logo travará grandes discussões.
Seus próprios tendões: Desfrutará de saúde vigorosa.
Tendões de parentes: Brigas de família.
Tendões de animais: Doença.

TÊNIS

Um campo de tênis coberto de grama: Conseguirá emprego.
Jogar tênis: Passará a se interessar por seus amigos.

Jogar tênis com um homem: Êxito.
Jogar tênis em dupla, com parceiro de sexo masculino: Estará de luto.
Jogar tênis com uma mulher: Aviso de fracasso no amor.
Jogar tênis em dupla com uma mulher: Grande sorte pela frente.
Vencer uma partida de tênis: Contrairá uma doença sem gravidade.

TENOR

Um tenor: Fará um novo conhecimento.
Ouvir tenores cantando: Obterá vantagens em negócios.
Ver um tenor: Será atacado por desordeiros.
Ouvir um tenor e um soprano cantando um dueto: Grande felicidade.
Aplaudir um tenor: Lerá bons livros.

TENTAR

Ser tentado: Encontrará obstáculos no caminho.
Ser tentado à transgressão: Cuidado com a língua e com a falta de bom senso.
Ser tentado a cometer pecado: As dificuldades serão superadas.
Ser tentada a deixar o marido: Gozará de excelente saúde.
Ser tentado a deixar a namorada: Conhecerá uma pessoa encantadora.
Ser tentado a deixar a esposa: Grandes vantagens nos negócios.

TERMÔMETRO

Um termômetro: Fofocas prejudicam sua reputação.
Medir temperatura com um termômetro: Terá uma vida instável.
Comprar um termômetro: Fará muitas viagens.
Medir a temperatura das crianças com um termômetro: Será humilhado.
Um termômetro que registra bom tempo: Boa mudança na situação.
Um termômetro que registra tempo tempestuoso: Prejuízos financeiros.

TERMOS

Termos legais: Preocupações pela frente.
Termos médicos: Receberá a notícia da doença de um parente distante.

TERNOS

Ter muitos ternos: Perda de dinheiro.
Comprar ternos: Grande briga em família.
Vender ternos: Será traído.
Jogar ternos fora: Triunfo sobre os inimigos.

TERRA

Terra: Perda de um amigo.
Beijar a terra: Será humilhado.
Comer terra: Longo período de doença.

Ser enterrado: Terá muito dinheiro.

A terra aparecendo negra: Tristeza.

Possuir boas terras: Terá uma ótima esposa.

Terra cercada e dada a um homem: Ele tem uma boa esposa.

Terra com bonitos pastos: Terá bons filhos.

Terra cheia de vegetais: Está sob o poder de amigos falsos.

Terra cheia de milho, trigo, cevada ou cereais: Muita sorte e prosperidade.

Sentar-se na terra: Morte de alguém.

Um agricultor que trabalha na terra: Obterá grandes lucros.

Fugir de uma erupção da terra: Boa sorte a caminho.

Terra fértil: Você se casará em muito pouco tempo.

Terra estéril: Logo enfrentará dificuldades.

Terra coberta de árvores: Pobreza.

Terra coberta de relva: Felicidade.

Possuir terra: Mudança de ocupação.

Ser expulso da terra pelo dono: Sofrerá uma amarga decepção.

Mudar-se de uma terra: Conte com mudanças em uma atividade.

TERRAÇO

Estar sozinho em um terraço: Ascenderá socialmente.

Estar em um terraço com outras pessoas: Terá vida longa.

Estar em um terraço com parentes: Receberá uma herança.

Estar em um terraço com um funcionário destacado: Será dono de sua vida.

Estar em um terraço com os filhos: Passará por muitos altos e baixos.

Estar em um terraço com amigos: Sofrerá humilhação.

TERREMOTO

Sentir um terremoto: Morte de um parente.

Estar na região de um terremoto: Perda de um amigo íntimo.

A terra tremendo por causa de um terremoto: Prejuízos nos negócios.

Uma cidade destruída por um terremoto: Logo ocorrerá uma mudança na sua vida.

Terremoto ocorrido no Leste: As dificuldades precisam ser superadas.

Terremoto ocorrido no Oeste: Aviso de dificuldades.

Terremoto ocorrido no Norte: Mudança de ambiente.

Terremoto ocorrido no Sul: Sentirá tristeza.

TERRENO MINADO

Uma posição militar defendida por minas terrestres: Perigo nos assuntos amorosos.

TERRIER (cão)

Um cão da raça *terrier*: Atividades sociais alegres.

Um *terrier* latindo: Cuidado com brigas.

Um *terrier* dormindo: Evite os rivais.

Um *terrier* mordendo uma pessoa amiga: Traição de alguém em quem você confia.

Um *terrier* brincando com crianças: Obterá bons rendimentos no futuro.

TERRITÓRIO

Um território grande: Receberá carta da pessoa amada.

Estar em um território: Cuidado com seus inimigos.

Um Estado que se transforma em território: Realizará bons negócios.

Ir a um território estrangeiro: Doença.

TERROR

Sentir terror: Inimizade secreta de alguma pessoa por você.

Um terrorista usando violência contra você: Morte de um inimigo.

Um partido político que fomenta o terror: Alegria sem ganho.

Filhos que causam terror: Bons tempos estão chegando.

TESOURA

Tesoura: Será nomeado redator de jornal bem conhecido.

Comprar uma tesoura: Você é uma pessoa muito exata e correta.

Usar tesoura de manicure: Terá vida longa.

Cortar materiais com uma tesoura: Receberá uma visita inesperada.

Cortar papel com uma tesoura: Grande êxito.

Outras pessoas usando uma tesoura: O futuro não é seguro.

Inimigos usando tesouras: Sofrerá prejuízo comercial.

Pessoas casadas usando tesouras: Haverá uma grande briga de amor.

Namorados segurando tesouras: Haverá grande discussão por motivos amorosos.

Possuir uma tesoura: Fofocas sobre a sua vida particular.

TESOURÃO

Tesourão para cortar cabelo de pessoas: Alegria e felicidade.

Usar tesourões: Prosperidade em tudo.

Usar um tesourão em animais: Sua situação vai melhorar.

Usar um tesourão para cortar seu próprio cabelo: Receberá um presente inesperado.

Comprar um tesourão: Vida longa.

Usar um tesourão para cortar o cabelo de um prisioneiro: Dificuldade nos negócios.

TESOURO

Encontrar um tesouro: Você não está seguro em relação a seus interesses.
Descobrir tesouro oculto: Perigo.
Cavar a terra procurando tesouro: Desgraça.
Descobrir uma arca de tesouro: Herança.
Um tesoureiro: Receberá dinheiro de parentes.
Ir ao Tesouro público: Terá grandes dores de cabeça.
Roubar um tesouro: Cuidado com traição por parte daqueles em quem confia.
Ter filhos que são um tesouro: Você tem boas amizades.
Um namorado que é seu tesouro: Deixará a casa dos pais.

TESTA

Ter uma bela testa: Alcançará o poder.
A testa de alguém: Começará um novo empreendimento comercial.
Testa grande: Terá boa disposição.
Testa lisa: Terá muita influência.
Uma testa feia: Vexame.
Uma testa ferida: Descobrirá um tesouro.

TESTAMENTO

Ler um testamento: Mudanças em seu ambiente.
Ler capítulos da *Bíblia*: Harmonia entre amigos.
Consultar o Novo Testamento: Ganhos financeiros.
Fazer um testamento: Aviso de saúde debilitada.
Fazer testamento para um parente: Vida longa.
Fazer testamento para a esposa: Ela morrerá antes.
Fazer testamento para os filhos: Muito tempo de felicidade e alegria.
Fazer testamento para pessoa amiga: Você morrerá em pouco tempo.
Fazer testamento para fins de caridade: Passará um longo período doente.

TESTAR

Um médico que o submete a um teste: Um mistério será solucionado.
Testar sua capacidade: Descoberta de objetos valiosos que estavam perdidos.
Testar a fidelidade do marido ou da mulher: Evite os rivais.
Outras pessoas que testam você: Sentirá tristeza.

TESTEMUNHA

Uma testemunha: Esteja atento a falsos amigos.
Ser testemunha em um tribunal: Acusações falsas estão sendo apresentadas contra você.
Alguém que assina um documento como testemunha: Seus atos são sempre corretos.

Testemunha depondo a seu favor: Bons resultados nas atividades comerciais.
Ser testemunha de alguém: Haverá uma catástrofe.
Ser testemunha para um álibi: Dinheiro chegando.
Ser testemunha em caso de divórcio: Prosperidade.
Ser testemunha em caso de assassinato: Pequenos lucros.
Ser testemunha em qualquer ação civil: Bons rendimentos nos negócios.
Alguém que testemunha a infidelidade do marido ou da mulher: Problemas legais em família.
Ser uma testemunha falsa: Irá para a prisão em breve.
Ser uma testemunha que desacata: Insegurança nos negócios.

TESTÍCULOS

Testículos feridos: Triunfo sobre os inimigos.
Ser privado do vigor masculino: Sucesso para empreendimentos em sociedade.
Uma pessoa que é castrada: Oferecerá um grande jantar.
Castrar um animal: Terá o controle de muitas atividades.

TÉTANO

Ter tétano: Sério desastre pela frente.
Outras pessoas com tétano: Perda de dinheiro.
Morrer de tétano: Você está sendo enganado.
Recuperar-se do tétano: Você se casará com uma pessoa que o importunará.

TÊTE-À-TÊTE

Um *tête-à-tête*: Há uma amizade falsa por perto.
Manter *tête-à-tête* importante com uma pessoa de alta classe: Boa sorte.
Promover jantar para um *tête-à-tête*: Momento propício para paquerar.
Manter um *tête-à-tête* com a pessoa amada: Mudança de ambiente.

TETO

O teto de seu quarto danificado: Felicidade.
Um teto rachado: Uma pessoa amiga lhe causará dificuldades.
Consertar um teto: Bons tempos estão a caminho.

TEXUGO

Um texugo: Grande trabalho pela frente.
Matar um texugo: Você se apaixonará.
Capturar um texugo: Conte com boa sorte.
Outras pessoas que capturam um texugo: Cuidado com os inimigos.

TEZ

Sua própria tez: Grande êxito.
Uma bela tez: Evite os rivais.
Uma pessoa de tez branca: Glória.
Uma pessoa de tez bronzeada: Terá boas amizades.
Uma pessoa de tez negra: Bons tempos estão a caminho.

TIA

Uma tia: Êxito nos assuntos financeiros.
Ser uma tia: Um casamento bem-sucedido está sendo planejado.
A tia do marido: Bons tempos estão chegando.
A tia da esposa: Cuidado com amigos invejosos e ciumentos.
Visitar uma tia: Receberá um legado.
As tias de alguém: Vergonha e tristeza.

TIARA

Uma tiara: Atividades sociais alegres.
Usar uma tiara: A felicidade está assegurada.
Uma moça usando tiara: A ambição dela está além de seu alcance.
Uma rainha usando tiara na coroação: Recursos abundantes.

TIGRE

Um tigre: Os inimigos lhe causarão dificuldades.
Observar um tigre: Sorte em família.
Um tigre correndo: Doença grave.
Matar um tigre: Cuidado com amigos invejosos.
Uma tigresa morrendo ao ter filhotes: Receberá dinheiro.
Um tigre adestrado no circo: Terá amigos prestativos.
Ser surpreendido por um tigre: Sofrerá um grande embaraço.
Ter um pequeno tigre como animal de estimação: Será pedido em casamento.
Um tigre em uma jaula do jardim zoológico: Morte de pessoa destacada.
Ouvir um tigre rugindo: Sofrerá pesar.
Um tigre sendo preso com corrente: Será surpreendido por inimigos.
Um tigre comendo: Terá muita riqueza.

TÍLIA (árvore)

Uma tília: Boas notícias.
Uma tília seca e morta: Um inimigo trama sua ruína.
Derrubar uma tília: Perigo nos assuntos sentimentais.

TILINTAR

Ouvir o tilintar de uma pequena campainha: Flerte inocente.
Ouvir o tilintar da sineta de um cão: Noivado iminente.

Ouvir o tilintar de cincerros de gado: Divertimentos.
Ouvir o tilintar de sinetas de trenó: Realizará altas ambições.

TIMBALE (tambor)
Ter um timbale: Dificuldades.
Tocar um timbale: Ansiedade.
Outras pessoas tocando timbale: Prejuízos nos negócios.
Comprar um timbale: Mudança de ambiente.

TÍMIDO
Ser tímido: Terá sorte.
Marido ou mulher sendo tímido: Você confia demais nos parentes.
Os filhos sendo tímidos: Está cercado por pessoas invejosas.
Outras pessoas tímidas: Os planos darão resultados.

TINA
Uma tina: Você é muito extravagante.
Uma tina cheia: Será abençoado com sabedoria.
Uma tina vazia: Riqueza.
Muitas tinas vazias: Planeje o seu futuro.

TINGIMENTO
Usar tintura nos cabelos: Aviso de dificuldades.
Passar tintura no cabelo de alguém: Alegria sem ganho.
Outras pessoas que usam tintura no cabelo: Sofrimento causado por sua própria insensatez.
Passar *blush* no rosto: Terá vida longa.
Material de tingimento: Miséria.
Uma pessoa que tinge materiais: Terá de suportar um longo período de doença.
Tingir as roupas: Os negócios estão muito confusos.
Tingir com cores claras: Logo ficará doente.
Tingir com amarelo ou cores escuras: Um membro da família terá febre alta.

TINTA DE ESCREVER
Um frasco de tinta de escrever: A felicidade está assegurada.
Entornar tinta: Seu amor não é retribuído.
Comprar tinta: Ganhos financeiros.
Mudar cores de tinta de escrever: Brigas de família.
Beber tinta de escrever: Realização das maiores esperanças.
Filhos escrevendo com tinta: Você tem uma amizade leal.
Escrever cartas de amor com tinta: Traição.
Escrever cartas comerciais com tinta negra: Prejuízo nos negócios.
Moça sonhando com tinta de escrever: Ela será caluniada.

TIO

Um tio: Êxito nas questões financeiras.

Ser tio: Fará um casamento feliz.

Os tios do marido: Bons tempos estão chegando.

Os tios da esposa: Cuidado com amigos invejosos.

Tios de alguém: Vergonha e tristeza.

TIRANO

Ser um tirano: Receberá notícias desagradáveis.

Um tirano que é morto: Realização dos desejos.

Um tirano expulso do poder: Felicidade.

Cometer tirania com outras pessoas: Ganhará um torneio.

TIROS

Ouvir disparos: Desentendimentos entre pessoas casadas.

Levar um tiro: Terá a oportunidade de tornar-se melhor.

Disparar uma carabina: Doença.

Disparar um revólver: Algo lhe será roubado.

Disparar uma espingarda: Está sendo enganado.

Disparar artilharia: Lucro.

Disparar em pássaros: Fofocas falsas dos amigos.

Disparar em um alvo: Logo fará uma viagem

Disparar em um torneio: Melancolia.

Outra pessoa disparando em você: Cairá em desgraça.

Disparar em outras pessoas: Honraria e alegria.

Disparar apenas um tiro: Grande lucro.

Disparar em inimigos: Dificuldades no lar.

Disparar em alguma coisa, mas errar a pontaria: Vencerá as dificuldades.

Disparar e matar alguém: Decepção e pesar.

Namorados que ouvem disparos: Haverá uma grande briga.

TÍTULOS

Títulos: Não deixe que as pessoas perturbem seus pensamentos.

Receber um título: Fofocas dos vizinhos.

Renunciar a um título: Perda de prestígio.

Dar prosseguimento a um título da família: Acontecimentos importantes e felizes na família.

TOALETE

Um toalete: A timidez causará prejuízo.

Ir ao toalete: Será feliz durante a aposentadoria.

Arrumar o cabelo em um toalete: Grande perigo pela frente.

Sentar-se em um toalete: Você deseja aproximar-se de alguém.

TOALHA

Uma toalha: Ficará doente por um breve período.

Usar toalha para enxugar as mãos: Dinheiro chegando.

Usar toalhas para enxugar o rosto: Felicidade no amor.

Outras pessoas usando toalhas: Você se restabelecerá rapidamente de uma doença.

Filhos usando toalha: Realizará seus objetivos.

Ter toalhas para hóspedes no banheiro: Cuidado com a traição de amigos.

TOALHA DE MESA

Uma toalha de mesa: Ganhos financeiros.

Pôr toalha em uma mesa: Abundância.

Uma toalha de mesa branca: Dignidade e distinção.

Uma toalha de mesa colorida: Sua situação vai melhorar.

Uma toalha de mesa de renda bordada: Aguarde acontecimentos importantes e muito benéficos.

Uma toalha limpa sobre a mesa: Terá vida longa.

Uma toalha suja sobre a mesa: Enfrentará dificuldades causadas por você mesmo.

Uma toalha rasgada: Infortúnio nos negócios.

TOBOGÃ

Um tobogã: Cuidado a cada passo.

Ter um tobogã: Um inimigo trama sua ruína.

Deslizar em um tobogã: Você se sairá bem de um perigo atual.

Outras pessoas que deslizam em um tobogã: Morte de um inimigo.

TOCHA

Uma tocha: Sera abençoado com raciocínio.

Uma tocha acesa: As dificuldades desaparecerão depressa.

Acender uma tocha: Descobrirá um meio de sair de suas dificuldades.

Uma tocha apagada: Os assuntos sentimentais serão concluídos.

Mulheres segurando tochas: Você se apaixonará.

Inimigos segurando tochas: Honrarias e distinção.

Segurar uma tocha para alguém: Voltará a pecar.

Segurar uma tocha para uma mulher casada: Doença.

Segurar uma tocha para uma pessoa solteira: As esperanças se concretizarão.

Segurar uma tocha para uma bela mulher: Acontecimentos bons e importantes em breve.

Segurar uma tocha em lugar público: Alegria e honrarias.

Segurar uma tocha que se apagou: Demora nos negócios.

Segurar uma tocha acesa: Um segredo será revelado a você.

Outras pessoas que seguram tochas acesas: Descoberta de transgressões.

TOCOS

Tocos: Fará novas amizades.
Derrubar tocos: Terá mente vigorosa.
Retirar tocos da terra: Receberá carta contendo dinheiro.

TOJO

Esse arbusto sempre verde: Terá boa sorte.
Colher as flores amarelas de um tojo: Sorte e prosperidade.
Outras pessoas com flores de tojo: Infelicidade.

TOLERANTE

Ser tolerante: Levará uma vida tranqüila.
Ser tolerante com os filhos: Acontecimentos agradáveis a caminho.
Ser tolerante com os empregados: Sofrerá desconsiderações.
Outras pessoas que são tolerantes com você: Será amado por uma pessoa maravilhosa.

TOLICE

Ter cometido tolices: Virão ganhos financeiros.
Outros que cometem tolices: Alegria sem ganho.
Filhos que cometem tolices: Receberá dinheiro dentro de pouco tempo.
Marido ou mulher sendo tolo: Ganhos financeiros.
Pessoa amada sendo tola: Você deveria corrigir seu modo de agir.
Noivos que são tolos: Ambos sofrerão pela tolice.

TOMAR COM FORÇA (roubar)

Tomar alguma coisa, roubando-a: Infelicidade.
Outras pessoas que roubam as coisas dessa maneira: Infelicidade nos assuntos amorosos.
Tomar a bolsa de uma senhora: Sofrerá prejuízo no futuro.
Ser um batedor de carteiras: O êxito virá mais tarde.

TOMATE

Tomates: Seu amor durará para sempre.
Comer tomates: Possuirá uma residência confortável graças a seus próprios esforços.
Colher tomates: Paz e felicidade no lar.
Filhos comendo tomate: Restabelecimento da saúde.
Parentes comendo tomates: Alegrias.
Mulher casada sonhando que come tomate: Possibilidade de gravidez.
Mulher solteira sonhando que come tomates: Realizará todos os desejos.
Plantar tomates: Grande fortuna.
Tomates apodrecidos: Cuidado com um perigo que se aproxima.

Abrir um tomate: Perseguição por mulher de má fama.
Tomates quase maduros ainda por colher: Perseguição.
Fazer salada de tomates: Boas notícias e contentamento.
Colher uma penca de tomates verdes: Prosperidade e felicidade.
Fazer molho de tomate: Pobreza.

TOMILHO

Tomilho: Dinheiro chegando.
Usar tomilho para temperar: Felicidade nos assuntos amorosos.
Comprar tomilho: Recursos abundantes.
Tomilho crescendo: Felicidade da família.

TONTO

Estar tonto: Brigas de família.
Filhos que se sentem tontos: Trabalho esforçado e ganhos benéficos.
Muitas pessoas sentindo-se tontas: Infelicidade.
Membros da família sentindo-se tontos: Evite os rivais.
Sentir-se tonto por efeito do álcool: Perda de dinheiro.

TOQUE DE RECOLHER

Ouvir o som de tambores ou pífaros antes do toque de recolher: Ocorrerá uma mudança na sua vida.
O toque de recolher ordenando a militares que se dirijam ao quartel: Ganhos financeiros.

TORA

Toras de madeira: Recursos abundantes.
Toras de árvores caídas: A felicidade está assegurada.
Cortar toras de madeira: Não obterá rendimento algum.
Cortar troncos de árvores: Misérias e sofrimentos.
Carregar toras de madeira: Será ofendido por amigos.

TÓRAX

Ter um grande tórax: Contrairá muitas dívidas.
Ter um tórax pequeno: Bom andamento dos assuntos sentimentais.
Ter tórax vazio: Prepare-se para uma decepção.
Ter um tórax cheio: Discussões em família.

TORMENTA

Uma tormenta: Sofrerá humilhação.
Uma tormenta que se aproxima: Aflição.
Ser batido pelo vento forte de uma tormenta: As pessoas o enganam por causa de sua boa-fé.
Estar em uma tormenta com chuva forte: Todos os desejos serão realizados.
Uma tormenta que sopra alguma coisa sobre você: Precisa deixar a cidade em que está.
Ser atingido na cabeça por objetos que caem durante uma tormenta: Perda de propriedade.

Algo que cai sobre sua casa durante uma tormenta: Será ferido por acidente.
Uma tormenta que danifica propriedade de parentes: Será exilado por causa de uma questão amorosa.
Filhos em uma tormenta: Sua situação vai melhorar.

TORNEIO

Um torneio: Notícias excelentes.
Estar em um torneio: Alegria e felicidade.
Vencer um torneio: Receberá notícias misteriosas.
Perder um torneio: Fará uma longa viagem em breve.
Outras pessoas em um torneio: A presteza será recompensada.

TORNEIRA

Uma torneira: Dificuldades.
Tirar cerveja por uma torneira: Tenha cautela em seus negócios.
Tirar vinho por uma torneira: Perigo causado por um segredo.
Uma torneira de água: Obterá bom rendimento.

TORNO

Um torno: Desfrutará de contentamento.
Usar um torno: O infortúnio para seus amigos.
Ser um oficial torneiro: A fortuna está à mão.
Outras pessoas usando um torno: Você se apaixonará.

TORNOZELO

Seus próprios tornozelos: Os amigos procuram ajudá-lo em segredo.
Seus tornozelos machucados: Dificuldades seguidas por êxito.
Quebrar um tornozelo: Morte de alguém em outro país.
Tornozelos alheios: Um mistério será solucionado.
Uma mulher mostrando os tornozelos: Realização dos seus desejos.
Homem sonhando com belos tornozelos: Saúde e alegria.
Ter tornozelos grandes: Sorte e honrarias.
Ter tornozelos muito pequenos: Em breve estará separada do marido ou da mulher.
Ter tornozelos extraordinariamente grandes: Sua felicidade está garantida por pessoas que estão no exterior.
Ter belos tornozelos: Terá dinheiro suficiente na velhice.
Ter tornozelos compridos: Perda de um filho.
Um homem com o tornozelo cortado e sangrando: Morará longe das pessoas que você ama.
Mulher sonhando com o tornozelo de um homem: Perderá o marido e os filhos.
Pessoa pobre com belos tornozelos: Grande sorte.

TORPEDO

Um torpedo: Riqueza e alegria.
Segurar um torpedo: Amor à primeira vista.
Disparar um torpedo: Mudanças em sua vida.
Um torpedo explodindo: Você está cercado por pessoas invejosas.
Um torpedo que alcança o alvo: Terá alegria com os filhos.

TORRADA

Torrar pão branco: Trabalho e felicidade.
Torrar pão preto: Riqueza.
Comer torrada: Obterá grande lucro.
Servir torrada aos outros: Prejuízos e infelicidade.

TORRE

Uma torre: Felicidade duradoura.
Uma torre muito alta: Terá vida longa e velhice agradável.
Subir em uma torre: Ficará livre de dificuldades, porém perderá dinheiro.
Descer de uma torre: Nem todos os seus desejos serão realizados.
Outras pessoas em uma torre: Grande aflição.
A torre de uma fortaleza: Resistirá aos inimigos.
Uma saudação disparada por canhão localizado em uma torre: Será enganado.
Soldados pondo pólvora em uma arma situada em uma torre: Ganhos financeiros.

TORRE DE IGREJA

Torres de igreja: Aviso de sérias dificuldades.
Subir em uma torre de igreja: Enfrentará dificuldades que serão superadas.
Cair de uma torre de igreja: Prejuízos nos negócios.
Machucar-se em uma torre de igreja: Realização de seu maior desejo.

TORRENTE

Uma torrente: Adversidade.
Observar uma torrente em companhia de outras pessoas: Não apresse muito as coisas.
Caminhar ao lado de uma torrente: Não demorará muito a realizar seus desejos.
Atravessar uma torrente: Alcançará seu objetivo.
Cair em uma torrente: Alcançar o poder não é a coisa mais importante da vida.
Nadar para salvar-se de uma torrente: Perigo pela frente.
Outras pessoas que se salvam de uma torrente: Traição de um amigo.

TORTA

Tortas em uma loja de doces: Discórdia na família.
Preparar uma torta: Alegria no lar.
Comer uma torta: Terá boa sorte.
Fazer uma torta para dar a outras pessoas: Escapará de perigos.

Receber uma torta de presente: Um amigo trama sua ruína.

Dar torta para os filhos comerem: Enfrentará trabalho pesado.

Dar torta para parentes comerem: Novos interesses e ambiente.

TORTURAR

Torturar-se: Você mata o amor com seus pensamentos.

Ser torturado: Reviravoltas em casa.

Torturar outras pessoas: Infelicidade no amor.

Torturar animais: Grandes prejuízos em dinheiro.

Namorados que se torturam mutuamente: Você não está sendo sensato.

TOSSIR

Tossir: Pessoas indiscretas estão por perto.

Você tossindo: Boa saúde.

Outras pessoas tossindo: Boa amizade.

Filhos tossindo: Bons rendimentos.

TOUPEIRA

Uma toupeira: Perigo nos assuntos sentimentais.

Ter toupeiras: Inimigos desconhecidos.

Capturar esse animal: Alcançará destaque.

TOURO

Ser perseguido por um touro: Receberá um presente.

Não fugir de um touro: Terá boa sorte.

Um touro furioso: Será grande o êxito nos assuntos sentimentais.

Muitos touros: Receberá altas honrarias.

Achar um fígado de touro: Sofrerá grandes prejuízos nos negócios.

TRABALHADOR

Um trabalhador em ação: Prosperidade em seus negócios.

Muitos trabalhadores em ação: Terá recursos abundantes.

Trabalhador preparando o chão: Lucro.

Trabalhador que opera apenas com a mão direita: Felicidade na família.

Um trabalhador que opera apenas com a mão esquerda: Dificuldades momentâneas.

Trabalhadores descansando: Perda de riqueza e da pessoa com quem está casado.

Trabalhadores brigando: Sofrerá uma crise pública.

Castigar trabalhadores: Perseguição.

Contratar trabalhadores: Lucros.

Pagar aos trabalhadores: Será amado pelas pessoas.

Despedir trabalhadores: Cuidado com os atos dos vizinhos.

TRABALHAR

Trabalho: Aguarde acontecimento importante e muito benéfico.

Estar no trabalho: O êxito será seu.

Seus auxiliares trabalhando: Realização de altas ambições.

Sua família trabalhando: Ganhos financeiros.

Filhos trabalhando: Felicidade.

Outras pessoas trabalhando: Terá uma situação confortável na vida.

Amigos trabalhando bastante: Tenha cautela nos empreendimentos comerciais.

TRABALHAR DEMAIS

Estar sobrecarregado de trabalho: Infelicidade.

Sobrecarregar os auxiliares: Terá problemas com o Ministério do Trabalho.

Sobrecarregar os filhos de trabalho: Mudanças na situação atual.

Sobrecarregar animais com trabalho: Boas amizades.

Sobrecarregar uma máquina de trabalho: Terá problemas.

TRAMA

Uma trama: Logo fará uma viagem.

Ser apanhado em uma trama: Realização de seus desejos.

Uma grande trama: Riqueza.

Filhos que descobrem uma trama: Eles serão destacados na vida.

TRAJE (roupa)

Ter diversos trajes diferentes: Vida longa.

Um homem em traje de montaria: Será necessário que faça um grande esforço.

Uma mulher em traje de montaria: Trabalho agradável e boas notícias.

O traje de um sacerdote: Evite os rivais.

Oficiais em uniformes: Realizará altas ambições.

Estar com roupas de baile de máscaras: Acontecimentos importantes e muito benéficos a caminho.

Outras pessoas em trajes diferentes: Escapará a uma situação infeliz.

TRANSBORDAR

Água que transborda: Receberá uma proposta inesperada.

Um rio transbordando: Mudança de ambiente.

Uma banheira transbordando: Você tem desejos irrealizáveis.

Um barril transbordando: Felicidade.

Tanque transbordando: Morte de um amigo.

TRANSFUSÃO

Uma transfusão: Conduzirá muito bem os negócios.

Dar sangue em uma transfusão: Contrairá uma doença perigosa.

Um homem doente recebendo transfusão de sangue: Vergonha pelos atos cometidos.
Dar sangue a um animal em uma transfusão: Discussão em família.
Receber uma transfusão de um banco de sangue: Realização dos desejos.
Entornar sangue durante uma transfusão: Terá muitas dores de cabeça.

TRÂNSITO

Trânsito: Dignidade pública e muitos amigos estão reservados a você.
Estar no trânsito: Bons dias virão.
Estar retido no trânsito: Infidelidade.
Um acidente de trânsito: Perda de dinheiro.
Outras pessoas feridas em um acidente de trânsito: Sofrerá perseguição.
Ser detido por um guarda de trânsito: Você desfruta de uma vida ativa.

TRAPÉZIO

Um trapézio: Estará de luto pela morte de um parente.
Passar com cautela por um trapézio: Um inimigo tenta apanhálo em uma armadilha.
Cair de um trapézio: Receberá carta com boas notícias.
Outras pessoas em um trapézio: Cuidado com um inimigo.

TRAPOS

Trapos: Bons rendimentos.
Mulher sonhando que está vestida com trapos: Infelicidade.
Homem sonhando que está vestido com trapo: Vergonha pública.
Moça sonhando que está vestida com trapos: Conhecerá um homem arrogante.
Filhos vestidos com trapos: Seus desejos serão realizados.
Muitas pessoas em trapos: Grande lucro.
Amigos em trapos: Brigará com os amigos.
Inimigos em trapos: Recuperação de dinheiro perdido.
Pessoas ricas em trapos: Recursos abundantes.
Lavar trapos: Infelicidade.
Juntar trapos: Grandes discussões.
Um trapeiro vendendo trapos: Será apresentado a pessoas de alta classe.
Ser um trapeiro: Precisa economizar para o futuro.
Comprar trapos: Estará em companhia de pessoas felizes

TRASEIRO

O seu traseiro: Terá fortuna.
Ter dores no traseiro: Brigas iminentes na família.
O traseiro de animais: Prosperidade
O traseiro de crianças: Aumento da família.
A família voltando-lhe as costas: Vantagens nos negócios.

Os fundos de uma casa: Terá muito dinheiro.
A traseira de um automóvel: Será auxiliado por amigos.
O traseiro de um cavalo: Será abandonado pelos amigos.
O traseiro de uma ovelha: Prosperidade imediata.
A parte traseira de um motor: Travará grande briga.

TRAVESSEIRO

Um travesseiro: Uma vida de tranqüilidade e fartura o aguarda.
Muitos travesseiros: Trabalho pesado.
Não ter travesseiros: Perseguição.
Ter a cabeça sobre muitos travesseiros: Fará um bom casamento.
Estar cercada por travesseiros: Você é muito feminina.
Um travesseiro sujo ou amassado: Enfrentará dificuldade causada por você mesmo.
Travesseiros limpos: Alcançará seus objetivos.
Filhos deitados sobre travesseiros: Conte com aumento da família.

TRAVESSURA

Fazer travessura: Causará mal a outros.
Filhos que fazem travessuras: Chegada de um amigo.
Marido que faz travessura: Abusará da confiança alheia.
Outros que fazem travessuras: Sofrimento e irritação.

TRÉGUA

Dia Mundial da Paz: Promoção de seu interesse.
Uma trégua após hostilidades: Perda de amizade.
Fazer uma trégua: Felicidade.
Uma trégua que termina a seu favor: Receberá altas honrarias.

TRELIÇA

Uma treliça: Você se sairá bem de um perigo atual.
Ter uma treliça: Uma sólida amizade será o alicerce do êxito.
Estar sobre uma treliça: Bons tempos estão chegando.
Ter uma treliça em sua casa de verão: Recursos abundantes.

TREM

Um trem: Cuidará com presteza dos negócios.
Um trem de correio: Desfrutará de ótimos negócios.
Um trem cargueiro: Conhecerá uma pessoa agradável.
Viajar sozinho em um trem: Uma ação judicial terá resultado favorável a você.
Viajar de trem com a família: Vantagens na vida.
Viajar de trem com amigos: Ganhos financeiros.

TREMER

Tremer: Perda de um membro da família.
Estar com agasalho para não tremer no frio: Perda de uma herança.

Filhos tremendo: Eles serão seqüestrados.
Outras pessoas tremendo: Perderá dinheiro em transações no mercado de valores.
Parentes tremendo: Eles receberão roupas novas em breve.
Marido e mulher tremendo: Comprarão algo que agrada a ambos.

TRENÓ

Um trenó usado para transporte sobre o gelo: Felicidade no amor.
Seguir sobre os esquis de um trenó: Terá muito dinheiro.
Viajar em um trenó: Obterá bons ganhos e terá prazer.
Um trenó puxado por diversos cães: Momentos animados pela frente.
Muitos trenós puxados por cães: Cuidado com os amigos que escolhe.
Outras pessoas que seguem em um trenó: Não se adiante demais em seus negócios

TREPADEIRA

Trepadeiras viçosas: Boa amizade.
Trepadeiras murchas: Alguém está procurando prejudicá-lo.
Colher algo de uma trepadeira: Os desentendimentos não terminarão a seu favor.
Uma trepadeira de folhas verdes: O êxito será logo atingido.
Uma parreira: Abundância.
Diversas trepadeiras: Prosperidade.
Passar em meio a trepadeiras: Terá muitos filhos.
Cortar trepadeiras: Precisa ter fé para alcançar a fortuna.
Colher frutos de uma trepadeira: Obterá bons rendimentos.

TREVAS

Estar nas trevas: Dificuldades pela frente.
Cair e machucar-se nas trevas: Conte com mudanças para pior.
Conseguir sair das trevas para a luz tateando: Grande êxito.
Outras pessoas nas trevas: Solidão e dificuldades.
Filhos nas trevas: Doença.
Caminhar nas trevas: Recuperação de dinheiro.

TREVO

Trevo: Terá um futuro próspero.
Trevo em flor: Infortúnio e tristeza.
Estar em um campo de trevos: Você está apaixonado.

TREVO-IRLANDÊS

Um trevo-irlandês: Chegada de um velho amigo.
Ter um trevo-irlandês: Prosperidade nos assuntos sentimentais.
Receber um trevo-irlandês: Notícias de antigos assuntos que modificarão sua vida.

Dar um trevo-irlandês a outras pessoas: Momento propício para paquerar.
Usar um trevo-irlandês: Há uma amizade falsa por perto.
Colher trevos-irlandeses: Grande sorte.
Outras pessoas que colhem trevos-irlandeses: Felicidade em breve.

TRIÂNGULO

Um triângulo: Receberá fortuna dentro de pouco tempo.
Desenhar um triângulo: Descobrirá um segredo.
Uma pessoa que você ama desenhando um triângulo: Você tem amizades falsas.
Outras pessoas desenhando um triângulo: Terá de escolher entre duas pessoas que você ama.
Um trabalhador cortando um triângulo: A felicidade virá após o sofrimento.
Filhos calculando a geometria de triângulos: Triunfo sobre os inimigos.

TRIBUNAL

Estar em um tribunal: Aguarde acontecimentos importantes e muito benéficos.
Ir a um tribunal: Prejuízos comerciais.
Ter estado em um tribunal: Perda de prestígio.
Solicitação para comparecer a um tribunal: Consideração alheia.
Ser punido por um tribunal: Viagens e prosperidade.
Ser absolvido por um tribunal: Haverá um sério desastre.

TRICOTAR

Tricotar: Terá paz no lar.
Fazer um trabalho difícil de tricô: Terá um marido amoroso.
Uma moça tricotando: Fará um casamento apressado.
Mãe tricotando: Terá filhos obedientes.
Filhos tricotando: Prosperidade no lar.
Amigos tricotando: Os empreendimentos serão coroados de êxito.
Outras pessoas tricotando: Você está sendo enganado por amigos.

TRIDENTE

Uma lança de três dentes: Bons resultados nos negócios.
Uma estátua que segura um tridente: Você é amado por diversas pessoas.
Pegar peixes com um tridente: Respeito e honrarias.
Juntar feno com um tridente: Passará por altos e baixos nos negócios.
Moça solteira sonhando com um tridente: É sinceramente amada por um marinheiro.

TRIGAL

Um trigal: Comércio próspero.
Ver um trigal: Tenha cautela nos negócios.

Trabalhar em um campo de trigo: Terá uma família feliz.
Outras pessoas que trabalham em campo de trigo: Cuidado com amigos invejosos.

TRIGÊMEOS

Ter trigêmeos: Os prazeres virão após a dor.
Ter trigêmeos do mesmo sexo: Inimigos conspiram contra você.
Ter trigêmeos de sexo diferente: Dignidade e felicidade.
Mulher sonhando que tem trigêmeos: Será convidada para uma festa.
Homem sonhando que é pai de trigêmeos: Cuidado com fofocas infundadas.
Mulher solteira sonhando que tem trigêmeos: Logo ficará noiva.

TRIGO

Trigo maduro: Terá grande sorte.
Colher trigo: Fracasso dos inimigos.
Vender trigo: Dinheiro e felicidade em abundância.
Comprar trigo: Bons tempos estão a caminho.

TRILHA

Caminhar por trilha larga e reta: Infelicidade.
Caminhar por trilha estreita: Adversidade.
Caminhar por trilha acidentada: Dificuldade.
Caminhar com alguém por uma trilha: Sua situação na vida vai melhorar.
Caminhar calmamente por uma trilha: Seus negócios prosperarão.
Encontrar obstáculos em uma trilha: Dificuldades a enfrentar no futuro.
Uma moça seguindo por uma trilha com o namorado: Ela se casará com um homem muito rico.
Uma mulher casada seguindo por uma trilha com o marido: Divórcio.
Duas pessoas apaixonadas seguindo por uma trilha: Conhecerá uma personalidade destacada.

TRINCHAR

Você trinchando: Terá prosperidade.
Trinchar para outras pessoas: Outros se beneficiarão de seus atos.
Outras pessoas trinchando para você: Você se apaixonará.
Um cozinheiro trinchando carne: Está sob o poder de pessoas falsas.

TRINCHEIRA

Uma trincheira cheia de soldados: Ficará atônito e surpreso.
Estar em uma trincheira: Esperança de novo emprego.
Lutar em uma trincheira: Há uma influência má perto de você.

Outras pessoas lutando em uma trincheira: Infidelidade.
Soldados sendo mortos em uma trincheira: Cuidado com uma armadilha.
Os próprios filhos lutando em uma trincheira: Receberá uma fortuna mais tarde.

TRIPULAÇÃO
Uma tripulação trabalhando em uma embarcação: Receberá má notícia.
Uma tripulação que não trabalha: Evite os rivais.
Membros de uma tripulação em um terraço: Será surpreendido por bons acontecimentos.

TRISTE
Você próprio triste: Alegria duradoura.
Filhos tristes: Boa sorte no futuro.
Esposa ou marido triste: Bons tempos estão a caminho.
Parentes tristes: Brigas de família.

TRISTEZA
Tristeza: Receberá notícias tristes.
Sentir tristeza por alguma perda: Bons tempos estão chegando.
Estar triste pela perda de um parente: Dinheiro chegando.
Estar triste pela perda de uma pessoa que você ama: Mudança para melhor.
Estar triste pela perda de um namorado: Êxito imediato.
Estar triste pela perda do marido: Cuidado com os investimentos.
Estar triste pela perda da esposa: Ganhos financeiros.

TROCAR
Trocar objetos em uma loja: Descoberta de objetos valiosos que estavam perdidos.
Trocar objetos com outras pessoas: Sofrerá prejuízos nos negócios.
Trocar objetos com membros da família: Dificuldades e problemas.
Troca de esposas entre parentes: Êxito rápido na concretização de suas esperanças.
Trocar uma loura por uma morena: Voltará a se casar.

TROMBETA
Uma trombeta: Paixão.
Ouvir uma trombeta: Terá uma surpresa.
Tocar trombeta: As pessoas têm curiosidade sobre sua vida.
Outras pessoas tocando trombeta: Perigo iminente.
Um músico tocando trombeta: Receberá más notícias.
Filhos tocando trombeta: Será muito bem-sucedido no futuro.
Soldados tocando trombeta: Receberá más notícias.
Uma trombeta: Atividades agradáveis em breve.

TRONO

Um trono: Perda de amigos preciosos.

Estar em um trono: Recursos abundantes.

Um trono vazio: Aviso de dificuldades.

Um rei ou papa no trono: Prepare-se para uma catástrofe.

Sentar-se no trono: Ascensão rápida à posição destacada.

Descer do trono: Sofrerá uma decepção.

TROPEÇAR

Tropeçar: Tomará uma medida errada.

Tropeçar e cair: Enfrentará dificuldades.

Tropeçar e machucar-se: Prejuízos financeiros.

Outra pessoa tropeçando: Muitos obstáculos pela frente.

Filhos tropeçando: Dignidade e distinção.

TROUXA

Uma trouxa: Receberá um convite.

Um feixe de feno: Enfrentará reviravoltas.

Um feixe de folhas de fumo: Receberá notícias falsas.

Uma trouxa de roupas: Receberá boas notícias.

Pessoas carregando trouxas: Realizará seus desejos sendo diligente.

Muitas pessoas com trouxas: Receberá presente de uma pessoa amiga.

TROVÃO

Uma tempestade com trovões: Terá dificuldades financeiras.

Pessoa rica sonhando com trovão: Aflição.

Pessoa pobre sonhando com trovão: Repouso.

Ouvir o estrondo de trovão: Perigo iminente.

Raio após um trovão: Morte de um amigo.

Ser atingido por um raio após um trovão: Uma mulher sedenta de sexo.

TRUTA

Truta: Suas dificuldades terminarão.

Comer truta: Sorte constante.

Cozinhar truta: Brigará com os parentes.

Capturar truta: Receberá muito dinheiro.

Comprar truta: Mudança para melhor.

Truta no mercado de peixe: Sua situação vai melhorar.

Outras pessoas que pegam trutas: Infortúnio nos assuntos sentimentais.

TUBARÃO

Um tubarão: Dificuldades em breve.

Fugir de um tubarão: Sinal de doença grave.
Capturar um tubarão: As coisas correrão sem problemas.
Ser morto por um tubarão: Vencerá os obstáculos.
Ser mordido por um tubarão, mas não morrer: Maus resultados nos negócios.
Outras pessoas mordidas por um tubarão: Escapará de dificuldades sérias.

TUBO

Tubos: Prosperidade.
Uma grande pilha de tubos: Prosperidade será proporcional à quantidade de tubos.
Comprar tubos: Será enganado nos assuntos sentimentais.
Vender tubos: Agarre sua fortuna antes que ela acabe.
Um tubo cheio de água: Conhecerá alguém, com quem terá uma discussão.
Consertar tubos e colocá-los no lugar: Terá boa reputação.

TUFÃO

Um tufão: Aviso de desastre no lar e nos negócios.
Um tufão muito forte: Perda de amizades.
Um tufão brando: Ocorrerá um desastre relativo a seus interesses.
Danos causados por um tufão: A honestidade lhe trará a vitória.
Propriedade alheia danificada por um tufão: Cuidado com os atos alheios.

TULIPAS

Tulipas: Grande alegria.
Plantar tulipas: Felicidade.
Segurar tulipas: Boa sorte.
Colher tulipas: Você é um bom amante ou namorado.
Juntar tulipas: Será pedido em casamento.
Ter tulipas em casa: Notícias felizes.
Receber tulipas de presente: Você tem a amizade de muitas pessoas.
Dar tulipas de presente: Bons tempos estão chegando.
Moça sonhando com tulipas: Em breve ficará noiva, mas por pouco tempo.
Viúva sonhando com tulipas: Ela se casará secretamente.

TUMBA

Uma tumba: Terá vida longa.
Caminhar entre tumbas: Casamento.
Tumbas destruídas: Doença e dificuldades na família.
Ver tumbas em companhia de outras pessoas: Encontrará um sócio adequado nos negócios.
Ver tumbas de pessoas famosas: Progresso e conquista de honraria e riqueza.

Ser posto em uma tumba: Herança.

Construir uma tumba: Perda de amigos.

Tumbas em uma igreja ou convento: Acontecimentos agradáveis em família.

TUMORES

Um tumor: Será aborrecido por coisas irritantes.

Ter um tumor na barriga: Infelicidade causada por herança.

Ter um tumor no pescoço: Tire vantagem da boa sorte quando ela surgir.

Ter tumor na garganta: Sucesso nas transações comerciais.

Outras pessoas com tumores: Conhecerá a bela esposa de um amigo.

Filhos com tumores no pescoço: Infelicidade em família.

TÚMULO

Um túmulo recém-preparado: Sofrerá por pecados alheios.

Caminhar sobre um túmulo: Felicidade no casamento.

Seu próprio túmulo: Os inimigos procuram causar um desastre em sua vida.

Cavar uma sepultura: Grandes obstáculos pela frente.

Caminhar sobre o túmulo de outras pessoas: A morte virá logo.

O espaço da sepultura sendo aberto: Receberá notícias de um lugar distante.

O túmulo de seu pai: Herança.

Construir um túmulo: Perda de amizade.

Destruir um túmulo: Um casamento será realizado em breve.

Visitar túmulos de parentes: Tristeza.

Visitar túmulos de inimigos: Grande jantar de casamento.

Visitar túmulos em um mosteiro: Acontecimento familiar importante e feliz.

TÚNEL

Um túnel: Felicidade.

Passar por um túnel: Um segredo será revelado.

Escapar de ser ferido em um túnel: Satisfação nos negócios.

Dirigir um carro em um túnel: Empreendimentos comerciais insatisfatórios.

Atravessar um túnel de trem: Você tem muitos amigos falsos.

Um túnel em construção: Muitas transações comerciais.

TURBILHÃO (redemoinho de vento)

Um turbilhão: Cuidado com informações perigosas.

Observar um turbilhão: Perda de dinheiro.

Perder propriedade em um turbilhão: Terá uma vida feliz.

A devastação causada por um turbilhão: Descoberta de um inimigo.

TURQUIA

Visitar a Turquia: Perda de todas as suas posses.
Ser turco: Belas mulheres o assediarão.
O povo turco: Será submetido à vontade alheia.

TUTOR

Nomear um tutor: Aguarde acontecimento importante e muito benéfico.
Ter sido nomeado tutor da família: Terá vida longa.
Ter sido nomeada tutora: Alegria e fortuna.
Outra pessoa agindo como tutor: Um falso amigo está por perto.

U

ÚLCERA

Ter úlcera: Precisa fazer muito trabalho desnecessário.

Ter úlceras nas pernas: Sofrerá aflição.

Ter úlceras nos braços: Ficará irritado.

Ter úlceras nas orelhas ou nos lábios: Infelicidade.

Suas costas cobertas de úlceras: Triunfo sobre os inimigos.

Ter úlceras na boca: Perda de propriedade.

Ter úlceras na garganta: Será ignorado por todos.

ULTRAPASSAR

Ultrapassar alguém: Felicidade pessoal.

Ser ultrapassado pelos outros: Você gosta demais de comer.

Ser ultrapassado por inimigos: Sua situação vai melhorar e você será influente.

Ultrapassar outras coisas: Precisa moderar seus desejos.

Outros que o ultrapassam no mesmo negócio: Vexame nos assuntos sentimentais.

UÍSQUE

Tomar uísque: Aviso de maus acontecimentos em breve.

Comprar uísque: Terá dívidas e dificuldades.

Oferecer uísque a parentes: Cuidado com uma traição.

Oferecer uísque ao marido ou à mulher: Realização de altas ambições.

Oferecer uísque a uma pessoa que você ama: Estará diante de uma tentação.

Oferecer uísque a amigos: Aviso de dificuldades.

Um gole de uísque oferecido a você: Um mistério será solucionado.

UIVO

Ouvir cães uivando: Receberá más notícias.

Ouvir animais selvagens uivando: Os inimigos levarão a melhor em relação a você.

Ouvir pessoas uivando: Enfrentará trabalho pesado no futuro.

Amigos uivando: Você tende a ser arrogante.

Ser ultrapassado nos esportes: Será muito desestimulado.
Filhos que ultrapassam outros: Alguém se recusará a prestar-lhe um favor.

UMBIGO

Seu próprio umbigo: Receberá más notícias de parentes.
O umbigo doendo: Nascimento de uma criança.
Filhos brincando com o umbigo: Terá grande riqueza.
O umbigo de parentes: Será auxiliado por pessoa influente.

UMIDADE

Umidade: Contrairá uma doença em breve.
Estar em uma região úmida: Trabalhará muito com a mente.
Um dia úmido: Será corrompido.
Sofrer com a umidade: Você tende a ser arrogante.

UNGÜENTO

Ungüento: Será ofendido.
Aplicar ungüento: Contrairá uma doença de pouca gravidade.
Aplicar ungüento em uma ferida: Terá boa saúde.
Aplicar ungüento em outras pessoas: Será abandonado pelos amigos.
Comprar ungüento: Boa saúde.

UNHAS

Suas próprias unhas: Travará uma briga.
Cortar as unhas: Brigas.
Outras pessoas que cortam suas unhas: Desonra na família.
Homem sonhando que suas unhas estão crescendo: Prosperidade nos negócios.
Mulher sonhando que suas unhas estão crescendo: Êxito no amor.
Unhas de mulher bem longas: Grande lucro.
Ter unhas muito curtas: Perda de dinheiro.
Quebrar as unhas: Sofrimento e aflição.
Pessoa que rói as unhas: Será evitado por pessoas de classe superior.
Unhas de outras pessoas: Êxito na vida.
As unhas dos filhos crescendo: Você ou alguém de quem gosta sofrerá um acidente.

UNICÓRNIO

Um unicórnio: Sofrerá a aflição causada por falsidades.
Muitos unicórnios juntos: Receberá uma grande quantidade de dinheiro.
Matar um unicórnio: Prejuízos com propriedades imobiliárias.
Unicórnios em uma jaula: Será evitado pelos conhecidos.

UNIFORME

Alguém de uniforme: Boa sorte.
Oficiais uniformizados: Receberá uma promoção.

Militares uniformizados: Passará por grandes dificuldades e aflição.
Um membro da sua família uniformizado: Glória e dignidade.
Usar uniforme: Valor e destaque.
Vender uniformes: Amigos exercerão influência para auxiliá-lo.
Homens usando uniformes no trabalho: Abundância de dinheiro.
Mulheres usando uniformes no trabalho: Você é arrogante demais.
Mulheres usando uniformes militares: Você é incapaz de ocupar uma posição na vida.
Uniformes de empregados: Fracasso dos inimigos.
Ter um empregado de uniforme: Grande êxito.
Um senhor com empregado de uniforme: Será irritado.
Uma senhora com empregado de uniforme: Melhoria na posição dela.
Inimigos com empregados de uniforme: Perigo nos assuntos sentimentais.
Amigos com empregados de uniforme: Sucesso na vida.

UNIR

Estar unido: Perda de dinheiro no jogo.
A família unida: Felicidade.
Sócios unidos: Haverá desentendimentos e tristezas.
Um país unido: Vitória sobre os inimigos.

UNIVERSIDADE

Uma universidade: É essencial que seja perfeito em seus estudos.
Freqüentar uma universidade: Você tem sorte pelos talentos que possui.
Filhos que freqüentam uma universidade: Você tem muitas amizades leais.
Outras pessoas que freqüentam uma universidade: Triunfo sobre os inimigos.
Ser professor em uma universidade: Doença.

URINA

Urinar: Terá de limpar o chão.
Urinar na cama: Bons resultados nas atividades comerciais.
Urinar na parede: Concluirá uma transação comercial.
Outras pessoas urinando na parede: Satisfação nos negócios.
Filhos urinando: Terá boa saúde.
Um urinol: Terá um futuro muito tranqüilo.

URNA

Uma urna: Receberá notícias de conhecido de pouco tempo.
Pôr as mãos em uma urna: Bons negócios.
Segurar uma urna: Morte de um amigo.

Uma urna cheia de cinzas: Herança.
Outros que carregam uma urna: Alcançará distinção.
Uma urna vazia: Morte entre os vizinhos.
Uma urna quebrada: Infelicidade.
As cinzas de um parente postas em uma urna: Ganhos financeiros.

URSO

Um urso: Receberá notícias tristes.
Um urso dançando: Será tentado a especular.
Um urso em uma jaula: Êxito no futuro.
Diversos ursos: As pessoas falam a seu respeito.
Ser atacado por um urso: Será perseguido.
Expulsar um urso que ataca: Alcançará grande êxito.
Um urso morto: Você tem muitos amigos ricos.
Matar um urso: Obterá a vitória sobre inimigos.
Tomar leite de ursa: Outras pessoas o invejam.
Comer carne de urso: Ficará doente por muito tempo.
Ser transformado em urso: Receberá notícias tristes.

URTICÁRIA

Ter urticária no corpo: Cuidado para não falar com muita pressa.
Ter urticária no rosto: Alguém que você não vê há muito tempo irá visitá-lo.
Filhos com urticária: Você tem a consciência limpa.
Ter urticária nas pernas: Terá dívidas enormes.
Uma pessoa amiga com urticária no rosto: Vitória sobre os inimigos.

URTIGA

Caminhar entre urtigas sem ter irritação na pele: Felicidade.
Ter irritação na pele causada pelo contato com urtigas: Ficará descontente.
Outras pessoas que têm irritação na pele causada por urtigas: Infelicidade.

USAR ROUPA

Usar roupa: Atividades sociais alegres.
Usar novos enfeites: Tenha cuidado nos assuntos sentimentais.
Usar um novo vestido próprio para a noite: Evite os rivais.
Usar tudo com graça: Alguém com má intenção está vigiando você.

USINA

Uma usina de metais: Vencerá os inimigos sendo perseverante.
Uma usina de madeira: Um inimigo procura sua ruína.
Uma usina de tecidos: Bons tempos estão chegando.

Uma usina de manufatura: Perigo nos assuntos amorosos.

USURÁRIO

Uma pessoa que empresta dinheiro: Perseguição por falsos amigos.

Ser um usurário: Os negócios causarão muitas preocupações.

Ter um usurário como sócio: As pessoas não gostarão de você.

Outras pessoas que são usurárias: Um amigo o trairá.

Ir a um usurário apanhar dinheiro emprestado: Está envergonhado de seus lucros.

UTENSÍLIOS

Utensílios de cozinha: Ficará na miséria.

Utensílios de pesca: Ficará rico com os negócios.

Utensílios de escrita: Evitará o perigo de uma traição.

Utensílios de aço: Morte.

Utensílios de madeira: Evite o esbanjamento de dinheiro.

Utensílios de chumbo: Receberá uma herança.

Utensílios de porcelana: Doença.

Fazer utensílios: Tristeza e infelicidade.

Ser um comerciante de utensílios: Terá de agüentar o pesar.

ÚTERO

Seu próprio útero: Receberá um grande favor.

Sentir dores no útero: Fofocas dos amigos.

Retirar o útero: Obterá bons rendimentos financeiros.

Parentes que tiram o útero: Perda de amigos.

UVA

Um campo cheio de uvas: Terá vida longa.

Comer uvas: Terá a sobrecarga de responsabilidades.

Filhos comendo uvas: Exercerá ampla influência.

Segurar uvas nas parreiras: O destaque será seu.

Fazer vinho com uvas: Recursos abundantes.

Uvas brancas: Vitória sobre os inimigos.

Uvas pretas: Tenha cautela em suas transações comerciais.

Uvas vermelhas: Haverá uma pequena contradição.

Ter uvas grandes: Sorte considerável.

Colher uvas: Terá uma grande fortuna.

Destruir uvas: Você precisa corrigir seu modo de viver.

Comprar uvas: Tenha cautela nos empreendimentos comerciais.

Vender uvas: A preocupação terminará.

Ter uvas passas: O êxito virá mais tarde.

V

VACA

Uma vaca: Prosperidade.

Diversas vacas: Grande prosperidade em todos os empreendimentos.

Ser perseguido por uma vaca, mas conseguir fugir: Vigie os seus negócios.

Ordenhar uma vaca: Obterá bons lucros financeiros.

VACINA

Ser vacinado: Você está alimentando afeto por uma pessoa que não merece.

Precisar ser vacinado: Deixe que a cabeça governe o coração.

A família sendo vacinada: Prosperidade proporcional ao número de vacinados.

Filhos vacinados: Cuidado para não esbanjar dinheiro.

Ser vacinado por uma enfermeira: Encontrará oposição na vida.

Outras pessoas que são vacinadas: Os inimigos trarão preocupações.

VADIO

Um vadio: Procure evitar má companhia.

Ser um vadio: Desonra.

Um vadio vagando de um lado para outro: Passará bons momentos em um piquenique.

Amigos que são vadios: Conhecerá pessoas dignas.

VAGABUNDO

Um vagabundo: Bons tempos chegando.

Ser um vagabundo: Um amigo ausente pensa em você.

Um vagabundo esmolando: Uma carta de um amigo está a caminho.

Um condutor de animal de carga que é vagabundo: Recursos abundantes.

VAGA-LUME

Vaga-lumes: Você tem um amigo leal.

Muitos vaga-lumes: Terá a oportunidade de fazer uma grande bondade.

Vaga-lumes na escuridão: Mais tarde você será pago.

VAGAR

Vagar: Progressos na realização de seus desejos.

Vagar nas ruas: O andamento de seus interesses vai melhorar.

Outras pessoas vagando: Cuidado para não ser enganado.

Inimigos vagando: Fará uma viagem desagradável.

Filhos vagando: Melhoria nos negócios.

VAGAR À DERIVA

Estar à deriva em um barco: Dificuldades pela frente.

Outras pessoas à deriva: Mudanças no ambiente atual.

Estar à deriva e chegar a terra: Felicidade e riqueza.

Estar à deriva e o barco virar: Enfrentará sérias dificuldades.

VAGUEAR

Vaguear: Um desejo será concedido, após longa demora.

Vaguear sozinho: Honraria de curta duração.

Namorados vagueando juntos: Pequena honra.

Vaguear com os parentes: Terá dinheiro.

Vaguear com amigos: Os negócios andarão bem.

VALA

Estar em uma vala: Logo recuperará a saúde.

Outras pessoas em uma vala: Passará por dificuldades financeiras.

Ser empurrado para uma vala: Cuidado com dificuldades inesperadas.

Caminhar por uma vala: Será enganado.

Cavar uma vala: Descoberta de um segredo.

Cavar vala muito funda: Você tende a ser muito egoísta.

VALE

Um vale: Cuidado com a saúde.

Estar em um vale: Aviso de que terá problemas de saúde.

Parentes em um vale: Não se esforce demais.

Estar em um vale com os filhos: Receberá inesperadamente dinheiro que lhe é devido.

Animais em um vale: Honrarias e riqueza.

Um belo vale: Tenha cautela em todos os negócios.

Atravessar um vale verde: Muito contentamento.

Um vale estéril: Insatisfação e necessidade.

VALETE

Jogar cartas e ter o valete de paus: Terá um bom amigo.

Jogar cartas e ter o valete de ouros: Terá um verdadeiro amor.

Jogar cartas e ter o valete de espadas em mãos: Um inimigo está por perto.
Jogar cartas e ter o valete de copas: Há um falso amigo por perto.
O valete no jogo de cartas: Problemas e brigas.
Diversos valetes: Grandes discussões com amigos.

VALSA
Ouvir uma valsa: Abundância.
Dançar uma valsa: Bom humor e felicidade.
Valsar com o marido ou com a esposa: Doença.
Valsar com o amante ou namorado: Um admirador esconde o afeto que sente por você.
Valsar com os filhos: Conquistará a amizade de uma pessoa influente.
Valsar com os amigos: Êxito nos empreendimentos.
Valsar com pessoas de má fama: Prosperidade.

VAMPIRO
Um vampiro: Você se casará por dinheiro.
Pessoa casada sonhando com um vampiro: Você fez um mau casamento.
Lutar com um vampiro: Receberá boas notícias.
Uma pessoa morta que volta a viver: Aumento da riqueza.

VANTAGEM
Tirar vantagem: Melhoria de seus interesses no futuro.
Outras pessoas que tiram vantagens de você: Terá uma pequena discussão.
Tirar vantagens de outros: Em breve consolidará seus negócios.
Tirar vantagens de pessoas pobres: Receberá boas notícias.
Amigos que tiram vantagens de você: Levará a vida à vontade.
Pessoas que tiram vantagens para obter dinheiro: Prosperidade da família no futuro.

VAPOR
Vapor: Terá muitas discussões.
Usar vapor: Discórdia entre você e a pessoa a quem ama.
Usar vapor para limpeza: Bons tempos logo chegarão.
Tomar um banho de vapor: As preocupações se dissiparão em breve.
Uma máquina a vapor: Você terá dinheiro com facilidade durante toda a vida.

VARA
Pôr uma vara na mão: Infelicidade.
Apoiar-se em uma vara: Doença.
Bater em alguém com uma vara forte: Será dominado por uma mulher.
Bater em uma pessoa desconhecida com uma vara: Lucros e boas notícias.

Bater em parentes com uma vara: Boas esperanças.

Apertar pólvora em arma com uma vara: Desfrutará dias melhores.

VARANDA

Uma varanda: Honraria.

Caminhar sob uma varanda: Riqueza.

Sentar-se em uma varanda: Será visitado por uma pessoa formidável.

Comer em uma varanda: Terá de satisfazer-se com as condições atuais.

VARETA DE GUARDA-CHUVA

O guarda-chuva com uma vareta quebrada: Dificuldades financeiras.

Diversas varetas quebradas no guarda-chuva: Alguém virá em seu auxílio.

Consertar as varetas quebradas de um guarda-chuva: Prosperidade.

O guarda-chuva da pessoa amada com todas as varetas quebradas: Terá a afeição de um verdadeiro amor.

Varetas quebradas no guarda-chuva da família: Discussões.

Varetas quebradas no guarda-chuva de um parente: Briga muito feia.

VARÍOLA

Ter varíola: Lucros e riqueza.

Ser vacinado contra a varíola: Terá vida longa.

Muitas pessoas com varíola: Desonra.

Filhos com varíola: Sorte.

A marca de uma vacina contra a varíola: Sinal de beleza.

Ser imune à varíola: Terá muito dinheiro.

Parentes com varíola: Tudo correrá bem para quem sonha.

A família com varíola: Adquirirá riqueza inesperada.

VARRER

Varrer: Vida feliz em família.

Ter de varrer: Receberá um belo presente.

Varrer por prazer: Terá uma vida longa.

Outras pessoas varrendo: Receberá uma carta com boas notícias.

Sua filha varrendo: Seus planos falharão.

VASCULHAR

Vasculhar procurando determinada coisa: Infidelidade.

Outras pessoas vasculhando: Fofocas.

Vasculhar os pertences pessoais: Cuidado com ladrões.

Vasculhar a casa: Aviso de dificuldades.

Sua casa vasculhada pela Justiça: Tranqüilidade de consciência.

Outras pessoas vasculhando seus pertences pessoais: Você é odiado.
Vasculhar os bolsos do marido: Recursos abundantes.
Vasculhar um local procurando objetos perdidos: Desonra na família.

VASSOURA

Uma vassoura nova: Ganhará muito dinheiro.
Ter uma vassoura velha: Cuidado com amigos falsos.
Jogar fora uma vassoura velha: Boa sorte para alguém com quem você se importa.
Bater em alguma coisa com uma vassoura: Haverá uma mudança para melhor.

VAZAMENTO

Um vazamento: Você está perdendo tempo no amor.
Um vazamento de gás: Morte de parente.
Ter panela que vaza: Você é amado pelas pessoas que o rodeiam.
Um vazamento no banheiro: Vai conhecer uma pessoa importante.
Um cano vazando: Devia encontrar um campo mais amplo para suas atividades.
Um vazamento no telhado: Sofrerá um infortúnio.
Um vazamento no automóvel: Sua esposa é fiel.
Um vazamento no radiador: Nascimento de uma criança em breve.

VAZIO

O lar vazio: Haverá uma catástrofe.
Ter uma barrica vazia: Grande pobreza.

VEADO

Um veado: Receberá notícias agradáveis.
Diversos veados: Receberá muito dinheiro.
Um bando de veados: Grande amizade.
Um bando de veados fugindo numa carreira: Aperto financeiro.
Matar um veado: Receberá uma herança.
Outra pessoa matando um veado: Obterá bons rendimentos.
Um veado e um coelho correndo: Evite os rivais.
Um veado saltando: Enfrentará dificuldades.
Ver a galhada de um veado: Será enganado pelos amigos.
Ter a pele de um veado: Receberá herança de pessoa idosa.
Gritar, por não ter atingido um veado: Irá à falência.
Comer a carne de um veado macho: Tempos difíceis virão.
Um veado macho: Receberá boas notícias.
Ver um veado macho: Terá muitos amigos.
Evitar um veado macho: Os planos serão arruinados.

VEIA

Suas próprias veias: Terá muitas preocupações.

Ter as veias inchadas: Terá alegrias.

Cortar as veias: Riqueza.

As veias dos filhos cortadas: Tenha cautela em tudo que faz.

Extrair sangue das veias: Você tem um grande amor.

Sangue tirado das veias de um parente: Não acredite em tudo que ouve.

VELA

Velas que ardem com muito brilho: Receberá um convite para uma festa.

Velas cintilando: Comparecerá a um funeral.

Acender velas: Terá um encontro com pessoas amigas.

Apagar velas: Brigará com um amigo.

Ter velas coloridas: Enviuvará.

Comprar velas: Você tende a acreditar nos inimigos.

Queimar-se com vela: Sofrerá um grave acidente.

Fazer velas: Alegria e satisfação.

Carregar velas acesas: Morte de uma pessoa amiga.

Pessoa doente sonhando com vela: Em breve recuperará a saúde.

Pessoa solteira sonhando com vela: Casamento dentro em breve.

Pessoas do comércio sonhando com velas: Negócios prósperos e bons.

VELA (de navegar)

Uma vela de embarcação: Um inimigo trama a sua ruína.

Pôr vela em uma embarcação: Dignidade e distinção.

Lidar com diversas velas: Grande alegria.

Outros que erguem uma vela: Infortúnio nos assuntos sentimentais.

Outros lidando com a vela de seu barco: Você está sendo enganado.

Uma vela dobrada: Aguarde acontecimento importante e muito benéfico.

Lidar com uma vela quadrada: Sorte e prosperidade.

VELA FINA DE CERA

Uma vela fina de cera: Sabedoria e boa sorte.

Ter uma pequena vela fina de cera: Dinheiro chegando.

Carregar uma vela fina de cera: É a única carga que você jamais transportará.

Carregar uma vela fina de cera, acesa: Boa sorte protegerá sua vida.

VELEJAR

Velejar: Felicidade.

Um marinheiro velejando em um barco: Ganhos financeiros.

Namorado velejando sozinho: Sentirá tristeza.

Você velejando em uma embarcação muito pequena: Grande êxito em tudo.

Um barco a vela em mar calmo: Morte de um amigo.

Um barco a vela em mar tempestuoso: Alegria duradoura.

Filhos em um pequeno barco a vela: Terá o controle de muitas atividades

VELHO

Estar velho: Você está sendo tolo.

Envelhecer: Alcançará a fama.

Ser muito velho: Terá más relações com uma moça.

Lidar com pessoas velhas: Seja prudente.

Uma pessoa idosa: Alegria sem ganho.

Um membro da família aparecendo idoso: Dinheiro chegando.

Diversas pessoas idosas: Boa sorte e saúde.

Pessoas idosas e pobres: Dificuldades pela frente.

VELÓRIO

Estar em um velório: Casamento iminente.

Fazer velório a um criminoso antes da sua execução: Grande alegria.

Fazer velório a um parente que agoniza: Herança.

VELUDO

Veludo: Honrarias e riquezas.

Ser um comerciante de veludo: Será bem-sucedido nos negócios.

Comprar veludo: Será diligente.

Costurar com veludo: Receberá ajuda de um amigo.

Um vestido de veludo: Oposição.

VENDA

Uma venda: Seus esforços são acompanhados de boa sorte.

Dirigir uma venda: Êxito.

Ir a uma venda com outras pessoas: Prosperidade pelo trabalho esforçado.

Ir a uma venda que faz pequenos negócios: Insegurança nos assuntos sentimentais.

Uma bela venda: Alguma coisa boa acontecerá.

Uma venda de vestidos: Tudo será maravilhoso.

Uma venda para homens: Ficará desalentado.

Uma venda de linho: Fracasso dos negócios alheios.

Uma venda de *lingerie*: Grande êxito.

Uma venda de gêneros alimentícios: Ruína de outras pessoas.

Uma venda incendiada: Perda das posses.

Uma venda para crianças: Receberá boas notícias.

Uma venda bem sortida: Aumento da família.

Uma venda realizada em público: Você está sob o poder de pessoas falsas.

Uma venda realizada particularmente: Fará bons negócios.
Comprar coisas em uma venda pública: Mudança para melhor.

VENDAR

Uma mulher vendada: Causará decepção aos outros.
Um homem vendado: Enviuvará.
Estar entre pessoas vendadas: Perseguição de um amigo.
Outras pessoas vendadas: Terá a consciência perturbada.

VENDEDOR

Ser um vendedor: Você se sairá bem nos negócios.
Um vendedor que lhe vende algo: Bons tempos estão chegando.
Outras pessoas comprando com um vendedor: O êxito virá mais tarde.
Um amigo que é vendedor: Será enganado pelos amigos.

VENDEDOR AMBULANTE

Um vendedor ambulante: Os negócios estão em grande expansão.
Encontrar um vendedor ambulante: Bons empreendimentos nos negócios.
Falar com um vendedor ambulante: Doença.
Ser um vendedor ambulante: Receberá tristes notícias.
Ignorar um vendedor ambulante: Você é prepotente demais.
Mandar embora um vendedor ambulante: Doença de amigos.
Muitos vendedores ambulantes: Você tem companhias falsas.

VENDEDOR DE CHAPÉUS

Um vendedor de chapéus: Você é muito vaidoso.
Ser um vendedor de chapéus: O dinheiro lhe vem com facilidade.
Um vendedor de chapéus fazendo uma venda: Logo terá dinheiro.

VENDER

Vender: Ganhará dinheiro.
Vender artigos de aço: Cairá em desgraça.
Vender pequenas quantidades de mercadorias: Fartura e riqueza.
Vender leite e queijo: Fortuna inesperada.
Vender fumo: Terá muitas preocupações.
Vender sua propriedade: Mudança de ambiente.
Vender mercadoria: Dignidade e distinção.
Outras pessoas que vendem coisas: Inimizade secreta de alguém contra você.
Vender artigos mecânicos: Infelicidade.
Vender propriedades: Doença.
Vender jóias: Será amado.
Vender um negócio: Haverá discussões em família.

VENDIDO

Ter vendido alguma coisa: Você foi enganado.
Ter vendido seus pertences: Infelicidade e inquietação.
Ter vendido por preço baixo demais: Será grande seu arrependimento.
Um homem pobre que vendeu por preço baixo demais a um homem rico: Terá mais dinheiro.

VENENO

Veneno: Não será levado em conta pelos demais.
Você próprio tomando veneno: Contrairá uma doença.
Outras pessoas que tomam veneno: Encontrará oposição.
Dar veneno a alguém: Separação referente a uma pessoa que você ama.
Jogar veneno fora: Êxito, a despeito de todos os obstáculos.
Morrer após tomar veneno: Cuidado ao dar crédito ou emprestar dinheiro.
Amigos que tomam veneno: Não especule no mercado de valores.
Restabelecer-se dos efeitos de um veneno: As dificuldades serão superadas.
Envenenar a bebida de alguém: Desonestidade de uma pessoa em quem você confia.
Comprar arsênico: Terá uma contrariedade.
Tomar arsênico: Contrairá uma doença contagiosa.

VENTANIA

Uma ventania: Ganhos financeiros.
Estar em uma ventania: Êxito rápido na concretização de suas esperanças.
Estar em um navio durante uma ventania: Realizará altas ambições.
Estar em uma pequena embarcação durante uma ventania: Dificuldades financeiras e prejuízos.

VENTO

Um vento forte: A felicidade está assegurada.
Velejar com vento: Atividade incansável seguida de êxito.
Caminhar a favor do vento: Recursos abundantes.
Caminhar contra o vento: Será enganado pelos amigos.
O vento que não sopra: Mudança para melhor.
O vento jogando o seu chapéu para longe: A situação melhorará no futuro.
O vento fazendo o guarda-chuva virar pelo avesso: Alegria.
Um navio lutando contra o vento: Descobrirá um segredo.
O vento arrebatando a vela de uma embarcação: Dificuldades pela frente.
O vento que afunda ou destrói uma embarcação: O dinheiro virá com facilidade.

VENTOSA

Esse vaso de vidro ou metal aplicado sobre a pele para tirar sangue: Você se restabelecerá rapidamente.

Aplicar ventosa nos ombros: Praticará a usura.

Aplicar ventosa em animais: Aumento nos lucros.

VÊNUS

Vênus: Desfrutará de muita segurança no amor.

Casar-se com Vênus: Será respeitado e amado por todos.

Ver uma estátua de Vênus: Riqueza proporcional às dimensões da estátua.

Uma imagem nua de Vênus: Receberá um grande legado.

VERÃO

O verão, durante essa estação: Terá uma colheita muito boa.

O verão, durante a primavera: Precisa pensar muito bem nas coisas.

O verão, durante o outono: Procure evitar maus amigos.

O verão, durante o inverno: Felicidade na família.

VERÃO, CASA DE

Uma casa de verão: Perspectivas agradáveis para o futuro.

Comprar uma casa de verão: Boas esperanças.

Construir uma casa de verão: Honras e proveito.

Viver em uma casa de verão: Pequena sorte.

Vender uma casa de verão: Mudanças em seus negócios.

Pessoas que vêm à sua casa de verão: Grande riqueza.

VERDADE

Dizer a verdade: Escute o conselho de amigos.

Gente que não lhe diz a verdade: Você está com a consciência pesada.

Marido e mulher que não dizem a verdade um ao outro: Um amigo irá para a prisão.

Dizer a verdade aos filhos: Boa sorte.

Ensinar os filhos a dizer a verdade: Alegria.

VERDE

A cor verde: Boa sorte nos assuntos amorosos.

Materiais de qualquer tipo, na cor verde: Recursos abundantes.

Comprar roupas de cor verde: Ganhos financeiros.

VEREADOR

Ser um vereador: Enfrentará obstáculos insuperáveis.

Lidar com um vereador: Fará melhorias na propriedade imobiliária que possui.

Estar em companhia de um vereador: Não especule.

Outras pessoas em companhia de um vereador: Cuidado com amigos invejosos.

VEREDICTO

Ouvir os jurados darem um veredicto: Ganhará uma questão.

Ouvir um veredicto contra você: Prepare-se para uma viagem apressada.

O júri que decide o veredicto: Sentirá fome.

Ser um jurado e decidir um veredicto: Arranjará dinheiro com um amigo.

VERIFICAR

Verificar números: Necessidades criarão inimigos.

Verificar contas dos negócios: Desfrutará de felicidade no futuro.

Verificar o comportamento da esposa: Você pratica o mal com uma pessoa inocente.

Verificar o comportamento do marido: Não está à altura do marido leal que tem.

VERME

Verme: Será vítima de intriga.

Destruir vermes: Terá dinheiro.

Outras pessoas que matam vermes: Irá para a prisão.

Vermes nas plantas: Receberá dinheiro inesperado.

Vermes no próprio corpo: Grande riqueza.

Vermes no corpo dos filhos: Risco de uma doença infecciosa.

VERMELHÃO

Um vermelhão: Fique com seu trabalho e empreendimento.

Ter um vermelhão: Evitará prejuízos.

Matar um vermelhão: Você está diante de obstáculos insuperáveis.

VERMELHO

A cor vermelha: Aviso de brigas com um amigo.

Materiais de qualquer tipo na cor vermelha: Infortúnio.

Comprar roupas vermelhas: Receberá uma carta triste.

VERMUTE

Vermute: Logo terá muita dor no corpo.

Comprar vermute: Sofrerá humilhação.

Tomar vermute: Precisa economizar os rendimentos.

Vender vermute: Sofrerá constrangimento e humilhação.

Dar um presente feito com vermute: Uma pessoa estúpida causará aborrecimento.

VERRUGAS

Verrugas: Você está cercado por inimigos.

Ter verrugas: Fofocas.

Ter verrugas no corpo: Sua reputação será abalada por seus atos.

Ter muitas verrugas nas mãos: Muito dinheiro virá a você.

Outras pessoas com verrugas nas mãos: Amigos ricos.

VERSO

Verso: Uma pessoa estúpida está causando aborrecimento.

Ler versos: Obterá êxito em seus planos.

Fazer versos: Não obterá êxito, se trabalhar sozinho.

Ler versículos da *Bíblia*: Felicidade no casamento.

Versos lidos em voz alta por outras pessoas: Felicidade na família.

VESPA

Uma vespa: Oposição.

Um enxame de vespas: Terá muita tristeza.

Ser picado por uma vespa: Prejuízos e oposição.

A vespa mestra de um enxame: Fofocas de pessoas invejosas.

Parentes picados por uma vespa: Você tem inimigos entre aqueles em quem confia.

Filhos picados por uma vespa: Uma injustiça sera cometida contra você.

VESPÕES (marimbondos-caçadores)

Um vespão: Tii ınfo sobre os inimigos.

Muitos vespões: Um rivaı procurará prejudicá-lo por despeito.

Matar um vespão: Esteja atento aos amigos.

Outras pessoas que matam vespões: Alegria.

VESTIDO

Receber um belo vestido: Será ajudada por um homem desconhecido.

Comprar um vestido novo: Saúde e felicidade.

Mudar de vestido: Sofrerá por sua própria insensatez.

Ter um vestido próprio para a noite, audacioso e de diversas cores: Você tem muitas amizades.

Usar um vestido audacioso, próprio para a noite: Doença.

Um belo vestido: As preocupações por dinheiro terminarão em breve.

Um vestido bordado: Receberá favores de uma pessoa desconhecida.

Ter belos vestidos: Obterá êxito em seus esforços.

Vestidos simples: Obterá êxito no amor.

Vestido de diversas cores: Conhecerá uma bela pessoa.

Um vestido de se usar em casa: Você e muito negligente.

Vestidos escuros: Ganhos financeiros.

Um vestido de luto: A morte de um parente.

Usar um vestido barato: Sera importunada pelas amizades no futuro.

Outras pessoas usando vestidos próprios para a noite: Vergonha e tristeza.
Um vestido justo: Doença.
Um vestido grande demais: Terá um bom emprego.
Usar um vestido rasgado: Você não percebe a boa sorte.
Consertar um vestido rasgado: Está menosprezando seus inimigos.
Desejar rasgar um vestido: Êxito nos assuntos sentimentais.
Rasgar um vestido: Sua sorte corre perigo.
Outras pessoas rasgando os vestidos: Receberá ajuda de uma pessoa amiga.
Manchar um vestido: As pessoas falam de você.
Lavar um vestido: Será uma boa esposa.
Vestido sem a parte dos botões: Será desprezada pelos amigos.
Um vestido sujo: As amizades a incriminarão.
Estar malvestida: Aviso de dificuldades.
Vestido fora de moda: Perigo relacionado a fogo.
Vestidos de pessoas idosas: Comparecerá a um batismo.
O hábito de uma freira: Receberá grandes honrarias.
Perder um vestido: Você conta demais com favores.
Um vestido largo: Será enganada pelos amigos.
Uma mulher grávida usando um vestido largo: Sorte e prosperidade.
Roubar um vestido: Êxito em suas iniciativas.
Um guarda-roupa cheio de vestidos: Gosto constante nas atividades sociais.
Um guarda-roupa sem vestidos: Brigas de família.
Ver um vestido azul-claro: Promoção no emprego.
Um vestido azul-marinho: Um infortúnio será evitado.
Despir-se de um vestido azul: Desdém insensato pelo perigo.
Possuir um vestido negro: Alegria.
Usar um vestido negro: Um casamento será realizado em breve.
Usar um vestido negro em um funeral: Segurança.
Despir-se de um vestido negro: Miséria.
Usar um vestido de seda negra: Receberá o que deseja.
Um vestido marrom: Ocupará alta posição social.
Um vestido dourado: Logo será muito rica.
Usar um vestido com enfeite de ouro: Honra e alegria.
Usar um vestido com enfeite de ouro e peles: Abundância de dinheiro.
Um vestido verde: Conte com grande sorte.
Um vestido cinzento: Receberá uma carta com boas notícias.

Um vestido na cor da malva: Infelicidade.
Um vestido roxo-claro: Êxito glorioso.
Um vestido púrpura: Morte de uma pessoa amiga.
Um vestido vermelho: Será respeitada.
Despir-se de um vestido vermelho: Perderá a calma.
Um vestido na cor do bronze: Ganhos financeiros.
Um vestido branco: Felicidade.
Usar um vestido branco: Grande sorte.
Ter um vestido de seda branca: Alegria.
Usar um vestido amarelo: Sorte e honra.
Despir um vestido amarelo: Inveja e ciúme.
Usar à noite um belo vestido de ficar em casa: Infortúnio nos assuntos sentimentais.
Um vestido em mau estado: Sua situação vai melhorar.
Um vestido de usar em casa rasgado: Sorte e prosperidade.
O vestido de usar em casa que é puxado, deixando você nua: Recursos abundantes.
Ter um vestido de cauda comprida: Infelicidade.
Alguém que pisa na cauda de seu vestido: Novo romance.

VÉU

Um véu: Mistério e modéstia.
Ter um véu: Você está escondendo alguma coisa.
Abrir um véu ou dobrá-lo: Circunstâncias favoráveis.
Usar um véu: Você age em segredo.
Perder um véu: Perderá seu amor.
Um véu de noiva: Boas perspectivas de grande felicidade.
Uma mulher que usa véu: Cuidado com orientação falsa.
Arrumar um véu em sua cabeça: Será enganada.
Um véu sobre pessoa morta: Comparecerá a um casamento.

VEXAR

Causar vexame: Será enganado por alguém em quem confiou.
Ser constrangido: Prosperidade.
Constranger outras pessoas: Bons resultados em tudo.
Filhos que causam vexames: Melhore a situação por meio de atividades corretas.

VIAGEM

Estar em uma viagem: Receberá herança.
Fazer uma viagem: Em breve receberá uma mensagem de um lugar distante.
Fazer uma viagem sozinho: Bons tempos estão chegando.
Viajar com a família: Evitará a infelicidade.
Fazer uma viagem com a família a outros países: Sorte.
Estar em uma viagem a outro país: Reflita sobre seus atos.

Fazer uma viagem com o namorado: Fofocas.
Viajar com um amigo: Alguém o engana.
Viajar com companheiros de negócios: Decepções em todos os setores.
Viajar com outras pessoas: Brigas entre amigos.
Viajar num navio a vapor: Harmonia entre amigos.
Viajar de trem: Pense antes de agir.
Viajar de avião: Brigas em família.
Viajar de carruagem: Desfrutará de grande fortuna.
Viajar de automóvel: Felicidade e amor familiar.
Viajar a cavalo: Fará negócios com pessoas obstinadas.
Viajar a pé: Enfrentará trabalho pesado.
Viajar de sua cidade para outra: Pequeno êxito.
Viajar de outra cidade para a sua: O êxito depende do trabalho esforçado.
Viajar armado: Logo encontrará uma esposa.
Viajar com uma espada ao lado: Logo se casará.

VIAJANTE
Um viajante: Trabalho agradável e boas notícias.
Encontrar um viajante solitário no caminho: Fará novas amizades.
Estar em companhia de um viajante: Fracasso dos inimigos.
Outras pessoas em companhia de um viajante: Um mistério será solucionado.

VIAJAR (da cidade para o subúrbio ou vice-versa)
Uma mulher casada que viaja de uma cidade para o subúrbio ou vice-versa: Alguém com má intenção a observa.
Uma mulher solteira que viaja de uma cidade para o subúrbio: A felicidade está assegurada.
Um homem casado que viaja de uma cidade para o subúrbio: Você está sendo enganado.
Um homem solteiro que viaja de uma cidade para o subúrbio: Há um amigo falso por perto.

VIBRATO
Cantar em *vibrato*: Satisfação dos desejos.
Um tenor ou soprano cantando em *vibrato*: Desentendimentos.
Dar lições em *vibrato*: Trabalho agradável e boas notícias.

VICE
Um vice-presidente ou vice-governador: Terá muitas atividades sob controle.

VIDA SAUDÁVEL
Melhorar a saúde por meio de exercícios: Ocupará uma boa posição na vida.

Fazer exercícios para ter saúde: Você é ativo demais em seus interesses.
Ensinar os filhos a levar uma vida saudável: Felicidade.
Recomendar uma vida saudável: Cuidado, está comendo muito.

VIDRO
Um vidro: Sorte e prosperidade.
Cortar vidro: Adiamento de um casamento.
Quebrar um espelho: Morte causada por um acidente.
Quebrar o vidro de uma janela: Enfrentará dificuldades.
Pintar vidros de uma janela: Sua felicidade corre perigo.
Mudar um vidro de janela: Poderá ir para a prisão.
Uma fábrica de vidro: Terá fortuna.
Estar em companhia de uma mulher que negocia com vidro: Felicidade.

VIDRO (recipiente)
Um vidro cheio de perfume: Desfrutará de muita felicidade.
Um vidro de perfume vazio: Derrocada nos assuntos sentimentais.

VIGA
Uma viga de madeira: Ocorrerá uma mudança de ambiente.
Uma viga de madeira muito pesada: Terá um encargo a suportar.
Uma viga leve de madeira: Receberá recompensa bem merecida.
Uma viga de aço: Logo receberá dinheiro.

VIGÁRIO
Um vigário: Honra e dignidade.
Conversar com o vigário de uma igreja: Pessoas o deixarão irritado.
Receber bênçãos de um vigário: Terá vida longa.
Ser um vigário: Passará por altos e baixos.

VIGARISTA
Um vigarista: Você é uma pessoa muito cortês.
Ser um vigarista: Você está prestando serviços com tranqüilidade demais.
Ser ludibriado: Desfrutará de boa sorte.
Ludibriar outras pessoas: Cuidado com os amigos.
Ter um vigarista como sócio: Você é muito idealista.

VIGIA
Um vigia: Você tem a proteção de alguém que o ama em silêncio.
Um vigia em patrulha: Você conta demais com favores.
Um vigia de banco: Você tem um coração muito bondoso.
Um vigia de jardim público: Infelicidade.
Um animal de guarda: Honra.
Diversos vigias: A amizade está por perto.

Ser um vigia: Será salvo de um perigo.
Ser um vigia noturno: Infelicidade.
Ser um vigia diurno: Será perseguido.
Ser um vigia que prende um ladrão: Será enganado.
Ser levado por um vigia: Segurança.
Golpear um vigia: Vida feliz.

VIGÍLIA

Estar de vigília: Você tem muitas coisas em que pensar.
Fazer longa vigília: Esperanças postergadas.
Outras pessoas que fazem vigília por você: Riqueza.
Fazer vigília com pessoa enferma: Satisfará todos os desejos.
Fazer vigília por uma pessoa morta: Será feliz.

VIGOROSO

Ser vigoroso: Não terá de preocupar-se com perigos.
Ter um intenso caso de amor: Riqueza.
Uma mulher vigorosa: Prazeres que poderão terminar em casamento.
Um homem vigoroso: Amor volúvel por moças.

VILA

Uma vila: Enfrentará trabalho pesado.
Diversas vilas a distância: Mudança em sua situação.
Vilas distantes e iluminadas pelo luar: Mudanças para melhor.
Uma vila incendiada: Fará uma peregrinação.
A vila onde você mora: Condições melhores no futuro.

VILÃO

Um vilão: Sorte.
Uma vilã: Amor.
Muitos vilões cometendo transgressões: Receberá carta da pessoa amada.
Ser um vilão: Terá bons vizinhos.

VINAGRE

Vinagre: O trabalho trará resultados posteriormente.
Beber vinagre: Discórdia em família.
Vinagre de má qualidade: Doença.
Vinagre fresco: Manterá a saúde tomando cuidado.
Entornar vinagre: Perda de um amigo.
Vinagre branco: Possibilidade de ruína.
Vinagre vermelho: Será insultado.
Fazer vinagre com um bom vinho: Enfrentará uma luta judicial.
Cozinhar com vinagre: Desastre em sua indústria.

Fazer molho de vinagre para uma salada: Participará de uma orgia.
Fazer picles: Os negócios chegarão a um impasse.
Comer alimentos preparados com vinagre: Pobreza.
Comprar vinagre: Abundância.

VINHEDO

Um vinhedo: Ganhos com especulação.
Ter um vinhedo grande: Abundância.
Caminhar por um vinhedo: Prosperidade.
Verificar o estado de um vinhedo: Cuidado com as fofocas.

VINHO

Uma casa de vinhos: Prestará ajuda financeira a outras pessoas.
Tomar vinho: Receberá muitas coisas boas.
Tomar vinho branco: Felicidade.
Tomar vinho tinto: Você se embriagará.
Tomar vinho quase negro: Sorte e satisfação.
Tomar vinho embaciado: Lucro.
Tomar vinho moscatel: Altas honrarias ou noivado em breve.
Tomar vinho de Chipre: Saúde.
Tomar vinho feito de frutinhas silvestres: Fracasso dos inimigos.
Entornar vinho: Alguém será ferido e perderá muito sangue.
Entornar vinho tinto sobre toalha de mesa: Desastre.
Comprar vinho: Terá um novo emprego.
Vender vinho: Cuidado com a traição.
Receber vinho de presente: A decepção é certa.
Fazer vinho: Bons resultados em todos os setores.
Embriagar-se com vinho: Grande êxito.

VINTÉM

Ganhar um vintém: Prejuízos nos negócios.
Dar um vintém a outros: As preocupações se dissiparão.

VIOLÃO

Tocar violão: Terá poucos prazeres na vida.
Ouvir um violão sendo tocado: Terá vida vigorosa até à morte.
Gostar de ouvir uma música ao violão: Amor e alegria.
Música de violão que é interrompida: Será enganado por amigos.
Moça sonhando que ouve um violão: Será tentada por meio da lisonja.

VIOLÊNCIA

Violência cometida com alguém: Participará de festas com os amigos.
Você cometendo violência: Melhores dias virão.
Ser atacado com violência: Sinal de alegria.

Marido ou mulher agindo com violência: Infidelidade.

VIOLETAS

Usar violetas: Modéstia.

Colher violetas: Será feliz no casamento.

Fazer um buquê de violetas: Castidade.

Ter violetas duplas: Altas honrarias.

Violetas fora da estação: Perda de amigos.

Ter violetas na estação: Êxito e felicidade em tudo.

Comprar violeta: Enfrentará uma ação judicial.

Receber violetas de uma pessoa que você ama: Será muito feliz no amor.

VIOLINO

Um violino: Haverá tristeza em breve.

Tocar um violino: Felicidade no casamento.

Tocar violino em um concerto: Consolo.

Tocar violino estando só: Comparecerá a um funeral.

Ouvir a música suave de um violino: Felicidade no lar.

Outras pessoas tocando violino: Alegria.

Partir uma corda de violino: Brigas.

Tocar um *cello*: Felicidade no casamento.

Um violino quebrado: Infortúnio.

VIRAR DE PERNAS PARA O AR

Capotar com um automóvel ou caminhão: Pequena perda de dinheiro.

Objetos virados de pernas para o ar: Grande alegria.

Filhos que viram de pernas para o ar enquanto brincam: Abundância de dinheiro.

Uma mulher que vira de pernas para o ar ao montar um cavalo: O casamento não durará muito tempo.

Homem sonhando que vira de pernas para o ar ao montar um cavalo: Morte de um animal.

Virar um inimigo de pernas para o ar: Honrarias e distinção.

VIRGEM

Abraçar uma virgem: Grande felicidade.

Ser apresentado a uma virgem: Prazeres sem segredos.

Segurar uma virgem: Alegria.

Raptar uma virgem: Prisão.

A imagem de uma virgem: Ameaça de dificuldades.

Compreender que uma pessoa não é virgem: Muito pesar.

Conhecer uma virgem com muitos namorados: Fique atento e não confie nos amigos.

Falar com a Santa Virgem: Consolo.

Uma pessoa doente, sonhando com a Santa Virgem: Restabelecimento completo da saúde.

VIRTUDE

Virtude: Você está andando em má companhia.

Ser uma pessoa virtuosa: Muitos inimigos estão por perto.

Filhos virtuosos: Não dê ouvidos a mentiras.

Ter amigos virtuosos: Cairá em armadilhas.

Marido e mulher virtuosos: Ficará em uma situação difícil.

VISÃO (sentido)

Visão: Horror e susto.

Ter a visão da imagem de alguém: Perigo para a pessoa que aparecer a você.

Uma visão linda e encantadora: Muito afortunado para uma pessoa enamorada.

Uma visão imaginária: É certo que o êxito virá.

VISCO (planta)

O visco: Será bem-sucedido.

Colher visco: Receberá dinheiro inesperadamente.

Receber visco de alguém: Felicidade.

Dar visco a outras pessoas: Boa sorte e prosperidade.

VISITA

Fazer uma visita: Obstáculos em seus planos.

Visitar os parentes: Estará sujeito a desconfianças.

Uma pessoa amiga que visita você: Sofrerá prejuízos nos negócios.

Um médico que o visita: Terá vantagens sobre outras pessoas.

Visitar os amigos: Sua situação não é boa.

Diversos amigos visitando você: Receberá boas notícias sem demora.

Retribuir uma visita: Enfrentará ação judicial.

Receber visitas comerciais: Terá tristeza que será causa de lágrimas.

VISITANTES

Visitantes: Receberá ajuda de um amigo.

Receber visitantes: Chegada de um amigo.

Muitos visitantes: Será auxiliado por amigos.

Ser um visitante: Terá boa sorte.

Lidar com um visitante: Doença.

VISON (pele de animal)

Um *vison*: Recursos abundantes.

Um casaco de *vison*: Alegria sem ganho.

Comprar um casaco de *vison*: Seu marido a engana.

Receber de presente um casaco de *vison*: Em breve ocorrerá uma mudança na sua vida.

Outras pessoas usando casacos de *vison*: Você está sob o poder de pessoas falsas.

Parentes usando casacos de *vison*: Brigas de família.
Vender um casaco de *vison*: Terá outro marido, que será melhor.
Usar um chapéu de *vison*: Perderá o namorado para rival.

VISTA
Uma bela vista: Todos os desejos serão realizados.
Uma bela vista a distância: Bons resultados nos empreendimentos.
Uma vista que não é nítida: Não terá êxito nos seus interesses e sofrerá miséria.
Perder algo de vista: Morte de um parente
Ver casas e árvores: Perda de fé.

VITÓRIA
Vitória: Infelicidade.
Obter a vitória sobre alguém: Riqueza e honraria.
Uma vitória militar: As pessoas estão rindo de você.
Uma vitória política: Aumento dos impostos.
Ser membro de uma equipe vitoriosa: Não tome partido em brigas alheias.

VITUPERAR (afrontar)
Ser vituperado: As questões comerciais correrão muito mal.
Vituperar outras pessoas: Outros tirarão vantagens de você.
Vituperar os filhos: Êxito nos assuntos sentimentais.
Amigos que vituperam você: Aviso de dificuldades.

VIÚVA
Uma viúva: Logo receberá notícias felizes.
Mulher sonhando que é viúva: Alegria e riqueza.
Uma viúva que se casa: Você chegou ao último recurso.
Uma viúva que se casa com um homem rico e idoso: A felicidade está assegurada.
Uma viúva que se casa com um homem jovem: Infortúnio nos assuntos amorosos.
Uma viúva rica que se casa com um homem pobre: Obstáculos insuperáveis pela frente.
Uma viúva que se casa com um parente distante: Mudança de ambiente.

VIÚVO
Um viúvo: Harmonia entre amigos.
Um viúvo que se casa com uma mulher de sua idade: Realização de altas ambições.
Um viúvo idoso que se casa com uma moça: Será culpado por sua insensatez.
Um viúvo que se casa com uma cunhada: Um inimigo trama sua ruína.
Um viúvo que se casa com uma mulher rica: Sentirá tristezas.
Um viúvo casando-se com uma viúva jovem: Terá muitas coisas sob controle.
Continuar viúvo: Novos interesses e prazeres.

VÍVERES

Servir alimento aos outros: Prazer nas atividades sociais.

Alimento que é servido a você: Boa sorte.

Fornecer alimentos a hotéis e restaurantes: Riqueza.

Comer muitos alimentos: Perda de negócios.

VIVO

Estar vivo: Receberá a culpa por transgressões.

Ser queimado vivo: Fará maus negócios financeiros.

Ser sepultado vivo: Infelicidade.

Estar vivo à custa dos outros: Faltará dinheiro.

Filhos vivos: Dias felizes pela frente.

VIZINHO

Um vizinho: Infortúnio nos negócios.

Seus vizinhos: Infortúnio no amor.

Travar conhecimento com os vizinhos: Brigas de família.

Dar-se com os vizinhos: Sofrerá embaraços.

Tornar-se muito amigo dos vizinhos: Perda de dinheiro.

VOAR

Voar: Trabalho agradável e boas notícias.

Voar a grande altitude: Grande sorte

Voar a baixa altura: Ficará arruinado.

Um avião voando com dificuldades: Prejuízos nos investimentos.

Ser um aviador: Os planos ambiciosos talvez estejam além de seu poder de realizá-los.

Voar em um aeroplano: Especulação proveitosa.

Outras pessoas voando: Cuidado com traição.

Possuir um aeroplano: Êxito em todos os empreendimentos.

VOAR AO SABOR DO VENTO

Voar ao sabor do vento, sem asas: Pequeno vexame.

Outras pessoas que voam ao sabor do vento: Alguém manifestará reconhecimento.

Parentes que voam ao sabor do vento: Vida longa.

Inimigos que voam ao sabor do vento: Perda de amigos.

VOLEIBOL

Uma bola de voleibol: Terá de fazer esforço para controlar-se.

Jogar voleibol: Você cuida de suas obrigações em casa.

VOLUNTÁRIO

Um voluntário: Estará nas Forças Armadas em breve.

Ser um voluntário: Perderá a vida em uma batalha.

Filhos que são voluntários: Dinheiro chegando.

Voluntários estrangeiros: Felicidade em família.

VOMITAR

Vomitar: Grandes acontecimentos.
Pessoa pobre sonhando que vomita sangue: Lucros.
Pessoa rica sonhando que vomita sangue: Sofrerá ferimento.
Vomitar vinho: Perda em negócios imobiliários.
Vomitar após tomar bebida alcoólica: Gastará com facilidade o dinheiro ganho no jogo.
Vomitar comida: Sua reputação será abalada.
Outras pessoas vomitando: Pedirá ajuda a alguém.

VONTADE DE RIR

Hilaridade: Aguarde dificuldades na vida doméstica.
Sentir grande vontade de rir: Sofrerá por sua própria insensatez.
Outras pessoas com vontade de rir: Aviso de dificuldades.

VOTAR

Votar: Você precisa estar em paz consigo mesmo para realizar seus desejos.
Dar um voto: Será favorecido pela sorte.
Votar em alguém que conhece: As esperanças se concretizarão.
Votar para cargos políticos: Receberá boas notícias.
Votar em pessoas para cargos de igreja: Virtude e bênçãos de Deus.

VOTO

Fazer um voto: Você precisa ter grande cuidado em relação a seus interesses.
Quebrar um voto: Má sorte para a família.
Fazer um voto religioso: Sofrerá um grande desastre.
Família que faz um voto: Morte na família.
Uma urna de votos: O ambiente em que está não é bom.
Votar: Haverá uma mudança de companhia.
Outras pessoas que votam: Derrota nas questões sociais.
Abrir uma urna de votos: Ocorrerá uma mudança para melhor.

VOZ

Ouvir uma voz conhecida: Aceite os bons conselhos dos amigos.
Ouvir uma voz que lhe fala: Encontrará oposição nos negócios.
Ouvir diversas vozes ao mesmo tempo: Reveses nos negócios.
Ouvir vozes satisfeitas: Terá muitas preocupações.

VULCÃO

Um vulcão: Receberá ótimas notícias.
Um vulcão em erupção: Ocorrerão fatos sobre os quais você não tem controle.

Homem sonhando com um vulcão: Ele tem criados desonestos.
Mulher sonhando com um vulcão: Perturbações na família e brigas de amantes.
Amantes que sonham com um vulcão: Engano e intrigas por parte de um deles.

VULGAR

Ser vulgar: Parecerá ridículo a outras pessoas.
Outras pessoas que são vulgares: Travará conhecimentos desagradáveis.
Ouvir conversa vulgar: Fará amizade com pessoa bem conhecida.
Falar de modo vulgar com outras pessoas: Poderá contar com a concretização das esperanças.
Amigos que se mostram vulgares: Desfrutará da felicidade no futuro.

X

XADREZ (jogo)
Jogar xadrez: Haverá dificuldades em seu caminho.
Outras pessoas jogando xadrez: A sorte dependerá dos resultados da partida.
Vencer uma partida de xadrez: Dinheiro chegando.
Perder uma partida de xadrez: Dificuldades pela frente.

XALE
Um xale: Alguém será cruel com você.
Usar um xale: Terá êxito no amor.
Comprar um xale: Receberá a visita de um médico.
Usar xale bordado dado a você de presente: Fofocas sem fundamento a seu respeito.
Parentes usando xale: Irá a uma câmara mortuária.
Amigas usando xale: Precisa dar mais atenção aos negócios.
Pessoas pobres usando xale: Amigos tramam contra você.
Jovens usando xale: Você está cercado por pessoas que sabem falar depressa.
Um xale grande e branco: Dureza e virtude.
Um xale negro: Pesar.
Um xale vermelho: Você não tem grande cuidado com suas afeições.
Xales de outras cores: As coisas transcorrerão sem tropeços.
Dar um xale de presente: Terá grande afeição de alguém a quem ama.

XAROPE
Xarope: Sofrerá humilhação e vergonha.
Comprar xarope: Cuidado com os ladrões.
Fazer xarope: Cuidado com os inimigos.
Pôr xarope na comida: As atividades comerciais entrarão em grande confusão.
Pôr xarope na comida dos filhos: Fará boa coleta em dinheiro.

XENOFOBIA (aversão a estrangeiros)

Ter xenofobia: Felicidade.

Não gostar de estrangeiros: Brigas de família.

Insultar um estrangeiro: Um mistério será solucionado.

Deportar um estrangeiro: Perda de um amigo leal.

XEQUE

Mulher sonhando com um xeque: Será pedida em casamento.

Homem sonhando com um xeque: Terá de consultar um médico.

Xeque dirigindo sua tribo: Tempos difíceis estão chegando.

Visitar um xeque na companhia de alguém a quem ama: Poupe enquanto pode.

XÍCARA

Beber em uma xícara: Bons tempos a caminho.

Ter uma xícara vazia: Sentirá tristeza.

Quebrar uma xícara: Morte de um inimigo.

Ter uma xícara sofisticada: Sorte nos assuntos sentimentais.

Beber em uma xícara de ouro: Melhoria em relação a seus interesses.

Receber uma xícara de presente: Você tem amigos fiéis.

XILOFONE

Um xilofone: Receberá notícias boas e importantes.

Tocar xilofone: Evite os rivais.

Amigos tocando xilofone: Será enganado pelos amigos.

Ouvir um músico que toca xilofone: Ganhos financeiros.

XINGAR

Xingar: Cuidado com o que faz.

Ser xingado: Receberá más notícias.

Outras pessoas xingando: Será incriminado por seus atos.

Parentes xingando: Receberá notícias desagradáveis.

Z

ZEBRA

Uma zebra: Viajará muito pelo exterior.

Uma zebra em um jardim zoológico: Cuide das amizades.

Uma zebra com o filhote: Desentendimentos com amigos.

Uma zebra atacada por animais selvagens: Sua honra corre perigo.

Uma zebra sendo alimentada no jardim zoológico: Ingratidão.

ZÉFIRO (vento do oeste, aragem)

Sentir uma brisa leve e suave: Será insultado por um homem mal-educado.

Estar no bosque e sentir um vento leve, vindo do oeste: Modéstia.

ZELADOR

O zelador de uma reserva animal: Ganhos financeiros.

O zelador de um jardim público: Perigo nos assuntos sentimentais.

O zelador de uma hospedaria: Perderá o namorado para rival.

O zelador de uma fonte: Ganhos financeiros.

ZELO

Ser uma pessoa zelosa: Perigo e infortúnio.

Não ser zeloso: Uma amizade leal pensa em você.

Outras pessoas que não são zelosas: Falência dos negócios.

Ser incapaz de trabalhar com zelo: Descoberta de um segredo.

ZÊNITE (ponto do céu projetado diretamente acima do observador)

O zênite: Felicidade.

Pessoa solteira sonhando com o zênite: Boa escolha de marido ou esposa.

Pessoa casada sonhando com o zênite: Riqueza incomum.

Pessoa divorciada sonhando com o zênite: Ela se casará com alguém rico.

Viúvo sonhando com o zênite: Nunca mais se casará.

Viúva sonhando com o zênite: Ela se casará com um homem mais jovem.

ZEPELIM

Um dirigível: Suas ambições ultrapassam as possibilidades de concretizá-las.
Estar em um zepelim: Será atacado.
Subir em um zepelim: Será insultado por um homem de pouca educação.
Descer em um zepelim: Receberá boas notícias.
Observar o zepelim que se move devagar: As pessoas estão se intrometendo em sua vida.

ZERO

Um zero: Sofrerá pequena infelicidade.
Zeros duplos: Será traído por um amigo.
Três zeros: Terá grande riqueza.
A chegada da zero hora, a meia-noite: Êxito em todos os empreendimentos.

ZIBELINA (pele de animal)

Ter um casaco de zibelina: Fará uma viagem.
Comprar um casaco de zibelina: Suas amizades são incoerentes.
Vender um casaco de zibelina: Perda de dinheiro.
Fazer uma modificação em um casaco de zibelina: Terá honraria e distinção.
Outras mulheres usando casaco de zibelina: Traição por parte do melhor amigo.
Parentes com casacos de zibelina: Será enganado por amigos.

ZIGUEZAGUE

Ziguezague: Perderá o juízo.
Caminhar em ziguezague: Conseqüência desfavorável pesará sobre os negócios.
Fazer ziguezague com um cavalo: Haverá mudanças nos negócios.
Fazer ziguezague com um automóvel: Seu estado de espírito é muito instável.
Crianças que fazem ziguezague: Bons dias virão.
Amigos que fazem ziguezague: Evite a hesitação ao tomar decisões.

ZIMBRO (planta)

Arbustos ou árvores de zimbro: Alguém falará mal de você.
As frutas do zimbro: Tenha cautela em todos os negócios.
Comer as frutas do zimbro: Aguarde acontecimento importante e muito benéfico.

ZINCO

Zinco: Alcançará êxito por meio de esforços incansáveis.
Manusear zinco: Você participa demais de divertimentos.
Comprar zinco: Seu futuro será construído sobre alicerce sólido.
Comprar objetos feitos de zinco: Evite as especulações em ouro.

Outras pessoas que usam objetos feitos de zinco: Terá um romance de curta duração.

ZIRCÔNIO

Ter um anel de zircônio: Cuide das amizades.
Comprar jóias feitas de zircônio: Será enganado.
Vender uma pedra de zircônio: Não receberá boa compensação.
Outras pessoas que usam jóias de zircônio: Ingratidão de amigos.

ZODÍACO (signos)

Qualquer um dos signos do zodíaco: Terá grande fortuna no futuro.
Seu próprio signo: Ganhará em uma loteria.
O signo dos parentes: Haverá discussões com os parentes.
O signo dos filhos: Será profundamente amado pelos filhos.
O signo da família: Riqueza.

ZOMBAR

Zombarem de você: Cuidado para não ser enganado.
Outras pessoas de quem zombam: Pedirão que ajude outros.
Zombarem dos seus filhos: Não negligencie seus interesses.
Receber zombaria de amigos: Você está sob o poder de pessoas falsas.

ZONA

Uma zona: Terá boas esperanças no futuro.
Sua própria zona: Terá de suportar pequena infelicidade.
A zona de outras pessoas: Sofrerá um acidente.
Uma zona reservada: Alegria sem prazer.
Uma zona militar ou naval: Receberá notícias importantes.

ZULU

Os nativos da Zululândia (atual Kwazulu, África do Sul): Desfrutará de boa saúde.
Conhecer zulus: Terá felicidade por um longo tempo.
Estar cercado por zulus: Escapará de riscos à saúde.
Zulus em sua própria terra: Sua saúde vai melhorar.

ZURRAR (ornejar)

Ouvir um burro zurrar: Receberá a notícia da morte de uma pessoa amiga.
Ouvir muitos burros zurrando: Será visitado por diversos amigos.

Este livro foi composto na tipologia Iowan Old St Bt,
em corpo 8,5/11,5, e impresso em papel
off-set 56g/m² no Sistema Cameron da Divisão
Gráfica da Distribuidora Record.

Você pode adquirir os títulos da [illegible]
pelo Reembolso Postal [illegible]
[illegible]
[illegible]

[illegible]

Tel.: [illegible]
Fax: [illegible]

[illegible]
[illegible]

Caixa Postal [illegible]
Rio de Janeiro [illegible]
CEP [illegible]

[illegible]
www.[illegible].com.br